스스로 학습 강화 시리즈

금자랑 놀자!

중학 역사① 자습서

김형종 • 장문석 • 박범희 • 고재연 • 고진아
김현성 • 우지민 • 이대희 • 맹수용

금성출판사

이 책의 구성과 활용법

중학교 역사 ① 자습서는 2015 개정 교육과정의 성취 목표에 맞추어
교과 역량 향상과 다양한 유형의 평가에 대비할 수 있도록
구성하였습니다.

체계적인
교과서 개념 정리

친절한
교과서 활동 풀이

학교시험에 대비한
문제 풀이와 해설

체계적인 교과서 개념 정리

- 대주제의 학습 계획을 세운 후 나의 목표 달성 정도를 표시하여 부족한 부분을 보충해 보아요.
- 교과서의 핵심 내용을 학습 후, 핵심 자료가 있는 경우 꼼꼼하게 분석합니다. 확인해 봐요로 학습한 내용을 확인해 보아요.

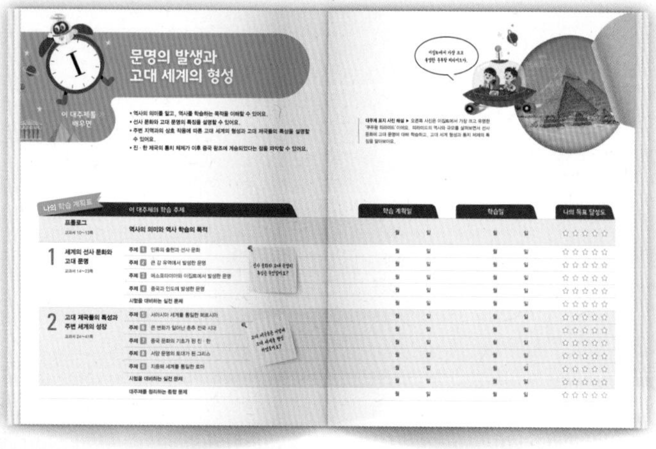

대주제 열기

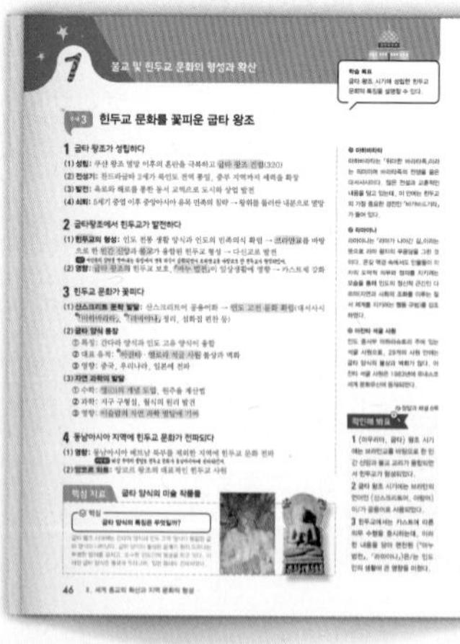

교과서 요점 정리

친절한 교과서 활동 풀이

● 교과서의 다양한 활동에 대한 도움말과 예시 답안을 참고합니다. 활동 도우미를 통해 스스로 활동을 수행해 보아요.

교과서 활동 풀이

교과서 대주제 마무리 풀이

교과서 창의 · 융합 프로젝트 풀이

평가에 대비한 단계별 문제 풀이

● 중주제별 문제와 대주제 마무리를 통해 평가에 대비합니다. 단계별 문제와 서술형 문제를 통해 나의 학습 수준을 점검해 보아요.

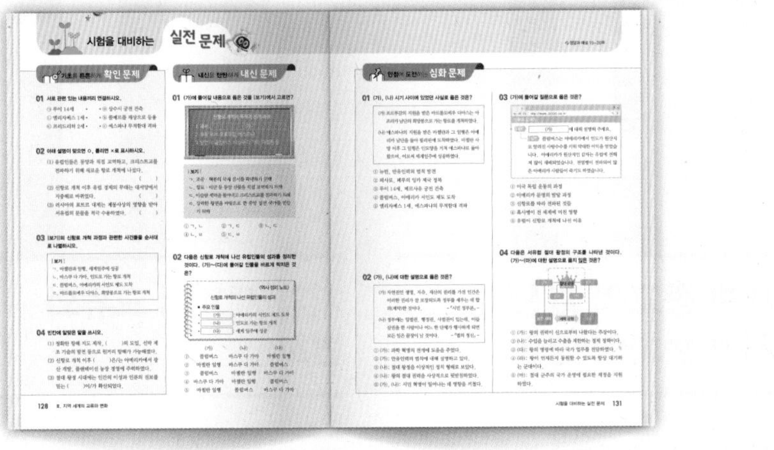

시험을 대비하는 실전 문제

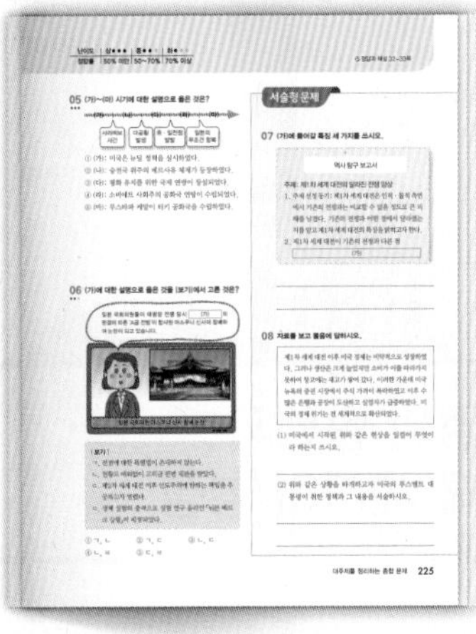

대주제를 정리하는 종합 문제

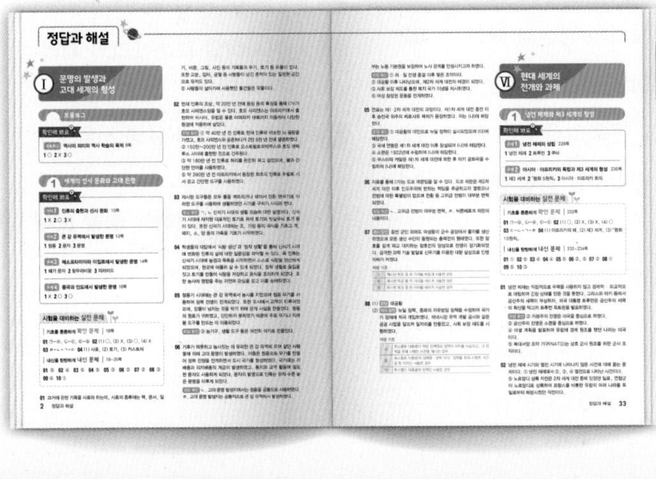

부록 정답과 해설

정답과 오답에 대한 꼼꼼한 해설로 문제 이해력을 높입니다. 이를 통해 문제 이해력을 높이고 유사 문제나 응용 문제에 대비해 보아요.

차례

문명의 발생과 고대 세계의 형성

세계 종교의 확산과 지역 문화의 형성

지역 세계의 교류와 변화

제국주의 침략과 국민 국가 건설 운동

세계 대전과 사회 변동

현대 세계의 전개와 과제

문명의 발생과 고대 세계의 형성

이 대주제를 배우면 »

- 역사의 의미를 알고, 역사를 학습하는 목적을 이해할 수 있어요.
- 선사 문화와 고대 문명의 특징을 설명할 수 있어요.
- 주변 지역과의 상호 작용에 따른 고대 세계의 형성과 고대 제국들의 특성을 설명할 수 있어요.
- 진 · 한 제국의 통치 체제가 이후 중국 왕조에 계승되었다는 점을 파악할 수 있어요.

나의 학습 계획표

	이 대주제의 학습 주제
프롤로그 교과서 10~13쪽	**역사의 의미와 역사 학습의 목적**
1 세계의 선사 문화와 고대 문명 교과서 14~23쪽	**주제 1** 인류의 출현과 선사 문화 **주제 2** 큰 강 유역에서 발생한 문명 **주제 3** 메소포타미아와 이집트에서 발생한 문명 **주제 4** 중국과 인도에 발생한 문명 **시험을 대비하는 실전 문제**
2 고대 제국들의 특성과 주변 세계의 성장 교과서 24~41쪽	**주제 5** 서아시아 세계를 통일한 페르시아 **주제 6** 큰 변화가 일어난 춘추 전국 시대 **주제 7** 중국 문화의 기초가 된 진 · 한 **주제 8** 서양 문명의 토대가 된 그리스 **주제 9** 지중해 세계를 통일한 로마 **시험을 대비하는 실전 문제**
	대주제를 정리하는 종합 문제

선사 문화와 고대 문명의 특징은 무엇일까요?

고대 제국들은 어떻게 고대 세계를 형성하였을까요?

대주제 표지 사진 해설 ▶ 오른쪽 사진은 이집트에서 가장 크고 유명한 '쿠푸왕 피라미드'이에요. 피라미드의 역사와 규모를 살펴보면서 선사 문화에 고대 문명에 대해 학습하고, 고대 세계 형성과 통치 체제의 특징을 알아보아요.

학습 계획일		학습일		나의 목표 달성도
월	일	월	일	☆☆☆☆☆
월	일	월	일	☆☆☆☆☆
월	일	월	일	☆☆☆☆☆
월	일	월	일	☆☆☆☆☆
월	일	월	일	☆☆☆☆☆
월	일	월	일	☆☆☆☆☆
월	일	월	일	☆☆☆☆☆
월	일	월	일	☆☆☆☆☆
월	일	월	일	☆☆☆☆☆
월	일	월	일	☆☆☆☆☆
월	일	월	일	☆☆☆☆☆
월	일	월	일	☆☆☆☆☆
월	일	월	일	☆☆☆☆☆

프롤로그 역사의 의미와 역사 학습의 목적

학습 목표
역사의 의미와 역사 학습의 목적을 설명할 수 있다.

프롤로그 역사의 의미와 역사 학습의 목적

1 역사의 의미

(1) 역사: 과거에 일어난 사실과 과거에 일어난 사실에 대한 이야기(기록)

(2) 사료와 역사가

① 사료: 현재 남아 있는 과거에 대한 기록(기록물, ❶유적, ❷유물, 녹음 등)

② 역사가: 사료를 연구하여 과거에 일어난 사실을 밝히는 사람
→ 검증된 사료를 바탕으로 하여 객관적으로 역사를 탐구하는 자세가 요구

2 역사 학습의 목적

(1) 정체성 형성: 우리가 누구인가를 인지

(2) 현재의 이해: 역사의 흐름 파악하는 능력 배양 → 현재 문제 해결, 미래 준비

(3) 교훈 획득: 인간이 살아온 경험 → 삶의 지혜와 교훈 획득

3 한국사와 세계사

(1) 역사: ❸집단 기억을 바탕으로 정체성 형성

(2) 한국사: 한국인의 집단 기억을 바탕으로 정체성이 형성된 내력을 이야기해 주는 역사

(3) 한국사와 세계사의 관계: 우리 민족은 세계와 다양한 영향을 주고받으며 성장

(4) 한국사와 세계사 학습의 자세: 한국사와 세계사의 균형 있는 학습이 필요

(5) 한국사와 세계사의 학습 효과: 다양한 문화 존중, 사회의 여러 문제 해결 능력 향상

❶ 유적
인류가 남긴 생활 문화의 흔적이 있는 터전으로, 형태가 크며 위치를 변경시킬 수 없는 것이다. 조개무지, 무덤, 주거지 등이 대표적이다.

❷ 유물
인류가 남긴 흔적 가운데 형태가 작아 운반이 가능한 것으로 토기, 석기, 금속기 등이 대표적이다.

❸ 집단 기억
프랑스의 사회학자 모리스 알박스가 만든 개념으로, 한 사회의 구성원이 함께 겪은 역사적 사건에 대하여 갖는 공통의 기억을 의미한다.

핵심 자료 같은 사건에 대한 서로 다른 기록

1521년 4월 27일, 페르디난드 마젤란의 사망 이후, 마젤란 함대의 빅토리아호는 엘 카노의 지휘 아래 1521년 5월 1일 세부섬을 떠나 1522년 9월 6일에 산루카르항에 도착함으로써 최초의 세계 일주 항해에 성공하였다.

▲ 마젤란 기념비(좌), 라푸라푸 기념비(우)

1521년 4월 27일, 막탄섬의 라푸라푸 추장과 그의 부하들은 에스파냐 침략자들에 맞서 그 지휘관인 페르디난드 마젤란을 죽였다. 이로써 라푸라푸 추장은 유럽의 침략자를 물리친 최초의 필리핀인이 되었다.

✅ 핵심

같은 사건을 유럽과 필리핀이 서로 다른 평가를 한 이유는 무엇일까?

기록하는 사람의 주관적인 관점에 따라 역사가 다르게 기록될 수 있음을 보여주고 있다. 유럽인들은 마젤란을 개척자로 평가하고 있으나 필리핀은 마젤란을 침략자로 보고 있기 때문에 서로 다른 평가가 나타났다.

정답과 해설 2쪽

확인해 봐요

1 과거에 일어난 사실과 그 사실에 대한 기록을 역사라 한다. (○, ×)

2 역사가는 유물과 유적을 통해서만 과거에 일어난 사실을 밝힐 수 있다. (○, ×)

3 성숙한 세계 시민으로 성장하기 위해 한국사와 세계사의 균형 있는 학습이 필요하다. (○, ×)

교과서 활동 풀이

'나의 역사' 쓰기 **역사가의 역사 연구 방법을 참고하여 '나의 역사'를 기록해 보자.** 교과서 11쪽

❶ 역사가가 역사를 연구하는 방법과 절차에 따라 '나의 역사'를 연구해 보자.

1 **사료 수집** | 역사가는 역사 연구를 위해 기록물, 유적, 유물 등을 수집한다.
Q. 나의 역사를 쓰기 위해 어떤 자료를 수집할까?
㉮ 일기장, 아버지의 이야기, 사진첩 등

2 **사료 비판** | 역사가는 교차 검증, 데이터 분석 등을 통해 수집한 사료를 검증한다.
Q. 수집한 자료의 내용을 어떻게 검증할까?
㉮ 사진과 가족들의 이야기를 비교·대조한다.

3 **역사 추론 및 해석** | 역사가는 검증한 사료를 바탕으로 과거의 상황을 추론하고 해석한다.
Q. 자료로 추론할 수 있는 과거의 사실은 무엇일까?
㉮ 사진을 통해 나의 초등학교 시절을 추론한다.

4 **역사 서술** | 역사가는 주관적인 관점에서 추론·해석한 내용을 논문으로 발표하거나 학술지에 게재한다.
Q. 추론·해석한 '나의 역사'를 어떻게 표현할까?
㉮ 시간의 순서에 따라 기록한다.

❷ 지금까지 탐구한 내용을 토대로 '나의 역사'를 써 보자.

예시 답안 나의 역사

20○○년 내 동생이 태어났다. 나는 아직 어려서 동생이 태어난 사실을 인지하지 모르고 있어서 처음 엄마에게 안겨있는 동생을 보고 엄청 놀라 펑펑 울었다고 한다. 그리고 이후에 만져보고 움직이자 신기해했다고 한다.

활동 도우미
역사가가 역사 연구를 하는 과정을 직접 체험해 보는 활동으로 자신과 관련된 기록물이나 물건을 수집하고, 스스로 분석한 후 부모님이나 주변 사람들의 의견을 추가로 들으면서 정확히 추론하여 자신의 과거를 해석한 내용을 글로 써 보아요.

역사 학습의 기본 다지기 **시대와 연대를 읽는 방법을 익히며 역사 학습의 기본을 다져 보자.** 교과서 13쪽

1. 선사 시대와 역사 시대: 문자 사용 전후로 구분
2. 연호: 군주 국가에서 임금이 국가를 다스리는 해의 차례를 나타내기 위한 칭호
3. 연대와 서기: 오늘날 연도 표기 방식
   ① 서기: 예수 탄생 기준으로 기원 전, 기원 후로 구분
   ② 세기: 100년을 단위로 하는 기간

퀴즈 ▶
다음 연도는 몇 세기에 해당할까?
❶ 612년(고구려, 살수 대첩): 7세기
❷ 1446년(조선, 훈민정음 반포): 15세기

활동 도우미
문자의 사용을 기준으로 하여 선사와 역사시대를 구분하고, 중국에서 시작하여 우리나라, 일본, 베트남 등에서 사용하게 된 연호의 개념, 역사책에서 자주 볼 수 있는 세기의 개념을 확실히 잡아보아요.

이 주제의 핵심

이 주제에서는 역사의 의미와 역사 학습의 목적, 한국사와 세계사에 대해 배웠어요.
여기에서는 역사란 무엇이며, 왜 배우는지에 대해 기억해야겠지요?
한국사와 세계사의 균형 있는 학습을 통해 성숙한 세계 시민으로 성장하려는 자세도 갖추어야겠지요?

1 세계의 선사 문화와 고대 문명

학습 목표
유물, 유적 등을 통해 선사 시대 사람들의 생활 모습을 추론할 수 있다.

주제 1 인류의 출현과 선사 문화

1 인류가 진화하다

인류	출현 시기	특징
오스트랄로피테쿠스	약 390만 년 전	• 아프리카에서 생활 • [1]직립 보행, 간단한 도구 사용
호모 에렉투스	약 180만 년 전	• 완전한 직립 보행 • 불과 간단한 언어 사용
네안데르탈인	약 40만 년 전	• 현재 인류와 비슷한 뇌 용량 • 호모 사피엔스와 공존 → 약 2만 8천 년 전 멸종
호모 사피엔스	약 20만 년 전	• 완전한 언어 구사 • 현재 인류의 조상 • 아프리카에서 아시아 · 유럽 · 아메리카 등 전 세계로 이동 • 다양한 환경에 적응 → 다양한 생김새와 생활 양식

2 구석기 시대, 무리를 지어 이동 생활하다

(1) 시기: 인류 등장 ~ 약 1만여 년 전
(2) 도구: 뗀석기(주먹도끼, 찍개, 찌르개 등) 어떻게? 돌을 깨뜨리거나 떼어내서 만들었어.
(3) 생산 활동: 사냥, 채집
(4) 사회 생활: 무리 지어 이동 생활 왜? 몸집이 큰 동물을 사냥하려면 여러 사람의 협력이 필요했기 때문에 무리 지어야 했고, 식량이 있는 곳을 찾으러 다녀야 했기 때문이야.
(5) 주거: 동굴, 막집
(6) 장례: 시신과 사용하던 도구 함께 매장
(7) 예술 활동: 동굴 벽화, 흙으로 빚은 조각상 등 왜? 다산과 풍요 및 사냥이 성공하기를 기원하기 위해서 만들었어.

3 신석기 시대, 농경과 목축을 시작하다

(1) 시기: 기원전 8000년 경 부터 시작
(2) 도구: 간석기(돌도끼, 돌보습, 돌낫, 갈판과 갈돌 등), 토기
(3) 생산 활동: 사냥, 채집, 농경과 목축 시작 무엇을? 조, 기장 등의 곡식을 기르고, 개, 돼지, 소, 양 등의 야생 동물을 길들여 가축으로 만들어 길렀어.
(4) 사회 생활: 정착 생활 왜? 농경을 주로 하게 된 사람들이 이동하지 않고 농토 주변에 모여 살았기 때문이야.
(5) 주거: [2]움집
(6) 종교: 농사에 영향을 미치는 자연 숭배(해, 달, 물 등)

❶ 직립 보행
인류가 다른 동물과 구별되는 가장 큰 특징으로 두 발로 서서 걷는 것을 의미한다. 인류는 직립 보행으로 두 손이 자유로워지면서 여러 가지 도구를 만들게 되었다.

❷ 움집
신석기 시대와 청동기 시대의 사람들이 살았던 반지하 주거 형태로 땅을 파고 내려가 벽체 없이 지붕만 씌운 선사 시대의 원시적인 가옥이다.

정답과 해설 2쪽

확인해 봐요

1 최초의 인류는 호모사피엔스이다. (○, ×)
2 구석기 시대에는 동굴이나 막집에서 생활하였다. (○, ×)
3 신석기 시대에 주로 사냥과 채집을 하기 위해 이동 생활을 하였다. (○, ×)

교과서 활동 풀이

가자! 역사 속으로 ⊘교과서 14쪽

프랑스 남서쪽에 있는 라스코 동굴에는 구석기 시대 사람들이 소, 산양, 사슴과 같은 동물을 그린 벽화가 남아 있습니다.

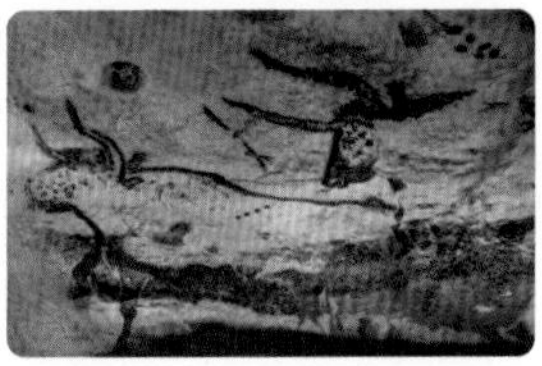

✔ 구석기 시대 사람들은 왜 동굴 벽에 동물을 그렸을까요?

예시 답안 사냥하고 싶은 동물의 모습을 그리고 사냥의 성공과 풍요를 기원하였다. 동물을 더 많이 사냥하고 싶은 소망을 담았다.

활동 도우미
구석기인들이 그린 동굴 벽화에 어떤 것이 그려져 있는지 살펴보고, 당시 사람들이 이러한 벽화를 그린 목적을 추측해 보아요.

Q 구석기 시대 사람들은 뗀석기를 어떤 용도로 사용하였을까? ⊘교과서 15쪽

예시 답안 동물을 사냥하고, 자르거나 나무 열매 등을 채집하는데 사용하였다. 또한 나무나 짐승 뼈와 같은 재료로 도구를 만드는 데에도 이용했을 것이다.

활동 도우미
구석기 시대 사람들이 뗀석기를 이용하여 어떠한 활동을 하고 있는지 살펴보아요.

Q 신석기 시대 사람들의 생활 모습 중 구석기 시대와 달라진 점은 무엇일까? ⊘교과서 16쪽

예시 답안 동굴이나 막집에서 거주했던 구석기 시대와 달리 움집을 지어 정착 생활을 시작하였다. 사냥과 채집에 의존하여 식량을 얻었던 구석기 시대와 달리 농사와 목축을 시작하였다. 또한 식량을 보관, 조리하기 위해 토기를 만들었다.

활동 도우미
신석기 시대 생활 모습을 구석기 시대 생활 모습과 비교하며 생산 활동, 주거지 등을 중심으로 달라진 점을 찾아보아요.

탐구 해 봐요 **선사 시대 사람들의 생활 모습** ⊘교과서 17쪽

1 선사 시대 유물과 유적을 감상하고 빈칸에 알맞은 말을 써 보자.

예시 답안 (왼쪽부터) 신석기 시대, 정착 생활시 거주 / 구석기 시대 / 토기, 신석기 시대 / 구석기 시대, 자르기 · 긁기 · 땅파기 등

2 〈보기〉의 단어를 활용하여 선사 문화 마인드맵의 주요 가지를 완성한 후, 세부 가지를 연장하여 그려보자.

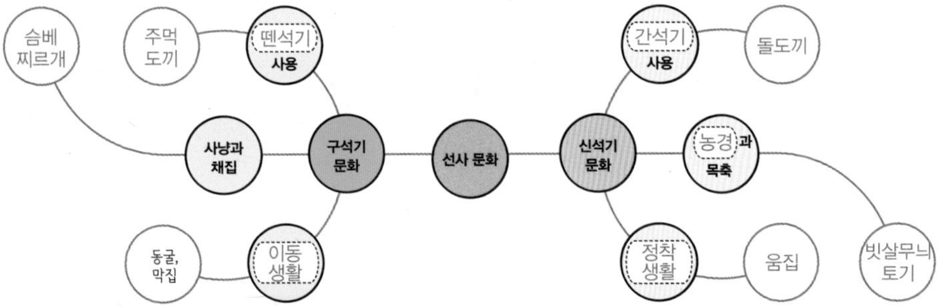

〈보기〉
• 이동 생활 • 정착 생활 • 뗀석기 • 간석기 • 농경

활동 도우미
구석기와 신석기 시대의 특징을 파악하여 제시된 유적과 유물의 용도를 생각해 보고, 선사 문화를 마인드맵을 도구, 생산 활동, 주거 형태를 중심으로 완성해 보아요.

스스로 확인해요

❶ 구석기 시대 사람들은 돌을 깨뜨리거나 떼어서 만든 뗀석기를 사용하였다. (○)

❷ 신석기 시대 사람들은 농 경 와/과 목축을 시작하며 정착 생활을 하였다.

이 주제의 핵심

이 주제에서는 인류의 진화 과정과 구석기와 신석기 시대의 생활에 대해 배웠어요.
여기서는 인류의 지능이 발달하고, 도구를 사용하는 등 진화하는 과정을 파악해 보아요.
또한 뗀석기를 사용하였던 구석기 시대와 간석기와 토기를 사용하였던 신석기 시대의 특징도 비교하여 이해해야겠지요?

학습 목표
고대 문명에서 공통으로 나타나는 특징을 추출할 수 있다.

주제 2 큰 강 유역에서 발생한 문명

1 큰 강 유역에서 도시가 발달하다

(1) 농경 시작에 따른 변화

① 기후가 따뜻하고 농사짓기 유리한 큰 강에 인구 집중

② ❶관개 시설 마련 → 노동력을 모으기 위해 부족 간 통합

왜? 강물이 넘쳐 농사를 망치는 것을 막기 위해 강가에 둑을 쌓고 농지에 물을 공급하려면 많은 노동력이 필요했기 때문이야.

(2) 도시의 발생

① 배경: 농업 생산량과 인구 증가, 지역 간 교류 활발

② 성장: ❷청동기 사용 → 정복 전쟁을 통해 부족 간 통합 가속

2 국가가 출현하고 문명이 발생하다

(1) 국가의 출현

① 배경: 일부 도시가 다른 지역과 통합, 전쟁으로 세력 확대

② 정치 조직 마련 및 계급 발생

- 지배자: 전쟁 주도, 신에게 제사, 청동 무기와 의례용 도구 사용

어떻게? 청동 무기는 이웃 지역을 정복하는 데, 의례용 도구는 자신의 힘을 과시하는 데 활용하였어.

- 피지배자: 농민과 노예 등, 세금과 노동력 제공

(2) 문자의 사용

① 배경: 국가의 통치와 교역 활동 기록 필요

왜? 다양한 직업을 가진 사람과 오고가는 물자의 품목과 수량이 많아지는 등 사회가 복잡해지자 기록을 할 필요가 생겼어.

② 의의: 역사 시대 도래

(3) ❸문명의 발생

① 지역: 메소포타미아, 이집트, 인도, 중국 등의 큰 강 유역

② 공통점: 문자 사용, 청동기 사용, 계급 발생

❶ 관개 시설
물을 확보하여 필요한 곳까지 보내기 위한 시설로, 보, 저수지, 수로, 양수장 등이 있다.

❷ 청동
인류가 처음 사용한 금속으로 구리에 주석, 아연 등을 섞어 만들었다. 청동을 만드는데 필요한 재료를 구하기가 어려워 무기나 의례용 도구, 장신구 등을 만드는 데 이용되었다.

❸ 문명
인류 사회가 물질적, 정신적으로 발전시킨 삶의 모습으로 '미개'에 대응하는 진보된 인간 생활 전체를 일컫는다. 라틴어의 'civis'(시민)와 'civitas'에서 유래하여 특별히 도시문화를 가리키는 경우가 많다.

핵심 자료 나일강의 선물, 이집트

> 그도 그럴 것이, 누구든 보통의 이해력만 있다면 이전에 들어본 적이 없다 할지라도 그리스인이 배를 타고 도착하는 이집트가 나일강의 선물이라는 것을 한눈에 보아도 알 수 있다. …… 델타 지방의 주민은 세계의 어떤 사람들보다도, 또 다른 지역의 이집트인보다도 힘들이지 않고 대지에서 수확을 얻는다. 즉 그들은 가래로 땅을 파낼 필요가 없는 것이다. 강물이 스스로 경작지까지 넘쳐 흘렀다가 또다시 강바닥으로 돌아가기를 기다렸다가 각자 자기 밭에 씨를 뿌리고 그곳에 돼지를 들여보내 돼지가 씨를 밟아 눌러 주게 하고 나면 그다음은 수확을 기다리기만 하면 된다.
>
> – 헤로도토스, 『역사』 –

핵심
이집트의 나일강 유역에서 문명이 발생할 수 있었던 원인은 무엇일까?

이집트 나일강의 하구(델타) 지역은 강물이 정기적으로 범람하여 토지가 비옥하였기 때문에 쉽게 농사를 지을 수 있어 생산량이 많았다. 이로 인해 인구가 집중되고, 일찍이 국가가 출현하면서 문명이 발생할 수 있었다.

정답과 해설 2쪽

확인해 봐요

1 인류가 최초로 사용한 금속은 (   )(이)다.

2 국가가 발생한 후 사회가 복잡해지자 통치와 교역 활동을 기록하기 위해 (   )을/를 만들었다.

3 역사 시대로 접어 든 후 인류가 물질적, 정신적으로 진보한 수준에 이른 것을 (   )(이)라 한다.

교과서 활동 풀이

가자! 역사 속으로

교과서 18쪽

청동기 시대에 세계 여러 지역에서 국가가 출현하고 문명이 발생하였습니다.

문명이 발생한 지역의 지리적 공통점은 무엇일까요?

예시 답안 주로 큰 강의 하류 지역에서 발생하였다.

활동 도우미

고대 문명의 발상지를 표시한 지도에요. 지도를 통해 문명이 발생한 지역의 위치가 비슷한 위도에 분포하고 있으며, 특히 큰 강 유역에서 발생하였음을 알아보아요.

탐구 해 봐요 고대 문명의 공통점

교과서 19쪽

다음은 세계 각지의 고대 문명과 관련된 유물들이다. 이를 통해 고대 문명의 공통점을 추출해 보자.

	메소포타미아 문명	이집트 문명	인도 문명	중국 문명
문자 사용	 쐐기 문자 (영국박물관)	 상형 문자 (영국박물관)	 하라파 문자 (파키스탄국립박물관)	 갑골문 (중국문자박물관)
청동기 사용	 아카드왕의 청동 두상 (소재 불명)	 오시리스 신상 (블랑카르드이집트박물관)	 청동 수레 (인도국립박물관)	 청동 도끼 (미국 아서 M. 새클러 박물관)

계급 발생

우르의 기(영국박물관)
메소포타미아 문명의 우르 왕궁터에서 발견되었다. 첫 줄에는 궁정 연회를 즐기는 지배층의 모습이, 그 아래 두 줄에는 연회에 쓰일 가축과 공물을 나르는 사람들이 묘사되어 있다.

1 위 자료의 빈칸을 채우고, 본문을 참고하여 고대 문명의 공통점을 정리해 보자.

2 ㉠, ㉡의 계급을 추측해 보고, 당시 사회의 모습을 설명해 보자.

활동 도우미

고대 문명과 관련된 유물을 통해 문명의 공통점을 알 수 있어요. 각 문명이 이루어낸 형태는 다르지만, 국가 통치와 교역을 위해 문자를 사용하고, 정복 전쟁에 필요한 무기를 청동으로 만들며, 지배층과 피지배층을 구분하는 계급 사회를 이끌어 갔던 고대 사회의 모습을 파악해 보아요.

예시 답안 - 고대 문명의 공통점: 큰 강 유역에서 발생하였으며, 도시와 국가가 형성되었다. 국가 통치와 교역 활동을 기록하기 위해 문자를 사용하였고, 지배층은 청동으로 만든 무기나 의례용 도구를 사용하였다. 또한 지배층과 피지배층으로 구분되는 계급도 발생하였다.

예시 답안 ㉠ - 왕, ㉡ - 노예로 추측된다. / - 당시 사회의 모습: 국가가 출현하면서 계급이 발생하였다. 왕과 귀족 등의 지배층은 농민과 노예 등을 지배하고 전쟁에 참여하였고, 농민과 노예 등의 피지배층은 지배층에게 세금과 노동력을 바쳤다.

스스로 확인해요

❶ 인류가 청동기 시대로 접어들면서 계급이 없는 평등한 사회가 시작되었다. (×)
❷ 도시 국가에서는 통치와 교역 활동을 기록하기 위해 문 자을/를 만들어 썼다.

이 주제의 핵심

이 주제에서는 큰 강 유역에서 도시가 발달하고, 국가가 출현하면서 문명이 발생하는 과정을 배웠어요.
여기에서는 문명이 발생한 지역의 배경과 공통점을 꼭 파악해 두세요.
또한 지도를 통해 고대 문명의 위치를 알아두는 것도 잊지 말아야겠지요?

1 세계의 선사 문화와 고대 문명

학습 목표
메소포타미아 문명과 이집트 문명의 특징을 설명할 수 있다.

주제 3 메소포타미아와 이집트에서 발생한 문명

1 두 강 사이의 땅, 메소포타미아에서 문명이 일어나다

(1) 위치 및 지리적 특성

① 티그리스강과 유프라테스강 사이의 비옥한 지역 → 농경 발달, 국가 출현

② 개방적 지형: 교류에 유리, 외적의 침입 잦음. → 지배 세력이 자주 바뀜.

(2) 문자: [1]쐐기 문자

(3) 수메르인

① 기원전 3000년 무렵, 우르 등지에 국가 건설

② [2]지구라트 건축: 거대한 신전, 현세의 행복 기원 및 별자리 관측

③ 달력 제작: 농사에 이용

왜? 잦은 전쟁으로 현세의 생활이 불안하여 신에게 현세의 행복을 빌고, 별자리를 관측하여 운명을 점치기 위해 만들었어.

(4) 바빌로니아 왕국

① 기원전 1800년 무렵, 바빌로니아 왕국 건설

② 함무라비왕: 메소포타미아 지역의 대부분 정복, [3]함무라비 법전 편찬(복수주의 원칙, 신분제 사회의 모습)

2 나일강의 선물, 이집트 문명이 일어나다

(1) 위치 및 지리적 특성

① 나일강 유역의 비옥한 지역: 일정한 시기마다 범람

② 폐쇄적 지형: 외적의 침입 적음 → 오랫동안 통일 왕국 유지

어디? 사하라 등의 사막과 지중해, 홍해 등의 바다로 둘러싸여 있어.

(2) 문자: 상형 문자

(3) 통일 왕국의 통치

① 왕(=파라오): 살아 있는 신, 정치와 종교, 경제 등에 강력한 권력 행사

② 사후 세계 중시: 미라 제작, 피라미드(왕의 무덤) 건축

어떻게? 육체는 죽어도 영혼은 사라지지 않는다고 믿어서 영혼이 다시 육체로 돌아갈 수 있도록 미라를 만들고 영혼이 머물 공간인 피라미드를 만들었어.

(4) 학문과 기술의 발달

① 천문학: 나일강의 범람 시기 파악 → 달력 제작

② 수학, 측량술: 농지 정리 및 피라미드 건축

[1] 쐐기 문자
수메르인들이 기원전 3000년경부터 사용하였으며, 현재까지 알려진 가장 오래된 문자이다. 갈대 가지를 뾰족하게 만들어 점토판에 눌러 문자를 새겼다. 글자 모양이 쐐기와 비슷해서 쐐기 문자라고 한다.

[2] 지구라트
'신전의 탑'이라는 뜻으로, 벽돌로 만들었다. 가장 높은 곳에 수호신을 모시는 신전이 있고, 정면 중앙과 좌우에는 계단을 배치해 전체적인 형상이 산과 같은 모습이다. 지금까지 약 25개가 발견되었다.

[3] 함무라비 법전
서문, 본문 282개조, 맺음말로 되어 있다. 피해자가 당한 손해를 가해자도 같은 정도로 당하게 한다는 복수주의의 원칙을 담고 있다.

핵심 자료 함무라비 법과 부여 법에 나타난 특징

자료 1 함무라비 법전의 일부
도둑이 소나 양, 당나귀, 돼지, 염소 중 하나라도 훔쳤더라도 그 값의 열 배로 보상해 주어야 한다.

자료 2 부여 법의 일부
남의 물건을 훔쳤을 때는 물건 값의 12배를 배상하도록 한다.

핵심
두 법에 나타난 공통점은 무엇일까요?

도둑질에 대해 처벌을 한다는 것은 사유 재산을 보호한다는 의미이며, 무거운 벌을 줌으로써 사회 질서를 유지하려 하였다.

정답과 해설 2쪽

확인해 봐요

1 메소포타미아 문명에서 사용하였던 문자는 (   )(이)다.

2 (   )은/는 바빌로니아 왕국에서 메소포타미아 지역의 대부분을 차지하고, 법전을 편찬하였다.

3 이집트인들은 사후 세계를 믿어 왕의 무덤인 (   )을/를 만들었다.

교과서 활동 풀이

가자! 역사 속으로

교과서 20쪽

메소포타미아 문명은 주위가 탁 트인 개방적인 지역에서 발생하였고, 이집트 문명은 바다와 사막으로 둘러싸인 폐쇄적인 지역에서 탄생하였습니다.

✔ 두 지역의 지리적 차이는 두 문명에 어떤 영향을 미쳤을까요?

예시 답안 메소포타미아는 개방적인 지역의 특징을 활용하여 주변과 활발히 교류할 수 있었지만, 침략을 받기 쉬워 지배자가 자주 바뀌었다. 그러나 이집트의 폐쇄적인 지역적 특징은 외부 침입이 적어 안정적인 국가를 유지할 수 있었다.

활동 도우미

문명이 발생한 지역은 강의 하류 지역임을 상기하고, 메소포타미아 지역은 서로 다른 지역이 만나는 곳임을 이집트 지역은 바다와 사막으로 둘러싸인 곳임을 파악해 보아요.

탐구 해봐요 『함무라비』 법전을 통해 보는 메소포타미아 사회

교과서 20쪽

196조 | 귀족의 눈을 멀게 하면 그의 눈을 멀게 한다.
198조 | 귀족이 평민의 눈을 멀게 하거나 뼈를 부러뜨리면 은 1미나를 지불해야 한다.
199조 | 귀족이 남의 노예의 눈을 멀게 하거나 뼈를 부러뜨리면 그 노예 가격의 반을 지불해야 한다.

쐐기 문자로 새긴 법령

『함무라비 법전』
(프랑스 루브르박물관)

1 **위 자료에서 바빌로니아 왕국에 존재하는 계급을 찾아 밑줄을 쳐 보자.**

2 **『함무라비 법전』에 나타난 메소포타미아 사회의 특징을 써 보자.**

예시 답안 신분제 사회였으며, 신분에 따라 차별적으로 법을 적용한 사회이다. 복수주의의 원칙이 적용된 엄격한 법률을 마련하였다.

자료 해설

사진 속 함무라비 법전은 고대 페르시아의 수도 수사(오늘날 이란 지역)에서 발견되어 현재 프랑스의 루브르 박물관에 소장되어 있다. 원통형 현무암에 토지, 재산, 혼인, 범죄에 대한 형벌 기준 등 282개의 법조문이 쐐기 문자로 새겨져 있다.

교과서 사진 자료 피라미드와 스핑크스

교과서 21쪽

고대 중국, 이집트, 메소포타미아, 중앙아메리카 등 많은 문명권에서 피라미드 형태의 유적을 만들었다. 그중에서 고대 이집트의 기자 지역의 높이 146.7m의 쿠푸왕의 피라미드를 비롯한 카프레, 멘카우레의 피라미드가 가장 유명하다. 헤로도토스의 『역사』에 따르면 '기자의 대피라미드에 관하여 10만 명이 3개월 교대로 20년에 걸쳐 지었다.'고 한다. 한편 사람의 머리, 사자의 몸을 한 괴물이 바로 스핑크스이다. 가장 규모가 크고 유명한 스핑크스는 기자의 피라미드 앞에 있는 것으로 얼굴은 카프레 왕을 초상으로 알려져 있다. 거대한 석회암 바위를 깎아 만들었으며 길이는 약 73m, 높이는 20m이다.

활동 도우미

이집트인들은 왕, 즉 파라오의 무덤으로 알려진 피라미드와 그것을 지키는 수호신으로 스핑크스를 만들었어요. 육체는 죽어도 영혼은 죽지 않는다고 믿었던 이집트인들의 사상과 왕의 권위를 거대한 건축물로 나타냈음을 알 수 있어요.

스스로 확인해요

❶ 바빌로니아의 함무라비왕은 메소포타미아 지역을 대부분 정복하고, 법전을 만들어 왕국을 통치하였다. (○)
❷ 이집트의 나 일 강 은/는 정기적으로 범람하여 주변의 토지를 비옥하게 만들었다.

이 주제의 핵심

이 주제에서는 메소포타미아와 이집트 문명의 특징에 대해 배웠어요.
여기에서는 메소포타미아 문명의 지리적 특징, 쐐기 문자 사용, 함무라비 법전 등을 기억해야 해요.
또한 이집트 문명의 지리적 특징, 상형 문자 사용, 영혼 불멸의 믿음 등을 이해하고 두 문명을 비교해 보아요.

학습 목표
중국과 인도에서 발생한 문명의 특징을 설명할 수 있다.

주제 4 중국과 인도에서 발생한 문명

1 황허강, 창장강 일대에 중국 문명이 서다

(1) 지역: 황허강과 창장강 일대

(2) ❶갑골문을 남긴 상

① 기원전 1600년 무렵 황허강 유역에서 성장

② 청동기를 이용한 무기 및 제사 도구 제작, 달력 제작

무엇을? 은허 유적지에서 청동으로 만든 무기와 제사 도구 등이 발견되었어.

③ 통치

- 제정일치: 왕이 정치와 종교 모두 장악
- 신정 정치: 국가의 중요한 일을 점을 쳐서 결정
- 점친 결과를 기록: 갑골문, 한자의 기원

무엇을? 전쟁을 해야 하나? 비가 내릴 것인가? 등 통치나 농경과 관련된 일이었어.

(3) 봉건제를 시행한 주

① 기원전 1100년 무렵 상의 서쪽에서 성장 → 상 멸망

② 영토 확장: 창장강 유역까지 지배

③ ❷봉건제 시행

- 목적: 확장된 영토를 효과적으로 지배
- 왕이 직할지를 뺀 나머지 영토를 제후들에게 나누어 줌.
- 특징: 혈연 관계를 기반
- 직할지: 왕이 직접 다스리는 수도 호경과 그 주변 지역
- 분봉지: 제후로 임명된 친족과 공신 등이 다스리는 직할지 이외의 지역

2 인더스강 유역에서 문명이 발생하다

(1) 인더스강 유역의 도시 문명

① 기원전 2500년 무렵, 하라파, 모헤조다로 등

② 농경과 목축 생활, 청동기 사용

③ 계획도시 조성

- 성채, 도로망, 배수 시설

왜? 외적의 침입에 대비하기 위해 성채를 높이 쌓아 올렸어.

- 벽돌로 주택과 목욕장, 곡물 창고 등의 공공시설 마련

(2) 아리아인의 이동이 가져온 변화

① 기원전 1500년 무렵, 아리아인의 이동 → 인더스 문명 주민 정복

② 세력 확장: 기원전 1000년 무렵 갠지스강 유역으로 진출

③ 철기 사용

④ ❸카스트제 마련: 엄격한 신분제(브라만, 크샤트리아, 바이샤, 수드라)

⑤ 브라만교 형성

- 자연 숭배에서 발전 → 경전 『베다』를 바탕으로 복잡한 종교 의식 마련
- 브라만 계급의 권위 높이는데 활용

❶ 갑골문
상의 수도였던 은허에서 왕의 영이 최초로 발견된 이후 중국 각지에서 대량으로 발굴된 문자이다. 거북이의 배딱지[腹甲:복갑]와 짐승의 뼈[骨: 골]에 새겨진 상형 문자였으므로 갑골문(甲骨文)이라고 하였다.

❷ 봉건제
봉건은 '토지를 나누어 주어(分封: 분봉) 제후국을 세운다'라는 뜻이다. 주의 봉건제는 주 왕실이 새로 정복한 영토에 친족과 믿을 만한 공신을 제후로 임명함으로써 성립되었다.

❸ 카스트제
'카스트'는 인종, 혈통 혹은 순결함, 순수함을 의미하는 포르투갈어 '카스타'에서 유래되었다. 18세기 인도를 지배하기 시작한 영국인에 의해 지금의 명칭으로 정착되었다. 카스트는 출생과 혈통에 의해 결정되는 사회적, 직업적 계급 그 자체를 의미하며, 이러한 카스트들 간의 우열을 바탕으로 만들어진 신분 제도를 카스트제라 한다.

정답과 해설 2쪽

확인해 봐요

1 황허 유역에서 번영을 누린 상은 주변 국가와 교류하기 위해 갑골문을 만들었다. (○, ×)

2 주 왕조는 넓은 영토를 효과적으로 다스리기 위해 봉건제를 마련하였다. (○, ×)

3 아리아인들은 정복한 지역의 원주민들을 지배하기 위해 카스트제를 만들었다. (○, ×)

교과서 활동 풀이

가자! 역사 속으로 교과서 22쪽

오늘날 사용되는 한자는 고대 중국 문명의 상 왕조에서 사용되던 갑골문에서 유래하였습니다.

✔ 상에서 갑골문을 만든 까닭은 무엇일까요?

예시 답안 상의 왕은 점을 쳐서 국가의 중요한 일을 결정하였는데, 점친 결과를 기록해 놓기 위해 문자를 만들었다.

활동 도우미
상 왕조에서 사용하였던 갑골문은 한자의 기원이 되었어요. 갑골문에는 주로 전쟁, 농사 등과 관련된 내용을 기록하였어요.

Q 주에서 왕과 제후는 어떤 관계였을까? 교과서 22쪽

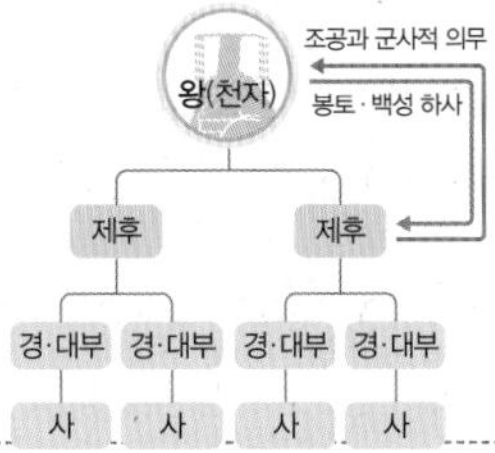

예시 답안 주의 왕은 넓힌 영토를 효과적으로 다스리고자 하였으므로 믿을 만한 이들을 제후로 삼았다. 따라서 왕을 위해 충성을 바친 공신이나 혈연관계에 있는 친족들을 제후로 임명하였다.

활동 도우미
주의 왕은 넓어진 영토를 스스로 다스릴 만큼 지배력을 갖추지 못하였어요. 따라서 수도와 주변 지역만 스스로 다스리고 나머지 지역은 충성스러운 신하나 혈연 관계에 있는 믿음직한 사람들을 제후로 삼을 수밖에 없었던 것이지요.

교과서 사진 자료 인도 문명의 모헨조다로 유적 교과서 23쪽

모헨조다로는 기원전 2,600년경에 건설되었던 인더스 문명의 고대 도시로, 현재 파키스탄 신드 지방의 라르카나에 있다. 모헨조다로는 '죽음의 언덕'(Mound of the Dead)을 의미한다. 지금까지 발견된 인더스 문명의 유적 중 가장 크고 정교한 도시 문명의 흔적으로 평가된다. 바둑판 형태로 정교하게 건설된 계획도시로 배수 시설이 구비되어 있고, 도시 중앙에 거대한 공중 목욕 시설의 흔적도 있어서 동시기 타 문화권과 비교했을 때 매우 선진적인 기술을 보유했던 것으로 보인다. 이 밖에 곡물 저장소 등도 발견되어 높은 농업 생산력을 보유했음을 짐작할 수 있다. 그러나 정확한 원인은 알 수 없지만, 아리아인들이 본격적으로 진출하기 전에 쇠퇴한 것으로 보인다.

모헨조다로 유적에서 발굴한 인물상
(파키스탄국립박물관)

모헨조다로 유적(파키스탄 라르카나) 벽돌로 성채를 쌓고 도로, 하수도, 목욕장, 곡물 창고 등을 질서 있게 배치하였다.

활동 도우미
모헨조다로 유적지는 둘레가 4.8㎞에 이르고, 4만 명 정도의 인구가 살았던 인더스 문명의 수도로 추정해요. 드라비다인에 의해 세워진 인더스 문명이 지금의 인도인의 조상인 아리아인에 의해 정복당하고, 이로 인해 멸망한 민족의 중심지가 모헨조다로였기 때문에 '죽음의 언덕' 혹은 '죽은 자의 언덕'이라고 해요.

스스로 확인해요

❶ 상의 왕은 국가의 중요한 일을 점을 쳐서 결정하였다. (○)

❷ 아리아인이 인도의 원주민을 정복하여 다스리는 과정에서 엄격한 신분제도인 카스트제이/가 생겨났다.

이 주제의 핵심

이 주제에서는 중국과 인도 문명의 특징에 대해 배웠어요.
여기에서는 중국 상에서 사용한 갑골문, 주의 봉건제가 실시된 배경을 이해해야 해요. 그리고 인도 모헨조다로 유적지의 특징과 아리아인의 이동으로 원주민 지배를 위해 마련된 카스트제에 대해 기억해야겠지요?

시험을 대비하는 실전 문제

기초를 튼튼하게 확인 문제

01 서로 관련 있는 내용끼리 연결하시오.

㉠ 갑골문 •	• ⓐ 중국 문명
㉡ 쐐기 문자 •	• ⓑ 이집트 문명
㉢ 상형 문자 •	• ⓒ 메소포타미아 문명

02 아래 설명이 맞으면 ○, 틀리면 ×로 표시하시오.

(1) 역사는 '과거에 일어난 사실'과 '과거에 일어난 사실'에 대한 이야기(기록)라는 두 가지 의미가 있다. (　　)

(2) 구석기 시대부터 뗀석기를 이용하여 농경과 목축을 할 수 있었다. (　　)

(3) 큰 강 유역에 도시가 발생하고, 청동기를 사용하면서 국가가 출현하였다. (　　)

(4) 이집트는 사방이 트인 개방적인 지역이어서 다른 지역으로부터 잦은 침입을 받았다. (　　)

03 |보기|에서 인류의 진화를 순서대로 나열하시오.

> | 보기 |
> ㄱ. 네안데르탈인　　ㄴ. 호모 에렉투스
> ㄷ. 호모 사피엔스　　ㄹ. 오스트랄로피테쿠스

04 빈칸에 알맞은 말을 쓰시오.

(1) 현재 남아 있는 과거에 관한 기록을 (　　　)(이)라고 한다.

(2) 신석기 시대에는 간석기와 함께 식량을 보관하거나 간단히 조리할 수 있는 (　　　)을/를 만들었다.

(3) 아리아인은 원주민을 지배하기 위해 (　　　)(이)라는 엄격한 신분 제도를 만들었다.

내신을 탄탄하게 내신 문제

01 역사의 의미와 역사 연구에 대한 설명으로 옳지 <u>않은</u> 것은?

① 현재 남아 있는 과거에 대한 기록을 '사료'라고 한다.
② 역사가는 사료에 바탕을 두고 객관적으로 역사를 탐구해야 한다.
③ 역사에는 과거에 일어난 사실과 과거에 일어난 사실에 대한 이야기(기록)라는 두 가지 의미가 있다.
④ 사료를 연구하여 과거에 일어난 사실을 밝히려는 사람을 '역사가'라 한다.
⑤ 과거에 관한 기록 가운데 사람들이 살아가면서 만들고 사용하였던 물건을 '유적'이라 한다.

02 (가)에 들어갈 용어로 옳은 것은?

> 역사 용어 카드
> 현재 인류의 조상,
> (가)
> – 특징: 약 20만 년 전에 등장, 아프리카에서 등장하여 세계 각지로 이동

① 네안데르탈인　　② 호모 하빌리스
③ 호모 에렉투스　　④ 호모 사피엔스
⑤ 오스트랄로피테쿠스

03 다음과 같은 도구를 사용하였던 시대에 대한 설명으로 옳은 것을 |보기|에서 모두 고른 것은?

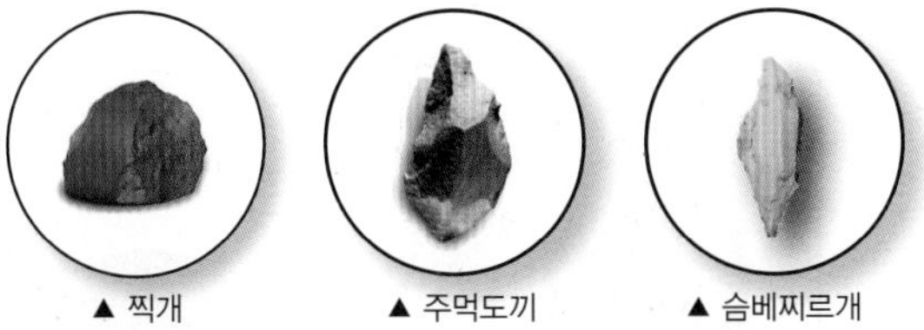
▲ 찍개 ▲ 주먹도끼 ▲ 슴베찌르개

|보기|
ㄱ. 토기를 제작하였다.
ㄴ. 농경과 목축을 시작하였다.
ㄷ. 무리지어 이동 생활을 하였다.
ㄹ. 동굴 또는 막집에서 생활하였다.
ㅁ. 사냥이나 채집을 통해 식량을 획득하였다.

① ㄱ, ㄴ, ㄷ ② ㄱ, ㄴ, ㄹ ③ ㄱ, ㄷ, ㅁ
④ ㄴ, ㄷ, ㄹ ⑤ ㄷ, ㄹ, ㅁ

04 학생의 대답이 옳다고 할 때 (가)에 들어갈 교사의 질문으로 가장 적절한 것은?

① 동굴 생활로 인류의 삶에 달라진 점은 무엇일까요?
② 도구의 발명으로 인류의 삶에 바뀐 점은 무엇일까요?
③ 움집의 출현은 인류의 삶에 어떤 결과를 낳았을까요?
④ 토기의 제작은 인류의 삶에 어떤 역할을 미쳤을까요?
⑤ 농경과 목축이 시작되면서 인류의 삶은 어떻게 변화하였나요?

05 (가)에 그려질 모습으로 옳지 않은 것은?

수행 평가
※ 과제: 청동기 시대의 생활 모습을 상상하여 그림을 그리시오.

(가)

① 정복 전쟁을 하는 모습
② 큰 강 유역에서 농사를 짓는 모습
③ 청동으로 만든 농기구를 제작하는 모습
④ 도시의 사람들이 물건을 사고파는 모습
⑤ 농지에 물을 대기 위해 관개 시설을 만드는 모습

중요
06 지도에 표시된 고대 문명 발생지의 공통점으로 옳은 것을 |보기|에서 고른 것은?

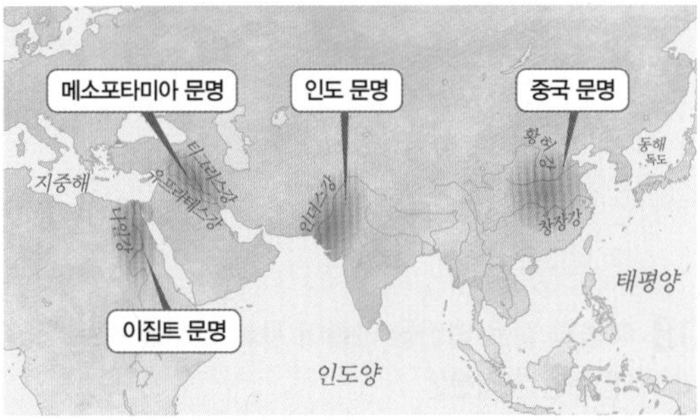

|보기|
ㄱ. 문자를 사용하였다.
ㄴ. 철기를 사용하였다.
ㄷ. 계급이 발생하였다.
ㄹ. 산악 지대에서 형성되었다.

① ㄱ, ㄴ ② ㄱ, ㄷ ③ ㄴ, ㄷ
④ ㄴ, ㄹ ⑤ ㄷ, ㄹ

[07~08] 다음 지도를 보고 물음에 답하시오.

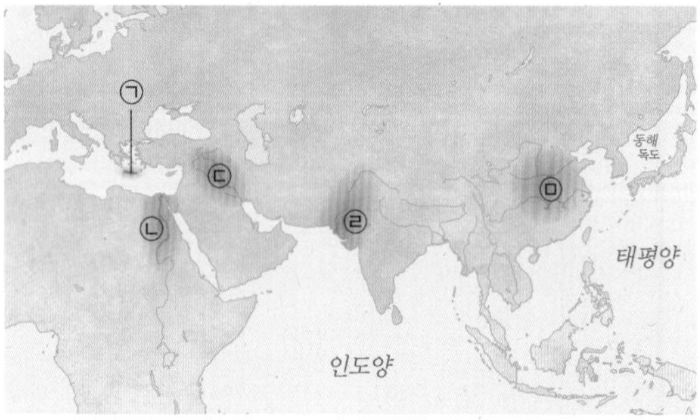

07 고대 문명이 발생한 지역과 통치 방식에 대한 설명이 바르게 연결된 것은?

① ㉠: 봉건제 운영
② ㉡: 왕을 살아 있는 신으로 추대
③ ㉢: 카스트제 운영
④ ㉣: 신정 정치
⑤ ㉤: 복수주의 민족 차별 정책

08 다음과 같은 법전을 만들어 사회 질서를 바로 잡았던 고대 문명 지역은?

> • 귀족의 눈을 멀게 하면 그의 눈의 멀게 한다.
> • 귀족이 평민의 눈을 멀게 하거나 뼈를 부러뜨리면 은 1미나를 지불해야 한다.
> • 귀족이 남의 노예의 눈을 멀게 하거나 뼈를 부러뜨리면 그 노예 가격의 반을 지불해야 한다.

① ㉠ ② ㉡ ③ ㉢
④ ㉣ ⑤ ㉤

신유형
09 다음 유물과 관련 있는 고대 문명 발생지에 대한 설명으로 옳은 것은?

① 갑골문을 만들었다.
② 파라오라는 왕이 통치하였다.
③ 카스트제라는 신분 제도를 만들었다.
④ 지구라트라는 거대한 신전을 세웠다.
⑤ 모헨조다로 등 도시 문명이 형성되었다.

10 (가)에 들어갈 유물로 옳은 것은?

> **유물 카드**
> • 시대: 중국 '상'
> • 유물 소개
> 이 문자로 점을 쳐서 중요한 일을 결정하였다.
>
> (가)

①

②

③

④

⑤
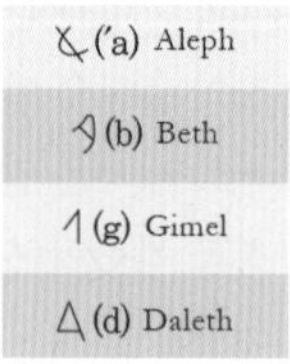

만점에 도전하는 심화 문제

01 교사의 질문에 대한 학생의 답변으로 옳은 것은?

① 전쟁의 승리를 기원하기 위해서요.
② 농사의 풍요를 기원하기 위해서요.
③ 추위가 물러나기를 기원하기 위해서요.
④ 다산과 사냥의 성공을 기원하기 위해서요.
⑤ 맹수의 공격에서 안전을 기원하기 위해서요.

중요

02 신석기 시대에 농경 생활이 시작되었음을 보여주는 유물로 옳은 것을 |보기|에서 고른 것은?

|보기|

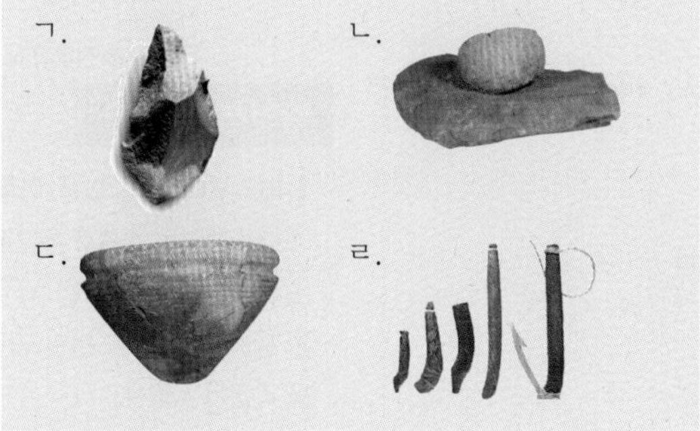

① ㄱ, ㄴ　② ㄱ, ㄷ　③ ㄴ, ㄷ
④ ㄴ, ㄹ　⑤ ㄷ, ㄹ

신유형

03 다음 유적을 보러 가기 전에 조사해 보면 좋을 검색어 (가)로 가장 적절한 것은?

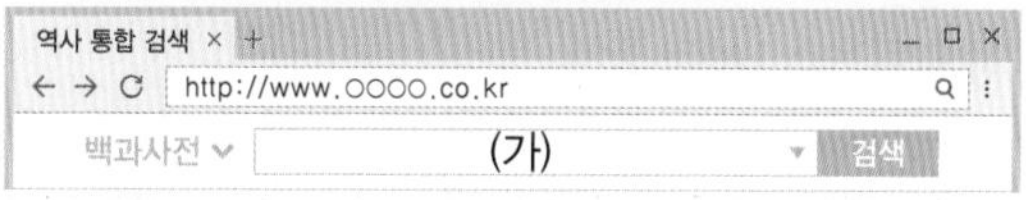

① 봉건제　② 쐐기 문자　③ 수메르인
④ 브라만교　⑤ 사자의 서

중요

04 (가) 문명의 특징에 대한 설명으로 옳지 않은 것은?

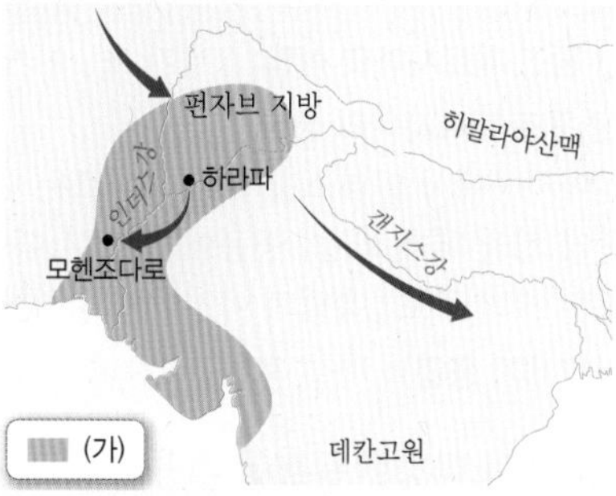

① 주택은 주로 벽돌로 만들었고, 목욕장과 곡물 창고 같은 공공시설을 세웠다.
② 아리아인들이 원주민을 지배하기 위해 봉건제라는 엄격한 신분제를 만들었다.
③ 『베다』라는 경전을 바탕으로 복잡한 종교 의식을 만들어 놓은 브라만교가 형성되었다.
④ 인더스강 유역에서 성채와 반듯하게 구획된 도로망과 배수 시설을 갖춘 도시 문명이 형성되었다.
⑤ 아리아인이 인더스강 유역으로 이동하여 주민들을 정복하고 갠지스강 유역까지 세력을 넓혔다.

고대 제국들의 특성과 주변 세계의 성장

학습 목표
페르시아 제국의 통치 방식과 문화의 특징을 설명할 수 있다.

주제 5 서아시아 세계를 통일한 페르시아

1 아시리아가 최초로 서아시아 지역을 통일하다

(1) 서아시아 지역 최초 통일(기원전 7세기)
(2) 중앙 집권 체제 강화: 법률, 도로 정비 등
(3) 멸망: 정복민 강제 이주, 무거운 세금 부과 → 이민족에 대한 강압적 통치로 멸망

2 페르시아가 관용 정책을 바탕으로 오랜 번영을 누리다

(1) 아케메네스 왕조 페르시아의 서아시아 통일: 기원전 6세기, 키루스왕
어디서? 사산 왕조가 페르시아를 계승하였기 때문에 앞 시기의 페르시아를 아케메네스 왕조 페르시아라고 해.
(2) 관용 정책: 정복민의 전통과 종교 존중, 자치 허용 → 200여 년간 번영
(3) 다리우스 1세의 통치
① 서아시아, 이집트, 인더스강 유역에 이르는 대제국 건설
② 중앙 집권 정책: 지방 행정 조직 마련, 총독 파견, 감찰관을 파견하여 총독 감독(왕의 눈, 왕의 귀), 도로망 건설 및 역참 설치([1]왕의 길), 세금 제도 정비, 화폐 통일 등
③ 그리스 · 페르시아 전쟁: 지중해 주도권을 차지하기 위해 그리스 공격 → 패배
(4) 멸망(기원전 330): 지방 총독의 반란 → 세력 약화 → 마케도니아의 공격

3 [2]사산 왕조 페르시아가 페르시아의 부흥을 내걸다

(1) 사산 왕조 페르시아의 성립: 3세기 초, 아케메네스 왕조 페르시아 계승
(2) 사산 왕조 페르시아의 성장
① 서아시아에서 인더스강 유역에 이르는 대제국 건설
② 중앙 집권 체제 확립: 공용어: 페르시아어, 지방에 총독 파견
③ 동서 교역 주도: 유럽과 아시아에 위치한 이점 활용
(3) 멸망(7세기 중엽): 내부 혼란, 비잔티움 제국과 전쟁 → 이슬람 세력의 공격

4 페르시아가 다양한 문화를 수용하다

(1) 다양한 민족의 문화 흡수: 제국 내 다양한 민족 문화 인정
(2) 국제적 문화 발전 왜? 아케메네스 왕조 페르시아 때부터 사산 왕조에 이르기까지 서아시아, 북아프리카, 인더스 지역을 통치했기 때문이야.
① 이집트, 그리스, 인도 등 다른 나라와 활발한 교역
② 페르세폴리스 유적: 각국의 영향을 받은 조각, 건축물
(3) 금속 및 유리 공예품 발달: 유럽, 이슬람과 동아시아 지역에 전파

5 조로아스터교가 출현하다

(1) 창시: 기원전 7세기, 조로아스터라는 예언자 등장
(2) 주장: 세상을 선과 악의 대결 장소 → 인간은 선의 신에게 은혜를 입어 최후의 심판을 통해 천국에 갈 수 있다고 믿음.
(3) 페르시아 왕들이 왕권 강화 수단으로 활용 → 사산 왕조 페르시아의 국교

---

❶ 왕의 길
기원전 6세기 말 다리우스 1세가 넓은 대제국을 효율적으로 통치하기 위해 페르시아의 주요 4대 도시를 연결하는 도로망을 건설하고, 왕의 명령을 빨리 전달하고 세금과 공물을 효율적으로 운반하기 위해 '왕의 길'을 건설하였다. 이 길을 통해 사신 뿐 만 아니라 상인들도 왕래하여 상업이 발달하였고 문화 교류가 활발하게 이루어졌다.

❷ 사산 왕조 페르시아
226년 서부 이란 지역에서 통치 기반을 굳힌 파르티아의 지방 영주 아르다시르 1세가 동부 지역으로 진출하여 여러 부족을 차례로 정복했다. 그는 스스로 아케메네스 왕조의 정통 후계자로 자처하고 그의 선조가 속한 사산족의 이름을 따서 사산 왕조 페르시아를 열었다.

정답과 해설 3쪽

확인해 봐요

1 메소포타 문명 발생 이후 서아시아 지역을 최초로 통일한 것은? (　　　)
2 '왕의 눈'이라고 불린 감찰관을 파견한 사람은? (　　　)
3 아케메네스 왕조 페르시아를 계승하여 서아시아를 재통일한 나라는? (　　　)

교과서 활동 풀이

가자! 역사 속으로

교과서 24쪽

키루스 원통(영국박물관)은 페르시아의 키루스왕이 바빌로니아를 정복한 후 선언한 내용을 쐐기 문자로 새긴 것입니다.

페르시아는 새로 정복한 지역을 어떻게 다스렸을까요?

예시 답안 페르시아 인에게 복종을 강요하기 보다는 정복지의 전통과 종교를 존중하면서 관대하게 통치함으로써 화합할 수 있도록 하였다.

자료 해설

키루스 원통은 진흙으로 만든 원통에 쐐기문자로 기록되어 있다. 이 원통은 기원전 539년에 페르시아 제국을 건설한 키루스왕이 바빌로니아를 정복한 뒤, 다른 민족의 전통과 종교를 존중하겠다는 내용을 담았다.

탐구 해봐요 다리우스 1세의 제국 통치 정책

교과서 25쪽

페르시아 제국의 발전

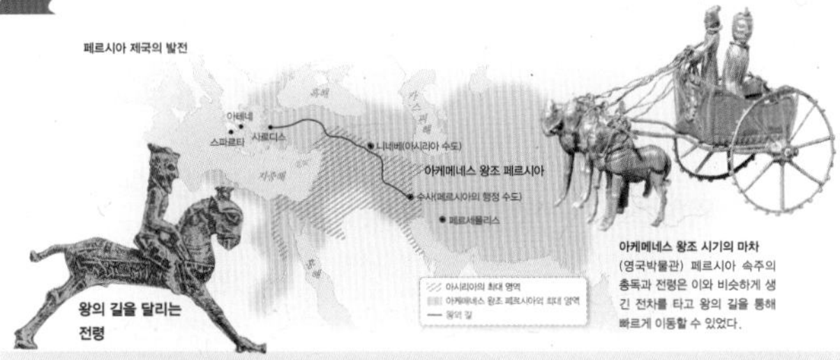

왕의 길을 달리는 전령

아케메네스 왕조 시기의 마차 (영국박물관) 페르시아 속주의 총독과 전령은 이와 비슷하게 생긴 전차를 타고 왕의 길을 통해 빠르게 이동할 수 있었다.

- 전국을 20개 주로 나누고, 주마다 총독을 파견하였다.
- '왕의 눈', '왕의 귀'라 불리는 관리를 보내 총독을 (   ).
- 수사에서 사르디스에 이르는 약 2,400 km의 도로를 정비하였는데, 이를 '왕의 길'이라 불렀다. 일정 지역마다 말을 갈아탈 수 있는 역참을 설치하였다.
- 각 지역에 군대를 주둔시키고 사령관은 왕이 임명하였다.
- 세금 제도를 정비하고, 화폐를 통일하였다.

1 위 자료의 빈칸에 들어갈 말을 추측하여 써 보자.

예시 답안 감시하였다.

2 다리우스 1세가 시행한 정책의 공통된 목적을 써 보자.

예시 답안 지방 행정 체제를 정비하고, 통제를 강화하는 등 넓은 영토를 효율적으로 다스리기 위해 중앙 집권 정책을 추진하였다.

자료 해설

아케메네스 왕조 페르시아의 다리우스 1세는 수사에서 사르디스에 이르는 왕의 길을 만들었다. 왕의 전령들은 이 길 곳곳에 설치된 역에서 말을 갈아타고 신속하게 움직이며 명령을 전달하고, 총독을 감시하기도 하였다. 이를 바탕으로 중앙 집권 체제를 갖추고 넓은 제국을 효과적으로 다스릴 수 있었다.

활동 도우미

아케메네스 왕조 페르시아 시기에 영역이 매우 넓어졌어요. 교통과 통신이 발달하지 못하였던 시기에 넓은 영토를 다스리기 위한 효과적인 방법이 무엇이었을지 생각해 보아요.

스스로 확인해요

❶ 페르시아의 다리우스 1세는 '왕의 길'이라는 도로를 정비하였다. (○)

❷ 페르시아의 왕들은 조로아스터교 의 최고신 아후라 마즈다가 자신에게 권력을 주었다고 주장하였다.

역량 키우기 역사 탐방 국제적인 문화를 발전시킨 페르시아의 수도, 페르세폴리스

교과서 27쪽

생각하고 써 보기

페르세폴리스 유적을 통해 페르시아가 예시 답안 아시리아, 이집트, 그리스 등을 정복하고 그들의 문화를 관용적으로 포용함으로써 국제적인 문화로 발전시킨 국가였다는 **사실을 알 수 있어!**

자료 해설

페르시아 문화는 현재 이란 지역에 많이 남아 있는데 페르세폴리스 궁전 터의 계단 조각과 기둥, 문 등의 양식을 보면 여러 나라의 영향을 받은 흔적이 나타나 있다.

이 주제의 핵심

이 주제에서는 서아시아 세계를 통일한 아시리아와 아케메네스 왕조 페르시아, 사산 왕조 페르시아에 대해 배웠어요. 아시리아는 강압적인 통치로 빠르게 멸망하였지만, 아케메네스 왕조 페르시아는 관용 정책을 펼치며 다리우스 1세 때 중앙 집권 체제를 확립하며 성장하였어요. 페르시아는 동서를 잇는 국제적인 문화를 발전시켰다는 사실도 기억해야 겠지요?

2 고대 제국들의 특성과 주변 세계의 성장

학습 목표
춘추 전국 시대에 일어난 사회, 경제적 변화를 설명할 수 있다.

주제 6 큰 변화가 일어난 춘추 전국 시대

1 [1]춘추 전국 시대, 여러 나라가 경쟁을 벌이다

(1) 춘추 전국 시대의 시작: 기원전 8세기, 내부의 혼란 유목 민족의 침입 → 주 왕실 낙읍(뤄양)으로 천도

(2) 주 왕조의 몰락: 강력한 제후들의 등장, 왕실 권위 하락 → 분열, 전쟁

왜? 춘추 전국 시대가 시작할 무렵에는 200여 개의 제후국이 있었어. 이들 가운데 5개 제후국이 춘추 시대를 이끌었고, 전국 시대에는 7개 나라만 남게 되었어.

2 중국 사회에 철기가 보급되다

(1) 강력한 군사 조직 마련: 제후국 간의 경쟁에서 살아남기 위한 노력 → 전쟁 규모 및 빈도 확대, 평민의 역할 중요

(2) 철제 농기구 제작 및 우경 보급: 농업 생산량 크게 증가 → 상업과 수공업 발달 및 도시 성장에 영향

어떻게? 소가 쟁기를 끌면서 땅을 깊게 가는 농사법이야.

3 수많은 사상가가 다양한 주장을 펴다

(1) [2]제자백가의 등장 배경: 제후들의 신분과 출신을 가리지 않는 인재 등용과 부국강병 조성 의지 → 동아시아 정치와 문화에 영향

(2) 대표적인 제자백가

제자	백가	주장
공자, 순자	유가	인과 예를 바탕으로 도덕 정치를 해야 한다.
묵자	묵가	모든 사람을 차별 없이 사랑해야 한다.
한비자, 상앙	법가	엄격한 법과 강력한 처벌을 통해 사회를 안정시켜야 한다.
노자, 장자	도가	인간의 욕심을 버리고 자연의 순리에 따라야 한다.

[1] 춘추 전국 시대
춘추 전국 시대는 춘추 시대와 전국 시대로 구분된다. 춘추 시대는 공자가 지었다는 『춘추』에서 유래한다. 주가 수도를 동쪽 낙읍으로 옮긴 때부터 주의 제후국이던 진(晉)이 세 나라로 분열하여 각각 한, 위, 조로 독립했던 기원전 403년까지가 춘추 시대이다. 그 이후부터 진시황이 중국을 통일한 기원전 221년까지를 전국 시대라고 하는데, 이는 당시의 역사를 기록한 『전국책』에서 유래하였다.

[2] 제자백가
공자, 묵자, 한비자, 노자처럼 여러 학문 분야에서 스승으로 인정받는 제자(諸子)와 유가, 묵가, 법가, 도가와 같은 여러 학문의 체계, 즉 백가를 합쳐 부르는 표현이다.

핵심 자료 춘추 전국 시대 전쟁 양상의 변화

주대에는 전쟁이 일어나면 지배층만이 참전하였다. 전투는 전차 중심으로 전개되었으며, 하루나 이틀 만에 끝나는 경우가 많았다. 그러나 춘추 전국 시대를 거치면서 전투의 중심이 대규모 병사를 동원하는 보병전으로 바뀌었다. 전쟁 규모가 매우 커졌고, 기간도 늘어나 3~5년씩 걸리기도 하였다.

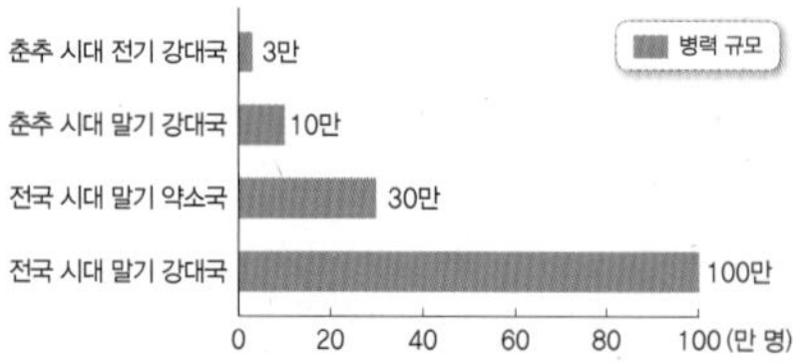

(『강좌 중국사 1』, 2006.)

✓ 핵심 **춘추 전국 시대에 농민의 역할이 중요해진 이유는 무엇일까?**

춘추 전국 시대에 전쟁의 양상이 대규모 병사를 동원하는 보병전으로 바뀌면서 농민의 역할이 중요해졌다.

정답과 해설 3쪽

확인해 봐요

1 주 왕조가 낙읍으로 도읍을 옮긴 이후부터 춘추 전국 시대라 한다. (○, ×)

2 춘추 전국 시대에 제후들은 부국강병을 위해 다양한 사상가들을 등용하였다. (○, ×)

3 춘추 전국 시대에 청동기가 보급되면서 농업 생산량이 늘어나고 전쟁의 규모도 커졌다. (○, ×)

교과서 활동 풀이

가자! 역사 속으로

교과서 28쪽

춘추 전국 시대 제후국들은 철로 칼, 창, 투구 등 무기를 만들어 전쟁을 치렀습니다. 이 무기들은 청동기보다 단단하고 예리하였습니다.

철기의 사용은 중국 사회에 어떤 변화를 가져왔을까요?

예시 답안 단단하고 날카로운 무기를 만들어 더욱 치열한 싸움을 하게 되었으며 차츰 전쟁의 규모도 커졌다.

활동 도우미

청동제 무기에 비해 철제 무기는 훨씬 단단하고 날카로웠어요. 그리고 철은 청동보다 쉽게 구할 수 있었지요. 따라서 더 강력한 무기를 많이 만들 수 있게 되었어요.

교과서 사진 자료 춘추 전국 시대 청동 화폐

교과서 28쪽

춘추 전국 시대에 철기가 보급되었지만, 화폐는 여전히 청동으로 제작되었다. 각국의 화폐 모양은 매우 다양한데, 둥근 형태의 화폐를 비롯하여 농사가 발달된 지역에서는 삽의 모양을 본떠 만든 포폐가 등장하였다. 또한 한쪽만 날이 있는 칼, 도의 형태를 한 도폐와 외형이 무섭고 귀신의 얼굴을 새겨 넣은 것 같은 의비전 등이 있다.

활동 도우미

청동은 철에 비해 재료를 구하기 어려웠기 때문에 그 가치가 높았어요. 그래서 철기 시대의 화폐는 여전히 청동으로 만들었지요.

탐구 해봐요 제자백가의 사상

교과서 29쪽

1 **각각의 주장을 가장 잘 나타내는 핵심 단어를 본문에서 찾아 빈칸을 채워보자.**

2 **부유하고 강한 나라를 만들기 위해 누구의 사상을 받아들이면 좋을까? 자신의 의견과 그 까닭을 함께 써 보자.**

예시 답안 공자의 유가 사상을 받아들이는 것이 좋겠다. 왜냐하면 왕이 도덕적인 모습으로 솔선수범하면 백성들이 저절로 왕에게 충성하며 각자의 역할에 충실하게 되어 부강한 나라를 만들 수 있으리라 생각되기 때문이다.

활동 도우미

춘추 전국 시대의 제후들은 부유하고 강한 나라를 만들 수 있는 방법을 고민하였어요. 제자백가들은 각자 다양한 방법을 제시하였는데, 그 중 가장 두드러진 활약을 하였던 학자와 그들의 생각이 무엇이었는지 살펴보아요.

스스로 확인해요

❶ 춘추 전국 시대에는 철기가 사용되면서 농업 생산력이 크게 늘었다. (○)

❷ 제자백가 중 법 가 은/는 엄격한 법과 형벌로 나라를 다스릴 것을 주장하였다.

이 주제의 핵심

이 주제에서는 춘추 전국 시대의 특징에 대해 배웠어요. 주 왕실의 권위가 무너지고, 강력한 제후들이 등장하여 치열하게 경쟁하였던 춘추 전국 시대에는 철기가 보급되면서 전쟁의 규모와 빈도가 더욱 커졌지요.
이때 부국강병을 추구하기 위한 방법을 찾던 제후들을 뒷받침하려는 많은 사상가와 그들의 학문 체계가인 제자백가가 등장하였음을 기억하세요.

학습 목표
진 · 한 제국의 통치 정책을 설명할 수 있다.

주제 7 중국 문화의 기초가 된 진 · 한

1 진이 최초로 중국을 통일하다

(1) 성장과 통일

① 건국 및 위치: 전국 시대, 중국 서쪽의 소국에서 시작

② 성장: 기원전 4세기, 법가 사상을 바탕으로 개혁 → 통일(기원전 221)

(2) 진시황제의 통치

① 황제 호칭 사용: 시황제 왜? 첫 번째 황제라는 뜻으로 진의 첫 번째 황제를 진시황제라고 해.

② 군현제 시행 및 도로 건설: 전국을 군 · 현으로 나눔, 관리 파견 → 지방 통제 강화

③ 통일 정책 추진: 문자, 화폐, 도량형 통일, 법가 이외의 사상 통제

어떻게? 법가 이외의 학파에 대한 저서는 불태우고, 이러한 상황을 비판하는 사상가들 중 특히 많은 유학자를 구덩이에 파묻었어.

④ ❶만리장성 축조: 북방 유목 민족인 흉노 저지, 기존의 장성 증축 및 연결

(3) 멸망(기원전 206): 대규모 토목 공사, 가혹한 법률에 의한 통치 → 백성 부담 가중 → 각지에서 반란이 일어나 멸망

2 한이 다시 중국을 통일하다

(1) 통일(기원전 202): 유방(한 고조), 장안에 도읍, 군국제 시행

(2) 한 무제의 통치

① 중앙 집권 체제 강화: 유학을 통치 이념으로 채택, 군현제 시행

② 영토 확장: 고조선 공격, 베트남 북부 확장, 흉노 공격

③ 장건의 서역 파견: 목적–흉노의 고립

④ ❷비단길 개척: 중앙아시아 지역과 교역의 계기

(3) 멸망(220)

① 쇠퇴: 한 무제 이후 내부 권력 투쟁 → 외척 왕망에 의한 멸망

② 후한 성립(25): 광무제에 의한 부활

③ 멸망: 환관의 정치 개입, 지방 호족의 세력 확대 → 황건적의 난 등 농민 봉기

3 한이 유학을 발전시키고 중국 문화의 바탕을 다지다

(1) 유학의 발달

① 유학 교육 기관: 태학 설치 → 유학 지식을 갖춘 사람을 관리로 선발

② 정치 이념 및 생활 규범 → 유교로 발전

③ 훈고학 발전: 경전의 정리, 해석 왜? 진시황제 때 소실된 유교 경전을 복원하는 과정에서 훈고학이 발달하였어.

(2) 사마천, 『사기』 저술: 삼황오제 ~ 한 무제 역사 정리, 이후 중국 역사 서술의 모범

(3) 과학 기술 발달: 제지법 개량(채륜 → 비단길을 통해 주변국에 전파), 지진계, 해시계 발명

어떻게? 가볍고 값싼, 만들기도 쉬운 종이 만드는 법을 완성하여 책을 만드는 데 널리 활용되었어.

❶ 만리장성
진시황제는 중국을 통일한 후 몽염을 보내 흉노를 북방으로 몰아내고 만리장성을 쌓았다. 이후에도 보수와 재건축을 거듭하여 오늘날 남아 있는 만리장성은 명대에 쌓은 것이다. 이것은 중국 왕조가 오랫동안 북방 민족의 침입에 대비하였음을 의미한다.

❷ 비단길
중국에서 서역이라고 하는 중앙 아시아에는 기원전 2000년경부터 사막 지대의 오아시스를 연결하여 동방과 서방을 연결하는 교통로가 있었다. 한의 장건이 서역 원정을 하며 동서의 교통로는 한층 발달하게 되었다. 이 길을 통해 중국의 특산물 비단이 페르시아, 인도, 그리스 등에 수출되었기 때문에 비단길(실크로드)이라 불리었다.

정답과 해설 3쪽

확인해 봐요

1 진시황제는 (법가 / 유가) 사상을 바탕으로 통일 국가를 이끌어 갔다.

2 한 무제는 (군국제 / 군현제)을/를 전면적으로 시행하여 전국을 직접 지배하였다.

3 한은 (태학 / 국학)을/를 세워 유학 지식을 갖춘 인재를 양성하고자 하였다.

교과서 활동 풀이

가자! 역사 속으로

교과서 30쪽

1974년 산시성 시안에서 병마용 갱이 발견되었습니다. 이곳에서는 흙으로 빚은 병사들이 수천 년 동안 누군가를 지키고 있었습니다.

흙으로 빚은 병사들이 지키고자 하였던 인물은 누구일까요? 예시 답안 진시황제

활동 도우미

병마용 갱이란 병사와 말 모양을 흙으로 만들어 배치한 구덩이라는 뜻으로 진시황제의 무덤에서 1km 떨어진 곳에서 발견되었어요. 현재까지 8천여 개의 병사와 520여 마리의 말 모형이 발굴되었어요.

탐구 해봐요 **진시황제의 통일 정책**

교과서 30쪽

1 본문을 참고하여 빈칸을 채워 보자.

예시 답안 자료1 - 화폐, 자료2 - 문자, 자료3 - 사상

2 진시황제의 통일 정책이 이후 중국의 정치와 경제에 미친 영향을 이야기해 보자.

예시 답안 춘추 전국 시대에 나라마다 달랐던 도량형과 화폐가 통일을 이루면서 국내 물자가 정확하게 교류될 수 있어 상업이 발달하고 하나의 경제권이 형성될 수 있었다. 또한 문자와 사상이 통일됨으로써 강력한 통치 이념을 바탕으로 국가를 운영할 수 있게 되었다.

자료 해설

진시황제는 춘추 전국 시대에 분열되었던 도량형, 화폐, 문자, 사상을 하나로 통일하였다. 이를 통해 하나의 경제권을 형성하고, 법가의 사상을 바탕으로 통일 제국을 이끌고자 하였다. 이 과정에서 다른 사상은 철저히 탄압하였다.

Q 한 무제가 장건을 서역으로 파견한 까닭은 무엇일까요?

교과서 31쪽

예시 답안 한을 공격하는 흉노를 고립시키기 위해 대월지와 군사 동맹을 맺고자 하였다.

스스로 확인해요

❶ 진시황제는 법가 사상을 통해 나라를 다스리고 전국에 직접 관리를 파견하는 군현제를 실시하였다. (○)

❷ 한은 유 학 을/를 나라의 기본 정치 이념으로 삼았다.

역량 키우기 **역사 탐구** **중원 제국과 대립한 유목 민족, 흉노**

교과서 33쪽

생각하고 탐구하기

1 자료1 을 보고 유목 민족인 흉노가 강력한 국가를 이루게 된 과정을 정리해 보자.

예시 답안 진이 유목 생활을 하던 흉노의 거주지를 점령하고 장성을 쌓자, 이에 대응하기 위해 권력을 집중시켜 국가를 이루었다.

2 자료1 과 자료2 를 바탕으로 한 무제가 흉노를 공격했던 까닭을 써 보자.

예시 답안 흉노가 제국을 건설하고 한을 압박하자, 한의 공주를 흉노에 시집보내고 공물을 바치는 방법으로 평화를 유지하려 하였다. 그러나 한 무제는 흉노가 내부 분열로 약해진 틈을 타서 이러한 상황에서 벗어나고자 하였다. 이에 적극적으로 흉노를 공격하였다.

자료 해설

흉노는 진의 공격에서 벗어나기 위해 강력한 국가 체제를 갖추며 성장하였다. 흉노가 한을 위협할 정도로 강력한 제국이었기 때문에 한 무제는 흉노를 공격하였다.

이 주제의 핵심

이 주제에서는 진과 한 왕조에 대해 배웠어요. 진의 시황제는 춘추 전국 시대를 통일한 후, 각종 제도와 사상을 통일하고, 군현제를 시행하며 제국을 하나로 묶고자 하였지만 곧 멸망하였지요.
뒤를 이은 한은 중앙 집권 체제를 강화하고 영토를 확장하면서 강력한 제국으로 성장하였어요. 또한 한이 유학을 발전시키고, 다양한 분야의 과학 기술을 발달시키는 등 이후 중국 사회에 큰 영향을 미쳤다는 것도 알아두세요!

학습 목표
고대 그리스와 헬레니즘 세계의 발전 과정을 설명할 수 있다.

주제 8 서양 문명의 토대가 된 그리스

1 폴리스[1]가 성립하고 아테네와 스파르타가 발전하다

(1) 폴리스의 형성: 외적 방어에 유리한 곳에 요새나 성 건축

(2) 아테네의 민주 정치 어떻게? 평민들이 무역을 통해 부를 축적하고, 전쟁에 참여하면서 참정권이 확대되었어.

① 솔론: 재산 정도에 따른 차등적 정치 권력 부여

② 클레이스테네스: 도편 추방제(독재자 출현 방지)

③ 페리클레스

- 아테네 민주 정치의 전성기
- 시민권을 가진 성인 남성이 민회에 모여 논의(직접 민주주의) 여성, 노예, 외국인은 정치에 참여하지 못함.

(3) 스파르타의 군국주의 정책: 어려서부터 군사 훈련을 받음, 공동 식사 등을 통해 엄격한 공동체 생활 왜? 스파르타는 소수의 도리아인이 다수의 원주민을 정복하고 세운 폴리스로 강력한 군사력을 갖추고자 했기 때문이야.

2 그리스·페르시아 전쟁이 일어나다

(1) 그리스 · 페르시아 전쟁: 아케메네스 왕조 페르시아의 그리스 공격 → 아테네 중심의 그리스의 폴리스 연합의 승리

(2) 아테네 민주 정치의 성장 배경

① 델로스 동맹의 중심 → 정치적 영향력 확대 왜? 페르시아가 다시 침입할 것에 대비해서 아테네를 중심으로 여러 폴리스들이 동맹을 맺었어.

② 해상 무역을 통한 경제적 번영 → 페리클레스(민주 정치의 전성기)

(3) 그리스 세계의 멸망: 아테네 중심에 대한 펠로폰네소스 동맹(스파르타 중심)의 대항(펠로폰네소스 전쟁) → 펠로폰네소스 동맹 승리, 그리스 세계의 세력 약화 → 마케도니아에 멸망(기원전 338)

3 인간 중심의 그리스 문화가 발전하다

(1) 인간 중심적 문화: 신도 인간처럼 묘사 → 문학과 예술의 원천

(2) 철학 발달: 소크라테스, 플라톤, 아리스토텔레스 등의 철학자 등장

(3) 건축: 파르테논 신전

(4) 조각: 포세이돈 신상, 원반 던지는 사람

4 알렉산드로스가 동서를 아우르는 제국을 세우다

(1) 알렉산드로스의 동방 원정: 유럽 · 아시아 · 아프리카에 걸친 대제국 건설

(2) 그리스와 페르시아 통합 노력: 알렉산드리아 건설, 그리스 문화 전파

(3) 알렉산드로스 제국의 멸망: 알렉산드로스의 사망 후 분열 → 일부 로마에 정복

5 세계 시민주의적인 헬레니즘[2] 문화가 나타나다

(1) 특징: 그리스 문화를 기반으로 여러 문화 요소 융합, 세계 시민주의, 개인주의

(2) 헬레니즘 미술의 발달: 사실적인 아름다움 강조(이시스 티케상, 라오콘 군상)

① 폴리스
그리스는 산과 섬이 많고 해안선이 복잡해서 물자 수송과 외부와의 교류가 어려웠다. 따라서 몇몇 촌락들이 연합하여 자급자족과 자치를 바탕으로 한 도시 중심의 폴리스라는 작은 국가들이 등장하였다.

② 헬레니즘
'말하다', '그리스인처럼 행동하다'라는 뜻의 그리스어 hellenizein에서 유래하였다고 한다. 19세기에 만들어진 용어로서, 그리스 문화가 이집트와 서아시아 지역에 널리 퍼져 나간 현상을 가리킨다.

정답과 해설 3쪽

확인해 봐요

1 아테네는 (민주 정치 / 군국 정치)이/가 발전하였다.

2 그리스는 (마케도니아 / 로마)에 의해 멸망하였다.

3 알렉산드로스가 정복 전쟁에 나선 이후부터 기원전 1세기 후반까지 시기를 (헬레니즘 / 오리엔탈리즘) 시대라고 한다.

교과서 활동 풀이

가자! 역사 속으로

교과서 34쪽

아테네에서는 독재자가 될 우려가 있는 사람을 사진과 같은 도기 조각(그리스아고라박물관)에 적어 투표하였습니다. 6,000명 이상이 참여한 투표에서 가장 많은 표를 받은 인물은 10년 동안 아테네 밖으로 추방되었습니다.

아테네가 이와 같은 제도를 시행한 배경은 무엇일까요?

예시 답안 아테네에서는 민주 정치가 발전하는 과정에서 독재를 하려는 인물을 막고자 하였다.

자료 해설

아테네에서는 깨진 도자기의 조각(도편)을 이용하여 투표를 실시하였다. 특히 독재자가 될 우려가 있는 사람의 이름을 적어 추방하는 것을 도편추방제라 한다.

탐구 해봐요 아테네 민주 정치의 발전

교과서 35쪽

솔론 시기	클레이스테네스 시기	페리클레스 시기
시민을 재산 정도에 따라 네 계층으로 나누고, 차등적으로 정치에 참여하게 하였다. 이에 따라 부유한 평민이 정치에 참여할 수 있게 되었다.	혈연 중심의 부족제를 지역 중심으로 개편하여 귀족들의 세력 기반을 약화하였다. 각 부족에서 선출된 시민들이 민회에서 논의할 내용 등을 결정하도록 하였다.	20세 이상 시민권을 가진 남성이 모여 나랏일을 의논하는 민회의 권한이 강화되었다. 가난한 시민이 정치에 참여할 수 있도록 공무를 맡은 자에게 보수를 지급하였고, 추첨으로 관리를 선발하였다.

활동 도우미

아테네의 민주 정치는 정치에 참여하는 사람들이 점차 확대되면서 발전하였어요. 제시된 표에서 시민의 범위가 어떻게 확대되었는지 찾아보아요.

1 고대 아테네의 민주 정치가 발전하며 참정권자의 범위가 어떻게 달라졌는지 정리해 보자.

예시 답안 솔론 시기에는 재산이 많은 평민이 정치에 참여할 수 있게 되었고, 차츰 혈통과 재산에 관계없이 참정권을 갖게 되었다. 페리클레스 시기에 접어들어 20세 이상의 시민권을 가진 남성이면 누구나 정치에 참여할 수 있게 되었다.

2 페리클레스 집권 이후의 아테네 민주 정치와 오늘날 우리나라의 민주 정치를 비교해 보자.

예시 답안

	시민의 범위	정치 참여 방식
고대 아테네	20세 이상인 시민권을 가진 남성	시민이 민회에 참여하여 직접 의사 결정에 참여
오늘날 우리나라	일정 연령 이상의 모든 사람	시민이 대표를 선출하고, 그 대표를 통해 간접 참여

Q 알렉산드로스가 각지에 알렉산드리아를 세운 까닭은 무엇일까?

교과서 36쪽

예시 답안 알렉산드로스는 자신의 이름을 딴 알렉산드리아를 정복지 곳곳에 세워 자신의 권위를 높이고, 그리스인들을 이주시켜 그리스 문화를 전파하고자 하였다.

스스로 확인해요

❶ 아테네의 페리클레스 시기에 시민권을 가진 성인 남성은 민회에 참석하여 나랏일을 결정할 수 있었다. (○)

❷ 알렉산드로스의 정복 활동으로 그리스 문화와 페르시아 등의 문화가 융합되어 헬레니즘 문화가 탄생하였다.

이 주제의 핵심

이 주제에서는 그리스의 아테네와 스파르타의 특징, 알렉산드로스에 의해 형성된 헬레니즘 세계에 대해 배웠어요. 아테네에서 직접 민주 정치가 발전한 과정, 스파르타의 군국주의 정책, 이후 그리스의 성장과 분열 과정을 이해하고, 알렉산드로스에 의해 그리스와 페르시아의 문화가 융합되어 형성된 헬레니즘 문화를 기억해야겠지요?

학습 목표
로마의 성장 과정과 로마 문화의 특징을 설명할 수 있다.

주제 9 지중해 세계를 통일한 로마

1 공화정이 성립되고, 로마가 지중해 세계를 장악하다

(1) 로마 건국: 기원전 8세기, 왕이 다스리는 도시 국가

(2) [1]공화정 수립

① 초기: 원로원을 장악한 귀족이 정치를 주도

② 평민권 신장: 평민의 전쟁 참여로 평민의 정치 참여 확대 → 평민의 대표인 호민관 선출

③ 공화정의 발전: 집정관, 원로원, 민회가 견제와 균형을 이루며 통치

(3) [2]포에니 전쟁: 카르타고와 전쟁 → 로마 승리, 지중해 세계 장악

(4) 공화정의 동요: 귀족의 대농장 경영으로 자영농 몰락 → 그라쿠스 형제의 개혁(실패)

2 제정이 시작되고, 로마에 평화 시대가 오다

(1) 옥타비아누스(아우구스투스)의 등장: 공화정 유지 주장 → 제정 성립

무엇? 존엄한 자라는 뜻으로 원로원에서 붙여 준 칭호야.

(2) '로마의 평화' 시기: 옥타비아누스 이후 약 200년간 번영 시기, 최대 영토 확보, 새로 정복한 주민에게 시민권 부여

3 로마가 쇠퇴하고 서로마 제국이 멸망하다

(1) 제정의 혼란

① 황제의 자리를 놓고 군인들이 대립

② 게르만족과 사산 왕조 페르시아의 공격 → 도시와 상공업 쇠퇴

(2) 동 · 서 로마의 분열

① 콘스탄티누스 대제의 개혁: 콘스탄티노폴리스로 천도 등 부흥을 위한 노력

② 동 · 서 분리(395): 동로마 – 비잔티움 제국으로 번영, 서로마 – 게르만족의 침입으로 멸망(476)

4 실용적인 로마 문화가 발달하다

(1) 법률: 시민 생활을 규제하는 시민법 → 제국의 모든 민족에 적용된 만민법으로 발전

무엇? 로마 시민권을 갖지 못한 외국인에게 적용하기 위해 제정한 법이야.

(2) 건축: 군대와 물자 수송에 필요한 도로와 수도교, 원형 경기장(콜로세움), 공중 목욕탕 건설

5 크리스트교가 성립하다

(1) 성립: 로마 제국의 팔레스타인 지역에서 예수 등장 → 로마 곳곳으로 확산

(2) 박해: 황제 숭배와 군사 의무 이행 거부로 로마 제국의 박해

(3) 공인: 밀라노 칙령으로 공인(313) → 국교로 삼음(4세기 말)

무엇? 로마 콘스탄티누스 대제가 신앙의 자유와 그리스도교의 권리 보장을 발표한 포고령이야.

❶ 공화정

군주제에 상대되는 개념으로 공화국의 주권은 국민에게 있고 국민이 선출한 대표자가 국민의 권리와 이익을 위하여 통치한다.

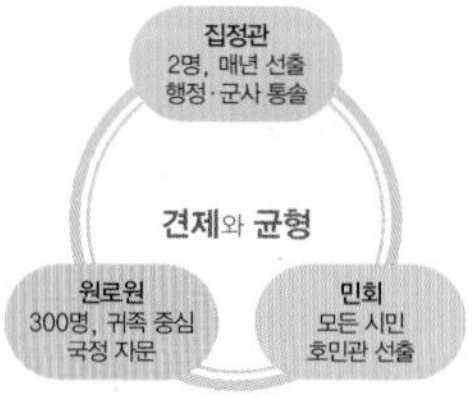

❷ 포에니 전쟁

기원전 264년에서 기원전 146년에 지중해 무역을 주도하고 있던 카르타고와 로마가 세 차례에 걸쳐 벌였던 전쟁을 말한다.

❸ 그라쿠스 형제의 개혁

그라쿠스 형제가 호민관이 되어 자영농 육성 및 토지 소유 제한 등의 토지 개혁을 비롯하여 빈민을 돕는 여러 가지 개혁을 시행하려 하였다. 그러나 로마 원로원과 보수적인 귀족 반대파에 밀려 끝내 죽임을 당하였다.

정답과 해설 3쪽

확인해 봐요

1 로마에서 집정관, 원로원, 민회가 견제와 균형을 이루며 이루어진 정치 형태는? (　　)

2 로마의 제정이 시작되었으며, 이후 약 200년 간 로마의 평화 시대를 열었던 황제는? (　　)

3 로마의 법률이 발전하였음을 보여주는 것으로 제국의 모든 민족에게 적용하였던 것은? (　　)

교과서 활동 풀이

가자! 역사 속으로

교과서 38쪽

오늘날 사람들은 "모든 길은 로마로 통한다.", "로마에 가면 로마법을 따르라."와 같이 로마와 관련된 표현들을 사용하곤 합니다.

이러한 표현들이 나타난 이유는 무엇일까요?

예시 답안 로마 제국이 광대한 영역의 곳곳을 연결하기 위해 도로를 건설하고, 다양한 민족에게 적용되는 법을 만들어 지배하였는데, 이것이 오늘날 유럽 문화의 근본이 되었기 때문이다.

활동 도우미

로마는 오늘날 영국의 남부 지역, 스페인, 북아프리카, 튀르키예, 이라크 등에 이르는 광대한 제국이었어요. 따라서 다양한 민족과 넓은 영토를 다스리기 위한 노력으로 도로를 건설하고 법을 만들었어요.

탐구 해 봐요 로마의 시민권 정책

교과서 38쪽

> 로마의 기초를 세운 로물루스는 적들도 받아들여서 시민단을 키워야 한다고 가르쳤는데, 이야말로 로마인의 힘과 명성이 퍼지는 근본이 되었습니다. 그를 모범으로 우리 조상들은 *시민권 수여를 중단하지 않았습니다. 그리고 투스쿨룸인과 라누비움인이, 사비눔인과 볼스키인과 헤르니키인이 로마 시민이 되었습니다.
>
> – 키케로, 발부스를 위한 연설 –

*시민권 로마 시민은 제국 내에서 자유롭게 이동하고 무역하는 등 로마 제국의 보호를 받았으며, 군 복무의 의무를 졌다. 로마는 공화정 시기부터 정복지의 주민들에게 완전한 시민권, 또는 정치 참여가 제한된 반시민권을 부여하였다. 그리고 3세기 무렵에는 제국 내 모든 자유민에게 시민권을 부여하였다.

활동 도우미

로마는 왕이 통치하는 국가에서 출발하였지만, 영토를 확장하는 과정에 참여하였던 평민들과 정복지 사람들에게도 시민권을 부여하였어요. 이를 통해 시민들이 국가의 중요한 일을 결정하는데 참여하는 공화정을 발전시킬 수 있게 되었지요.

1 키케로의 연설문을 보고 로마 시민권 정책의 특징을 써 보자.

예시 답안 로마 제국이 정복한 지역의 사람들에게도 시민권을 부여하여 동등하게 정치에 참여하고 보호를 받을 수 있도록 하였다.

2 로마의 시민권 정책이 로마의 팽창에 어떤 영향을 미쳤을지 친구들과 이야기해 보자.

예시 답안 시민권을 부여받은 이들 사이에 공동체 의식이 강해져서 사회 통합에 유리하였으며, 넓은 영토를 안정적으로 다스릴 수 있게 되었다.

스스로 확인해요

❶ 옥타비아누스는 로마의 혼란을 수습하고 제정 시대를 열었다. (○)

❷ 4세기 말에 로마는 크 리 스 트 교 을/를 국교로 인정하였다.

역량 키우기 역사 탐방 로마의 제국 통치와 실용적인 건축 문화

교과서 41쪽

생각하고 써 보기

로마의 건축 문화는 예시 답안 로마 제국 곳곳을 잇는 도로를 만들어 편리하게 이동할 수 있도록 하였고, 수도교를 만들어 제국 곳곳에 물을 공급받을 수 있도록 하였다. 또한 공중목욕탕을 만들어 모임의 장소로 활용하였으며, 원형 경기장을 만들어 많은 관중이 함께 오락을 즐길 수 있도록 하였다. 이러한 건축물들은 실제 생활에 필요한 것으로, 로마의 건축 문화가 실용적이 **라고 생각해!**

이 주제의 핵심

이 주제에서는 로마 제국이 성장하며 정치 체제가 변화하고, 실용적인 문화가 형성되는 과정을 배웠어요. 로마가 왕정에서 출발하여 공화정을 수립하고 제정으로 바뀌는 과정을 알아두세요. 이 과정에서 법률과 건축 등의 실용적인 문화가 발달하고, 크리스트교를 국교로 삼게 되었다는 것도 기억해야겠지요?

시험을 대비하는 실전 문제

기초를 튼튼하게 확인 문제

01 서로 관련 있는 내용끼리 연결하시오.

㉠ 포에니 전쟁 •	• ⓐ 그리스 폴리스들이 연합한 전쟁
㉡ 펠로폰네소스 전쟁 •	• ⓑ 로마와 카르타고의 전쟁
㉢ 그리스 · 페르시아 전쟁 •	• ⓒ 그리스 폴리스들의 패권 장악 전쟁

02 아래 설명이 맞으면 ○, 틀리면 ×로 표시하시오.

(1) 아케메네스 왕조 페르시아는 정복한 지역 주민들의 전통과 종교를 존중하였다. (　　)

(2) 제자백가 중 도가는 '인'과 '예'를 바탕으로 하는 도덕 정치를 강조하였다. (　　)

(3) 아테네에서는 어려서부터 군사 훈련을 받고 엄격한 공동체 생활을 하였다. (　　)

(4) 로마는 옥타비아누스 집권이후 약 200년간 '로마의 평화'로 알려진 번영을 누렸다. (　　)

03 |보기|에서 서아시아 세계를 통일한 순서대로 나열하시오.

| 보기 |
ㄱ. 아시리아　　ㄴ. 사산 왕조 페르시아
ㄷ. 아케메네스 왕조 페르시아　　ㄹ. 마케도니아

04 빈칸에 알맞은 말을 쓰시오.

(1) 최초로 중국을 통일한 진은 왕은 첫 번째 황제라는 의미로 자신을 (　　　)(이)라고 칭하였다.

(2) (　　　) 시대에는 그리스 문화를 기반으로 페르시아 등 다른 문화 요소를 융합한 문화가 등장하였다.

(3) 로마는 황제 숭배와 군사적 의무 이행을 거부한다는 이유로 (　　　)을/를 박해하였다.

내신을 탄탄하게 내신 문제

01 (가)에 들어갈 인물로 옳은 것은?

인물 카드

(가)

[주요 업적]
- 전국을 20개 주로 나누고, 주마다 총독을 파견함.
- 수사에서 사르디스에 이르는 '왕의 길'을 정비함.
- '왕의 눈', '왕의 귀'라 불리는 관리를 보내 총독을 감시함.

① 키루스 왕　② 다리우스 1세
③ 알렉산드로스　④ 옥타비아누스
⑤ 콘스탄티누스 대제

02 교사의 질문에 대한 학생의 답으로 옳은 것은?

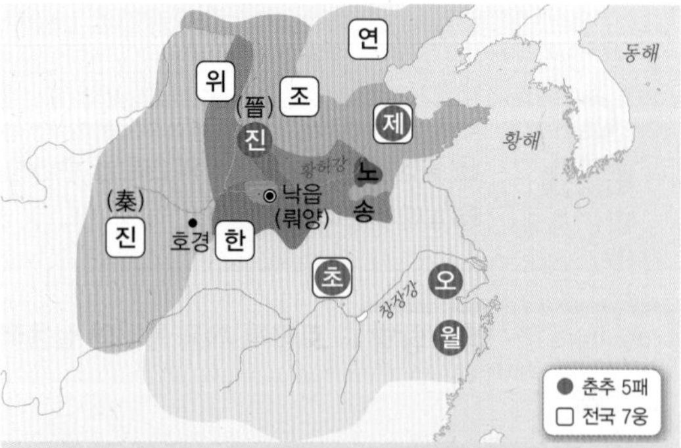

교사: 기원전 8세기 무렵, 중국이 다음과 같이 분열된 이유는 무엇일까요?

① 철기 문화가 보급되었기 때문입니다.
② 강제 이주 등 강압적인 통치를 했기 때문입니다.
③ 각 민족에게 지나치게 관용적인 통치를 하였기 때문입니다.
④ 교역이 활발해지면서 다양한 문화를 흡수하였기 때문입니다.
⑤ 봉건제를 기초로 한 주 왕실의 권위가 무너졌기 때문입니다.

정답과 해설 4쪽

03 춘추 전국 시대 제자백가의 사상이 바르게 연결된 것은?

① 유가: 차별 없는 사랑 주장
② 법가: 엄격한 법에 따른 정치 주장
③ 묵가: 자연의 순리에 따르는 삶 주장
④ 도가: 농업 생산에 의한 자급자족 주장
⑤ 농가: 인과 예를 바탕으로 한 도덕 정치 주장

04 다음 유적지와 관련 있는 중국 황제의 업적으로 옳은 것을 |보기|에서 모두 고른 것은?

|보기|
ㄱ. 고조선 공격
ㄴ. 군국제 실시
ㄷ. 만리장성 축조
ㄹ. 법가 이외의 사상 탄압
ㅁ. 문자, 화폐, 도량형 통일

① ㄱ, ㄴ, ㄷ ② ㄱ, ㄷ, ㅁ ③ ㄴ, ㄷ, ㄹ
④ ㄴ, ㄹ, ㅁ ⑤ ㄷ, ㄹ, ㅁ

05 (가)에 들어갈 내용으로 옳지 않은 것은?

〈역사 요점 정리〉

한의 문화
1. 시기: 고조 건국(기원전 202)~멸망(220)
2. 주요 내용
– 비단길을 통한 중앙아시아 지역과의 교역
– (가)

① 사마천이 역사책『사기』를 저술하였다.
② 채륜이 종이 만드는 기술을 완성하였다.
③ 국가의 중요한 일을 점을 쳐서 결정하였다.
④ 유학을 중시하여 태학을 설치하고 교육하였다.
⑤ 유교 경전을 정리 · 해석하는 훈고학이 발전하였다.

06 (가)에 들어갈 단어로 옳은 것은?

초대합니다

제 ○○회 정기 모임
오늘 우리 폴리스를 수호하는 아폴로 신에게 제사를 지내니 모두 (가) 로 모여 주세요!

① 아고라 ② 수도교
③ 원로원 ④ 콜로세움
⑤ 아크로폴리스

시험을 대비하는 실전 문제

신유형

07 **여행 보고서의 (가)에 들어갈 유적지의 사진으로 적절하지 않은 것은?**

〈여행 보고서〉

- 주제: 로마 제국의 흔적을 찾아서
- 유적지 사진: (가)

①

②

③

④

⑤

08 **로마 제국에서 다음과 같은 통치 체제가 무너지기 시작한 계기로 옳은 것은?**

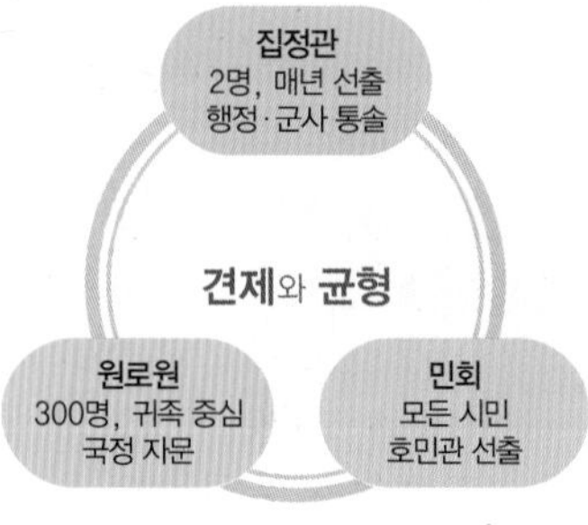

① 포에니 전쟁
② 크리스트교 공인
③ 펠로폰네소스 전쟁
④ 그라쿠스 형제의 개혁
⑤ 콘스탄티노폴리스 천도

09 **다음의 조각상에 대한 큐레이터의 설명으로 옳은 것은?**

라오콘 군상▶

① 그리스 올림피아 제전의 정신을 표현하였어요.
② 로마 제국에 크리스트교 문화가 정착되었음을 보여 주고 있어요.
③ 그리스 문화의 인간 중심적이며 합리적인 특징을 표현하였어요.
④ 그리스 문화를 바탕으로 다른 문화를 융합한 헬레니즘 문화의 특징을 표현하였어요.
⑤ 페르시아가 이집트 문화의 영향을 받아 국제적인 문화를 이룬 특징을 표현하였어요.

중요

10 **(가)에 대한 설명으로 옳은 것은?**

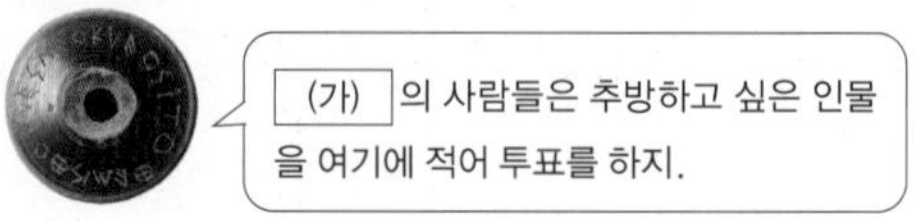

① 군국주의 정책을 펼쳤다.
② 여성 · 노예 · 외국인들까지도 정치에 참여할 수 있었다.
③ 귀족들이 정치를 이끌어가다가 황제가 등장하여 통치하였다.
④ 그리스 · 페르시아 전쟁 이후 번영을 누리며 민주 정치의 전성기를 이루었다.
⑤ 델로스 동맹을 이끌고 스파르타와의 전쟁에서 승리한 뒤 그리스 세계를 지배하였다.

정답과 해설 4~5쪽

만점에 도전하는 심화 문제

01 학생의 설명 중 (가)에 해당하는 시기는?

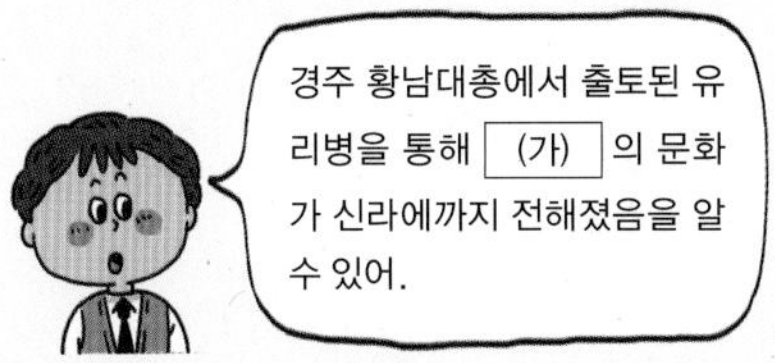

▲ 신라의 봉수형 유리병

메소포타미아 문명	아시리아	아케메네스 왕조 페르시아	마케도니아	사산 왕조 페르시아
㉠	㉡	㉢	㉣	㉤

① ㉠ ② ㉡ ③ ㉢
④ ㉣ ⑤ ㉤

02 교사의 질문에 대한 학생의 답변으로 옳은 것은?

① 북방의 흉노족을 막기 위한 것 같아요.
② 유학을 정치 이념으로 삼기 위한 것 같아요.
③ 서역의 여러 나라와 교류하기 위한 것 같아요.
④ 독재 정치를 막아내기 위한 정책인 것 같아요.
⑤ 중앙 집권 국가 체제를 확고히 다지기 위한 것 같아요.

신유형

03 다음과 같은 지역을 정복하였던 왕이 했을 말로 옳지 않은 것은?

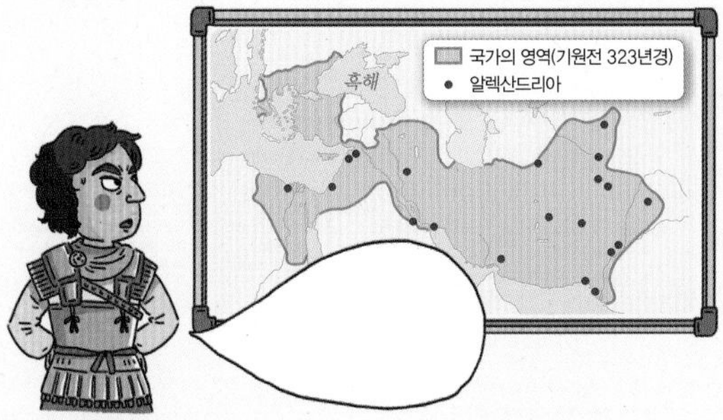

① 왕의 길을 정비하고 역참을 설치하라!
② 그리스 문화와 페르시아 문화를 하나로 만들자!
③ 그리스에서 일어난 반란을 진압하고, 동쪽으로 영토를 넓혀 나가자!
④ 나의 이름을 딴 알렉산드리아를 곳곳에 만들어 왕의 권위를 높이도록 하라!
⑤ 제국의 백성들은 폴리스를 넘어 세계 시민으로서 모두가 평등한 존재임을 잊지 말라!

04 다음과 같은 발언을 하였던 로마 황제의 업적은?

> 짐이 밀라노에서 토의한 결과 어떤 사람이든 그리스인 예배 또는 자신에게 가장 적합할 것으로 여기는 종교에 헌실할 자유가 부인되어서는 안 된다고 생각한다.

① 로마의 제정을 성립하였다.
② 포에니 전쟁에서 승리하였다.
③ 평민의 정치 참여를 확대하였다.
④ 동·서로마로 제국을 분리하였다.
⑤ 수도를 콘스탄티노폴리스로 옮겼다.

교과서 42~43쪽

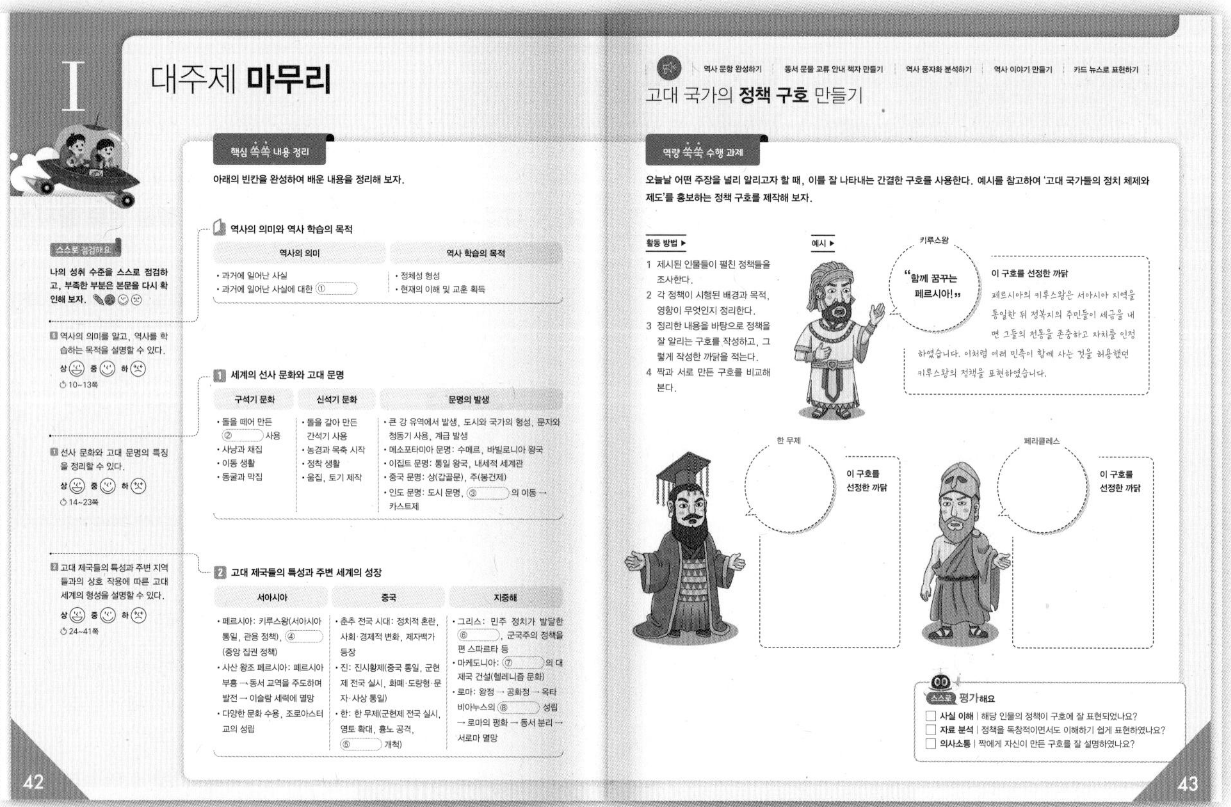

I 대주제 **마무리**

핵심 쏙쏙 내용 정리

아래의 빈칸을 완성하여 배운 내용을 정리해 보자.

역사의 의미와 역사 학습의 목적

역사의 의미	역사 학습의 목적
• 과거에 일어난 사실 • 과거에 일어난 사실에 대한 ①	• 정체성 형성 • 현재의 이해 및 교훈 획득

1 세계의 선사 문화와 고대 문명

구석기 문화	신석기 문화	문명의 발생
• 돌을 떼어 만든 ② 사용 • 사냥과 채집 • 이동 생활 • 동굴과 막집	• 돌을 갈아 만든 간석기 사용 • 농경과 목축 시작 • 정착 생활 • 움집, 토기 제작	• 큰 강 유역에서 발생, 도시와 국가의 형성, 문자와 청동기 사용, 계급 발생 • 메소포타미아 문명: 수메르, 바빌로니아 왕국 • 이집트 문명: 통일 왕국, 내세적 세계관 • 중국 문명: 상(갑골문), 주(봉건제) • 인도 문명: 도시 문명, ③ 의 이동 → 카스트제

2 고대 제국들의 특성과 주변 세계의 성장

서아시아	중국	지중해
• 페르시아: 키루스왕(서아시아 통일, 관용 정책), ④ (중앙 집권 정책) • 사산 왕조 페르시아: 페르시아 부흥 → 동서 교역을 주도하며 발전 → 이슬람 세력에 멸망 • 다양한 문화 수용, 조로아스터교의 성립	• 춘추 전국 시대: 정치적 혼란, 사회·경제적 변화, 제자백가 등장 • 진: 진시황제(중국 통일, 군현제 전국 실시, 화폐·도량형·문자·사상 통일) • 한: 한 무제(군현제 전국 실시, 영토 확대, 흉노 공격, ⑤ 개척)	• 그리스: 민주 정치가 발달한 ⑥, 군국주의 정책을 편 스파르타 등 • 마케도니아: ⑦ 의 대제국 건설(헬레니즘 문화) • 로마: 왕정 → 공화정 → 옥타비아누스의 ⑧ 성립 → 로마의 평화 → 동서 분리 → 서로마 멸망

스스로 점검해요

나의 성취 수준을 스스로 점검하고, 부족한 부분은 본문을 다시 확인해 보자.

역사의 의미를 알고, 역사를 학습하는 목적을 설명할 수 있다. 상 중 하 10~13쪽

선사 문화와 고대 문명의 특징을 정리할 수 있다. 상 중 하 14~23쪽

고대 제국들의 특성과 주변 지역들과의 상호 작용에 따른 고대 세계의 형성을 설명할 수 있다. 상 중 하 24~41쪽

42

역사 문항 완성하기 | 동서 문물 교류 안내 책자 만들기 | 역사 풍자화 분석하기 | 역사 이야기 만들기 | 카드 뉴스로 표현하기

고대 국가의 **정책 구호** 만들기

역량 쏙쏙 수행 과제

오늘날 어떤 주장을 널리 알리고자 할 때, 이를 잘 나타내는 간결한 구호를 사용한다. 예시를 참고하여 '고대 국가들의 정치 체제와 제도'를 홍보하는 정책 구호를 제작해 보자.

활동 방법 ▶

1 제시된 인물들이 펼친 정책들을 조사한다.
2 각 정책이 시행된 배경과 목적, 영향이 무엇인지 정리한다.
3 정리한 내용을 바탕으로 정책을 잘 알리는 구호를 작성하고, 그렇게 작성한 까닭을 적는다.
4 짝과 서로 만든 구호를 비교해 본다.

예시 ▶ 키루스왕

"함께 꿈꾸는 페르시아!"

이 구호를 선정한 까닭: 페르시아의 키루스왕은 서아시아 지역을 통일한 뒤 정복지의 주민들이 세금을 내면 그들의 전통을 존중하고 자치를 인정하였습니다. 이처럼 여러 민족이 함께 사는 것을 허용했던 키루스왕의 정책을 표현하였습니다.

한 무제 — 이 구호를 선정한 까닭

페리클레스 — 이 구호를 선정한 까닭

스스로 평가해요
- 사실 이해 | 해당 인물의 정책이 구호에 잘 표현되었나요?
- 자료 분석 | 정책을 독창적이면서도 이해하기 쉽게 표현하였나요?
- 의사소통 | 짝에게 자신이 만든 구호를 잘 설명하였나요?

43

해결 열쇠 대주제에서 학습한 내용들을 복습하면서 빈칸에 알맞은 답을 채워 보아요.

핵심 쏙쏙 내용 정리

정답 ① 기록 ② 뗀석기 ③ 아리아인 ④ 다리우스 1세 ⑤ 비단길 ⑥ 아테네 ⑦ 알렉산드로스 ⑧ 제정

역량 쏙쏙 수행 과제

활동 소개 ▶

고대 페르시아, 중국, 그리스, 로마 등의 정치가들이 자신들의 정책을 실현하기 위해 주장하였을 말을 간결하게 구호로 만들어 봅시다.

활동 방법 ▶

1단계 고대 여러 국가의 인물들이 펼친 다양한 정책을 조사해 보아요.

2단계 정책을 시행하게 된 배경과 목적은 무엇이며, 그 정책이 실현되었을 때 어떠한 결과를 얻을 수 있었는지 정리해 보아요.

3단계 조사 및 정리한 내용을 바탕으로 정책을 알리는 구호를 만들고, 그러한 구호를 만든 이유가 무엇인지 기록해 보아요.

4단계 짝과 서로 만든 구호를 소개하고 그 구호를 선정한 이유와 인물을 정책을 설명해 보아요.

고대 국가의 정책 구호 만들기 활동 도우미

• 정책을 표현하는 구호를 만들 때에는 간결한 문장으로 각각의 인물이 내세운 정책을 표현합니다. 많은 사람들에게 전달되어야 하므로 쉬운 단어로 표현하고, 강렬한 이미지를 남길 수 있으면 더 좋습니다.

예시 답안

한 무제: '인과 예의 정신으로 나아가는 한'

– 이 구호를 선정한 이유: 한의 무제는 유교를 통치 이념으로 삼았다. 따라서 유교의 근본 정신인 인과 예를 강조한다는 이미지를 부각시키려 하였습니다.

페리클레스: '투표에 참여하여 민주 정치 꽃피우자'

– 이 구호를 선정한 이유: 페리클레스는 아테네의 민주 정치를 발전시킨 인물로 대중 투표를 실시한 것으로 알려져 있습니다. 따라서 투표에 참여하여 민주 정치를 발전시킨 이미지를 부각하려 하였습니다.

교과서 44~45쪽

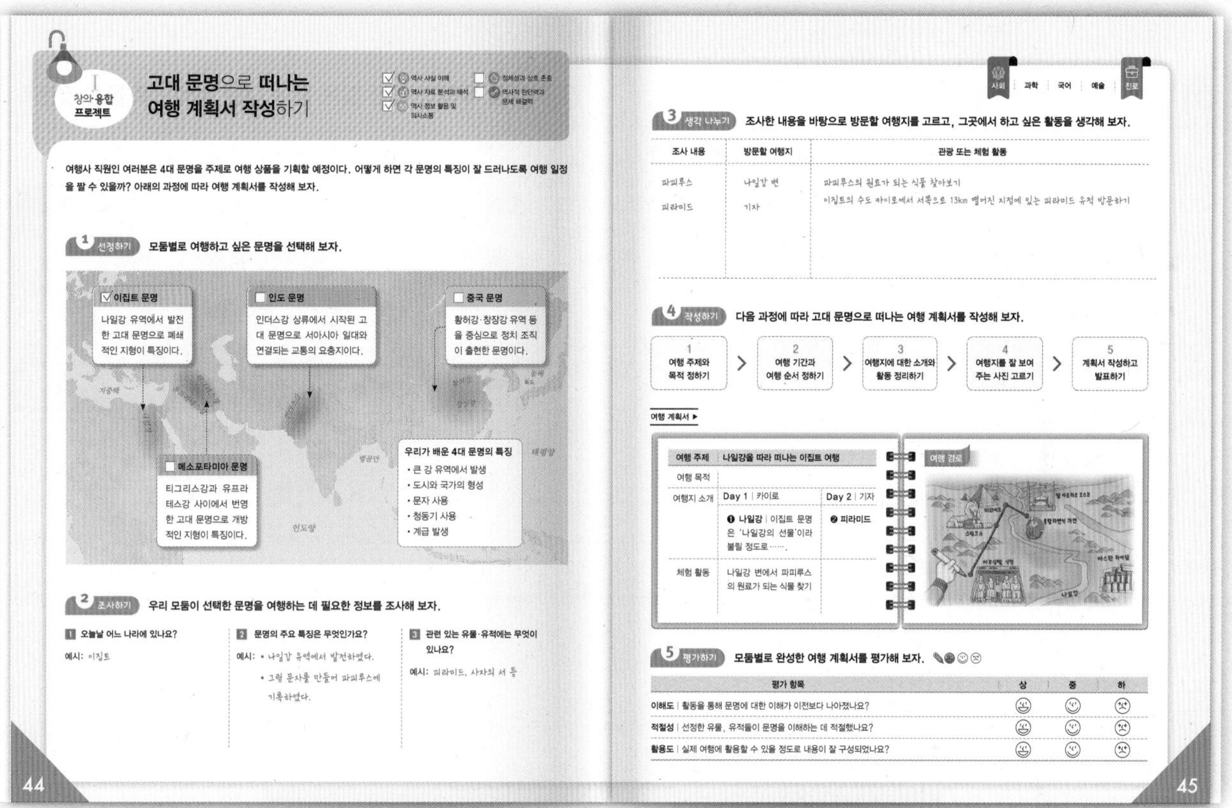

I 창의·융합 프로젝트

고대 문명으로 떠나는 여행 계획서 작성하기

☑ 역사 사실 이해 ☑ 역사 자료 분석과 해석 ☑ 역사 정보 활용 및 의사소통 ☐ 정체성과 상호 존중 ☐ 역사적 판단력과 문제 해결력

여행사 직원인 여러분은 4대 문명을 주제로 여행 상품을 기획할 예정이다. 어떻게 하면 각 문명의 특징이 잘 드러나도록 여행 일정을 짤 수 있을까? 아래의 과정에 따라 여행 계획서를 작성해 보자.

1 선정하기 모둠별로 여행하고 싶은 문명을 선택해 보자.

2 조사하기 우리 모둠이 선택한 문명을 여행하는 데 필요한 정보를 조사해 보자.

1. 오늘날 어느 나라에 있나요?
   예시: 이집트
2. 문명의 주요 특징은 무엇인가요?
   예시: • 나일강 유역에서 발전하였다.
   • 그림 문자를 만들어 파피루스에 기록하였다.
3. 관련 있는 유물·유적에는 무엇이 있나요?
   예시: 피라미드, 사자의 서 등

44

사회 | 과학 | 국어 | 예술 | 진로

3 생각 나누기 조사한 내용을 바탕으로 방문할 여행지를 고르고, 그곳에서 하고 싶은 활동을 생각해 보자.

조사 내용	방문할 여행지	관광 또는 체험 활동
파피루스	나일강 변	파피루스의 원료가 되는 식물 찾아보기
피라미드	기자	이집트의 수도 카이로에서 서쪽으로 13km 떨어진 지점에 있는 피라미드 유적 방문하기

4 작성하기 다음 과정에 따라 고대 문명으로 떠나는 여행 계획서를 작성해 보자.

1 여행 주제와 목적 정하기 > 2 여행 기간과 여행 순서 정하기 > 3 여행지에 대한 소개와 활동 정리하기 > 4 여행지를 잘 보여 주는 사진 고르기 > 5 계획서 작성하고 발표하기

여행 계획서 ▶

여행 주제	나일강을 따라 떠나는 이집트 여행	
여행 목적		
여행지 소개	Day 1 | 카이로	Day 2 | 기자
	❶ 나일강 | 이집트 문명은 '나일강의 선물'이라 불릴 정도로…….	❷ 피라미드
체험 활동	나일강 변에서 파피루스의 원료가 되는 식물 찾기	

여행 경로

5 평가하기 모둠별로 완성한 여행 계획서를 평가해 보자.

평가 항목	상	중	하
이해도 | 활동을 통해 문명에 대한 이해가 이전보다 나아졌나요?			
적절성 | 선정한 유물, 유적들이 문명을 이해하는 데 적절했나요?			
활용도 | 실제 여행에 활용할 수 있을 정도로 내용이 잘 구성되었나요?			

45

활동 예시 답안

1단계: 선정하기

- **우리 모둠이 선정한 여행지:** 인도 문명
  → 알려진 유물과 유적이 그리 많지 않지만 모헨조다로 유적지가 인상적이어서

2단계: 조사하기

- **오늘날 어느 나라에 있나요?** → 파키스탄
- **문명의 주요 특징은 무엇인가요?** → 인더스강 유역에서 발전하였다. 하라파 문자를 사용하였다. 계획도시를 만들었다.
- **관련 있는 유물, 유적에는 무엇이 있나요?** → 모헨조다로 유적, 하라파 문자 인장 등

3단계: 생각 나누기

- **모헨조다로 유적지 찾아가 보기** → 계획도시의 구조 파악하기
- **모헨조다로 유적지에서 발견된 각종 유물 전시장(파키스탄 국립 박물관) 찾아가 보기** → 인물상, 춤추는 여인 상, 하라파 문자 인장 등

4단계: 작성하기

- **1일차** → 모헨조다로 유적지 방문, 인더스강의 특징 및 도시의 구조 파악하기
- **2일차** → 파키스탄 국립 박물관 방문, 모헨조다로 출토 유물 확인

활동 소개

활동 도우미

수업 시간 중에 배운 각 문명지의 공통점과 차이점을 확인할 수 있는 여행지를 선정해 보는 것이 좋아요. 그리고 역사 부도와 사회과 부도뿐 아니라 문명지가 오늘날 어느 나라가 되었는지 파악하여 해당 국가의 관광청 또는 문화원 방문 또는 누리집을 통해 다양한 유물과 유적을 찾아보아요.

진로 탐방 **'여행 기획자', 그 직업이 알고 싶다!**

Q: 여행 기획자는 어떤 일을 하나요?

새로운 해외 여행지 개발을 위해 정보를 수집하고 이를 토대로 상품을 기획 · 개발하는 일을 합니다. 또한 고객의 요구사항에 따라 여행 상품을 추천하기도 합니다.

Q: 여행 기획자가 되려면 어떤 준비가 필요한가요?

학력 제한은 크게 없지만, 대학교에서 관광 경영, 호텔 경영, 국제 관광과 등을 전공하면 유리할 수 있습니다. 해외 여행을 기획할 수 있으므로 외국어 능력이 요구됩니다.

Q: 여행 기획자의 향후 전망은 어떠한가요?

일과 여가의 균형이 강조되고 여가생활에 대한 요구로 여행의 빈도수가 늘어나고 있습니다. 그러나 인터넷을 통해 직접 여행을 기획하는 사람들이 늘어 일자리가 크게 늘어나지 않을 것으로 보입니다.

대주제를 정리하는 종합 문제

01 (가) 시기의 생활 모습으로 옳지 않은 것은?

(가) 시대, 토기가 등장하다

▲ 채색 토기　　▲ 빗살무늬 토기

- 장소: □□박물관
- 기간: 20△△년 ○○월 ○○일~△△월 △△일

① 농경과 목축을 하였다.
② 정착 생활을 하게 되었다.
③ 자연물을 숭배하는 의식이 생겼다.
④ 움집을 짓고 마을을 이루어 살았다.
⑤ 뗀석기를 만들어 사용하기 시작하였다.

02 고대 문명의 발생지에 대해 학습하고자 할 때 조사하면 좋을 유적 또는 유물이 연결된 것으로 옳은 것은?

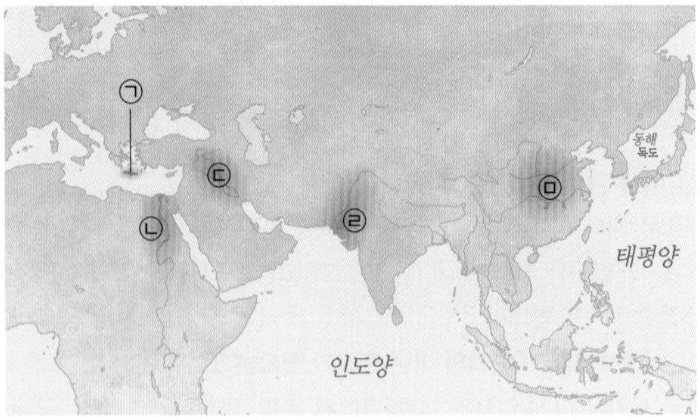

① ㉠: 피라미드
② ㉡: 크노소스 궁전
③ ㉢: 모헨조다로 유적
④ ㉣: 함무라비 법전
⑤ ㉤: 갑골문

03 다음 유적과 관련 깊은 왕에 대한 설명으로 옳은 것은?

① 관리를 파견하지 않았다.
② 최초로 서아시아 지역을 통일하였다.
③ 지방 분권 제도를 통해 권력을 분산시켰다.
④ 정복인의 납세와 병역 의무를 면제해 주었다.
⑤ 전국을 20개의 주로 나누고 총독을 파견하였다.

04 다음 인물의 주요 업적으로 옳은 것을 |보기|에서 모두 고른 것은?

역사 인물 카드

한의 영토를 확장한 한 무제

[주요 업적]
ㄱ. 고조선 공격　　ㄴ. 황건적의 난
ㄷ. 만리장성 축조 시작　　ㄹ. 법가 사상 강조
ㅁ. 장건의 서역 파견　　ㅂ. 사마천의 『사기』 저술

① ㄱ, ㄴ, ㄷ　　② ㄱ, ㄷ, ㄹ
③ ㄱ, ㅁ, ㅂ　　④ ㄴ, ㄷ, ㅁ
⑤ ㄴ, ㄹ, ㅂ

05 로마 제국이 성장하는 과정에 일어난 |보기|의 사건들을 순서대로 나열한 것으로 옳은 것은?
●●●

|보기|

① (가)-(나)-(다)-(라)-(마)
② (가)-(다)-(마)-(나)-(라)
③ (나)-(가)-(마)-(라)-(다)
④ (나)-(다)-(가)-(마)-(라)
⑤ (다)-(마)-(라)-(가)-(나)

06 밑줄 친 '개혁'의 목표로 옳은 것을 |보기|에서 고른 것은?
●●●

포에니 전쟁 이후 로마는 카르타고를 물리치고 해상권을 장악하였다. 그러나 귀족이 전쟁 포로를 노예로 삼으면서 농민들이 토지를 잃고 몰락하는 등 급격한 사회 변화가 일어나 그라쿠스 형제가 <u>개혁</u>을 시도하였다.
- 플루타르코스, 『전기』 -

|보기|
ㄱ. 농민 보호　　ㄴ. 신분제 폐지
ㄷ. 농장 확대 경영　　ㄹ. 자영 농민층 육성

① ㄱ, ㄴ　② ㄱ, ㄹ　③ ㄴ, ㄷ
④ ㄴ, ㄹ　⑤ ㄷ, ㄹ

서술형 문제

07 다음 표를 보고 그리스에서 참정권이 확대되는 과정과 한계점을 서술하시오.
●●●

솔론 시기	시민을 재산 정도에 따라 네 계층으로 나누고, 차등적으로 정치에 참여하게 하였다. 이에 따라 부유한 평민이 정치에 참여할 수 있게 되었다.
클레이스테네스 시기	혈연 중심의 부족제를 지역 중심으로 귀족들의 세력 기반을 약화하였다. 각 부족에서 선출된 시민들이 민회에서 논의할 내용 등을 결정하도록 하였다.
페리클레스 시기	20세 이상 시민권을 가진 남성이 모여 나랏일을 의논하는 민회의 권한이 강화되었다. 가난한 시민이 정치에 참여할 수 있도록 공무를 맡은 자에게 보수를 지급하였고, 추첨으로 관리를 선발하였다.

08 다음을 읽고 물음에 답하시오.
●●●

춘추 전국 시대의 (　　)는/은 혼란한 사회를 안정시키기 위해 인간의 본성에 관심을 가졌고, 정치 개혁안을 제시하였다. 그 중 공자의 유가, 묵자의 묵가, 한비자의 법가, 노자의 도가 등이 유명하였다.

(1) 빈칸에 알맞은 말을 쓰시오.

(2) 춘추 전국 시대에 위와 같은 현상이 일어날 수 있었던 배경을 두 가지 서술하시오.

Ⅱ 세계 종교의 확산과 지역 문화의 형성

이 대주제를 배우면 »

- 불교 · 힌두교 · 도교 · 이슬람교 · 크리스트의 성립 배경을 지역 세계의 정치적 변화와 관련하여 설명할 수 있어요.
- 각 지역 세계 종교가 확산되면서 발달한 문화를 일상생활과 연관지어 말할 수 있어요.
- 지역 세계 간의 교류와 갈등 요소를 탐구하여 문제의 해결 방안을 모색할 수 있어요.

나의 학습 계획표

대주제 표지 사진 해설 ▶ 오른쪽 사진은 '갠지스강에 디아를 띄우는 노인'의 모습이에요. 이와 관련 있는 종교를 추측해 보고 이를 바탕으로 각 지역의 종교가 정치 및 일상생활에 미친 영향을 알아보아요.

학습 계획일	학습일	나의 목표 달성도
월 일	월 일	☆☆☆☆☆
월 일	월 일	☆☆☆☆☆
월 일	월 일	☆☆☆☆☆
월 일	월 일	☆☆☆☆☆
월 일	월 일	☆☆☆☆☆
월 일	월 일	☆☆☆☆☆
월 일	월 일	☆☆☆☆☆
월 일	월 일	☆☆☆☆☆
월 일	월 일	☆☆☆☆☆
월 일	월 일	☆☆☆☆☆
월 일	월 일	☆☆☆☆☆
월 일	월 일	☆☆☆☆☆
월 일	월 일	☆☆☆☆☆
월 일	월 일	☆☆☆☆☆
월 일	월 일	☆☆☆☆☆
월 일	월 일	☆☆☆☆☆
월 일	월 일	☆☆☆☆☆
월 일	월 일	☆☆☆☆☆
월 일	월 일	☆☆☆☆☆

1 불교 및 힌두교 문화의 형성과 확산

학습 목표
마우리아 왕조의 아소카왕이 불교를 장려한 까닭을 설명할 수 있다.

주제 1 불교를 일으킨 마우리아 왕조

1 석가모니가 불교를 창시하다

(1) 불교의 발생

① 배경: 브라만교의 신분 차별, 무사(크샤트리아)와 평민(바이샤)의 영향력 확대

왜? 도시 국가 간의 전쟁과 상업의 발달로 무사와 평민의 영향력이 확대되었어.

→ 브라만 중심의 카스트제와 권위주의에 불만

② 성립: 기원전 6세기 무렵 [1]고타마 싯다르타(석가모니)가 불교를 창시

(2) 불교의 확산

① 교리

- 카스트제의 신분 차별 부정, 모든 인간은 평등하다고 주장
- 누구나 욕심을 버리고 올바른 수행을 하면 생로병사의 고통에서 벗어나 깨달음을 얻고 부처가 될 수 있다고 주장
- 자비와 평등을 강조

② 확산: 무사와 브라만 계급의 횡포에 불만을 품고 있던 평민의 지지를 받으며 인도 전역에 확산

2 마우리아 왕조에서 불교를 장려하다

(1) 성장: 찬드라굽타가 북인도 점령 후 마우리아 왕조 건립 → 아소카왕, 마우리아 왕조의 전성기, 인도의 대부분을 정복한 최초의 통일 제국을 형성

(2) 아소카왕의 불교 전파

① 불교 우대 정책: 전쟁의 참상을 통한 참회 → 불경 정리, 사원과 불탑, 돌기둥 건립 등 불교의 가르침 전파

② 영향: 개인의 도덕적 수행과 해탈을 중시하는 [2]상좌부 불교 발전 → 실론과 동남아시아에 전파

무엇을? 불교에서 인간의 속세적인 모든 속박에서 벗어나 자유롭게 되는 상태를 의미해.

❶ 석가모니
석가모니는 오늘날 네팔 남부 지역에 있었던 카필라국의 왕자로 태어났다. 그는 오랜 방황과 고뇌 끝에 우주의 참모습을 있는 그대로 보고 진리를 깨달은 사람인 부처가 되었다. 본명은 고타마 싯다르타로 '석가'는 종족의 이름이고 '모니'는 성자란 뜻이므로, 석가족의 성자란 뜻이다.

❷ 상좌부 불교
상좌부 불교는 석가모니의 계율을 원칙대로 고수하는 불교를 말한다. 상좌부 불교에서는 개인의 도덕적 수행과 해탈을 강조하였다.

핵심 자료 아소카왕의 석주

"왕위에 오른 후 나는 무력으로 칼링가를 정복하였다. 그들의 영토가 수많은 시체로 뒤덮인 처참한 광경을 바라보면서 나의 가슴은 온통 찢어지고 말았다. 이 전쟁에서 15만의 사람이 포로로 이송되었고, 10만 명이 살해되었다. 이제 칼링가 왕국이 정복된 지금, 앞으로 신들에게 헌신하는 나는 진심으로 (진리의) 법을 시행하고 언제나 그것을 바라며, 그것만을 가르치리라."

-아소카왕의 조칙-

핵심 아소카왕은 석주에 어떤 내용을 새겼을까?

아소카왕은 칼링가 왕국의 정복 과정에서 전쟁의 참상을 반성하고 불교를 믿게 되었다. 이후 그는 무력에 대한 정복을 그만두었다. 그리고 불교에 바탕을 둔 법치를 이상으로 삼고 이를 실현하기 위한 내용을 석주에 새겨 놓았다.

정답과 해설 6쪽

확인해 봐요

1 영향력이 커진 무사와 평민들은 (　　　)의 지나친 권위주의에 불만을 품었다.

2 마우리아 왕조는 (　　　) 때 전성기를 맞이하였다.

3 상좌부 불교는 실론과 (　　　) 각지로 퍼졌다.

교과서 활동 풀이

가자! 역사 속으로 교과서 48쪽

사진은 오늘날 남아 있는 가장 오래된 탑인 인도의 산치 대탑입니다. 이 탑의 문에는 부처의 발자국, 보리수, 법륜(수레바퀴) 등이 표현되어 있습니다.

✔ 산치 대탑에 왜 부처의 상징물들이 새겨져 있을까요?

예시 답안 아소카왕은 부처의 상징물을 새긴 탑을 전국 각지에 세워 불교를 널리 전파하려고 하였다.

활동 도우미

산치 대탑은 아소카왕이 세운 탑으로 현존하는 가장 오래된 탑입니다. 아소카왕은 왜 산치 대탑에 부처의 상징물들을 새겼는지 그 이유를 생각해 보아요.

Q 불교는 인도의 어느 계층 사람들에게 지지를 받았을까? 교과서 48쪽

예시 답안 모든 인간이 신분에 관계없이 수행을 통해 깨달음을 얻을 수 있다는 가르침은 무사(크샤트리아)와 평민(바이샤) 계층에게 환영받았다.

활동 도우미

인간은 누구나 불성이 있어 부처가 될 수 있다는 내용을 통해 불교가 어느 계층 사람들에게 지지를 받았는지 생각해 보아요.

탐구 해봐요 아소카왕이 세운 돌기둥 교과서 49쪽

아소카왕은 칼링가를 정복하는 과정에서 너무 많은 사람을 죽인 것에 죄책감을 느끼고 참회하고자 불교에 귀의하였다. 전설에 따르면 그는 불교에 바탕을 둔 법치를 추구하였고, 이에 전국에 돌기둥을 세워 그 뜻을 전파하였다고 한다. 돌기둥에는 육식을 금하고 살생을 삼가며 어떠한 생물도 제물로 바치기 위해 도살해서는 안 된다는 내용이 새겨져 있다.

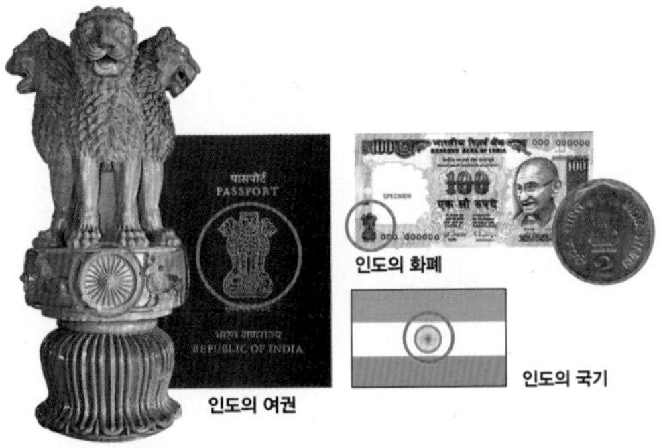

아소카왕 돌기둥 윗부분의 사자상 ▶

인도의 여권

인도의 화폐

인도의 국기

1 아소카왕이 각지에 돌기둥을 세운 까닭을 써 보자.

예시 답안 아소카왕의 통치 방침과 불교의 가르침을 백성에게 널리 알리기 위해 전국에 많은 돌기둥을 세웠다.

2 오늘날 인도의 여권, 화폐, 국기에 남아 있는 돌기둥의 흔적을 찾아 동그라미 치고, 그것이 남은 까닭을 추측해 보자.

예시 답안 아소카왕은 인도 최초의 통일 제국을 이루고 민족 통합에 앞장선 왕이다. 다양한 민족과 언어가 존재하는 오늘날 인도의 최대 과제는 다양성을 인정하면서도 민족을 통합하는 것이다. 최초의 통일 군주인 아소카왕이 세운 돌기둥 머리 부분 조각상을 국가의 상징으로 삼은 것도 이 때문일 것이다.

활동 도우미

아소카왕이 전국 각지에 세운 돌기둥에 불교의 가르침을 새겨 넣고 그에 따라 통치하고자 했음을 파악해 보아요. 또한 돌기둥이 오늘날 인도의 국가 상징으로 사용되는 까닭을 추측해 보아요.

스스로 확인해요

❶ 석가모니는 불교를 창시하고 평등과 자비를 강조하였다. (○)

❷ 마우리아 왕조의 아 소 카 왕은 많은 사원과 돌기둥을 세워 불교의 가르침을 전파하였다.

이 주제의 핵심

이 주제에서는 불교의 발생과 확산, 마우리아 왕조 아소카왕의 적극적인 불교 전파에 대해 배웠어요. 불교가 널리 퍼지게 된 배경에는 불교의 자비와 평등 정신이 있었지요. 대제국을 건설한 아소카왕은 불교를 중심으로 민족을 통합하려고 하였고, 탑과 돌기둥을 전국 각지에 세워 불교를 전파하고자 하였음을 기억해야겠죠?

1 불교 및 힌두교 문화의 형성과 확산

학습 목표
쿠샨 왕조 시기의 대승 불교와 간다라 양식의 특징을 설명할 수 있다.

주제 2 대승 불교를 널리 알린 쿠샨 왕조

1 쿠샨 왕조에서 대승 불교가 발전하다

(1) 쿠샨 왕조의 성립과 발전

① 인도의 분열: 마우리아 왕조 멸망 후 오랫동안 분열과 혼란이 지속

② 성립: 이란 계통의 쿠샨 왕조 성장 → 인도 서북부 지역을 재통일

③ 발전: 2세기 무렵 카니슈카왕 동서 교역로 장악, 북인도 ~ 중앙아시아 영토 확보

(2) 대승 불교의 발전

① 카니슈카왕의 불교 장려: 사원 건립, 경전 연구 지원 → 선행을 통한 중생 구제를 강조하는 [1]대승 불교가 발전

왜? 일반 민중이 출가하여 엄격한 수행을 하기에는 어려움이 많았어.

② 전파: 중앙아시아를 거쳐 중국, 한국, 일본으로 전파

2 간다라 양식이 탄생하다

(1) 초기 불교: 탑, 보리수, 부처의 발자국 등 다양한 상징으로만 부처를 표현.

왜? 신이라고 생각한 부처를 인간의 모습으로 조각하는 것은 부처를 모독하는 것이라고 생각했기 때문이야.

(2) 간다라 양식의 성립

① 배경: 알렉산드로스의 원정으로 인도 서북부 간다라 지방에 그리스 문화 전파

② 특징: 인도 문화와 [2]헬레니즘 문화 융합 → 부처를 인간의 모습으로 표현

③ 전파: 중앙아시아를 거쳐 비단길을 따라 중국, 한반도, 일본까지 전파

❶ 대승불교
대승(大乘)은 '중생을 태우고 가는 큰 수레'라는 뜻으로 대승 불교는 중생 구제를 우선시하는 불교를 말한다.

❷ 헬레니즘
그리스 문화를 기반으로 페르시아 등 다른 문화 요소를 융합한 문화를 가리킨다. 헬레니즘의 중심이 되는 그리스 문화는 인간 중심적인 문화로 신을 인간처럼 생각하여 조각하였다.

핵심 자료 불상이 만들어진 이유

상징물

마하보디 대탑
(인도 부다가야)

초기 불교에서 부처를 표현한 상징물(영국박물관)

→

불상

룽먼 석굴 대불(중국 뤄양)

핵심

불상이 만들어진 배경은 무엇일까?

초기 불교도들은 부처를 인간으로 조각하는 것을 불경스럽다고 여겨 부처를 표현할 때는 부처의 사리나 발자국, 보리수 나무 등으로 대신하였다. 그러나 그리스인들은 신이 죽지 않을 뿐 인간과 같은 모습을 하고 있다고 생각하여 신을 인간처럼 조각하였다. 이러한 그리스 문화가 불교 문화와 융합하면서 부처를 조각한 불상이 만들어졌다.

정답과 해설 6쪽

확인해 봐요

1 쿠샨 왕조의 카니슈카왕 시기에 대중의 구제를 꾀하는 상좌부 불교가 발전하였다. (○, ×)

2 초기 불교에서는 부처의 모습을 탑이나 보리수, 부처의 발자국 등으로 표현하였다. (○, ×)

3 간다라 양식은 대승 불교와 함께 동남아시아로 전파되었다. (○, ×)

교과서 활동 풀이

가자! 역사 속으로

교과서 50쪽

쿠샨 왕조의 금화를 살펴보면 한 면에는 카니슈카왕이 다른 면에는 부처가 새겨져 있는 것을 알 수 있습니다.

동전의 앞뒷면에 왕과 부처의 모습을 새긴 까닭은 무엇일까요?

예시 답안 카니슈카왕은 불교의 장려와 전파에 힘썼으며, 불교를 통치의 이념으로 삼고 있었기 때문이다.

자료 해설

동전에 새겨진 카니슈카왕과 부처의 모습을 통해 카니슈카왕이 불교의 장려와 전파에 적극적이었음을 알 수 있다. 이 시기에는 중생 구제를 강조하는 대승 불교가 크게 유행하였다.

탐구 해봐요 불교의 전파

교과서 51쪽

1 지도의 (가), (나)에 해당하는 불교가 무엇인지 이야기해 보자.

예시 답안 (가) 대승 불교, (나) 상좌부 불교

2 본문과 자료를 참고하여 아래의 표를 완성해 보자.

	발전 시기	주요 전파 지역	주요 교리
(가) 불교	(쿠샨) 왕조	(중앙아시아, 중국, 한반도, 일본)	(중생)의 구제
(나) 불교	(마우리아) 왕조	실론, 동남아시아	개인의 해탈

자료 해설

대승 불교는 중앙아시아와 중국을 거쳐 한반도와 일본으로 전파되었고, 상좌부 불교는 스리랑카, 타이 등 동남아시아로 전해졌다.

스스로 확인해요

❶ 카니슈카왕은 대중의 구제를 강조하는 상좌부 불교를 적극적으로 지원하였다. (×)

❷ 쿠샨 왕조 시기에는 헬레니즘 문화의 영향을 받아 간 다 라 양식이 나타났다.

역량 키우기 역사 탐구 간다라 양식과 불상의 변화

교과서 52쪽

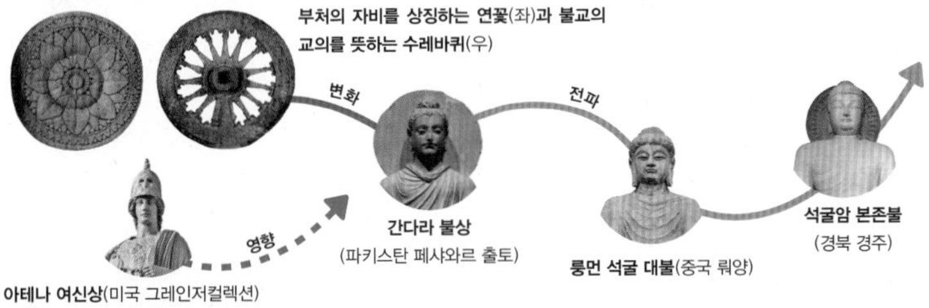

활동 도우미

제시된 사진과 설명을 토대로 간다라 양식의 특징을 살펴보고, 간다라 양식이 전파되면서 부처를 표현하는 방식이 어떻게 달라졌는지 파악해 보아요.

생각하고 탐구하기

1 아테나 여신상과 간다라 불상의 생김새를 보고 공통점을 찾아 아래의 표에 써 보자.

얼굴 생김새	서양인의 모습을 하고 있다.	옷의 형태	옷의 주름이 섬세하게 표현되어 있다.

2 중국의 룽먼 대불과 우리나라 석굴암 본존불을 간다라 불상과 비교해 보고, 불상이 전파되며 달라진 점이 무엇인지 이야기해 보자.

예시 답안 초기의 간다라 불상은 헬레니즘의 영향으로 서양인의 얼굴을 하고 있지만 중국과 우리나라 불상은 그 나라 사람의 모습을 닮았음을 알 수 있다.

이 주제의 핵심

쿠샨 왕조 시기에는 대중의 구제를 중시하는 대승 불교가 발전하였고, 헬레니즘 문화의 영향을 받아 부처를 인간처럼 조각하는 간다라 불상이 등장하였어요. 대승 불교의 발전 과정과 간다라 불상이 대승 불교와 함께 중앙아시아를 거쳐 중국, 우리나라와 일본까지 전파되었음을 파악해 보아요.

학습 목표
굽타 왕조 시기에 성립한 힌두교 문화의 특징을 설명할 수 있다.

주제 3 힌두교 문화를 꽃피운 굽타 왕조

1 굽타 왕조가 성립하다

(1) 성립: 쿠샨 왕조 멸망 이후의 혼란을 극복하고 굽타 왕조 건립(320)
(2) 전성기: 찬드라굽타 2세가 북인도 전역 통일, 중부 지역까지 세력을 확장
(3) 발전: 육로와 해로를 통한 동서 교역으로 도시와 상업 발전
(4) 쇠퇴: 5세기 중엽 이후 중앙아시아 유목 민족의 침략 → 왕위를 둘러싼 내분으로 멸망

2 굽타왕조에서 힌두교가 발전하다

(1) 힌두교의 형성: 인도 전통 생활 양식과 인도의 민족의식 확립 → 브라만교를 바탕으로 한 민간 신앙과 불교가 융합된 힌두교 형성 → 다신교로 발전
왜? 이민족의 침략을 막아내는 과정에서 민족 의식이 강화되면서 브라만교를 바탕으로 한 힌두교가 형성되었어.
(2) 영향: 굽타 왕조의 힌두교 보호, 『마누 법전』이 일상생활에 영향 → 카스트제 강화

3 힌두교 문화가 꽃피다

(1) 산스크리트 문학 발달: 산스크리트어 공용어화 → 인도 고전 문화 확립(대서사시 ❶「마하바라타」, ❷「라마야나」 정리, 설화집 편찬 등)
(2) 굽타 양식 등장
① 특징: 간다라 양식과 인도 고유 양식이 융합
② 대표 유적: ❸아잔타 · 엘로라 석굴 사원 불상과 벽화
③ 영향: 중국, 우리나라, 일본에 전파
(3) 자연 과학의 발달
① 수학: 영(0)의 개념 도입, 원주율 계산법
② 과학: 지구 구형설, 월식의 원리 발견
③ 영향: 이슬람의 자연 과학 발달에 기여

4 동남아시아 지역에 힌두교 문화가 전파되다

(1) 영향: 동남아시아 베트남 북부를 제외한 지역에 힌두교 문화 전파
어떻게? 해상 무역의 발달로 힌두교 문화가 동남아시아에 전파되었어.
(2) 앙코르 와트: 앙코르 왕조의 대표적인 힌두교 사원

❶ 마하바라타
마하바라타는 「위대한 바라타족」이라는 의미이며 바라타족의 전쟁을 읊은 대서사시이다. 많은 전설과 교훈적인 내용을 담고 있는데, 이 안에는 힌두교의 가장 중요한 경전인 「바가바드기타」가 들어 있다.

❷ 라마야나
라마야나는 「라마가 나아간 길」이라는 뜻으로 라마 왕자의 무용담을 그린 것이다. 온갖 역경 속에서도 인물들이 각자의 도덕적 의무와 정의를 지키려는 모습을 통해 인도의 정신적 근간인 다르마(자연과 사회의 조화를 이루는 질서 체계를 지키려는 행동 규범)를 강조하였다.

❸ 아잔타 석굴 사원
인도 중서부 마하라슈트라 주에 있는 석굴 사원으로, 29개의 사원 안에는 굽타 양식의 불상과 벽화가 많다. 아잔타 석굴 사원은 1983년에 유네스코 세계 문화유산에 등재되었다.

핵심 자료 굽타 양식의 미술 작품들

핵심
굽타 양식의 특징은 무엇일까?

굽타 왕조 시대에는 간다라 양식과 인도 고유 양식이 융합된 굽타 양식이 나타났다. 굽타 양식의 불상은 몸매가 훤히 드러나는 투명한 법의를 걸치고, 순수한 인도인의 얼굴을 하고 있다. 이러한 굽타 양식은 중국과 우리나라, 일본 등에도 전파되었다.

정답과 해설 6쪽

확인해 봐요

1 (마우리아, 굽타) 왕조 시기에는 브라만교를 바탕으로 한 민간 신앙과 불교 교리가 융합되면서 힌두교가 형성되었다.

2 굽타 왕조 시기에는 브라만의 언어인 (산스크리트어, 아랍어) 이/가 공용어로 사용되었다.

3 힌두교에서는 카스트에 따른 의무 수행을 중시하는데, 이러한 내용을 담아 편찬된 (『마누 법전』, 「라마야나」)은/는 인도인의 생활에 큰 영향을 미쳤다.

교과서 활동 풀이

가자! 역사 속으로

교과서 53쪽

인도의 알라하바드에서는 12년마다 힌두교 최대의 행사인 쿰브멜라가 열립니다. 이 행사 기간에는 수천만 명의 힌두교 순례자가 갠지스강에 몸을 담그기 위해 인도를 찾습니다.

힌두교도들이 갠지스강을 찾는 까닭은 무엇일까요?

예시 답안 갠지스강이 힌두교의 성장 및 발전에 중요한 성지이기 때문이다.

활동 도우미

힌두교 최대 행사인 쿰브멜라에 대해 찾아보고, 힌두교 순례자들이 갠지스강을 찾아와 목욕하는 까닭에 대해 힌두교와 관련지어 이야기해 보아요.

Q 힌두교 문화권의 사람들은 위 이야기를 보고 어떤 생각을 하였을까?

교과서 54쪽

"「라마야나」는 산스크리트어로 '라마가 나아간 길'이란 뜻의 대서사시로, 7편 2만 4천의 시절(詩節)로 구성되어 있다. 고대의 이상적인 군주상인 라마의 무용담을 그린 이 작품은 오늘날에도 인도와 동남아시아의 여러 지역에서 문화와 예술의 주요 소재가 되고 있다."

예시 답안 힌두교 문화권의 사람들은 온갖 고난과 역경 속에서도 자신의 의무와 정의를 지키기 위해 노력하는 라마가 이상적인 군주의 모습이라고 생각하였을 것이다.

활동 도우미

「라마야나」 이야기를 보고 이것이 고대 인도 사람들에게 왜 이상적인 군주의 모습으로 남았을지 생각해 보아요.

탐구 해봐요 『마누 법전』을 통해 보는 힌두교와 카스트제

교과서 55쪽

힌두교에서는 카스트에 따른 의무를 수행하는 것을 중시했어. 이러한 사실은 『마누 법전』에 담긴 내용을 통해서도 확인할 수 있어. 『마누 법전』은 일부는 법률이고 나머지는 일상생활과 종교에 관한 내용으로 구성되어 있어.

『마누 법전』

『마누 법전』의 내용

창조주는 …… 각자의 업을 정하였도다. 브라만에게는 『베다』를 가르치며 제사 지내는 일을, 크샤트리아에게는 백성을 보호하고 다스릴 것을, 바이샤에게는 농사를 짓고 짐승을 기를 것을 명령하셨다. 마지막으로 수드라에게는 앞선 세 신분의 사람들에게 봉사하는 임무를 명령하셨다.

1 『마누법전』에서 각 카스트에 따른 의무를 어떻게 규정하였는지 써 보자.

브라만	크샤트리아	바이샤	수드라
『베다』를 가르치며 제사 지내는 일	백성을 보호하고 다스리는 일	농사를 짓고 짐승을 기르는 일	브라만, 크샤트리아, 바이샤 이 세 신분에게 봉사하는 일

2 위 내용을 바탕으로 힌두교가 카스트제에 미친 영향을 생각해 보고, 굽타 왕조가 힌두교를 보호한 까닭을 써 보자.

예시 답안 힌두교에서는 카스트에 따른 의무 수행을 중시하였다. 신의 권위를 왕의 권위와 연결지었기 때문에 굽타 왕조의 왕들은 왕권 강화를 위해 힌두교를 보호하고 장려하였다.

자료 해설

힌두교에서는 카스트에 따른 의무 수행을 중시하였는데, 이러한 내용을 담아 편찬된 『마누 법전』은 인도인의 생활에 큰 영향을 끼쳤다. 『마누 법전』은 법전이라고는 하지만 종교적 색깔이 강하며, 카스트에 관한 내용이 중점을 이룬다. 『마누 법전』은 힌두교도의 일상생활을 지배하였으며, 민법과 형법뿐만 아니라 카스트제 등 종교, 도덕을 규정하여 최근까지 인도 사회의 규범이 되었다.

스스로 확인해요

❶ 굽타 왕조 시기에 브라만교를 바탕으로 한 민간 신앙과 불교 등이 융합되어 힌두교가 성립되었다. (○)

❷ 굽타 왕조 시기에 미술에서는 간다라 양식과 인도 고유의 특색이 융합된 굽 타 양식이 나타났다.

이 주제의 핵심

굽타 왕조 시기에는 이민족의 침략을 막아내는 과정에서 민족의식이 부활하여 브라만교의 전통이 강화되면서 힌두교가 성립하여 점차 확산하였어요. 또한, 이 시기에 산스크리트어가 공용어로 사용되어 「마하바라타」, 「라마야나」와 같은 대서사시가 정착되는 등 인도의 고전 문화가 완성되었음을 기억해야겠죠?

시험을 대비하는 실전 문제

기초를 튼튼하게 확인 문제

01 서로 관련 있는 내용끼리 연결하시오.

㉠ 굽타 왕조 •	• ⓐ 힌두교
㉡ 쿠샨 왕조 •	• ⓑ 대승 불교
㉢ 마우리아 왕조 •	• ⓒ 상좌부 불교

02 아래 설명이 맞으면 ○, 틀리면 ×로 표시하시오.

(1) 무사와 평민 계층은 브라만교를 적극적으로 지지하였다. ( )

(2) 아소카왕은 인도 대부분을 정복한 최초의 통일 제국을 이루었다. ( )

(3) 카니슈카왕은 상좌부 불교를 적극 지원하였다. ( )

(4) 굽타 왕조 시기에 산스크리트어가 공용어로 사용되었다. ( )

03 |보기|의 사건들을 순서대로 나열하시오.

| 보기 |
ㄱ. 힌두교의 형성
ㄴ. 쿠샨 왕조의 수립
ㄷ. 굽타 왕조의 수립
ㄹ. 마우리아 왕조의 수립

04 빈칸에 알맞은 말을 쓰시오.

(1) 석가모니는 (   )의 신분 차별을 부정하고 모든 인간은 평등하다고 주장하였다.

(2) (   )은/는 개인의 도덕적 수행과 해탈을 중시하였다.

(3) 기원전 1세기 무렵부터는 인도 문화와 헬레니즘 문화가 융합된 (   ) 양식의 불상이 나타났다.

내신을 탄탄하게 내신 문제

01 다음에서 설명하는 종교에 대한 설명으로 옳지 않은 것은?

인간에게는 누구나 불성이 있어서 천한 신분으로 태어났어도 올바르게 수행을 하면 고통에서 벗어나 부처가 될 수 있다.

① 무사와 평민 계층의 지지를 받았다.
② 카스트제의 신분 차별을 부정하였다.
③ 브라만교의 권위에 기대어 성장하였다.
④ 교단 내부에서도 신분에 따른 차별이 적었다.
⑤ 도시 국가 간의 전쟁과 상업 발달이 영향을 끼쳤다.

02 다음 자료를 세운 왕에 대한 설명으로 옳은 것을 |보기|에서 고른 것은?

| 보기 |
ㄱ. 마우리아 왕조를 세웠다.
ㄴ. 불교에 바탕을 둔 법치를 추구하였다.
ㄷ. 중앙아시아로 대승 불교를 전파하였다.
ㄹ. 성지를 순례하고 경전을 모아 불교 교리를 정리하게 하였다.

① ㄱ, ㄴ ② ㄱ, ㄷ ③ ㄴ, ㄷ
④ ㄴ, ㄹ ⑤ ㄷ, ㄹ

정답과 해설 6~7쪽

신유형
03 (가), (나)에 대한 설명으로 옳은 것은?

① (가): 대승 불교라고 한다.
② (가): 쿠샨 왕조 때 발전하였다.
③ (가): 대중의 구제를 목적으로 하였다.
④ (나): 마우리아 왕조 때 발전하였다.
⑤ (나): 중앙 아시아, 중국으로 전파되었다.

신유형
04 (가)에 들어갈 불상으로 옳은 것은?

유물 카드

(가)

- 소개: 헬레니즘 미술의 영향을 받아 형성
- 특징: 인간적이고 개성적

①

②

③

④

⑤

05 (가)에 대한 설명으로 옳은 것을 |보기|에서 고른 것은?

| 보기 |
ㄱ. 초기 불교에서 부처를 표현한 상징물이다.
ㄴ. 힌두교에서 숭배하는 대표적인 신상이다.
ㄷ. 아소카왕이 전국 각지에 세워 불교를 포교하였다.
ㄹ. 이와 비슷한 것으로 탑이나 보리수, 연꽃 등이 있다.

① ㄱ, ㄴ ② ㄱ, ㄹ ③ ㄴ, ㄷ
④ ㄴ, ㄹ ⑤ ㄷ, ㄹ

중요
06 다음 (가)~(마)에 들어갈 내용으로 옳지 않은 것은?

〈불교의 전파〉

	발전 시기	주요 전파 지역	주요 교리
(가)	마우리아 왕조	(다)	개인의 해탈
(나)	(라)	중앙아시아, 중국 등	(마)

① (가): 상좌부 불교 ② (나): 대승 불교
③ (다): 실론, 동남아시아 ④ (라): 굽타 왕조
⑤ (마): 중생 구제

07 다음과 같은 내용이 담겨 있는 책은?

> 창조주는 … 각자의 업을 정하였도다. 브라만에게는『베다』를 가르치며 제사 지내는 일을, 크샤트리아에게는 백성을 보호하고 다스릴 것을, 바이샤에게는 농사를 짓고 짐승을 기를 것을 명령하였다. 마지막으로 수드라에게는 앞선 세 신분의 사람들에게 봉사하는 임무를 명령하셨다.

① 『한비자』 ② 『마누 법전』 ③ 「라마야나」
④ 「마하바라타」 ⑤ 『함무라비 법전』

신유형
08 다음 자료를 활용한 탐구 활동으로 옳은 것은?

제○○호 ○○○○년 ○○월 ○○일

인도 고유 문화가 확립되다

찬드라굽타 2세 때 전성기를 맞으면서 민족 의식이 부활하고 인도 고유 문화가 확립되었다. 이에 따라 간다라 양식과 인도 고유의 특색이 섞인 새로운 양식이 등장하였으며, 카스트의 영향력이 커져 힌두교가 형성되었다.

① 대안탑의 제작 목적을 조사한다.
② 타지마할의 건축 배경을 조사한다.
③ 대승 불교의 발전 과정을 조사한다.
④ 산스크리트 문학의 대표작을 조사한다.
⑤ 아소카왕의 석주 제작 과정을 조사한다.

중요
09 (가) 왕조에 대한 사실로 옳지 <u>않은</u> 것은?

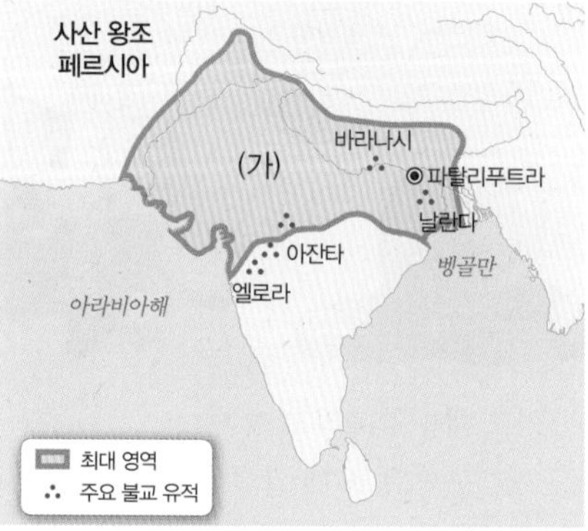

① 힌두교가 형성되었다.
② 『라마야나』가 정리되었다.
③ 간다라 불상이 탄생하였다.
④ '영(0)'의 개념이 도입되었다.
⑤ 산스크리트어가 공용어로 사용되었다.

10 다음 유적에 대한 설명으로 옳은 것을 |보기|에서 고른 것은?

|보기|
ㄱ. 앙코르 문화를 대표하는 유적이다.
ㄴ. 간다라 불상과 함께 인도에서 전파되었다.
ㄷ. 14세기경 상좌부 불교 사원으로 용도가 바뀌었다.
ㄹ. 크리스트교들이 탄압을 피해 신앙 생활을 하고자 건립하였다.

① ㄱ, ㄴ ② ㄱ, ㄷ ③ ㄴ, ㄷ
④ ㄴ, ㄹ ⑤ ㄷ, ㄹ

만점에 도전하는 심화 문제

01 다음 자료에서 공통으로 보이는 유물을 세운 왕에 대한 설명으로 옳은 것은?

인도의 여권

인도의 화폐

인도의 국기

① 불교를 처음으로 창시하였다.
② 실론과 동남아시아로 불교를 전파하였다.
③ 중생 구제를 우선시하는 불교를 장려하였다.
④ 자신과 부처를 양면에 새긴 금화를 주조하였다.
⑤ 자신을 비슈누에 비유하며 힌두교를 보호하였다.

중요
02 (가), (나) 불교에 대한 설명으로 옳은 것은?

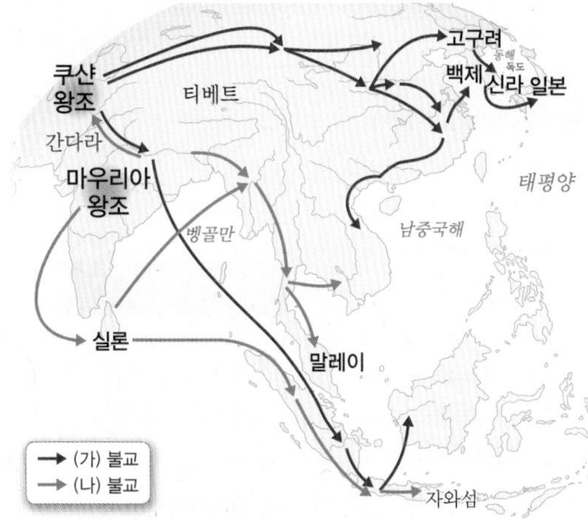

① (가): 개인의 해탈을 중시하였다.
② (가): 간다라 불상과 함께 중앙아시아로 전파되었다.
③ (나): 굽타 양식의 불상이 나타났다.
④ (나): 카니슈카왕의 노력으로 각지에 전파되었다.
⑤ (가), (나): 인도의 민족의식이 확립되면서 형성되었다.

03 다음 불상들에 대한 설명으로 옳지 않은 것은?

(가) (나) (다)

① (가): 인도 문화와 헬레니즘 문화가 융합한 것이다.
② (나): 중국의 룽먼 불상으로 (가)의 영향을 받았다.
③ (다): 석굴암 본존불로 (가), (나)의 영향을 받았다.
④ (나), (다): (가)의 영향을 받아 그리스인의 모습을 하고 있다.
⑤ (가), (나), (다): 중생 구제를 중시하는 불교와 함께 전파되었다.

04 다음 내용의 서사시가 오늘날의 형태로 정리되었던 왕조 시기의 역사적 사실로 옳지 않은 것은?

> 왕은 라마 왕자를 총애하여 왕위를 물려주려고 하였다. …… 어느 날 시타가 라바나에게 납치당하자, 라마는 시타를 구하기 위해 악마의 소굴로 떠난다.

① 인도 고전 문화가 완성되었다.
② 산스크리트어가 공용어로 사용되었다.
③ 인도 대부분을 정복한 최초의 통일 제국이다.
④ 브라만교를 중심으로 한 힌두교가 형성되었다.
⑤ 수학과 천문학이 발달하여 이슬람의 자연 과학에 큰 영향을 주었다.

2 동아시아 지역 질서의 변화

학습 목표
위진 남북조 시대의 사회 변화와 종교 · 문화 · 사상의 발달을 설명할 수 있다.

주제 4 위진 남북조 시대의 전개

1 위진 남북조 시대가 전개되다

(1) 삼국의 대립: 후한 멸망 → 삼국(위, 촉, 오)으로 분열 → 진(晉)의 통일

(2) 화북(북조)

① 전개: 북방 민족, 5호(다섯 민족)의 침입, 진 멸망 → 5호 16국 형성 → 북위의 통일

② 북위의 정책: ❶균전제 시행, 적극적인 한화 정책 무엇? 북방 민족인 선비족이 한족의 문물과 풍습을 동경하여 적극적으로 이를 수용하였어.

(3) 강남(남조): 한족이 창장강 남쪽 이주 → 동진 건국, 강남 개발 → 송 · 제 · 양 · 진건국

(4) 위진 남북조 시대: 삼국의 대립 ~ 수의 중국 통일 시기

2 문벌 귀족 사회가 형성되다

(1) 9품중정제의 시행

① 9품중정제: 지방의 등급별 추천을 바탕으로 유능한 인재를 선발하는 제도

② 목적: 호족 세력 견제

③ 폐단: 지방 호족들이 서로 추천하며 중앙으로 진출 → 일부 유력 가문이 고위 관직을 독점

(2) 문벌 귀족 사회의 형성: 유력 가문이 고위 관직 세습, 서로 혼인 → 지위 강화

3 귀족 문화와 종교가 발전하다

(1) 귀족 문화 형성: 시(❷도연명의 「귀거래사」), 회화(고개지), 서예(왕희지) 발달

(2) 노장사상과 ❸청담 사상 유행: 혼란스러운 현실 정치 상황 반영

(3) 불교의 발달: 북방 민족의 적극 수용, 윈강 · 룽먼 · 둔황에 대규모 석굴 사원 조성
왜? 국가가 불교를 중심으로 사회를 통합하고 황제권을 강화하기 불교를 후원을 하였음을 알 수 있어.

(4) 도교의 발전: 도가 철학을 바탕으로 신선 사상을 결합

❶ 균전제
국가 토지를 농민에게 나누어 주어 생활을 안정시키고 이들로부터 세금을 거두어 국가의 재정 기반을 강화하려 한 토지 제도이다. 이러한 북위의 균전제는 북주, 북제를 거쳐 수와 당으로 이어졌다.

❷ 도연명의 「귀거래사」
도연명은 관직을 그만두고 속세를 떠나면서 '귀거래사'라는 시를 지었다. 그는 시를 통해 자연과 하나가 되어 살겠다는 뜻을 밝히고 남은 생애를 전원에서 보냈다.

❸ 청담 사상
청담(淸談)이란 세속의 명예나 이익을 떠난 맑고 깨끗한 이야기라는 뜻이다. 혼란스러운 시대에 속세를 떠나 여유롭고 자유로운 삶을 목표로 하였다.

핵심 자료 9품중정제

(9품중정제는) 위나라부터 진(晉) 나라까지 변함없이 답습되어 주와 군의 중정(中正)이 재능으로써 인물을 구분한다고 하였지만, 실제로 세상의 인재들은 이를 기준으로 등급이 정해진 경우가 드물었다. 사람들은 단지 가문의 내력에 의지하여 서로 높아지려 하였고, 중정들도 속된 사인들로서 이러한 현실을 고려하여 세태에 따라 평가하였기 때문이다. -「송서」-

핵심
9품중정제는 왜 문벌 귀족 사회를 형성하는 계기가 되었을까?

9품중정제는 본래 중정관이 자기 지역의 인물을 가문과 관계없이 9등급으로 평가하여 추천하면 국가가 이를 바탕으로 인재를 등용하는 제도로 호족 세력을 견제하기 위해 시행되었다. 그러나 가문이 중시되던 당시 사회에서는 오히려 유력한 가문이 관직을 독점적으로 세습하는 방편으로 사용되면서 문벌 귀족 사회가 형성되는 계기로 작용하였다.

정답과 해설 8쪽

확인해 봐요

1 5세기 초 북위가 (   )을/를 통일하였다.

2 위진 남북조 시대에는 지방에서 등급별로 추천하면 이를 바탕으로 관리를 채용하는 (   )이/가 실시되었다.

3 윈강과 둔황 등 대규모 석굴 사원은 (   )이/가 국가의 강력한 보호와 후원을 받았음을 보여준다.

교과서 활동 풀이

가자! 역사 속으로 교과서 56쪽

4세기 초, 중국의 북방에서 유목 생활을 하던 흉노, 선비, 갈, 저, 강의 다섯 민족은 오른쪽과 같이 무장한 기병을 바탕으로 화북 지역을 공략하였습니다.

북방 유목민이 화북 지역을 점령하면서 중국에는 어떤 변화가 나타났을까요?

예시 답안 한족들이 북방 민족의 공격을 피해 중국 대륙의 남쪽으로 이동하였다. 또한 화북 지역에는 한족과 북방 민족의 문화가 결합된 새로운 국가가 형성되었다.

자료 해설

사진은 북방의 기병대를 표현한 토우이다. 유목 생활을 하던 북방 민족은 말을 탄 병사들을 이용하여 농경민족인 한족이 차지하고 있던 화북 지역을 빠르게 차지하였다.

Q 위진 남북조 시대라는 명칭이 생긴 까닭은 무엇일까? 교과서 56쪽

예시 답안 삼국시대의 위와 그 뒤를 이어 중국을 통일한 진, 그 이후의 '북조'와 '남조'에서 '위진 남북조' 시대라는 명칭이 생겼다.

활동 도우미

지도와 자료를 참고하여 위진 남북조 시대라는 명칭이 생기게 된 이유를 알아보아요.

Q 황제의 얼굴을 닮은 불상이 만들어진 까닭은 무엇일까? 교과서 57쪽

예시 답안 황제를 살아있는 부처로 생각하도록 하여 황제의 권위를 높이기 위해 황제의 얼굴을 닮은 불상을 만들었다.

북위 황제의 얼굴을 닮은 윈강 석굴의 대불 ▶

자료 해설

북위 황제의 얼굴을 닮은 윈강 석굴의 대불이다. 윈강 석굴은 북조에서 5~6세기에 걸쳐 만든 중국 최대의 석굴이다. 특히, 20굴의 대불은 높이가 13.44m로 그 모습이 당시 황제를 닮았다고 한다.

스스로 확인해요

❶ 후한이 멸망한 후부터 수가 중국을 다시 통일할 때까지의 시기를 춘추 전국 시대라고 한다. (×)

❷ 북조의 황실과 귀족들은 사회를 통합하고 황제권을 강화하기 위해 불교을/를 적극적으로 후원하였다.

이 주제의 핵심

후한의 멸망 이후 3세기에서 6세기까지 분열기를 위진 남북조 시대라고 합니다.
이 시기에 문벌 귀족 사회가 형성되고 시 · 회화 · 서예와 같은 귀족 문화가 발달하였어요.
위진 남북조 시대에 나타난 사회 변화와 종교 · 문화 · 사상의 발달 모습을 기억해야겠죠?

학습 목표
수 · 당 시대 통치 체제의 정립 과정과 대외 교류 관계를 설명할 수 있다.

주제 5 다시 통일을 이룬 수 · 당 시대

1 수가 중국을 다시 통일하다

(1) 수 문제: 과거제, 균전제, 부병제 정비

(2) 수 양제: ❶대운하 완성, 고구려 원정 실패 → 농민 반란으로 멸망

왜? 대외 전쟁과 대규모 토목 공사로 과중한 부담에 시달리던 농민들이 저항하였어.

2 당이 통일 제국으로 발전하다

(1) 성립: 수 말의 혼란을 수습한 이연(고조)이 당을 건국, 장안을 수도로 삼음.

(2) 통치 체제 정비: 율령 체제의 완성(중앙: ❷3성 6부제, 지방: 주 · 현제, 균전제 · 부병제 · 과거제 시행) 어떻게? 위진 남북조 이래 북방 유목민과 남방 농경민의 문화가 영향을 주고 받은 결과야.

(3) 영토 확장

① 돌궐 제국 제압, 중앙아시아의 파미르고원까지 영토 확보 → 비단길 장악

② 신라와 연합하여 고구려 · 백제 멸망

(4) 쇠퇴

① 안사의 난: 귀족의 토지 겸병 확대, 농민 몰락, 지방 절도사의 권한 강화 → 균전제 붕괴, 양세법, 모병제 시행

② 황소의 난 → 절도사 주전충에게 멸망

3 당대에 다양한 문화가 발달하다

(1) 유교: 훈고학을 집대성한 『오경정의』 완성(과거 시험의 기준)

(2) 불교: ❸현장 등의 승려가 직접 인도에서 가져와 불경을 번역

(3) 귀족 문화: 시(이백, 두보), 회화, 서예, 당삼채

4 당이 여러 나라와 폭 넓게 교류하다

(1) 개방적인 대외 관계: 조공 · 책봉 관계, 기미를 통해 주변국과 개방적이고 안정적인 외교 관계 유지 → 동아시아 국가들이 당의 중앙 집권 체제 수용

(2) 활발한 문화 교류: 주변국의 사신, 승려, 유학생 등이 수도 장안에 모임

❶ 대운하
황허강과 창장강을 잇는 대운하는 위진 남북조 시대에 향상된 강남의 경제력을 수도 장안으로 흡수하기 위해 만든 것이다. 그 가운데 영제거는 수가 고구려 침략을 위해 만든 것이었다. 대운하는 이후 강남의 풍부한 곡물을 정치 중심지인 화북으로 운송하는 데 이용되어 중국의 경제적 통일에 크게 기여하였다.

❷ 3성 6부제
3성은 중서성 · 문하성 · 상서성을 말하며 가장 높은 중앙 관청이다. 중서성은 정책의 기본 내용을 만들고, 문하성은 이를 심의하며, 상서성은 정책을 실행하는 기관으로 그 밑에 이 · 호 · 예 · 병 · 형 · 공 등 6부를 두었다.

❸ 현장
인도에 가서 많은 경전과 불상을 가지고 당에 돌아왔다. 태종의 후원을 받아 74부 1,335권의 경전을 한역하였으며, 인도 여행기인 『대당서역기』를 저술하였다.

핵심 자료 당의 통치 조직

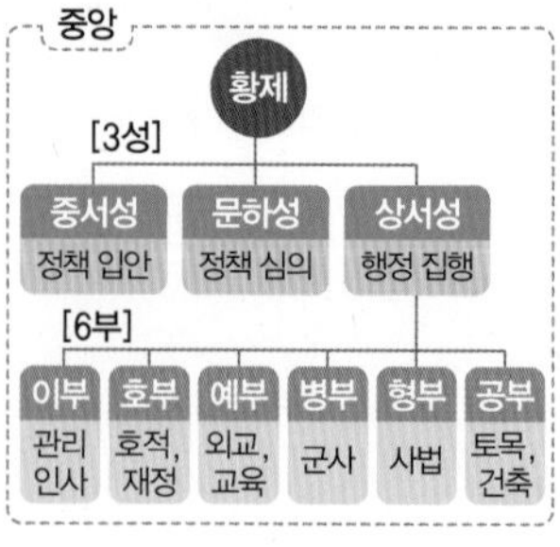

핵심
당의 통치 체제는 어떻게 운영되었을까?

당은 3성 6부제 기초로 한 중앙의 행정 조직을 운영하였다. 3성은 중서성, 문하성, 상서성을 말하는데, 중서성은 정책의 기본 내용을 만들고, 문하성은 이를 심의하며, 상서성은 정책을 실행하였다. 상서성 밑에는 이 · 호 · 예 · 병 · 형 · 공 등 6부가 분야별로 나누어 정책을 담당하였다.

정답과 해설 8쪽

확인해 봐요

1 위진 남북조를 통일한 왕조는 당이다. (○, ×)

2 조용조는 안사의 난 이후 양세법으로 바뀌었다. (○, ×)

3 당은 주변국과 조공 · 책봉 관계, 기미나 교역 등을 통해 개방적인 관계를 유지하였다. (○, ×)

교과서 활동 풀이

가자! 역사 속으로 교과서 58쪽

위진 남북조 시대의 정치적 혼란을 수습하고 통일 제국을 이룩한 수 문제는 중앙으로 권력을 집중시키기 위해 다양한 개혁을 시도하였습니다.

수 문제가 시행한 개혁으로는 어떤 것들이 있을까요?

예시 답안 수 문제는 시험으로 관리를 선발하는 과거제를 처음 실시하고, 균전제와 부병제 등 토지 제도와 세금 제도를 정비하였다.

활동 도우미

위진 남북조의 정치적 혼란을 통일한 수 문제가 귀족 세력을 견제하고 통치 체제를 안정시킬 방법이 무엇일지 생각해 보아요.

탐구 해 봐요 당의 농민 지배 체제

교과서 59쪽

균전제 성인에게 일정한 토지를 나누어 주고 그 대가로 세금을 거두었다.

조용조 균전의 대가로 곡물(조), 20일 정도의 노동력(용), 옷감(조)을 세금으로 납부하였다.

부병제 농민은 농한기에 군사 훈련을 받고, 전쟁이 일어나면 병사로 출정하였다.

균전제 붕괴 한 사람이 대토지를 소유하는 현상이 나타나 농민이 몰락하였다.

양세법 일 년에 두 번(여름, 가을) 호구별로 자산에 따라 세금을 내도록 하였다.

모병제 농민이 몰락하여 군 복무를 할 수 없게 되자 직업 군인이 병사로 일하게 되었다.

1 자료를 보고 당이 농민에게 토지를 지급한 까닭을 써 보자.

예시 답안 국가 토지를 농민에게 지급하여 농민 생활의 안정을 꾀하고, 이들로부터 세금을 받아 재정의 기반을 마련하기 위해서였다.

2 아래의 빈칸을 채워 당의 농민 지배 체제의 변화 과정을 정리해 보자.

> 안사의 난 이후, 당의 농민 지배 체제가 변화하였다. 대토지 소유 현상이 나타나 균전제이/가 붕괴하였고, 조용조 대신 양세법을/를 시행하여 자산의 정도에 따라 일 년에 두 번 화폐로 세금을 내도록 하였다. 또한 부병제를 대신하여 농민이/가 아닌 직업 군인에게 군 복무를 시켰다.

자료 해설

안사의 난 이전과 이후 당의 농민 지배 체제를 비교한 삽화이다. 당대에는 균전제를 시행하여 농민에게 일정 토지를 나누어 주고 그 대가로 조용조라는 세금을 거두었고, 전쟁이 나면 병사로 출정하게 하였다. 그러나 안사의 난 이후 농민이 몰락하면서 균전제가 무너지고 조용조가 양세법으로, 부병제는 모병제로 바뀌었다.

스스로 확인해요

❶ 당은 3성 6부제를 기초로 중앙의 행정 조직을 마련하고, 지방은 군 · 현으로 나누어 다스렸다. (×)

❷ 당은 지방의 절도사이/가 중앙의 통제에서 벗어나고 각종 제도가 흔들리면서 멸망하였다.

역량 키우기 역사 탐방 국제 문화 교류의 중심지, 당의 수도 장안

교과서 61쪽

생각하고 써 보기

당의 수도 장안(시안)을 둘러 보면 예시 답안 청진사에서는 이슬람교, 대진 경교 유행 중국비에서는 네스토리우스교, 대안탑에서는 불교와 같이 당의 개방 정책으로 다양한 문물이 교류되고, 국제적인 문화가 발달하였다는 사실을 알 수 있어!

이 주제의 핵심

위진 남북조 시대의 혼란을 통일한 수는 중앙으로 권력을 집중시키기 위하여 과거제를 비롯해서 균전제, 부병제 등을 실시하고 대운하를 건설하였어요. 이후 수를 이은 당은 수의 제도를 이어받아 율령 체제를 완성하였고, 주변 여러 나라들과 폭넓게 교류하였으나 안사의 난 이후 흔들리다가 멸망하게 되었어요.

수와 당의 통치 체제 과정 및 주변 국가와의 관계와 안사의 난 이후 당에 나타난 변화를 잘 정리해 보아요!

동아시아 문화의 형성과 확산

학습 목표
한반도와 일본의 고대 국가가 성장하는 과정을 설명할 수 있다.

주제 6 한반도와 일본의 고대 국가

1 만주와 한반도에서 고대 국가가 성장하다

(1) 최초의 국가 고조선
① 성장: 청동기 문화를 바탕으로 성립 → 철기 문화 도입 후 발전
② 멸망: 기원전 2세기 한 무제의 침략으로 멸망

(2) 삼국 시대의 전개
① 성립: 여러 나라의 성장 → 삼국 시대 전개(고구려, 백제, 신라)
② 발전: 중국으로부터 율령과 유교, 불교 등을 받아들여 중앙 집권 국가로 발전, 한반도의 주도권을 차지하기 위해 경쟁

(3) 남북국 시대의 전개
① 삼국 통일: 신라가 당과 연합하여 백제와 고구려 멸망 → 삼국 통일
② 남북국 시대의 성립: 고구려의 영토에서 발해 건국 → 남북국 시대 성립

2 일본 고대 국가가 성장하다

(1) 야요이 문화: 기원전 3세기 벼농사 중심의 농경 사회 시작
(2) 야마토 정권: 4세기 무렵 통일 국가 형성, 거대한 고분 형성

누가? 한반도에서 바다를 건너 일본으로 간 도래인이 주도하였어.

(3) 아스카 시대(6세기 후반~710): 한반도와 중국의 문물을 흡수하여 ❶아스카 문화 발전(유교 · 불교)
① 쇼토쿠 태자의 불교 진흥책: 사원 건축, 불상과 공예품 등 다양한 문물이 한반도에서 전래됨.
② ❷다이카 개신: 당의 체제를 모방한 중앙 집권 체제 성립

3 일본 고유의 문화가 형성되다

(1) 일본 국호 사용: 7세기 야마토 정권 말 '일본'이라는 국호를 사용
(2) 나라 시대(710~794): 당의 수도 장안을 모방한 헤이조쿄(나라)를 건설, 천도
① 정치: 귀족 문화 발달
② 교류: 당에 ❸견당사(사절단) 파견, 한반도와 활발한 교류
③ 문화: 도다이사 건설

(3) 헤이안 시대(794~1185): 헤이안쿄(교토)로 천도
① 정치: 중앙 집권 체제 혼란 → 귀족 세력 강화
② 교류: 견당사 폐지
③ 문화: 독자적인 일본 문화 발달 → '가나' 문자 형성

❶ 아스카 문화
6세기 후반부터 7세기 전반에 한반도와 중국의 문물을 흡수하면서 유교와 불교를 받아들여 형성된 문화를 의미한다. 아스카 문화를 대표하는 건축물로는 현존하는 세계에서 가장 오래된 목조 건축물인 호류지로 이 절의 금당 벽화를 고구려 승려 담징이 그렸다고 전해진다.

❷ 다이카 개신
646년 천황 중심의 통치를 확립하기 위해 실행한 개혁이다. 개신 세력은 당의 제도를 받아들여 관료제를 정비하고, 일본 최초로 '다이카'라는 연호를 제정하였다.

❸ 견당사
일본에서 당나라로 파견된 사신을 가리킨다. 파견 목적은 당의 선진 문물과 제도의 수입이었다. 헤이안 시대인 9세기 말부터는 견당사가 폐시되면서 독자적인 일본 문화가 발달하였다.

정답과 해설 8쪽

확인해 봐요

1 기원전 3세기에 한반도에서 건너간 선진 기술을 기반으로 성립한 벼농사 중심의 문화를 (야요이, 아스카) 문화라고 한다.
2 당에 견당사를 파견하여 당의 문물을 받아들인 시기는 (나라, 헤이안) 시대이다.
3 헤이안 시대에는 중앙 집권 체제에 혼란이 오면서 (국왕, 귀족) 세력이 강화되었다.

교과서 활동 풀이

가자! 역사 속으로 교과서 62쪽

596년에 일본 나라에는 아스카사라는 사찰이 건립되었습니다. 이때 백제에서 건너간 많은 기술자가 기와 제작, 불상, 탑 건립에 참여하였습니다.

일본에서 사찰을 세우는 데 백제인이 참여한 까닭은 무엇일까요?

예시 답안 일본은 일찍부터 삼국과 교류하며 문화를 발전시켜 나갔는데, 6세기 무렵 사원이 건축될 때 백제의 우수한 기술자들의 도움을 받게 되었다.

활동 도우미

일본 사찰 건립에 백제인이 참여한 것을 통하여 일본과 백제가 어떤 관계를 맺고 있었는지 생각해 보아요.

교과서 사진 자료 **천황의 주도로 설립된 도다이사(일본 나라)** 교과서 63쪽

일본은 6세기경 백제로부터 불교를 받아들였다. 이후 불교를 통해 왕실의 권위를 세우려 하였고, 나라 시대 쇼무 천황은 도다이사를 비롯한 대규모 사찰을 건립하여 왕권의 강력함을 나타내고자 하였다. 도다이사는 현존하는 목조 건물로는 세계 최대 규모이다.

활동 도우미

나라 시대에 도다이사와 같은 대규모 사원을 설립한 이유를 생각해 보아요.

Q 일본의 독자적인 문화가 발달한 시대는 언제일까? 교과서 63쪽

야마토 정권 수립(4세기경)
- 최초의 통일 국가

→ **아스카 시대(6세기 후반~710)**
- 다이카 개신
- 천황 중심 체제 확립

→ **나라 시대(710~794)**
- 불교 문화 발달
- 귀족 중심 문화

→ **헤이안 시대(794~1185)**
- 독자적 일본 문화 발달
- 가나 문자 사용

예시 답안 헤이안 시대

자료 해설

헤이안 시대로 접어들어 가타가나의 한자를 흘려 쓴 초서체를 간략화해서 히라가나를 만들었다. 이후 히라가나는 일본어 표기용 글자가 되었다. 또한 독자적인 일본 문화가 발달하면서 의복에 있어서도 일본의 특색을 나타낸 귀족의 복식이 등장하였다.

스스로 확인해요

❶ 4세기 무렵 일본에서는 야마토 정권이 출현하여 점차 통일 국가를 형성하였다. (○)

❷ 일본에서는 7세기 무렵에 다이카 개신(이)라는 개혁을 통해 천황 중심의 중앙 집권 체제를 확립하였다.

이 주제의 핵심

한반도에서는 청동기 문화를 배경으로 고조선이 성립된 이후 삼국이 형성되고 신라가 삼국을 통일한 후에는 신라와 발해가 공존하는 남북국 시대가 형성되었어요.
이 시기 일본에서는 야마토 정권이 통일 국가를 형성한 이후 나라, 헤이안 시대를 거쳐 고대 국가가 전개되었지요.
일본의 고대 국가가 성장하는 과정을 통해 각 시대의 특징을 비교해야겠죠?

동아시아 문화의 형성과 확산

> **학습 목표**
> 동아시아 문화의 형성 과정과 공통된 문화의 특징을 설명할 수 있다.

주제 7 동아시아 문화의 형성

1 동아시아에서 공통된 문화가 형성되다

(1) 당 문화의 전파: 개방적인 분위기, 활발한 교류 → 주변 지역의 문화 발전에 기여

(2) 동아시아 공통 문화 요소 형성: 신라, 발해, 일본 등이 당의 제도와 문화를 선택적 수용 → 서로 영향을 주고받으며 고유 제도 · 동아시아 공통 문화 요소 형성

무엇을? 한자, 유교, 불교, 율령 등이 있어.

2 동아시아 문화의 공통 요소

(1) 한자: 외교, 학문 및 종교의 발전과 교류 촉진, 각국의 독자적 문자 사용 자극

어떻게? 중국 왕조와 외교 관계를 맺고 외교 문서를 작성하기 위해서는 한자가 필요하였어.

(2) 유교: 정치 이념과 사회 규범 형성에 기여(중국과 한국의 ❶대성전)

(3) 불교: 국가 불교 또는 ❷호국 불교의 성격을 띠며 발전

(4) ❸율령 체제: 왕권 강화와 중앙 집권적 제도 정비에 효과적

❶ **대성전**
공자의 사당인 문묘에서 공자의 위패를 모신 전각을 가리킨다.

❷ **호국 불교**
불교를 굳게 믿음으로써 국가와 왕실의 번영을 생각하는 현세 불교적 신앙을 말한다.

❸ **율령 체제**
율은 형법, 령은 행정법 등 일반 제도에 대한 규정, 격은 율령의 보충 규정, 식은 시행 세칙을 가리킨다. 율령 체제는 이러한 율령격식 형식으로 공포된 법 체계에 따라 규정되고 운영되는 정치 체제이다.

핵심 자료 동아시아 문화의 공통 요소

유교

중국의 공자묘 대성전(중국 취푸)

불교

석굴암 본존불(경북 경주)

한자

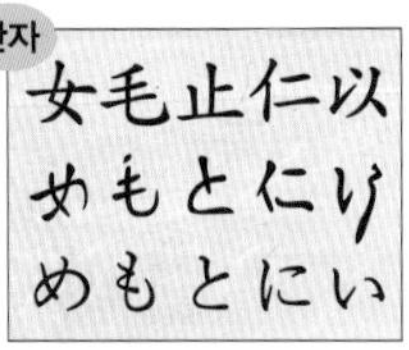

일본의 가나 문자

수도의 구조

당의 장안성

발해의 상경성

일본의 헤이조쿄

핵심 당의 장안성은 발해와 일본의 수도 구조에 어떤 영향을 끼쳤을까?

왼쪽부터 당의 장안성, 발해의 상경성, 일본의 헤이조쿄이다. 당의 장안성 구조를 보면 중심부 상단에 황제의 거처인 궁궐이 있고 넓은 주작대로가 중앙을 관통하고 있다. 발해의 상경성과 일본의 헤이조쿄도 이를 본떠 비슷한 구조로 수도를 조성하였음을 알 수 있다. 이처럼 신라, 발해, 일본 등은 당의 제도와 문화를 선택적으로 수용하고 전통을 유지하면서 독자적인 문화를 발전시켰다.

정답과 해설 8쪽

확인해 봐요

1 한대의 개방적인 분위기와 활발한 인적 · 물적 교류로 유교, 율령 체제 등이 확산되었다. (○, ×)

2 유교는 각국의 정치 이념과 사회 규범 형성에 기여하였다. (○, ×)

3 중국 불교를 받아들인 동아시아 각국의 불교는 국가 불교 또는 호국 불교의 성격을 띠었다. (○, ×)

교과서 활동 풀이

가자! 역사 속으로 교과서 64쪽

서준이와 지우는 중국과 일본 여행을 계획하던 중, 이미 여행을 다녀온 사람들이 찍어 온 승차권 사진을 보았습니다.

✔ 중국과 일본의 승차권에서 어떤 공통점을 찾을 수 있을까요?

예시 답안 모두 한자를 사용하고 있다.

활동 도우미

중국과 일본을 여행하면서 공통으로 많이 접하는 문자가 한자지요. 중국에서 만들어진 한자를 일본도 사용하게 된 배경이 무엇인지 생각해 보아요.

교과서 사진 자료 **도쇼다이사와 감진상(일본 나라)** 교과서 64쪽

당의 승려 감진은 일본으로 건너가 나라에 도쇼다이사를 창건하여 일본의 불교 보급에 힘썼다. 또한 그는 일본에 의학, 당의 선진 기술도 전수하였다. 그의 사후 일본에서는 감진상을 제작하였으며, 그를 '눈먼 성인'으로 부른다.

활동 도우미

당의 승려 감진이 일본 불교 발전에 어떤 영향을 미쳤을지 알아보아요.

탐구 해 봐요 **당에서 일본까지 하나 되는 동아시아 문화의 공통 요소** 교과서 65쪽

(가) □□ 수용 유교의 시조인 공자를 모시는 사당이 마련되었다.	**(나) □□ 예술의 발달** 거대한 불상을 제작하여 국력을 과시하고 왕권을 강화하는 데 활용하였다.
(다) □□ 사용 일본은 중국에서 한자를 받아들여 사용하다가 이를 변형하여 가나 문자를 만들었다.	**(라) □□의 구조** 신라와 발해, 일본은 당의 수도인 장안과 비슷한 구조로 수도를 조성하였다.

1 (가)~(라)의 빈칸을 채우고 동아시아 문화의 공통점을 이야기해 보자.

예시 답안 (가) 유교, (나) 불교, (다) 한자, (라) 수도
- 공통점: 동아시아 각국에는 유교와 불교, 율령과 한자 등이 뿌리내렸다. 만주와 한반도, 일본의 국가들은 공자를 모시는 사당을 마련하였으며 불교 예술을 발달시켰다. 그리고 한자를 받아들여 사용하였으며, 비슷한 구조로 수도를 조성하였다.

2 동아시아 지역의 여러 국가에서 공통의 문화가 나타날 수 있었던 배경을 써 보자.

예시 답안 일찍부터 중국의 문물은 한반도를 비롯한 일본에 영향을 미쳤다. 특히 당대에 체계적으로 성립된 제도와 문물이 활발한 교류를 통해 주변의 신라, 발해, 일본에 전파되면서 동아시아 문화의 공통 요소를 형성하였다. 동아시아 문화 형성 요소는 각국의 특징이 드러난 문화를 만들어 가는 데 기여하였다.

활동 도우미

(가) 유교 수용에서는 중국과 우리나라에 공자의 위패를 모셔 놓은 대성전의 사진을 제시하였다. (나) 불교 예술에서는 중국, 우리나라, 일본에서 조성된 불상을, (다) 문자의 사용에서는 중국의 한자와 그 모양을 변형하여 만든 일본 가나 문자의 사례를 보여 준다. (라) 수도의 구조는 중국, 발해, 일본 수도 구조의 유사성을 보여 준다.

스스로 확인해요

❶ 일본은 한자의 영향을 받지 않은 독자적인 문자를 만들어 사용하였다. (×)

❷ 동아시아 각국은 왕권 강화와 중앙 집권 체제 정비를 위해 율령을/를 반포하였다.

이 주제의 핵심

이 주제에서는 동아시아 공통 요소에 대해 배웠어요. 당의 제도와 문화가 선택적으로 수용되면서 동아시아 공통 문화 요소가 형성될 수 있었어요. 동아시아 문화의 형성 과정과 동아시아 문화의 공통 요소인 유교, 불교, 한자, 율령 체제를 잊지 말고 기억할 수 있겠죠?

시험을 대비하는 실전 문제

기초를 튼튼하게 확인 문제

01 서로 관련 있는 내용끼리 연결하시오.

㉠ 균전제 •   • ⓐ 농한기에 군사 훈련, 전쟁 때는 병사로 출정

㉡ 조용조 •   • ⓑ 농민에게 일정한 토지를 주고 세금을 거둠.

㉢ 부병제 •   • ⓒ 곡물, 20일 정도의 노동력, 옷감을 세금으로 납부

02 아래 설명이 맞으면 ○, 틀리면 ×로 표시하시오.

(1) 북위는 위진 남북조를 통일하였다. ( )

(2) 수는 대운하를 건설하였다. ( )

(3) 당은 안사의 난 이후 안정된 정치를 바탕으로 경제적으로 번영하였다. ( )

(4) 한반도에서 바다를 건너 일본으로 간 사람을 도래인이라 한다. ( )

03 |보기|의 일본 고대 국가 성장 과정을 시대순으로 나열하시오.

| 보기 |

ㄱ. 나라 시대   ㄴ. 야마토 정권

ㄷ. 헤이안 시대   ㄹ. 야요이 시대

04 빈칸에 알맞은 말을 쓰시오.

(1) ( )은/는 균전제를 시행하고 한족의 문물과 풍습을 적극적으로 받아들였다.

(2) 당은 균전제와 부병제 등 수의 제도를 이어받아 ( )을/를 완성하였다.

(3) 동아시아의 공통 문화 요소에는 ( ), 유교, 불교, 율령 체제 등이 있다.

내신을 탄탄하게 내신 문제

중요

01 (가)를 처음 실시한 나라에 대한 설명으로 옳은 것은?

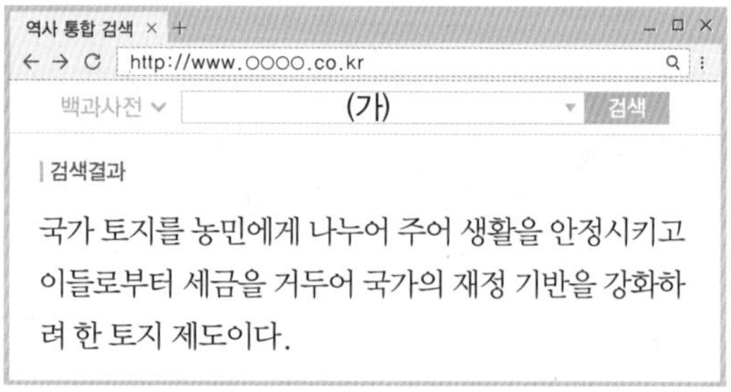

① 대운하를 건설하였다.
② 강남 개발을 추진하였다.
③ 적극적인 한화 정책을 실시하였다.
④ 위·촉·오의 혼란기를 통일하였다.
⑤ 고구려 침략에 실패하면서 멸망하였다.

02 (가)에 들어갈 제도는?

① 균전제   ② 과거제
③ 부병제   ④ 3성 6부제
⑤ 9품중정제

03 **다음 대불이 만들어진 시기에 대한 설명으로 옳지 <u>않은</u> 것은?**

① 9품중정제로 관리를 선발하였다.
② 도연명의 시, 왕희지의 서예가 유명하였다.
③ 공영달이 『오경정의』로 훈고학을 집대성하였다.
④ 한족이 북방 민족에게 밀려 창장강으로 내려갔다.
⑤ 도가 철학이 신선 사상과 결합한 도교가 나타났다.

04 **다음을 건설하였던 왕조에 대한 설명으로 옳은 것을 |보기|에서 고른 것은?**

|보기|
ㄱ. 5호 16국의 혼란기를 통일하였다.
ㄴ. 대군을 동원하여 고구려를 침략하였다.
ㄷ. 이백과 두보와 같은 시인들이 활약하였다.
ㄹ. 시험으로 관리를 선발하는 과거제를 처음 실시하였다.

① ㄱ, ㄴ ② ㄱ, ㄷ ③ ㄴ, ㄷ
④ ㄴ, ㄹ ⑤ ㄷ, ㄹ

신유형
05 **다음 서술형 평가의 답안에 들어갈 내용으로 옳은 것은?**

서술형 평가
다음 사건 이후 당의 사회 · 경제에 대한 설명을 서술하시오.

현종 이후 변방을 지키기 위해 설치한 군정 사령관인 절도사였던 안녹산과 그의 부하 사사명이 반란을 일으켰다.

답안|

① 절도사의 권한이 약화되었다.
② 균전제가 전국적으로 실시되었다.
③ 시험으로 관리를 선발하는 과거제가 폐지되었다.
④ 일 년에 두 번 호구별로 재산에 따라 세금을 걷었다.
⑤ 농민은 농한기에 군사 훈련을 받고, 전쟁이 일어나면 병사로 출정하였다.

06 **(가) 왕조의 문화에 대한 설명으로 옳지 <u>않은</u> 것은?**

① 도교가 번영을 누렸다.
② 사마천이 『사기』를 저술하였다.
③ 귀족 중심의 문화가 발달하였다.
④ 현장이 인도에서 불경을 가지고 돌아왔다.
⑤ 훈고학을 집대성한 『오경정의』가 완성되었다.

07 다음 사실들을 시대 순으로 나열한 것으로 옳은 것은?

| 보기 |

ㄱ. 황소의 난

ㄴ. 대운하 건설

ㄷ. 안사의 난

ㄹ. 5호 16국의 흥망

ㅁ. 신라와 당의 고구려와 백제 멸망

① ㄱ－ㄴ－ㄷ－ㄹ－ㅁ
② ㄴ－ㄷ－ㄹ－ㅁ－ㄱ
③ ㄷ－ㄹ－ㅁ－ㄱ－ㄴ
④ ㄹ－ㄴ－ㅁ－ㄷ－ㄱ
⑤ ㅁ－ㄴ－ㄱ－ㄷ－ㄹ

신유형
08 교사의 질문에 대한 학생의 답변으로 옳지 않은 것은?

① 수도를 나라에 두었어요.
② 다이카 개신이 일어났어요.
③ 귀족 문화가 발달하였어요.
④ 당에 견당사를 파견하였어요.
⑤ 신라와 발해와 활발히 교류하였어요.

중요
09 다음과 같은 특징을 가진 시대로 옳은 것은?

이 시대에는 중앙 집권 체제가 흔들리면서 귀족 세력이 더욱 강해졌다. 또한 당에 사신을 보내지 않게 되면서 독자적인 일본 문화가 발달하였다.

귀족의 복식 ▶

① 나라 시대 ② 헤이안 시대 ③ 야요이 시대
④ 아스카 시대 ⑤ 가마쿠라 막부 시대

10 밑줄 친 '동아시아 문화'의 공통 요소로 옳지 않은 것은?

당대의 개방적인 분위기와 활발한 인적 · 물적 교류를 통해 여러 가지 제도와 문화가 주변 지역으로 전파되었다. 한편 신라, 발해, 일본 등은 당의 제도와 문화를 선택적으로 수용하여 전통을 유지하면서 독자적인 문화를 발전시켰다. 이러한 과정에서 공통 요소를 지닌 동아시아 문화라고 부를 만한 것이 형성되었다.

① 불교 ② 한자 ③ 유교
④ 과거 제도 ⑤ 율령 체제

만점에 도전하는 심화 문제

01 다음 지도와 같은 형세일 때 역사적 사실로 옳은 것은?

① 안사의 난이 일어났다.
② 일본에서 견당사를 파견하였다.
③ 과거제가 처음으로 시행되었다.
④ 노장사상과 청담 사상이 유행하였다.
⑤ 지방에서는 절도사의 권한이 강화되었다.

신유형
02 (가) 국가에 대한 탐구 활동으로 옳은 것을 |보기|에서 고른 것은?

답사 계획서
■ 주제: (가) 의 수도 장안을 찾아서
■ 경로: 대명궁 → 청진사 → 대안탑

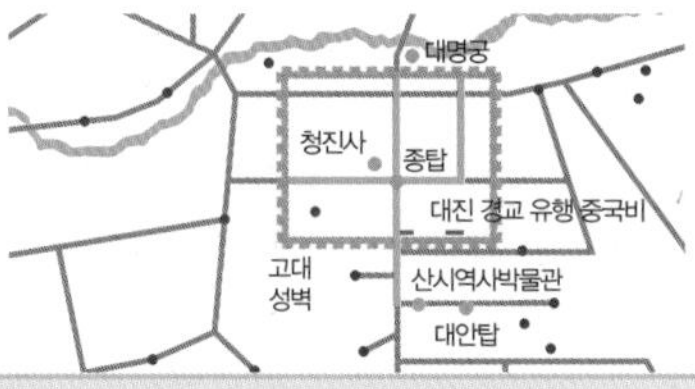

| 보기 |
ㄱ. 대운하를 건설한 목적을 찾아본다.
ㄴ. 현장의 활동과 다닌 경로를 조사한다.
ㄷ. 청담 사상이 유행하였던 이유를 파악한다.
ㄹ. 주변국과 맺은 조공·책봉 관계에 대해 알아본다.

① ㄱ, ㄴ ② ㄱ, ㄷ ③ ㄴ, ㄷ
④ ㄴ, ㄹ ⑤ ㄷ, ㄹ

03 다음은 일본 고대 국가 발전 과정이다. (가) 시기의 역사적 사실로 옳은 것은?

야요이 시대 → 아스카 시대 → (가) → 헤이안 시대

① 견당사를 파견하였다.
② 가나 문자가 만들어졌다.
③ 다이카 개신이 일어났다.
④ 독자적인 일본 문화가 발달하였다.
⑤ 왕권을 상징하는 다이센 고분이 만들어졌다.

04 다음과 같은 수도 구조를 가지고 있었던 시대의 역사적 사실로 옳지 않은 것은?

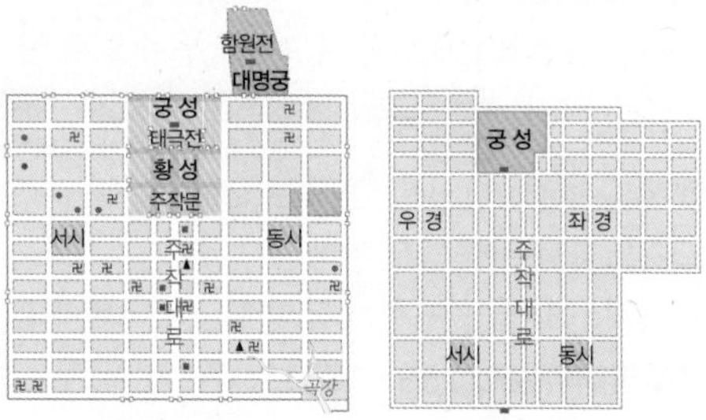

당의 장안성 일본의 헤이조쿄

① 일본은 수도를 나라로 옮겼다.
② 신라의 최치원이 빈공과에 합격하였다.
③ 선비족이 세운 북위가 화북을 통일하였다.
④ 이백과 두보와 같은 시인들이 활동하였다.
⑤ 율령 체제는 왕권 강화와 중앙 집권 체제 확립에 기여하였다.

3 이슬람 문화의 형성과 확산

학습 목표
이슬람 제국의 형성과 확산 과정을 설명할 수 있다.

주제 8 이슬람 제국의 형성과 확산

1 이슬람교가 성립하다

(1) 배경: 6세기 이후 사산 왕조 페르시아와 비잔티움 제국의 대립으로 동서 교역로가 막힘. → 아라비아해, 홍해 부근의 교통로 활성화 **무엇?** 아라비아반도의 메카, 메디나와 같은 도시가 교역의 중심지로 번영하였어.

(2) 성립: 7세기 초 무함마드가 ❶이슬람교 성립

(3) 특징: 유일신(알라) 숭배, 우상 숭배 금지, 평등 강조 → 민중 지지, 보수 귀족층 박해

(4) 전파: ❷헤지라(622) 이후 교세 확장 → 메카 장악, 아라비아반도 통일

2 아라비아반도를 넘어 이슬람 세계가 확대되다

(1) 정통 칼리프 시대(632~661)

① 칼리프: '무함마드 사후 후계자'로 새로운 지도자로 칼리프(이슬람 종교 지도자, 정치적 지배자 역할을 담당)를 선출

② 영역 확장: 이집트와 북아프리카까지 영역 확장, 사산 왕조 페르시아 멸망

(2) 우마이야 왕조(661~750)

① 성립: 칼리프 선출을 둘러싼 내분 → 우마이야 가문이 칼리프 세습 → 수니파와 시아파로 분리 **어떻게?** 4대 칼리프 알리가 암살되고 시리아 총독 무아위야가 칼리프가 되면서 알리와 그의 후손을 무함마드의 정통 후계자로 여기는 시아파가 형성되었어.

② 정복 전쟁: 다마스쿠스를 수도로 이베리아반도 차지, 인도~당에 이르는 대제국 건설, 투르·푸아티에 전투에서 패배 **무엇을?** 프랑크 왕국이 이베리아 반도를 넘어 침입해 온 이슬람군을 물리쳤어.

③ 통치 방식: 아랍인 우대, 비아랍인에 대한 차별

3 아바스 왕조가 발전하다

(1) 아바스 왕조(750~1258)

① 성립: 아바스 가문이 바그다드를 수도로 아바스 왕조 건국

② 통치 방식: 비아랍인에 대한 차별 폐지, 이슬람의 법으로 통치 **어떻게?** 세금 납부와 관리 등용에 대한 차별을 폐지하였어.

③ 정복 전쟁: 당과의 ❸탈라스 전투 승리 → 동서 무역의 주도권 장악, 중앙아시아 지역까지 이슬람교 전파

④ 쇠퇴: 10세기 이후 점차 쇠퇴 → 13세기 몽골 세력의 침입으로 멸망

(2) 후우마이야왕조(756~1031): 우마이야 왕조의 일파가 이베리아반도에 건국

❶ 이슬람
이슬람은 아랍어로 '신에게 순종하다.'라는 뜻을 지니고 있다. 무슬림은 유일신 알라의 뜻을 따르는 자, 곧 이슬람 교도를 가리킨다.

❷ 헤지라
무함마드가 메카 귀족의 박해를 피해 메디나로 이주한 사건을 '헤지라'라고 한다. 무사히 메디나에 도착하여 세력을 키운 무함마드는 메카를 다시 정복하였다. 그래서 헤지라는 이슬람 세계의 기초를 마련한 사건으로 이 해(622)를 이슬람력의 원년으로 삼는다.

❸ 탈라스 전투
당은 태종 때부터 비단길을 지배하기 위해 중앙아시아로 세력을 확장하였다. 한편 아바스 왕조가 동쪽으로 세력을 확장해오면서 두 세력은 탈라스 전투로 맞부딪쳤다. 이 전투에서 주로 보병으로 구성되었던 당의 군대는 기병 중심의 아바스 왕조의 군대에 크게 패하였다.

정답과 해설 9쪽

확인해 봐요

1 무함마드가 메카의 보수 귀족층의 박해를 피해 신도들과 함께 메디나로 피신한 사건을 (　　　　) 라고 한다.

2 무함마드를 잇는 계승자라는 뜻으로, 이슬람의 종교 지도자이면서 정치적 지배자를 (　　　　)(이)라고 한다.

3 아바스 왕조는 당과 벌인 (　　　　) 전투에서 승리하여 동서 무역의 주도권을 장악하였다.

핵심 자료 이슬람 제국의 확산 이유

핵심
이슬람 세력이 대제국을 형성할 수 있었던 이유는 무엇이었을까?

이슬람 세력은 무함마드와 그 후계자들의 활발한 정복 활동으로 대제국을 건설할 수 있었다. 이들은 무력으로 여러 지역을 정복하였지만 종족·계급에 따른 차별과 종교적인 계급을 따로 두지 않았으며, 정복지 주민이 인두세를 내면 그들의 종교를 허용해 주었다. 거기에 강력한 군사력이 더해져서 이슬람 세력은 빠르게 성장할 수 있었다.

교과서 활동 풀이

가자! 역사 속으로 교과서 66쪽

해마다 하지(이슬람 달력 12월 8~12일)가 되면 사우디아라비아 메카에는 250만 명 이상의 이슬람교도들이 순례 의식을 치르기 위해 모여듭니다.

메카는 어떻게 이슬람교의 성지가 되었을까요?

예시 답안 메카는 무함마드가 태어나 자란 곳이며, 그가 이슬람교를 시작한 곳이다. 메카에는 이슬람교에서 가장 성스럽게 여기는 카바 신전이 있다.

활동 도우미

해마다 하지에 사우디아라비아 메카에서 성지 순례를 하는 사람들의 모습을 보고, 이슬람교의 탄생지인 메카의 역사적 의미를 생각해 보아요.

탐구 해 봐요 이슬람교의 두 갈래, 수니파와 시아파의 종파 분쟁 교과서 67쪽

1 **자료 1을 참고하여 이슬람교가 수니파와 시아파로 분리된 까닭을 써 보자.**

예시 답안 이슬람교는 칼리프 선출 문제로 수니파와 시아파로 나뉘었다. 수니파는 칼리프 세습 체제를 인정하였으나, 시아파는 무함마드의 정통 후계자인 알리와 그의 후손만이 칼리프를 계승할 수 있다고 주장하였다.

2 **자료 2를 참고하여 수니파와 시아파의 분리로 어떤 문제가 발생하였는지 이야기해 보자.**

예시 답안 종파 간의 분쟁이 국가 내의 정치 문제, 국가 간의 군사 · 외교 문제에까지 영향을 미치고 있다.

활동 도우미

수니파와 시아파의 분열 과정을 이해하고, 이슬람교의 종파 분쟁이 현재에 미치는 영향에 대해 생각해 보아요.

교과서 지도 자료 이슬람 세계의 확대 교과서 68쪽

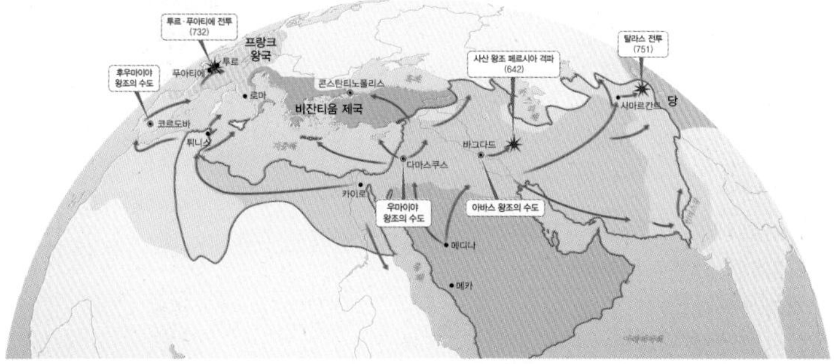

무함마드가 아라비아반도를 통일한 후 정통 칼리프 시대에는 사산 왕조 페르시아를 멸망시키고, 우마이야 왕조 때는 북아프리카를 거쳐 이베리아반도로 진출하였다. 한편 아바스 왕조 때는 탈라스 전투에서 승리하여 중앙아시아 지역까지 이슬람 세계가 확대되었다.

활동 도우미

이슬람 세력이 서쪽으로 진출하여 유럽 세력과 부딪친 전투와 동쪽으로 진출하여 아시아 왕조와 부딪친 전투의 명칭과 그로 인한 영향을 생각해 보아요.

스스로 확인해요

❶ 이슬람교의 예언자 무함마드가 신도들을 이끌고 메디나로 피신한 사건을 헤지라라고 부른다. (○)

❷ 이슬람교의 종파는 칼리프 선출 문제를 둘러싸고 [수][니][파]와/과 [시][아][파](으)로 나뉘었다.

이 주제의 핵심

이 주제에서는 이슬람교가 형성되고 확산하는 과정을 배웠어요.
메카에서 성립한 이슬람교는 헤지라 이후 세력이 급성장하여 아라비아반도, 북아프리카, 이베리아반도로 진출하였고 동쪽으로는 당과 탈라스 전투에서 승리하여 중앙아시아 지역에 이르는 대제국을 건설하였어요.
이슬람 제국이 성립되고 발전하는 과정에서 발생한 각 왕조의 특징을 파악해야겠죠?

3 이슬람 문화의 형성과 확산

학습 목표
이슬람 사회와 문화의 특징을 이해하고, 이슬람 문화가 세계사에 끼친 영향을 말할 수 있다.

주제 9 이슬람 세계의 교류와 문화

1 『쿠란』 중심의 사회가 형성되다

(1) 특징: 우상 숭배와 다신교를 부정, 인간의 평등 강조

(2) 『쿠란』의 율법: ❶『쿠란』이 일상 생활 지배 → 일부다처제 허용, 돼지고기 금지, 일정한 시간에 예배, 자선 활동 등

(3) 아랍어: 아랍어가 이슬람 문화권의 공통 언어가 됨. 왜? 『쿠란』은 번역 과정에서 뜻의 왜곡을 우려하여 번역을 금지했기 때문이야.

(4) 확산: 이슬람교로 개종하는 사람에게 ❷인두세 면제 → 이슬람 신도 수 확대

2 이슬람 상인들이 세계를 무대로 활동하다

(1) 배경: 동서 교역의 중간 지대 장악, 자유로운 상업 활동 보장

(2) 확대: 8세기~15세기 중엽, 유럽 · 아프리카 · 동아시아 지역 세계적인 교역망을 형성 어떻게? 육지에서는 낙타를 이용한 대상(캐러밴) 무역, 바다에서는 범선(다우선)을 이용한 인도양 무역을 이슬람 상인이 장악하였어.

(3) 영향: 동서 교역, 문화 교류, 이슬람 문화 확산에 기여

3 이슬람 세계에서 문화와 학문이 발달하다

(1) 특징: 다양한 문화를 흡수 · 융합 → 발전, 세계 여러 곳에 전파

(2) 신학과 법학: 『쿠란』이 이슬람교도의 모든 생활 규제

(3) 지리학과 역사학: 이븐할둔의 『역사서설』, 이븐바투타의 『여행기』
왜? 이슬람의 왕성한 상업 활동과 성지 순례로 각 지역의 지리와 역사에 대한 지식을 중요하게 생각하였어.

(4) 문학: 페르시아, 인도, 중국의 설화를 모은 『천일야화』 편찬

(5) 건축: ❸모스크 양식(둥근 지붕(돔), 뾰족한 탑), 아라베스크 무늬 발달

(6) 자연 과학 발달: 천문학, 의학, 수학 등 발달 왜? 우상숭배를 엄격하게 금지했기 때문이야.

---

❶ **『쿠란』**
『쿠란』은 '읽혀야 할 것'이라는 뜻을 가지고 있다. 알라가 무함마드에게 내린 계시를 기록한 책으로 이슬람교의 경전이다.

❷ **인두세**
성인이 된 모든 사람에게 매기는 세금이다. 이슬람 세계에서는 이슬람교도가 아닌 사람에게 이를 부과하였다.

❸ **모스크**
이슬람 사원으로 '엎드려 예배드리는 곳'이라는 뜻이다. 구조는 비교적 단순하며 내부는 대개 여러 개의 기둥과 아치 등으로 구성되어 있다. 외적으로는 비잔틴 교회와 비슷한 웅장한 둥근 지붕과 높이 솟은 우아한 미너렛(뾰족탑) 등이 특징이다.

핵심 자료 모스크 양식과 아라베스크 무늬

바위 모스크(이스라엘 예루살렘) 무함마드가 승천한 곳으로 알려져 있다.

✓ 핵심
이슬람 세계에서 아라베스크 무늬가 발달한 이유는 무엇일까?

이슬람교는 우상 숭배를 엄격하게 금지하였기 때문에 인물이나 동물상 대신 기하학적인 모양이나 아라비아 문자 등을 활용한 아라베스크 무늬가 발달하였다. 이슬람의 대표 건축 양식인 모스크 안팎에도 아라베스크 무늬가 장식되어있다.

정답과 해설 9쪽

확인해 봐요

1 원칙적으로 『쿠란』은 번역을 금지하였다. (○, ×)

2 아바스 왕조의 수도 바그다드는 동서 무역의 중심지로 번영하였다. (○, ×)

3 이슬람 세계에서 영(0)의 개념을 만들었다. (○, ×)

교과서 활동 풀이

가자! 역사 속으로

교과서 69쪽

대한민국의 서울 이태원에 사는 이슬람교도 아비두비 씨는 하루에 다섯 번 메카를 향해 예배를 드립니다.

아비두비 씨가 매일 메카를 향해 기도하는 이유는 무엇일까요?

예시 답안 하루에 다섯 번 메카를 향해 예배를 드리는 것은 이슬람교에서 지켜야 할 신앙의 의무이기 때문이다.

활동 도우미
이슬람교도의 일상생활 사례를 통해 이슬람 문화의 특징을 생각해 보아요.

Q 이슬람 상인이 동서 교역을 주도할 수 있었던 까닭은 무엇일까?

교과서 70쪽

예시 답안 이슬람 제국은 유럽과 아프리카, 아시아를 잇는 지리적 이점을 이용하여 동서 교역을 주도하였다. 이슬람 상인들은 아프리카에서 중국까지 왕래하였고, 상선은 지중해는 물론 인도양에서 남중국해, 나아가서는 고려에까지 왕래하면서 해상 무역을 주도하였다.

아랍 상인의 교역선으로 가장 많이 사용된 다우선

활동 도우미
지도를 통해 이슬람 상인들의 활동과 교역망이 발달하게 된 요인을 파악해 보아요.

탐구 해 봐요 **이슬람 세계의 천문학**

교과서 71쪽

이슬람교도는 매일 예배를 드리기 위해 메카 방향을 정확히 측정할 필요가 있었어. 또한 뜨거운 해를 피해 어두운 밤에 교역과 전쟁을 하고 물을 찾아다녔지. 그들은 막막한 사막에서 길을 찾아 앞으로 나아가야 했어. 이러한 이유 때문에 이슬람교도들은 달의 움직임을 기본으로 이슬람 달력을 만들었고, 태양의 움직임에 따라 예배 시간과 라마단 기간의 단식 시간을 측정했어.

이스탄불의 천문대에서 천체를 관측하는 학자들

▲ 천체의 높이나 각거리를 재는 아스트롤라베

1 이슬람 세계에서 발달한 천문학 기술을 위 자료에서 찾아 밑줄을 그어 보자.

2 이슬람 세계에서 천문학이 발달하게 된 배경을 써 보자.

예시 답안 매일 예배를 드리기 위해서는 메카 방향을 정확히 측정할 필요가 있었고, 사막으로 둘러싸인 환경에서 생활하면서 발생하는 어려움을 극복하기 위해서는 자연에 대한 이해가 중요하였기 때문이다.

활동 도우미
자료를 통해 이슬람 세계에서 천문학이 발달하게 된 배경을 알아보아요. 또한 이슬람 세계가 동서 문화가 교차하는 지점에 있다는 것이 어떤 영향을 끼쳤을지도 생각해 보아요.

스스로 확인해요

❶ 이슬람교 경전인 『쿠란』은 이슬람교도의 일상생활을 지배하는 율법을 담고 있다. (○)

❷ 이슬람 건축은 모스크 양식과 아 라 베 스 크 무늬를 특징으로 한다.

이 주제의 핵심

이 주제에서는 이슬람 세계의 교류와 문화에 대해서 배웠어요. 이슬람 세계의 일상을 지배하는 것은 『쿠란』으로 쿠란의 번역이 금지되어 있었기 때문에 이슬람교의 전파와 함께 아랍어도 전파되어 이슬람 문화권을 형성하는 계기가 되었어요. 이슬람 사회와 문화의 특징을 알고 이슬람 문화가 세계사에 끼친 영향을 파악해야겠죠?

시험을 대비하는 실전 문제

기초를 튼튼하게 확인 문제

01 서로 관련 있는 내용끼리 연결하시오.

㉠ 쿠란 •   • ⓐ 이슬람교의 경전
㉡ 칼리프 •   • ⓑ 이슬람 세계의 기원 원년
㉢ 헤지라 •   • ⓒ 이슬람의 종교 및 정치 지도자

02 아래 설명이 맞으면 ○, 틀리면 ×로 표시하시오.

(1) 정통 칼리프 시대부터 칼리프를 세습하였다. (　　)

(2) 탈라스 전투를 계기로 제지법이 서방에 전파되기 시작하였다. (　　)

(3) 이슬람교는 피정복민에게 개종을 강요하였다. (　　)

(4) 둥근 지붕(돔)과 뾰족한 탑은 모스크 양식의 특징이다. (　　)

03 |보기|의 국가들을 이슬람 제국 확대 과정과 관련하여 시대순으로 나열하시오.

| 보기 |

ㄱ. 아바스 왕조   ㄴ. 우마이야 왕조
ㄷ. 무함마드 시대   ㄹ. 정통 칼리프 시대

04 빈칸에 알맞은 말을 쓰시오.

(1) 무함마드는 다신교를 비판하면서 (　　　)을/를 유일신으로 하는 이슬람교를 성립시켰다.

(2) 아바스 왕조는 13세기에 (　　　) 세력의 침입으로 멸망하였다.

(3) 수학에서는 인도에서 발견된 (　　　)의 개념을 받아들여 아라비아 숫자를 완성하였다.

내신을 탄탄하게 내신 문제

01 (가)에 들어갈 내용으로 옳은 것은?

교사: 지도에 나타난 교역로의 변화는 메카, 메디나와 같은 해안 도시의 발달과 (가) 의 배경이 되었습니다.

① 이슬람교의 특징
② 이슬람교의 성립
③ 이슬람 상인의 활동
④ 이슬람 세계의 확대
⑤ 이슬람 세계의 천문학

02 이슬람의 다음 두 종파에 대한 설명으로 옳은 것은?

① (가): 수니파의 주장이다.
② (가): 우마이야 가문에서 세습하였다.
③ (나): 오늘날 이란이 이 종파를 대표한다.
④ (나): 오늘날 이슬람교도의 다수를 차지하고 있다.
⑤ (나): 알리를 포함한 초기 4명의 칼리프를 정통으로 여긴다.

정답과 해설 9~10쪽

신유형

03 다음은 역사 수업 장면의 일부이다. 교사의 질문에 대한 답변으로 옳지 않은 것은?

교사: 이 사진은 카바 신전으로, (가) 종교의 성지입니다. (가) 종교에 대해 말해볼까요?

① 갑: 교도들은 『쿠란』의 가르침을 중요하게 여겼어요.
② 을: 신 앞에서 모든 인간은 평등하다고 주장하였어요.
③ 병: 아라베스크 무늬를 장식한 모스크 양식이 발달하였어요.
④ 정: 알라를 유일신으로 하여 우상 숭배를 철저히 배격하였어요.
⑤ 무: 피정복인들에게 개종을 강요하여 많은 반발을 사기도 하였어요.

04 (가) 왕조 시기의 있었던 사실로 옳은 것은?

(가) 왕조는 아랍인을 우대하던 우마이야 왕조와는 달리 세금 납부와 관리 등용에서 비아랍인에 대한 차별을 폐지하였다.

| 보기 |
ㄱ. 아랍어를 공용어로 하였다.
ㄴ. 이슬람의 법으로 나라를 다스렸다.
ㄷ. 이슬람교가 수니파와 시아파로 나뉘었다.
ㄹ. 프랑크 왕국과 투르 · 푸아티에서 전투를 벌였다.

① ㄱ, ㄴ ② ㄱ, ㄷ ③ ㄴ, ㄷ
④ ㄴ, ㄹ ⑤ ㄷ, ㄹ

05 학생의 답변으로 옳은 것을 |보기|에서 고른 것은?

| 보기 |
ㄱ. 제지법이 서방으로 전파되었어요.
ㄴ. 헤지라 이후 이슬람교가 급성장하게 되었어요.
ㄷ. 아바스 왕조가 동서 무역의 주도권을 장악하였어요.
ㄹ. 다마스쿠스를 수도로 정하고, 정복 전쟁을 계속하였어요.

① ㄱ, ㄴ ② ㄱ, ㄷ ③ ㄴ, ㄷ
④ ㄴ, ㄹ ⑤ ㄷ, ㄹ

06 다음에 자료 외의 이슬람교도의 의무로 옳은 것은?

- "알라 외에 신은 없으며 무함마드는 알라의 사도이다."라는 말을 하는 것이다.
- 수입의 일정액을 이슬람 공동체에 바쳐야 한다.
- 일생에 한 번은 이슬람 성지인 메카를 순례해야 한다.

| 보기 |
ㄱ. 인두세를 내야 한다.
ㄴ. 라마단 기간 동안에 단식을 해야 한다.
ㄷ. 타종교와의 전쟁에 기꺼이 나서야 한다.
ㄹ. 하루에 다섯 번 의무적으로 메카를 향해 엎드려 절을 해야 한다.

① ㄱ, ㄴ ② ㄱ, ㄷ ③ ㄴ, ㄷ
④ ㄴ, ㄹ ⑤ ㄷ, ㄹ

시험을 대비하는 실전 문제

07 (가)에 대한 설명으로 옳지 않은 것은?

자료 카드

이슬람교의 경전, 『쿠란』

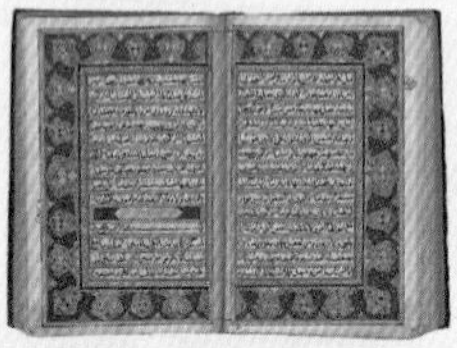

• 주요 특징

(가)

① 이슬람 사회의 일상을 지배하였다.
② 이슬람 세계의 문화적 동질성 형성에 기여하였다.
③ 알라가 무함마드에게 내린 계시를 기록한 것이다.
④ 예배 의식, 자선 활동 등의 계율들이 여기에 들어있다.
⑤ 이슬람교가 세계로 전파되면서 활발하게 번역되었다.

08 다음 질문에 대한 답변으로 옳지 않은 것은?

http://www.OOOO.co.kr

묻고 답하기

질문 이슬람 상인의 활동에 대해 알려주세요.

답변 ① 중국과 인도 등 각지에 이슬람 상인의 거류지가 만들어졌어요.
② 이슬람 상인은 육지에서는 낙타를 이용한 캐러번 무역을 주도하였어요.
③ 이슬람 상인의 왕성한 상업 활동은 동서 교역과 문화 교류에 기여하였어요.
④ 우마이야 왕조의 수도였던 바그다드는 당시 당의 장안과 같이 세계의 중심이었어요.
⑤ 이슬람 상인은 바다에서는 다우선을 이용하여 계절풍을 타는 인도양 무역을 장악하였어요.

신유형

09 다음 수행 평가 과제에 대한 역사 신문의 제목으로 옳은 것은?

세계사 수행 평가 보고서 안내
다음 자료에서 설명한 왕조와 관련된 역사 신문을 작성하시오.

수도 바그다드를 중심으로 성장하여 탈라스 전투에서 승리하는 등 번영을 누리던 이 왕조는 몽골족의 침입으로 멸망하였다.

답안| 역사 신문 제목
• 정치: (가)
• 경제: 비단길을 장악하다.

① 4대 칼리프 시아 알리, 살해 되다
② 비아랍인의 관직 진출, 드디어 허용되다.
③ 이슬람 신도의 힘으로 칼리프를 선출하다.
④ 이슬람 세계, 시아파와 수니파로 분열되다.
⑤ 헤지라에서 돌아온 무함마드, 메카에 입성하다.

10 (가)에 들어갈 내용으로 옳은 것을 |보기|에서 고른 것은?

OOO 문화
1. 특징: 정복 지역의 다양한 문화 융합
2. 종교 경전: 『쿠란』
3. 영향: (가)

| 보기 |
ㄱ. 르네상스에 영향을 주었다.
ㄴ. 간다라 미술을 성립하였다.
ㄷ. 한자 형성에 영향을 끼쳤다.
ㄹ. 동서 문화의 교류에 공헌하였다.

① ㄱ, ㄴ ② ㄱ, ㄹ ③ ㄴ, ㄷ
④ ㄴ, ㄹ ⑤ ㄷ, ㄹ

정답과 해설 9~11쪽

만점에 도전하는 심화 문제

01 밑줄 친 '갈등'에 대한 탐구 활동으로 옳은 것은?

① 탈라스 전투의 결과 및 영향을 살펴본다.
② 튀르크족이 성장하게 된 배경을 찾아본다.
③ 우마이아 왕조가 수립되는 과정을 알아본다.
④ 셀주크 왕조의 술탄 계승 문제에 대해 조사한다.
⑤ 무함마드가 메카를 정복하게 된 이유를 알아본다.

02 (가)에 들어갈 내용으로 가장 적절한 것은?

무함마드 사후 그의 계승자는 칼리프라는 직함으로 종교와 정치를 지배하였다.	⇨	(가)	⇨	아랍인과 비아랍인의 융합을 도모하여 세금 제도에서도 비아랍인에 대한 차별을 없앴다.

① 예루살렘을 차지하여 십자군 전쟁을 유발하였다.
② 아프리카 북부와 이베리아반도까지 영토를 넓혔다.
③ 메디나를 정치적 · 종교적 거점으로 세력을 확장하였다.
④ 공동체에서 추대한 칼리프가 정치와 종교를 지배하였다.
⑤ 셀주크 튀르크의 침입으로 술탄이라는 칭호가 등장하였다.

03 (가)에 들어갈 시기에 있었던 사실로 옳은 것은?

정통 칼리프 시대 (632~661)
↓
우마이야 왕조 (661~750)
↓
후우마이야 왕조 (756~1031) | (가) (750~1258) | 파티마 왕조 (909~1171)

① 칼리프를 선출하였다.
② 다마스쿠스를 수도로 정하였다.
③ 사산 왕조 페르시아를 멸망시켰다.
④ 비아랍인에 대한 차별을 폐지하였다.
⑤ 아라비아 반도를 처음으로 통일하였다.

04 다음 내용과 관련 있는 문화유산으로 옳은 것은?

이들은 우상 숭배를 금하였기 때문에 기하학적인 문양이나 문자로 만들어진 무늬로 모스크 안팎을 장식하였다.

①

②

③

④

⑤

4 크리스트교 문화의 형성과 확산

학습 목표
프랑크 왕국의 성장 과정과 중세 서유럽 사회에서 나타난 봉건제의 특징을 설명할 수 있다.

주제 10 서유럽 봉건 사회의 형성

1 게르만족이 이동하다

(1) 배경: 4세기 후반 [1]훈족의 압박으로 게르만족의 대규모 이동 → 서로마 제국 멸망

(2) 전개: 서유럽과 북아프리카 각지에 게르만 왕국 건설

2 프랑크 왕국이 서유럽 문화의 토대를 형성하다

(1) 발전 배경: 원주지로부터 이동 거리가 짧음, 로마 가톨릭교로 개종 → 원주민과의 마찰을 피함. → 오랫동안 왕국 유지

(2) 이슬람군 격퇴: 프랑크 왕국과 유럽 크리스트교 세계 보호(투르 · 푸아티에 전투)

(3) 카롤루스 대제: 옛 서로마 제국 영토의 많은 부분 확보, 크리스트교 보급을 위해 노력 → 로마 교황으로부터 서로마 제국 황제의 관을 받음 (왜? 교황이 동로마 제국의 간섭으로부터 벗어나기 위해서야.)

(4) 쇠퇴: 카롤루스 대제 사후 서 · 중 · 동 프랑크로 분열(오늘날의 프랑스 · 이탈리아 · 독일의 기초)

3 봉건 사회가 형성되다

(1) 배경: 프랑크 왕국의 분열, 노르만족 이동, [2]마자르족 · 이슬람 세력의 침입으로 극심한 혼란 → 기사들이 치안 담당, 농민 지배 → 봉건제 형성

(2) 봉건제: 주군과 봉신 간 토지를 매개로 한 쌍무적 계약 관계(주종 관계)
① 주군: 봉토 지급, 봉신 경제적으로 보호
② 봉신: 주군에게 충성을 서약, 봉사의 의무

(3) 장원제
① 영주: [3]봉토 소유, 봉토를 여러 개의 장원으로 조직하여 경영
② 농노: 영주에게 각종 세금 납부, 노동력 제공, 약간의 재산 소유, 결혼 가능, 거주 이전의 자유가 없음.

❶ 훈족
한의 압박을 받아 서쪽으로 이동한 흉노족의 일파로 추측된다. 지도자 아틸라를 따라 서쪽으로 이동하였는데, 이들의 이동은 게르만 족이 이동하는 계기를 제공하였다. 5세기 중엽에는 서쪽으로 라인강, 동쪽으로는 카스피해에 이르는 대제국을 건설했다.

❷ 마자르족
유럽에서는 헝가리인으로 해석되기도 한다. 헝가리는 마자르족(헝가리인)이 국민의 97%를 차지하는 단일 민족 국가이다.

❸ 봉토
서유럽 봉건 사회에서 봉신이 영주에게 봉사하는 대가로 얻는 봉신의 토지를 말한다.

핵심 자료 서유럽 봉건제의 구조

핵심
서유럽 봉건제의 구조는 어떤 특징이 있을까?

서유럽 봉건제의 핵심은 주종 관계였다. 주종 관계는 세력이 강한 기사인 주군과 약한 기사인 봉신 사이의 독특한 관계이다. 봉신은 주군에게 충성을 서약하고 봉사 의무를 다했으며, 주군은 봉토를 주어 봉신을 경제적으로 보호하였다. 그런데 주군이나 봉신은 모두 크고 작은 장원의 영주였다. 장원 내에서 영주와 농노의 관계는 지배와 예속 관계였다. 장원의 농민은 대부분 영주의 지배를 받던 농노였다.

정답과 해설 11쪽

확인해 봐요

1 4세기 후반 (   )의 압박으로 게르만족이 대규모로 이동하였다.

2 (   )은/는 옛 로마 교황으로부터 서로마 제국 황제의 관을 받았다.

3 주종 관계는 주군과 (   ) 사이의 독특한 쌍무적 계약 관계를 말한다.

교과서 활동 풀이

가자! 역사 속으로

교과서 72쪽

800년 프랑크 왕국의 카롤루스 대제는 로마 교황으로부터 서로마 제국 황제의 관을 받았습니다.

로마 교황은 왜 프랑크 왕국의 왕에게 서로마 제국 황제의 관을 수여했을까요?

예시 답안 교황이 프랑크 왕국의 카롤루스 대제를 유럽을 이끌어가는 나라의 황제로 인정하고 이슬람 군대의 공격을 막아 내어 크리스트교 세계를 보호한 것에 감사하기 위해 서로마 제국 황제의 관을 수여하였다.

자료 해설

프랑크 왕국의 카롤루스 대제는 영토를 확장하여 게르만족 대부분을 통일하였고, 크리스트교를 보호하여 오늘날 서유럽 문화의 토대를 형성하였다.

교과서 지도 자료 **프랑크 왕국의 분열**

교과서 72쪽

카롤루스 대제 사후 프랑크 왕국은 베르됭 조약과 메르센 조약을 통해 세 왕국(서 · 중 · 동프랑크)으로 나뉘었다. 이러한 프랑크 왕국의 분열과 이후 북쪽의 바이킹의 침략과 마자르 족과 이슬람 세력의 확대 등으로 유럽이 혼란해졌다. 이 시기에 서유럽 지역에서 봉건 제도가 형성되었다.

활동 도우미

프랑크 왕국의 분열 과정에 대해 알아보아요.

Q 중세 농노는 영주에게 어떤 의무를 이행해야 했을까?

교과서 73쪽

예시 답안 각종 세금을 납부하고 노동력을 제공하였다.

자료 해설

장원의 중심에는 영주의 성이 있어 장원을 관리하는 영주나 관리인이 거주하였고, 교회, 농민의 가옥 등이 있었다. 토지는 경작지, 목초지, 삼림, 황무지 등으로 나뉘어 있었다. 장원의 경작지는 영주 직영지와 농민 보유지, 공유지로 구분되었고, 공동 경작의 편의를 위해 울타리 없이 좁고 기다란 경작지들이 섞여 있었다.

스스로 확인해요

❶ 카롤루스 대제는 옛 서로마 제국 영토의 많은 부분을 확보하고 크리스트교 보급에 힘을 쏟았다. (○)

❷ 중세 서유럽의 [봉][건][제]의 핵심은 주군과 봉신 간에 맺는 주종 관계였다.

이 주제의 핵심

이 주제에서는 서유럽 봉건 사회가 형성되는 과정과 봉건 사회의 특징에 대해 배웠어요.
게르만족의 대규모 이동의 결과로 형성된 프랑크 왕국은 카롤루스 대제 때 전성기를 맞이하여 서로마 황제의 관을 수여받았고, 카롤루스 대제 사후 혼란한 상황에서 주종 관계를 특징으로 하는 봉건제와 장원제가 형성되었어요.
프랑크 왕국이 서유럽 문화를 형성할 수 있었던 요인과 봉건제의 특징을 파악해야겠죠?

4 크리스트교 문화의 형성과 확산

학습 목표
비잔티움 제국이 천 년 이상 번영할 수 있었던 까닭을 설명할 수 있다.

주제 11 로마를 계승한 비잔티움 제국

1 비잔티움 제국이 천 년을 이어가다

(1) 특징: 로마 제국의 계승자, 수도 콘스탄티노폴리스(동서 교역의 중심지로 번영)

(2) 정치: 황제가 군대와 관리를 지배하는 중앙 집권 체제 구축

(3) 유스티니아누스 황제: 비잔티움 제국의 전성기 →로마 제국의 영토 일부를 되찾음, 로마법을 집대성한 ❶『유스티니아누스 법전』 편찬

(4) 쇠퇴: 11세기 이후 대토지 소유 확산 → 자영농 몰락, 황제권 약화

(5) 멸망: 셀주크 튀르크의 압박 → 오스만 제국에 멸망(1453)
무엇? 이에 대처하기 위해 서유럽에 십자군 파견을 요청하였으나 이후 급속하게 쇠약해져 결국 오스만 제국에 멸망하였어.

2 크리스트 세계가 둘로 나뉘다

(1) 원인: ❷성상 숭배를 둘러싼 갈등 왜? 비잔티움 제국의 황제 레오 3세가 성상 파괴령을 발표하였는데, 로마 교황은 게르만족에게 크리스트교를 포교하기 위해 성상이 필요하였어.

(2) 결과: 서유럽 – 가톨릭교, 동유럽 – 그리스 정교로 분열

(3) 비잔티움 교회
① ❸그리스 정교를 바탕으로 발전
② 황제 교황주의: 황제가 교회의 우두머리로 강력한 권한 행사
③ 슬라브족 선교에 앞장 섬. → 러시아를 비롯한 동유럽 문화에 큰 영향을 미침.

3 독특한 비잔티움 문화가 꽃피다

(1) 비잔티움 문화: 그리스 · 로마 문화와 헬레니즘 문화 융합

(2) 비잔티움 양식: 성 소피아 성당(웅장한 돔과 화려한 모자이크 벽화)

(3) 의의: 서유럽 크리스트교 세계를 보호하는 방파제 역할, 이슬람 세계와 서유럽 세계를 잇는 문화적 가교 역할, 서유럽의 르네상스에 영향
무엇을? 그리스 고전을 보존·연구하여 서유럽 세계에 전달하였어.

❶ 유스티니아누스 법전
로마 제국은 도시에서 시작하여 제국으로 발전하였는데, 이 과정에서 법이 시민법, 만민법을 거쳐 자연법에 이르게 되었다. 6세기 비잔티움 제국 황제인 유스티니아누스 황제가 이를 집대성하였는데 『로마법 대전』이라고도 한다.

❷ 성상 숭배 금지
비잔티움 황제 레오 3세는 예수나 성인들의 모습을 새긴 성상의 사용을 금지하였다. 당시 로마 교회는 문맹인 게르만족에게 포교하기 위해서는 성상이 필요했으므로 이에 반발하였다. 그 결과 크리스트교 세계가 로마 가톨릭과 그리스정교로 분열되었다.

❸ 그리스 정교
교황권이 강한 로마 가톨릭과 달리 그리스 정교에서는 황제가 직접 총 대주교를 임명하였다. 이에 9세기경부터 나라별로 교회의 자립화가 시작되어 각 교회마다 독자적인 총 대주교가 세워졌다.

핵심 자료 비잔티움 양식의 특징

성당 내부 벽면을 장식한 모자이크화(튀르키예 이스탄불)

핵심
성소피아 성당이 대표하는 비잔티움 양식의 특징은 무엇일까?

웅장한 돔과 화려한 모자이크 벽화가 특징이다. 로마의 전통을 이어받아 아치와 거대한 돔형 지붕을 사용하였다. 한편 성당 내부에는 화려한 모자이크로 크리스트교 성인들의 모습을 표현하였다.

정답과 해설 11쪽

확인해 봐요

1 비잔티움 제국의 수도는 (로마, 콘스탄티노폴리스)(으)로 세계 교역의 중심지로 번영하였다.

2 유럽의 크리스트교 세계는 (성상 숭배, 교회의 부패) 문제로 로마 가톨릭교와 그리스 정교로 분열하였다.

3 성소피아 성당은 웅장한 돔과 화려한 (스테인드글라스, 모자이크)을/를 자랑하는 비잔티움 문화의 대표적인 건축물이다.

교과서 활동 풀이

가자! 역사 속으로

교과서 74쪽

비잔티움 제국의 황제를 대리석에 조각한 작품입니다. 황제는 한 손에 군기를, 다른 손에 십자가로 장식된 구형 물체를 들고 있습니다.

비잔티움 제국의 황제가 십자가를 들고 있는 까닭은 무엇일까요?

예시 답안 비잔티움 제국의 황제가 교회의 우두머리로 강력한 권한을 가지고 있다는 것을 상징한다.

활동 도우미

비잔티움 제국 황제의 권위를 당시 서유럽 국왕과 비교해 보자.

교과서 사진 자료 유스티니아누스 황제와 시종들

교과서 74쪽

가운데 왕관을 쓴 이가 유스티니아누스 황제이다. 그런데 황제의 머리 주위에는 예수에게만 쓸 수 있는 배광이 그려져 있다. 오른쪽에는 관료와 군인이 서 있다. 비잔티움 제국의 황제는 종교와 정치에서 강력한 권한을 행사하였다.

활동 도우미

유스티니아누스 황제 머리 뒤에 배광이 그려진 이유를 생각해 보아요.

Q 콘스탄티노폴리스가 교역의 중심지가 될 수 있었던 배경은 무엇일까?

교과서 74쪽

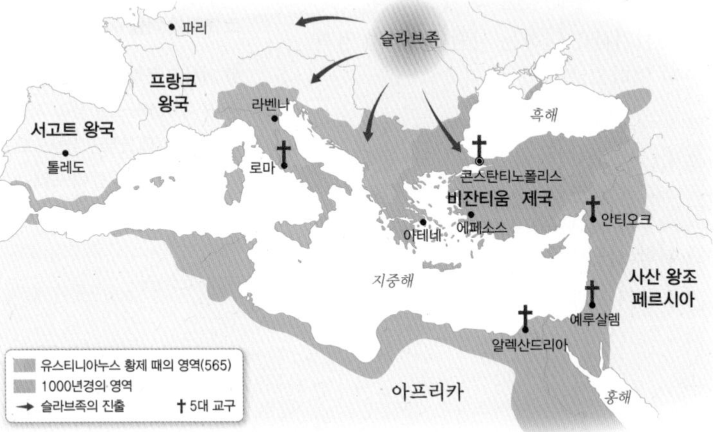

예시 답안 광대한 영역을 거느린 비잔티움 제국의 중심지였고 유럽, 아시아, 아프리카 세 대륙이 만나는 지역에 위치하였기 때문이다.

자료 해설

6세기 무렵 비잔티움 제국은 최대 영토를 확보하였다. 남쪽으로는 북아프리카 지역, 동쪽으로는 서아시아, 흑해 연안에 이르렀다.

330년 콘스탄티누스 황제는 콘스탄티노폴리스를 로마 제국의 수도로 선포하였다. 서로마 제국이 멸망한 후에도 콘스탄티노폴리스는 동로마 제국의 수도로 군림하였고, 유럽과 아시아를 잇는 길목에 위치하여 동서 교역을 주도하며 번영을 누렸다.

스스로 확인해요

❶ 유스티니아누스 황제는 옛 로마 지역의 일부를 되찾고, 로마법을 정리한 법전을 편찬하였다. (○)

❷ 크리스트교 세계는 성상 숭배 문제로 서유럽의 로마 가톨릭교와 비잔티움 제국의 그리스 정교(으)로 분열되었다.

이 주제의 핵심

이 주제에서는 비잔티움 제국의 형성과 그 문화에 대해서 배웠어요.
비잔티움 제국은 6세기 무렵 유스티니아누스 황제 때 전성기를 맞아 로마법을 집대성한 「유스니티아누스 법전」을 만들었으며, 성상 숭배 문제로 갈등을 빚다가 로마 가톨릭과 분열하였고, 그리스 정교에서는 황제 교황주의가 확립되었어요.
비잔티움 제국의 특징과 그 곳이 천 년이상 지속될 수 있었던 이유를 파악해야겠죠?

4 크리스트교 문화의 형성과 확산

학습 목표
크리스트교가 중세 유럽 사회에 끼친 영향을 설명할 수 있다.

주제 12 서유럽을 하나로 묶은 크리스트교

1 교회가 세속적 지배자로 성장하다

(1) 성장: 프랑크 왕국, 신성 로마 제국 등과 제휴 → 정통 교회로 발전

(2) 교황권의 강화: 교세 확장, 교회 조직의 확립 → 교황권 강화

(3) 교회 개혁 운동: 성직자 결혼과 성직 매매 등 교회 부패 · 타락 → 클뤼니 ❶수도원을 중심으로 교회 개혁 운동 전개

(4) 대립: 성직자 임명권을 두고 교황과 황제의 대립 → 교황의 황제 파문 → 카노사의 굴욕 → 교황이 성직자 임명권을 차지(보름스 협약)

누가? 교황 그레고리우스 7세와 신성 로마 제국의 황제 하인리히 4세가 대립하였어.

2 크리스트교 중심의 문화가 발전하다

(1) 특징: 크리스트교가 사람들의 일상생활과 정신 세계 지배, 신분 질서 정당화

(2) 신분 질서: 기도하는 사람(성직자), 싸우는 사람(기사), 일하는 사람(농민)의 엄격한 신분제, 각 신분마다 고유의 역할과 본분이 있다고 봄.

(3) 학문: 신학 중심,

(4) 철학: 아리스토텔레스의 철학 → ❷스콜라 철학(신앙과 이성의 조화 강조) 등장

(5) 건축: 고딕 양식 유행(뾰족한 탑과 스테인드글라스(색유리) 사용)

왜? 높은 천장과 스테인드글라스(색유리)를 통한 경건한 수직감과 천국을 향한 중세인의 소망을 나타내었어.

(6) 교육: 교회와 수도원이 학문의 중심 역할 → 대학 설립(학문의 등불)

(7) 문학: ❸기사도 문학 발달(『아서왕 이야기』, 「롤랑의 노래」)

❶ 수도원
수도자들이 공동생활을 하면서 수행하는 곳이다. 중세의 수도원은 학문 연구를 권장하여 학문과 교육의 중심지 역할을 하였으며, 고전을 필사하여 고전의 보존과 문학 발달에 기여하였다.

❷ 스콜라 철학
중세 유럽의 '그리스도교 학교'에서 가르친 철학으로 스콜라는 라틴어로 '학교'라는 뜻이다. 스콜라 철학은 아리스토텔레스 철학을 바탕으로 하였다. 스콜라 철학을 집대성한 토마스 아퀴나스는 신앙적 진리와 이성적 진리가 서로 조화를 이룰 수 있다고 주장하였다.

❸ 기사도 문학
중세 기사들의 모험담과 사랑을 소재로 하였다. 대표적인 작품으로는 「롤랑의 노래」, 「니벨룽겐의 노래」, 아서 왕 이야기 등이 있다.

핵심 자료 교회가 세속적 지배자로 성장하다

핵심
카노사의 굴욕 사건은 왜 일어났을까?

11세기부터 교황이 주도하여 교회를 세속 권력에서 벗어나게 하려는 움직임이 나타났다. 교황 그레고리우스 7세는 성직 매매와 성직자의 결혼을 금지하는 등 부패를 시정하는 한편, 성직자 임명권을 둘러싸고 신성 로마 제국 황제 하인리히 4세와 대립하였다. 교황은 세속 군주의 성직자 임명을 금지하였으나, 황제가 이를 무시하자 그를 파문하였다. 이 때문에 신성 로마 제국 내 제후와 주교의 지지를 상실한 하인리히 4세는 결국 카노사에 있던 교황을 찾아가 가까스로 사죄를 받아 파문을 면하였다. 이를 카노사 굴욕 사건이라 한다.

정답과 해설 11쪽

확인해 봐요

1 중세 교회의 부패와 타락을 비판하면서 수도원 운동이 일어났다. (○, ×)

2 교회에 대한 세금 부과 문제로 카노사의 굴욕이 일어났다. (○, ×)

3 중세 유럽에 아리스토텔레스 철학이 소개된 이후 신앙과 이성의 조화를 강조한 스토아 철학이 나타났다. (○, ×)

교과서 활동 풀이

가자! 역사 속으로 교과서 76쪽

9세기 무렵 서유럽에서 만들어진 공예품입니다. 중앙에 서 있는 교황에게 황제가 고개를 숙이는 모습이 나타나 있습니다.

중세 서유럽 사회에서 교황은 어떤 지위를 차지하였을까요?

예시 답안 중세 서유럽 사회에서는 크리스트교의 영향력이 강하여 교황의 권력도 매우 강하였다.

활동 도우미

교황은 크리스트교의 최고 지도자였어요. 제시된 공예품을 통해 중세 서유럽 사회에서 교황의 지위와 교황과 황제의 관계를 생각해 보아요.

탐구 해봐요 고딕 양식의 정수를 보여주는 샤르트르 대성당 교과서 77쪽

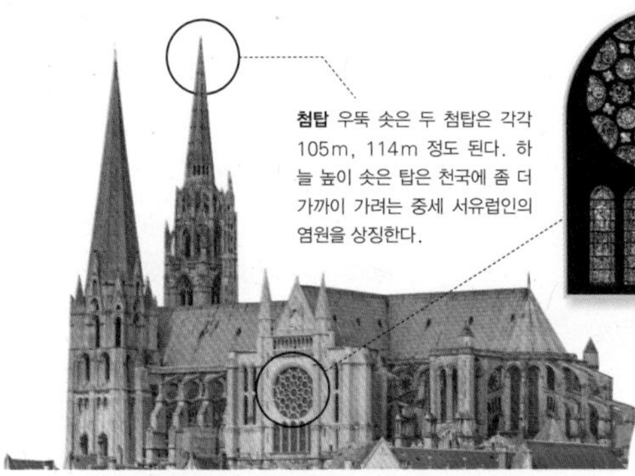

첨탑 우뚝 솟은 두 첨탑은 각각 105m, 114m 정도 된다. 하늘 높이 솟은 탑은 천국에 좀 더 가까이 가려는 중세 서유럽인의 염원을 상징한다.

샤르트르 대성당 (프랑스 샤르트르)

◀ **색유리그림**(스테인드글라스) 성모 마리아와 같은 성인이나 최후의 심판과 같은 『성경』의 내용을 담은 색유리그림으로 창을 장식하였다.

▲ **성당의 정면, 왕의 문** 『성경』 속 수많은 인물과 천사가 새겨져 있다.

자료 해설

고딕 양식은 12세기 무렵부터 유행한 건축 양식으로 게르만족의 일파인 '고트족 식'이라는 의미가 있다. 중세 유럽인들은 고딕 양식의 높이 솟은 첨탑에 천국으로 올라가려는 소망을 담았다. 또한 색유리로 장식된 창은 크리스트교의 교리를 묘사했으며 성당 안을 밝게 하는 기능을 하였다.

1 샤르트르 대성당에 나타난 고딕 양식의 특징을 찾아보자.

예시 답안 뾰족한 첨탑, 색유리(스테인드글라스)

2 중세 서유럽 성당에서 『성경』의 내용을 색유리와 조각으로 표현한 까닭을 추측해 보자.

예시 답안 『성경』의 내용을 색유리나 조각으로 표현한 것은 글을 읽지 못했던 중세 유럽인이 크리스트교 교리를 이해하는 데 도움을 주기 위해서였다.

스스로 확인해요

❶ 교회가 부패하고 타락하자 7세기 무렵 클뤼니 수도원을 중심으로 교회 개혁 운동이 전개되었다. (×)

❷ 중세 서유럽에서는 신앙과 이성의 조화를 추구하는 스 콜 라 철학이 유행하였다.

역량 키우기 역사 탐구 중세 시대 유럽인의 신앙생활 교과서 78쪽

생각하고 탐구하기

1 위 자료를 통해 "중세 유럽인은 교회를 떠나서는 태어날 수도, 죽을 수도 없다."라는 말의 의미를 설명해 보자.

예시 답안 중세 유럽인은 교회와 성직자를 통해서만 구원을 받을 수 있다고 믿었기 때문에 종교 의식을 매우 소중하게 여겼다. 위 말을 통해 중세 유럽인의 사회 생활뿐만 아니라 일상생활까지 크리스트교의 영향력이 강했음을 알 수 있다.

2 위 자료를 참고하여 중세 유럽인의 신앙생활을 가상 일기로 작성해 보자.

예시 답안 오늘은 부활절, 부모님, 동생과 함께 교회에 갔다. 교회 건물 안에 설치된 색유리 그림 속의 성인들의 모습을 보며 나도 성인들처럼 살아야겠다는 마음을 먹었다. 신부님이 오셔서 내 동생에게 세례 성사를 해주셨다. 신부님이 성경 이야기를 해주시는데 글을 모르는 우리들은 신부님의 말씀을 듣고 잘 따를 뿐이다.

이 주제의 핵심

이 주제에서는 서유럽을 하나로 묶은 크리스트교의 성장 과정과 문화에 대해서 배웠어요.
크리스트교는 중세 유럽인들의 사람들의 일상생활과 정신 세계를 지배하였어요. 이러한 크리스트교가 중세 유럽 사회에 끼친 영향을 파악해 보아요.

4 크리스트교 문화의 형성과 확산

학습 목표
십자군 전쟁이 유럽 사회에 미친 영향을 설명할 수 있다.

주제 13 서유럽과 이슬람 세력의 충돌, 십자군 전쟁

1 십자군 전쟁이 일어나다

(1) 배경: 셀주크 튀르크의 예루살렘 점령, 비잔티움 제국 압박 → 비잔티움 제국이 로마 교황에게 도움을 요청

(2) 목적: 종교적 신념 → 세속적인 목적 강화

(3) 전개: 로마 교황이 이슬람 세력으로부터 예루살렘을 되찾자고 호소 → 200여 년 동안 여러 차례 원정 진행 → 실패

2 교황권이 쇠퇴하고 왕권이 강화되다

(1) 교황권의 쇠퇴: 십자군 전쟁의 실패, ❶아비뇽 유수, ❷교회의 대분열

(2) 영주 · 기사 · 귀족 세력 약화: 십자군 전쟁의 실패로 영주와 기사 세력 약화, ❸백년 전쟁과 장미 전쟁으로 귀족 세력 약화 → 왕권 강화

3 도시가 성장하고 장원이 해체되다

(1) 도시의 성장: 지중해를 중심으로 원거리 무역 활발 → 교통의 중심지에 도시 발달

(2) 도시민의 성장: 자치권 획득 → 독자적인 세력으로 성장, 동업 조합(길드) 조직

(3) 장원의 해체

① 화폐 경제 확산: 농민, 현물이나 화폐로 지대를 납부 → 영주의 직영지 경작 부담에서 벗어남, 곡물 가격의 상승, 화폐 가치 떨어짐 → 농민의 경제적 부담 감소

② 흑사병의 창궐: 인구 격감으로 노동력 부족, 임금 상승 등 → 농민의 지위 향상, 농노 해방 → 장원 해체

❶ 아비뇽 유수
14세기 초 프랑스의 왕 필리프 4세는 교회와 성직자에 대한 과세 문제로 교황 보니파키우스 8세와 대립하였다. 필리프 4세는 삼부회를 소집하여 국민의 지지 아래 교황을 굴복시켰고, 교황청을 로마에서 아비뇽으로 옮겼다.

❷ 교회의 대분열
아비뇽 유수 이후 70년 간 교황은 프랑스 왕의 통제 아래 있었다. 이후 로마 교황청은 로마로 되돌아갔으나 아비뇽에서도 계속 교황이 선출되면서 두 교황의 시대가 열렸다. 이를 교회의 대분열이라 한다. 이 시기에 로마와 아비뇽의 교황은 서로 정통성을 내세우며 대립하여 교회의 권위가 크게 떨어졌다.

❸ 백년 전쟁
영국과 프랑스는 모직물 공업 중심지인 플랑드르와 프랑스 안의 영국령에 대한 지배권을 둘러싸고 오랫동안 대립하여 왔다. 이러한 상황에서 영국 왕이 프랑스의 왕위 계승을 주장하여 백년 전쟁(1338~1453)이 일어났다.

핵심 자료 십자군 전쟁의 전개

핵심

십자군 전쟁은 어떤 결과를 가져왔을까?

십자군 전쟁은 공식적인 목표인 성지 회복 달성에 실패하였다. 이에 십자군 전쟁에 참여를 호소한 교황의 세력이 약화되었고, 전쟁에 장기간 참여한 제후와 기사 계층이 몰락하면서 봉건제가 흔들리고 왕권이 강화되었다.

정답과 해설 11쪽

확인해 봐요

1 십자군 전쟁은 (　　　) 이/가 비잔티움 제국을 압박하면서 발생하였다.

2 로마와 아비뇽에서 각기 교황이 선출되어 대립하였던 것을 (　　　)(이)라고 한다.

3 14세기 중엽 (　　　) 이/가 크게 번져서 인구가 크게 줄었으며, 노동력이 부족해지면서 농민의 지위가 향상되었다.

교과서 활동 풀이

가자! 역사 속으로

교과서 79쪽

이슬람 세력인 셀주크 튀르크가 크리스트교 성지인 예루살렘을 차지하자, 교황은 성직자들을 클레르몽으로 소집하였습니다. 그 자리에서 그는 이교도들에게 빼앗긴 성지를 회복하자고 호소하였습니다.

교황의 호소에 중세 유럽인들은 어떤 반응을 보였을까요?

예시 답안 교황의 호소를 신의 뜻으로 받아들이고 예루살렘을 회복하기 위한 전쟁에 참가하였다.

활동 도우미

예루살렘은 크리스트교, 이슬람교, 유대교의 성지여요. 예루살렘을 탈환해야 한다는 교황의 호소는 유럽 사회에 어떤 영향을 미쳤을지 생각해 보아요.

Q 밑줄 친 땅이 가리키는 곳은 어디일까?

교과서 79쪽

교황 우르바누스 2세의 연설문

"신을 믿지 않는 튀르크인의 진출은 그칠 줄을 모르고 콘스탄티노폴리스로 다가오고 있으니, 성지의 형제들을 구하자. …… 그대들이 사는 땅은 사람들이 몰려 있기 때문에 빈궁해졌다. …… 예수의 성묘가 있는 곳으로 가지 않겠는가? 젖과 꿀이 흐르는 땅은 신이 그대들에게 내린 토지이다. 이 땅에서 불행한 자와 가난한 자는 그 땅에서 번영할 것이다."

예시 답안 예루살렘

자료 해설

11세기 후반 셀주크 튀르크가 비잔티움 제국을 위협하자 비잔티움 황제는 로마 교황 우르바누스 2세에게 도움을 청하였다. 이를 받아들인 교황이 성지 회복을 위한 전쟁을 선포하고 참여를 호소하였다. 국왕을 비롯한 많은 제후와 기사, 상인, 농민들은 종교적 열정으로 호응하였고, 전쟁이 시작되었다.

교과서 사진 자료 **중세 도시의 시장**

교과서 80쪽

11세기 이후 서유럽에서는 농업 생산력의 발달과 인구 증가로 상업이 발달하고 교통의 요지에 도시가 성장하였다. 십자군 전쟁과 동방 무역의 확대로 원거리 무역이 증가하면서 도시와 시장은 더욱 발달하였다. 도시들은 처음에 영주의 지배를 받았으나 점차 자치 도시로 성장하였으며 상인과 수공업자는 길드라는 동업 조합을 만들어 자신들의 권익을 지키면서 도시의 운영을 주도하였다.

활동 도우미

십자군 전쟁 이후 원거리 무역이 발달하면서 도시가 발달하였어요. 도시는 왕과 영주에게서 자치권을 얻어 독자적인 세력으로 성장하였고 도시민이 자유민이 되었음을 생각해 보아요.

스스로 확인해요

❶ 십자군 전쟁의 영향으로 국왕의 권위가 추락하였다. (×)

❷ 14세기 중엽 흑 사 병의 유행으로 유럽의 인구가 크게 줄자 임금이 상승하여 농민의 지위가 향상되었다.

이 주제의 핵심

이 주제에서는 십자군 전쟁의 전개 과정과 이후 유럽 사회의 변화에 대해 배웠어요. 십자군 전쟁을 통해 교황, 영주, 기사 세력, 귀족 세력, 왕권의 권력 변화를 살펴보고, 흑사병의 유행, 도시의 발달, 장원의 붕괴를 통해 중세 사회가 해체되었음을 파악해 보아요.

학습 목표
르네상스와 종교 개혁이 가져온 사회 변화를 설명할 수 있다.

주제 14 새로운 문화의 기운, 르네상스와 종교 개혁

1 이탈리아에서 르네상스가 시작되다

(1) 배경: 옛 로마 제국의 중심지(고전 문화의 전통 보존), 상공업과 도시 발달
왜? 이탈리아 도시들이 경제적으로 번영하자 지배층이 부와 권력을 과시하기 위해 문화에 투자하였어.

(2) 성격: '부활', '재생' → 고대 그리스와 로마의 인간 중심적 문화로 되돌아가려는 운동

(3) 문학: 페트라르카의 서정시, 보카치오의 『데카메론』(인간과 교회의 위선 풍자)

(4) 예술: 인간의 모습을 사실적으로 표현(미켈란젤로, 레오나르도 다빈치, 라파엘로)

2 르네상스가 확산되고 과학 기술의 발달을 이끌다

(1) 알프스 이북의 르네상스

① 배경: 이탈리아 르네상스가 북유럽으로 확산
② 문학: 교회와 사회 비판(에라스뮈스 ❶『우신예찬』, 토마스 모어 ❷『유토피아』), 모국어로 된 국민 문학의 발달(셰익스피어 『햄릿』, 세르반테스 『돈키호테』)

(2) 과학 기술의 발달

① 배경: 르네상스의 자유로운 탐구 정신이 과학 기술 발달 촉진
② 레오나르도 다빈치(비행기 설계, 해부도 작성)
③ 우주관 전환: 코페르니쿠스와 갈릴레이의 지동설 → 과학 혁명의 계기
④ ❸활판 인쇄술 발달: 대량 인쇄 가능 → 사상과 문화의 보급 촉진

3 종교 개혁이 유럽을 뒤덮다

(1) 루터의 종교 개혁

① 원인: 교황 레오 10세 성 베드로 성당 증축 비용을 위해 면벌부 판매 강화
무엇? 벌을 면하게 해주는 증서를 의미해.
② 주장: 교황의 면벌부 판매 비판, 「95개조 반박문」 발표(교황과 교회 비판, 신앙의 유일한 근거로 성경을 주장)
③ 영향: 아우크스부르크 화의에서 인정

(2) 칼뱅의 종교 개혁

① 주장: 예정설, 직업 윤리 강조, 경제적 성공을 신의 은총으로 여김, 종교 개혁 주도
② 영향: 상공업자 환영, 영국 · 프랑스 · 네덜란드로 전파

(3) 영국 국교회 성립: 헨리 8세가 영국 교황의 지배로부터 독립(왕이 교회의 우두머리)

4 종교 개혁으로 크리스트교 세계에 변화가 일어나다

(1) 로마 가톨릭 교회의 대응: 자체 개혁(금서 목록 작성, 종교 재판소 설립), 예수회를 조직하여 선교 활동 → 신도들의 이탈을 막고자 함.

(2) 종교 개혁: 구교와 신교의 대립 → 30년 전쟁 → 베스트팔렌 조약 체결

(3) 결과: 칼뱅파 공인, 신성 로마 제국 제후들의 정치적인 독립권 인정 → 독립 주권 국가 국제 질서 수립 계기

---

❶ 『우신예찬』
에라스뮈스가 쓴 책으로 '어리석은 신을 예찬한다'는 뜻이다. 이 책은 교회의 허식과 성직자들의 타락을 신랄히 비판하여 인문주의의 발전뿐만 아니라 종교 개혁에도 큰 영향을 주었다.

❷ 『유토피아』
이상향이라는 의미를 갖고 있는 '유토피아'는 단어 자체의 뜻은 이 세상에는 없는 장소라는 반어적인 의미를 담고 있다. 그는 부조리한 현실 사회를 비판하고 빈부 격차가 없는 이상 사회의 모습을 제시하였다.

❸ 활판 인쇄술
15세기 중엽 구텐베르크가 실용화한 활판 인쇄술은 그동안 일부 계층이 독점하고 있던 지식을 대중화하여 사람들의 생활을 바꾸어 나갔다. 인쇄술은 르네상스 문화를 뒷받침하였을 뿐만 아니라 루터의 종교 개혁 또한 가능하게 하였다.

정답과 해설 11쪽

확인해 봐요

1 14, 15세기 르네상스는 이탈리아에서 먼저 시작되었다. (○, ×)

2 이탈리아 르네상스는 교회와 사회를 비판하는 개혁 성향이 강하였다. (○, ×)

3 칼뱅은 구원은 신에 의해 미리 결정되어 있다는 예정설을 주장하며 종교 개혁을 주도하였다. (○, ×)

교과서 활동 풀이

가자! 역사 속으로

교과서 81쪽

르네상스 시기의 화가였던 라파엘로는 소크라테스, 플라톤과 같은 고대 그리스 철학자들을 담은 '아테네 학당'을 남겼습니다.

라파엘로는 왜 고대 그리스 철학자들의 모습을 그렸을까요?

예시 답안 르네상스 시대의 예술가들은 고대 그리스와 로마의 인간 중심 문화를 좋아했고, 그때의 문화를 표현하고 싶어했기 때문이다.

활동 도우미
르네상스는 재생이나 부활을 의미해요. 르네상스 화가가 고대 그리스인들을 표현한 이유를 르네상스라는 말의 의미와 연관지어 추측해 보아요.

탐구 해봐요 루터의 종교 개혁

교과서 83쪽

1 빈칸에 공통으로 들어갈 단어를 써 보자.

「95개조 반박문」

제6조	교황은 신의 용서를 선언 또는 시인하는 이외에 어떠한 죄도 용서할 권한이 없다.
제21조	설교자가 교황의 (면벌부)(으)로 모든 죄에서 벗어날 수 있다면서 이를 판매하는 것은 잘못이다.
제36조	진실로 회개한 크리스트교도는 누구나 (면벌부)이/가 없어도 징벌이나 죄에서 완전히 해방되는 것이다.

2 루터의 종교 개혁 이후 교회와 교황에 대한 사람들의 생각은 어떻게 달라졌을지 추측하여 써 보자.

예시 답안 교황과 가톨릭 교회의 절대성을 의심하게 되었다.

활동 도우미
루터의 「95개조 반박문」을 통해 기존 가톨릭 교회의 문제점을 생각해 보아요. 또한 루터의 종교개혁 이후 교황과 교회의 입지가 어떻게 달라졌을지 생각해 보아요.

교과서 그림 자료 베스트팔렌 조약 조인식 장면

교과서 83쪽

종교 갈등으로 시작된 30년 전쟁은 신성 로마 제국에서 일어났으나 덴마크, 네덜란드, 스웨덴, 프랑스, 에스파니아 등 유럽 여러 나라가 참전한 국제전쟁이었다. 전쟁의 결과 칼뱅파가 종교의 자유를 얻었으며, 스위스와 네덜란드가 독립을 승인받았다. 이후 유럽에서는 교황과 황제가 이끄는 신성 로마 제국이 사실상 무너지고 독립된 주권 국가들이 상호 세력 균형을 이루는 체제로 변화하였다.

활동 도우미
베스트팔렌 조약 이후 국제 질서가 어떻게 변했을지 생각해 보아요.

스스로 확인해요

❶ 르네상스는 고대 그리스 · 로마 문화를 통해 인간 중심의 문화를 발전시키려는 문화 운동이다. (○)

❷ [루] [터]은/는 교황 레오 10세의 면벌부 판매에 대항하여 「95개조 반박문」을 발표하였다.

이 주제의 핵심

이 주제에서는 르네상스와 종교 개혁에 대해 배웠어요. 14~15세기 유럽에서 인간 중심의 새로운 문화의 기운을 불어넣은 르네상스의 영향, 종교 개혁을 통해 중세 유럽의 하나의 종교였던 로마 가톨릭의 지배로부터 벗어나 루터파, 칼뱅파, 영국 국교회 등 다양한 종파의 성립을 가져온 결과들을 잘 파악해야겠죠?

시험을 대비하는 실전 문제

기초를 튼튼하게 확인 문제

01 서로 관련 있는 내용끼리 연결하시오.

㉠ 예정설 •   • ⓐ 루터
㉡ 수장령 •   • ⓑ 칼뱅
㉢ 95개조 반박문 •   • ⓒ 헨리8세

02 아래 설명이 맞으면 ○, 틀리면 ×로 표시하시오.

(1) 카롤루스 대제는 교황으로부터 서로마 제국 황제의 관을 받았다. ( )
(2) 비잔티움 교회에서는 황제가 교회의 우두머리로서 강력한 권한을 행사했다. ( )
(3) 카노사 굴욕은 황제권이 강화되었음을 보여주는 사건이다. ( )
(4) 흑사병으로 농노의 사회적 지위는 높아졌다. ( )

03 |보기|의 중세 서유럽에서 나타난 사건들을 순서대로 나열하시오.

| 보기 |
ㄱ. 종교 개혁   ㄴ. 십자군 전쟁
ㄷ. 프랑크 왕국의 분열   ㄹ. 카노사의 굴욕

04 빈칸에 알맞은 말을 쓰시오.

(1) 중세 서유럽에서는 뾰족한 탑과 색유리그림을 사용한 ( ) 양식이 유행하였다.
(2) 프랑스 왕은 강력해진 왕권을 바탕으로 교황청을 로마에서 프랑스 아비뇽으로 옮기는 ( )을 시행하였다.
(3) 신교와 구교가 날카롭게 대립한 30년 전쟁은 ( ) 조약으로 마무리되었다.

내신을 탄탄하게 내신 문제

중요
01 프랑크 왕국이 오래 유지될 수 있었던 이유로 옳은 것은?

| 보기 |
ㄱ. 이동 거리가 짧았다.
ㄴ. 황제 교황주의를 채택하였다.
ㄷ. 로마 가톨릭으로 개종하였다.
ㄹ. 중앙 집권 체제를 구축하였다.

① ㄱ, ㄴ   ② ㄱ, ㄷ   ③ ㄴ, ㄷ
④ ㄴ, ㄹ   ⑤ ㄷ, ㄹ

신유형
02 가상 일기에 나타난 중세 유럽의 모습으로 옳지 않은 것은?

오늘은 매우 바쁜 날이었다. ① 아침 일찍 영주님께 세금과 포도주, 닭과 달걀을 바치고 왔다. 집으로 돌아오자마자 ② 이웃 사람들과 함께 영주님의 밭에 일을 하러 갔다. 일을 마치고 집에 돌아오는 길에 영주님의 방앗간에 들러 곡식을 빻았다. ③ 영주님의 방앗간은 사용료가 비싸지만, 우리는 이곳을 이용해야만 한다. 하루하루가 고되긴 했지만 ④ 얼마 전에 마련한 우리 집과 밭을 보면 그동안 고생해온 보람이 느껴진다. ⑤ 조금 더 돈을 모으면 요즘 사람들이 살기 좋다고 말하는 □□ 장원으로 이사를 할 예정이다.

03 (가)에 대한 설명으로 옳지 않은 것은?

① 오스만 제국에게 멸망하였다.
② 황제 교황주의가 확립되었다.
③ 주군과 봉신 간의 주종 관계를 맺었다.
④ 로마법을 집대성한 법전을 편찬하였다.
⑤ 황제가 군대와 관리를 직접 지배하였다.

04 다음 자료의 결과로 옳은 것은?

성상을 지우는 모습
(러시아 국립역사박물관)

① 십자군 전쟁이 일어났다.
② 헨리 8세가 수장령을 내렸다.
③ 루터가 95개조 반박문을 내걸었다.
④ 에라스뮈스가 『우신예찬』을 출판하였다.
⑤ 교회가 로마 가톨릭과 그리스 정교로 분열하였다.

05 다음 사건의 원인으로 옳은 것은?

그림으로 보는 역사

◀ 카노사의 굴욕
하인리히 4세가 클뤼니 수도원장과 카노사성의 백작 부인에게 교황과의 화해를 주선해 달라고 부탁하는 장면을 그렸다.

① 성상 숭배 문제
② 교회에 대한 과세 문제
③ 교회의 부패와 타락 문제
④ 군주의 성직자 임명 문제
⑤ 성지 예루살렘의 회복 문제

06 교사의 질문에 대한 학생의 답변으로 옳지 않은 것은?

▲ 샤르트르 대성당(프랑스 샤르트르)

① 아리스토텔레스 철학이 서유럽에 소개되었어요.
② 대학이 설립되면서 학문의 등불 역할을 하였어요.
③ 「롤랑의 노래」와 같은 기사도 문학이 유행하였어요.
④ 화려한 모자이크 벽화가 교회 벽면을 장식하였어요.
⑤ 신앙과 이성의 조화를 강조한 스콜라 철학이 나타났어요.

07 **다음 연설이 있었던 시기의 유럽 사회의 모습으로 옳은 것은?**

> 신을 믿지 않는 튀르크인의 진출은 그칠 줄을 모르고 콘스탄티노폴리스로 다가오고 있으니, 성지의 형제들을 구하자. …… 그대들이 사는 땅은 사람들이 몰려 있기 때문에 빈궁해졌다. …… 예수의 성묘가 있는 곳으로 가지 않겠는가? 젖과 꿀이 흐르는 땅은 신이 그대들에게 내린 토지이다. 이 땅에서 불행한 자와 가난한 자는 그 땅에서 번영할 것이다.
>
> – 교황 우르비누스 2세의 연설 –

① 도시가 성장하고 장원이 해체되었다.
② 장미 전쟁이 일어나 왕권이 강화되었다.
③ 셀주크 튀르크가 예루살렘을 점령하였다.
④ 교회 대분열이 일어나 교황권이 약화되었다.
⑤ 황제가 카노사에서 교황에게 용서를 구하였다.

08 **다음 지도의 전쟁 이후 나타난 사회 변화에 대한 설명으로 옳은 것은?**

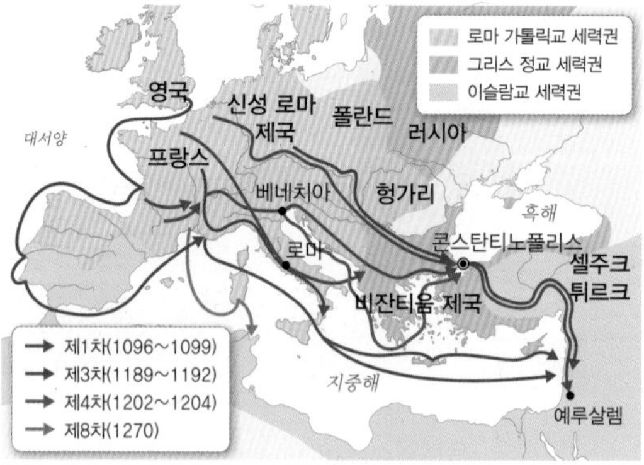

① 전쟁을 호소한 교황의 권위가 상승하였다.
② 교회의 대분열 이후 아비뇽 유수가 일어났다.
③ 지중해를 중심으로 원거리 무역이 활발해졌다.
④ 교황은 상비군과 관료제를 통해 권력을 강화하였다.
⑤ 백년 전쟁과 장미 전쟁으로 귀족 세력이 강화되었다.

09 **(가)에 대한 내용으로 옳은 것을 |보기|에서 고른 것은?**

> 이탈리아의 르네상스
> - 정의: 고대 그리스·로마 문화에서 인간의 자유와 존엄성을 재발견하려는 문화 운동
> - 배경: (가)
> - 성격: 인문주의 발달, 인간의 개성과 합리성 추구

| 보기 |
ㄱ. 지중해 무역의 중심지로 번영하였다.
ㄴ. 현실 사회를 비판하는 성향이 강하였다.
ㄷ. 교회의 면벌부 판매가 가장 집중된 곳이었다.
ㄹ. 옛 로마 제국의 중심지로 고전 문화의 전통이 강하게 남아있었다.

① ㄱ, ㄴ ② ㄱ, ㄹ ③ ㄴ, ㄷ
④ ㄴ, ㄹ ⑤ ㄷ, ㄹ

10 **다음 자료가 배경이 되어 일어난 사건에 대한 설명으로 옳은 것은?**

> **제6조** 교황은 신의 용서를 선언 또는 시인하는 이외에 어떠한 죄도 용서할 권한이 없다.
> **제21조** 설교자가 교황의 면벌부로 모든 죄에서 벗어날 수 있다면서 이를 판매하는 것은 잘못이다.

| 보기 |
ㄱ. 신앙의 근거는 『성경』이라고 주장하였다.
ㄴ. 영국 교회가 교황의 지배로부터 벗어나게 되었다.
ㄷ. 인쇄술의 발달로 그의 주장이 빠르게 퍼져 나갔다.
ㄹ. 직업 윤리를 강조하며 경제적 성공을 신의 은총으로 여겼다.

① ㄱ, ㄴ ② ㄱ, ㄷ ③ ㄴ, ㄷ
④ ㄴ, ㄹ ⑤ ㄷ, ㄹ

정답과 해설 11~12쪽

만점에 도전하는 심화 문제

01 다음은 서유럽 봉건제의 구조를 나타낸 것이다. 이에 대한 설명으로 옳지 않은 것은?

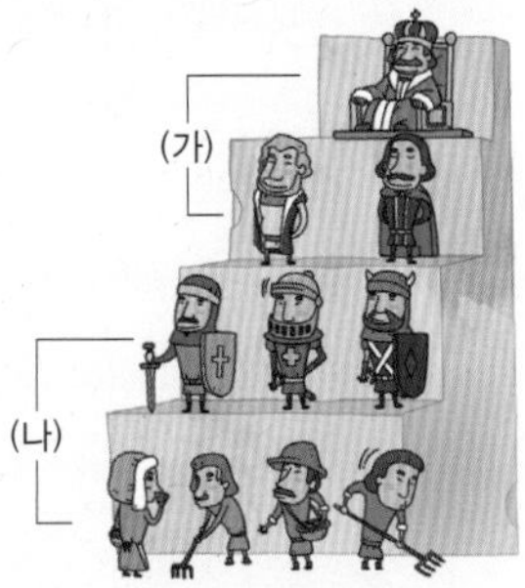

① (가)는 주종 관계로 혈연으로 맺어졌다.
② (나)는 지배 예속 관계이다.
③ 농노는 영주에게 구속을 받았다.
④ 기사는 제후에게 충성을 서약하였다.
⑤ 농노는 결혼하여 가정을 꾸릴 수 있었다.

신유형

02 다음과 같은 역사적 의미를 갖는 나라의 문화 유산으로 옳은 것은?

> 이 나라는 이슬람 세력으로부터 서유럽 크리스트교 세계를 보호하는 방파제 역할을 하였으며, 동시에 이슬람 세계와 서유럽 세계를 잇는 문화적 가교 역할도 하였다.

① 
② 
③ 
④ 
⑤ 

03 다음 자료가 나타난 시기에 대한 설명으로 옳은 것은?

> 요즘 교황은 가장 어려운 일들은 베드로와 바울에게 맡기고 호화로운 의식과 즐거운 일만 찾는다. 교황은 바로 나, 우신 덕분에 우아한 생활을 하고 있다.
> -『우신예찬』-

① 이탈리아 르네상스의 대표적인 작품이다.
② 신교와 구교의 갈등 과정에서 만들어졌다.
③ 교회와 사회를 비판하는 개혁 성향이 강하였다.
④ 교황의 면벌부 판매를 비판하는 내용이 중심이다.
⑤ 인간의 구원은 신에 의해 예정되어 있다고 주장했다.

04 다음 지도의 사건 이후 유럽에서 나타난 일로 옳지 않은 것은?

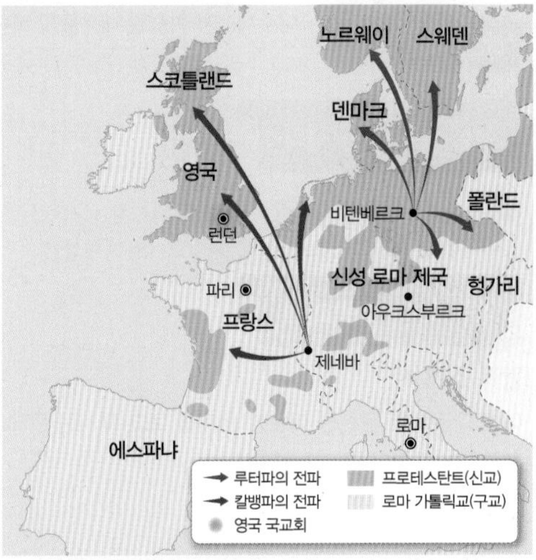

① 30년 전쟁이 일어났다.
② 가톨릭 교회는 금서 목록을 작성하였다.
③ 에라스뮈스가 교회의 타락을 비판하였다.
④ 성 바르텔레미 축일의 대학살이 일어났다.
⑤ 예수회가 조직되어 아시아와 아메리카 등지로 선교 활동을 하였다.

Ⅱ 대주제 마무리 풀이

교과서 84~85쪽

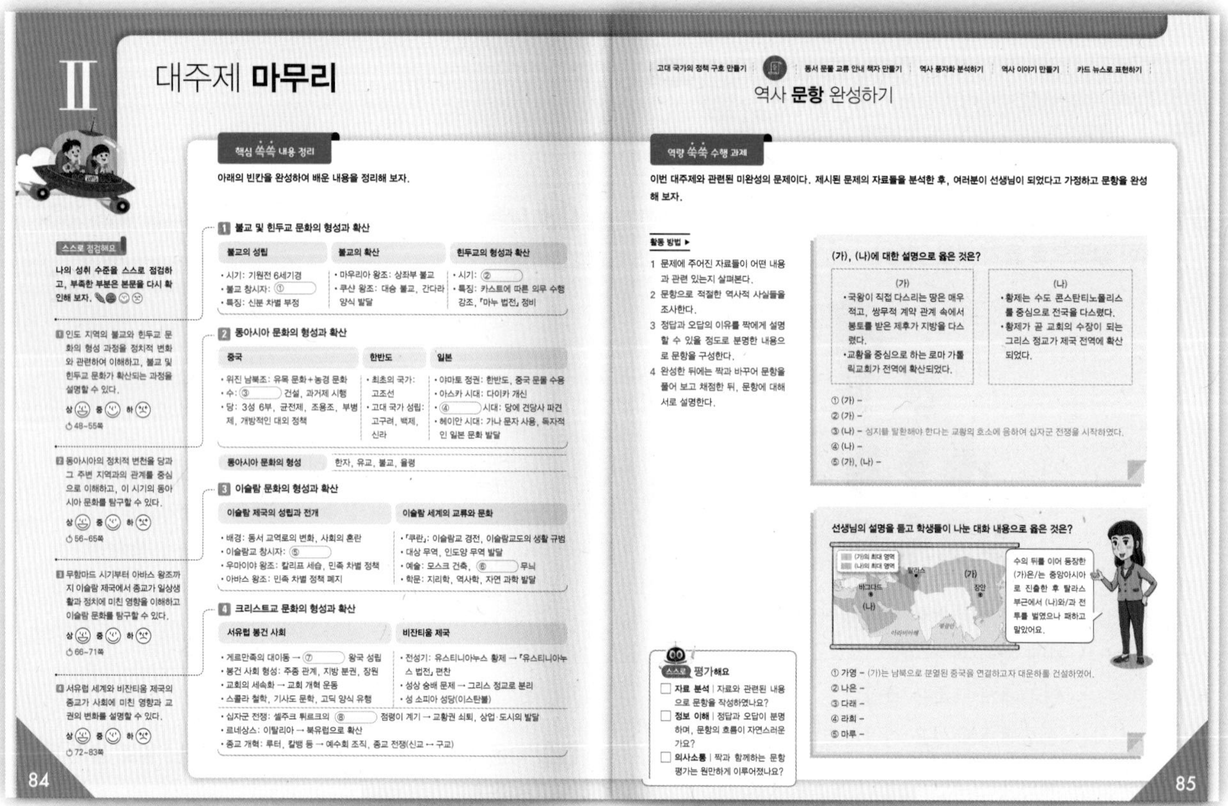

Ⅱ 대주제 **마무리**

스스로 점검해요

나의 성취 수준을 스스로 점검하고, 부족한 부분은 본문을 다시 확인해 보자.

1 인도 지역의 불교와 힌두교 문화의 형성 과정을 정치적 변화와 관련하여 이해하고, 불교 및 힌두교 문화가 확산되는 과정을 설명할 수 있다.
상 중 하
48~55쪽

2 동아시아의 정치적 변천을 당과 그 주변 지역과의 관계를 중심으로 이해하고, 이 시기의 동아시아 문화를 탐구할 수 있다.
상 중 하
56~65쪽

3 무함마드 시기부터 아바스 왕조까지 이슬람 제국에서 종교가 일상생활과 정치에 미친 영향을 이해하고 이슬람 문화를 탐구할 수 있다.
상 중 하
66~71쪽

4 서유럽 세계와 비잔티움 제국의 종교가 사회에 미친 영향과 교권의 변화를 설명할 수 있다.
상 중 하
72~83쪽

핵심 쏙쏙 내용 정리

아래의 빈칸을 완성하여 배운 내용을 정리해 보자.

1 불교 및 힌두교 문화의 형성과 확산

불교의 성립	불교의 확산	힌두교의 형성과 확산
• 시기: 기원전 6세기경 • 불교 창시자: ① • 특징: 신분 차별 부정	• 마우리아 왕조: 상좌부 불교 • 쿠샨 왕조: 대승 불교, 간다라 양식 발달	• 시기: ② • 특징: 카스트에 따른 의무 수행 강조, 『마누 법전』 정비

2 동아시아 문화의 형성과 확산

중국	한반도	일본
• 위진 남북조: 유목 문화+농경 문화 • 수: ③ 건설, 과거제 시행 • 당: 3성 6부, 균전제, 조용조, 부병제, 개방적인 대외 정책	• 최초의 국가: 고조선 • 고대 국가 성립: 고구려, 백제, 신라	• 야마토 정권: 한반도, 중국 문물 수용 • 아스카 시대: 다이카 개신 • ④ 시대: 당에 견당사 파견 • 헤이안 시대: 가나 문자 사용, 독자적인 일본 문화 발달

동아시아 문화의 형성: 한자, 유교, 불교, 율령

3 이슬람 문화의 형성과 확산

이슬람 제국의 성립과 전개	이슬람 세계의 교류와 문화
• 배경: 동서 교역로의 변화, 사회의 혼란 • 이슬람교 창시자: ⑤ • 우마이야 왕조: 칼리프 세습, 민족 차별 정책 • 아바스 왕조: 민족 차별 정책 폐지	• 『쿠란』: 이슬람교 경전, 이슬람교도의 생활 규범 • 대상 무역, 인도양 무역 발달 • 예술: 모스크 건축, ⑥ 무늬 • 학문: 지리학, 역사학, 자연 과학 발달

4 크리스트교 문화의 형성과 확산

서유럽 봉건 사회	비잔티움 제국
• 게르만족의 대이동 → ⑦ 왕국 성립 • 봉건 사회 형성: 주종 관계, 지방 분권, 장원 • 교회의 세속화 → 교회 개혁 운동 • 스콜라 철학, 기사도 문학, 고딕 양식 유행	• 전성기: 유스티니아누스 황제 → 『유스티니아누스 법전』 편찬 • 성상 숭배 문제 → 그리스 정교로 분리 • 성 소피아 성당(이스탄불)

• 십자군 전쟁: 셀주크 튀르크의 ⑧ 점령이 계기 → 교황권 쇠퇴, 상업·도시의 발달
• 르네상스: 이탈리아 → 북유럽으로 확산
• 종교 개혁: 루터, 칼뱅 등 → 예수회 조직, 종교 전쟁(신교 ↔ 구교)

84

고대 국가의 정책 구호 만들기 | 동서 문물 교류 안내 책자 만들기 | 역사 풍자화 분석하기 | 역사 이야기 만들기 | 카드 뉴스로 표현하기

역사 **문항** 완성하기

역량 쏙쏙 수행 과제

이번 대주제와 관련된 미완성의 문제이다. 제시된 문제의 자료들을 분석한 후, 여러분이 선생님이 되었다고 가정하고 문항을 완성해 보자.

활동 방법 ▶
1 문제에 주어진 자료들이 어떤 내용과 관련 있는지 살펴본다.
2 문항으로 적절한 역사적 사실들을 조사한다.
3 정답과 오답의 이유를 짝에게 설명할 수 있을 정도로 분명한 내용으로 문항을 구성한다.
4 완성한 뒤에는 짝과 바꾸어 문항을 풀어 보고 채점한 뒤, 문항에 대해 서로 설명한다.

(가), (나)에 대한 설명으로 옳은 것은?

(가)
• 국왕이 직접 다스리는 땅은 매우 적고, 쌍무적 계약 관계 속에서 봉토를 받은 제후가 지방을 다스렸다.
• 교황을 중심으로 하는 로마 가톨릭교회가 전역에 확산되었다.

(나)
• 황제는 수도 콘스탄티노폴리스를 중심으로 전국을 다스렸다.
• 황제가 곧 교회의 수장이 되는 그리스 정교가 제국 전역에 확산되었다.

① (가) –
② (가) –
③ (나) – 성지를 탈환해야 한다는 교황의 호소에 응하여 십자군 전쟁을 시작하였다.
④ (나) –
⑤ (가), (나) –

선생님의 설명을 듣고 학생들이 나눈 대화 내용으로 옳은 것은?

① 가영 – (가)는 남북으로 분열된 중국을 연결하고자 대운하를 건설하였어.
② 나은 –
③ 다래 –
④ 라희 –
⑤ 마루 –

스스로 평가해요
☐ 자료 분석 | 자료와 관련된 내용으로 문항을 작성하였나요?
☐ 정보 이해 | 정답과 오답이 분명하며, 문항의 흐름이 자연스러운가요?
☐ 의사소통 | 짝과 함께하는 문항 평가는 원만하게 이루어졌나요?

85

해결 열쇠

대주제에서 학습한 내용들을 복습하면서 빈칸에 알맞은 답을 채워 보아요.

핵심 쏙쏙 내용 정리

정답 ① 석가모니 ② 굽타 왕조 ③ 대운하 ④ 나라 ⑤ 무함마드 ⑥ 아라베스크 ⑦ 프랑크 ⑧ 예루살렘

역량 쏙쏙 수행 과제

활동 소개 ▶

이번 대주제와 관련된 미완성 문제를 보고 제시된 문제의 자료를 분석하여 문항을 완성해 봅시다.

활동 방법 ▶

1단계 문항과 관련된 자료를 조사하고 관련된 내용을 정리해 보아요.

2단계 답지의 내용을 정답과 오답으로 구성해 보아요.

3단계 완성한 문항을 짝과 바꿔 풀어보고 채점한 후 자신이 만든 문제에 대한 해설을 해 보아요.

예시 답안

1번 문제 (가)는 국왕, 쌍무적 계약 관계, 교황, 로마 가톨릭 교회에 대한 내용으로 서유럽 사회에 대한 자료임을 알 수 있다. (나)는 황제, 콘스탄티노폴리스, 그리스 정교를 통해 비잔티움 제국에 대한 내용임을 분석할 수 있다.

1번 문제 문항:
① 유스티니아누스 법전이 편찬되었다.
② 아라베스크 무늬를 특징으로한 건축물이 유행하였다.
④ 황제 교황주의가 확립되었다.
⑤ 그리스 문화로 돌아가자는 움직임이 나타났다.

2번 문제는 수의 뒤를 이은 왕조 (가) 당, 전투를 벌였으나 패하고 말았다는 내용을 통해 (나)는 아바스 왕조, 이 전쟁은 탈라스 전투임을 알 수 있다.

2번 문제 문항:
② (가)는 9품중정제를 시행하여 유능한 인재를 선발하고자 하였어.
③ (나)에서는 시아파와 수니파가 분열되었어.
④ (나)에서는 비아랍인에 대한 차별을 폐지하였어.
⑤ (나)에서는 알라를 유일신으로 하는 이슬람교를 성립하였어.

미완성 문항 완성하기 활동 도우미

• 정답과 오답의 이유를 남에게 설명할 수 있을 정도로 분명한 내용으로 답지를 구성해야 합니다.

교과서 86~87쪽

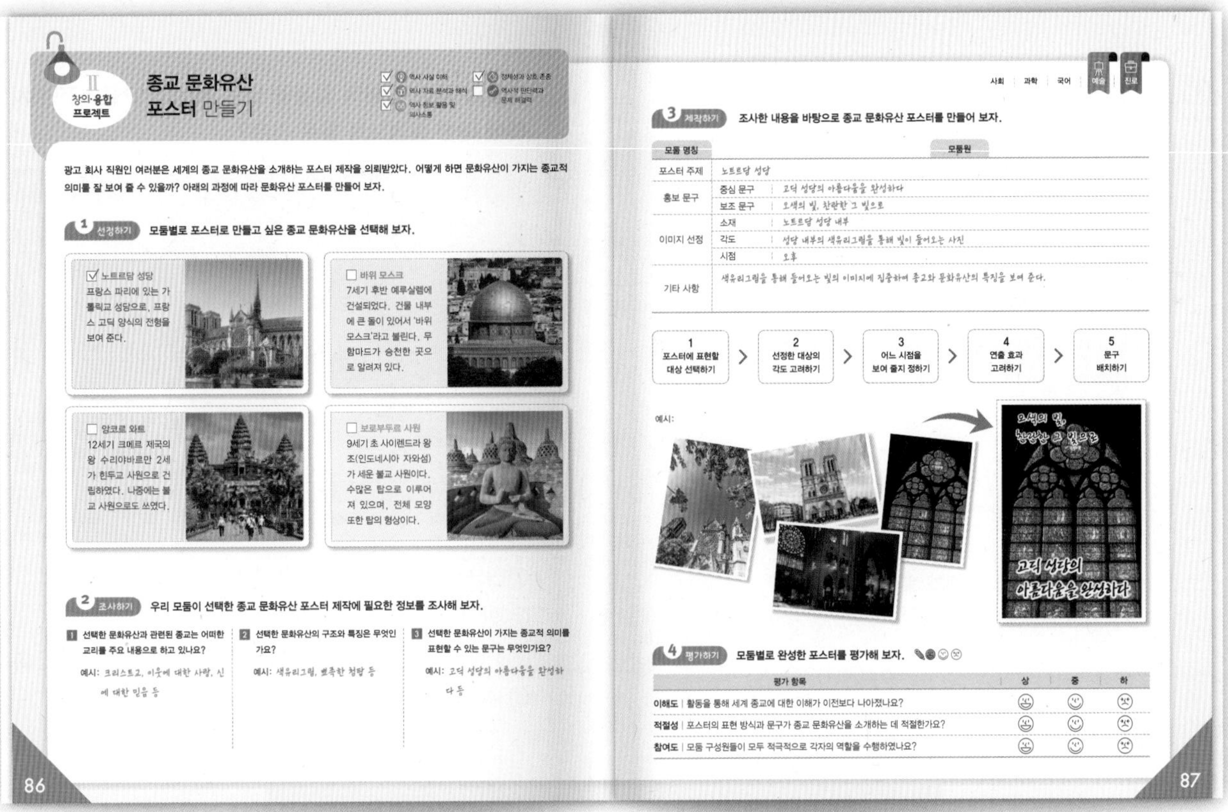

Ⅱ 창의·융합 프로젝트

종교 문화유산 포스터 만들기

☑ 역사 사실 이해 ☑ 역사 자료 분석과 해석 ☑ 역사 정보 활용 및 의사소통 ☑ 정체성과 상호 존중 ☐ 역사적 판단력과 문제 해결력

광고 회사 직원인 여러분은 세계의 종교 문화유산을 소개하는 포스터 제작을 의뢰받았다. 어떻게 하면 문화유산이 가지는 종교적 의미를 잘 보여 줄 수 있을까? 아래의 과정에 따라 문화유산 포스터를 만들어 보자.

1 선정하기 모둠별로 포스터로 만들고 싶은 종교 문화유산을 선택해 보자.

☑ 노트르담 성당
프랑스 파리에 있는 가톨릭교 성당으로, 프랑스 고딕 양식의 전형을 보여 준다.

☐ 바위 모스크
7세기 후반 예루살렘에 건설되었다. 건물 내부에 큰 돌이 있어서 '바위 모스크'라고 불린다. 무함마드가 승천한 곳으로 알려져 있다.

☐ 앙코르 와트
12세기 크메르 제국의 왕 수리야바르만 2세가 힌두교 사원으로 건립하였다. 나중에는 불교 사원으로도 쓰였다.

☐ 보로부두르 사원
9세기 초 사이렌드라 왕조(인도네시아 자와섬)가 세운 불교 사원이다. 수많은 탑으로 이루어져 있으며, 전체 모양 또한 탑의 형상이다.

2 조사하기 우리 모둠이 선택한 종교 문화유산 포스터 제작에 필요한 정보를 조사해 보자.

1 선택한 문화유산과 관련된 종교는 어떠한 교리를 주요 내용으로 하고 있나요?
예시: 크리스트교, 이웃에 대한 사랑, 신에 대한 믿음 등

2 선택한 문화유산의 구조와 특징은 무엇인가요?
예시: 색유리그림, 뾰족한 첨탑 등

3 선택한 문화유산이 가지는 종교적 의미를 표현할 수 있는 문구는 무엇인가요?
예시: 고딕 성당의 아름다움을 완성하다 등

86

사회 | 과학 | 국어 | 예술 | 진로

3 제작하기 조사한 내용을 바탕으로 종교 문화유산 포스터를 만들어 보자.

모둠 명칭		모둠원
포스터 주제	노트르담 성당	
홍보 문구	중심 문구	고딕 성당의 아름다움을 완성하다
	보조 문구	오색의 빛, 찬란한 그 빛으로
이미지 선정	소재	노트르담 성당 내부
	각도	성당 내부의 색유리그림을 통해 빛이 들어오는 사진
	시점	오후
기타 사항	색유리그림을 통해 들어오는 빛의 이미지에 집중하여 종교와 문화유산의 특징을 보여 준다.	

1 포스터에 표현할 대상 선택하기 > 2 선정한 대상의 각도 고려하기 > 3 어느 시점을 보여 줄지 정하기 > 4 연출 효과 고려하기 > 5 문구 배치하기

예시:

4 평가하기 모둠별로 완성한 포스터를 평가해 보자.

평가 항목	상	중	하
이해도 | 활동을 통해 세계 종교에 대한 이해가 이전보다 나아졌나요?			
적절성 | 포스터의 표현 방식과 문구가 종교 문화유산을 소개하는 데 적절한가요?			
참여도 | 모둠 구성원들이 모두 적극적으로 각자의 역할을 수행하였나요?			

87

활동 예시 답안

1단계: 선택하기

- **모둠이 선택한 문화유산:** 바위 모스크

2단계: 조사하기

- **선택한 문화유산과 관련된 종교, 주요 교리:** 이슬람교, 다신교 부정. 이슬람교도의 다섯 가지 의무(신앙 고백, 희사, 성지 순례, 예배, 단식)
- **선택한 문화유산의 구조와 특징:** 둥근 지붕(돔)과 뾰족한 탑, 아라베스크 무늬
- **종교적 의미를 표현할 수 있는 문구:** 회화와 조각으로 표현된 모스크 양식

3단계: 제작하기

포스터 주제	바위 모스크	
홍보 문구	중심 문구	회화와 조각으로 표현된 모스크 양식을 만나다
	보조 문구	무함마드가 승천한 그 곳
이미지 선정	소재	바위 모스크 외부
	각도	모스크가 도시 중앙에 비춰짐.
	시점	저녁 해지기 전
기타 사항	아라베스크 무늬를 확대하여 이슬람교 건축물의 특징이 잘 나타나도록 한다.	

활동 소개

종교 문화 유산 포스터를 만들면서 종교가 해당 시기 건축에 미친 영향을 설명할 수 있습니다. 또한 대표적인 종교 문화유산의 특징과 의미를 통해 해당 지역의 문화 특징을 알아보는 활동입니다.

활동 도우미

종교 문화 유산 포스터가 막연할 경우 문화 유산 소개 내용을 참고하여 조사할 문화 유산의 특징을 파악해 보아요.

진로 탐방 '카피라이터', 그 직업이 알고 싶다!

Q: 카피라이터는 어떤 일을 하나요?

광고에 들어갈 캐치 프레이즈(주의를 끌기 위해 짧고 분명한 표현으로 만든 기발한 문구), 슬로건(주의나 주장 등을 간결한 말로 나타낸 것), 문장 등 다양한 형태의 글을 씁니다.

Q: 카피라이터가 되려면 어떤 준비가 필요한가요?

학력 제한은 크게 없지만, 대학교에서 광고 홍보학, 신문방송학, 국문학 등을 전공하면 유리할 수 있습니다. 광고 관련 동아리나 학회에서 활동, 공모전에서 수상한 경험 등도 도움이 됩니다.

Q: 카피라이터는 향후 전망은 어떠한가요?

바이럴 광고(소비자의 힘을 빌려 제품을 알리는 일)와 온라인 쇼핑의 비중은 계속 커지고 있어 카피라이터는 당분간 성장세일 전망입니다.

대주제를 정리하는 종합 문제

01 (가)의 특징으로 옳은 것은?

> 아소카왕은 칼링가를 정복하는 과정에서 너무 많은 사람을 죽인 것에 죄책감을 느끼고 참회하고자 불교에 귀의하였다. 전설에 따르면 그는 [(가)]에 바탕을 둔 법치를 추구하였고, 이에 전국에 돌기둥을 세워 그 뜻을 전파하였다고 한다. 돌기둥에는 육식을 금하고 살생을 삼가며 어떠한 생물도 제물로 바치기 위해 도살해서는 안 된다는 내용이 새겨져 있다.

| 보기 |
ㄱ. 실론과 동남아시아 각지로 퍼졌다.
ㄴ. 선행을 통한 중생 구제를 강조하였다.
ㄷ. 개인의 도덕적 수행과 해탈을 중시하였다.
ㄹ. 중앙아시아와 중국, 한국, 일본으로 전파되었다.

① ㄱ, ㄴ ② ㄱ, ㄷ ③ ㄴ, ㄷ
④ ㄴ, ㄹ ⑤ ㄷ, ㄹ

02 다음과 같은 문학 작품이 오늘날과 같은 형태로 정리되었던 왕조 시기의 사실로 옳지 않은 것은?

> 이 달의 책 소개
>
> **'라마가 나아간 길' 대서사시, 「라마야나」**
>
> • **구성**: 7편 2만 4천의 시절(詩節)
> • **소개**: 고대의 이상적인 군주상인 라마의 무용담을 그린 이 작품으로 오늘날에도 인도와 동남아시아의 여러 지역에서 문화와 예술의 주요 소재가 되고 있습니다.

① 간다라 불상이 처음 등장하였다.
② 인도의 고전 문화가 확립되었다.
③ 산스크리트어가 공용어로 사용되었다.
④ 수학에서 '영(0)'의 개념이 도입되었다.
⑤ 브라만교를 바탕으로 한 힌두교가 형성되었다.

03 다음과 같이 황제의 얼굴을 닮은 불상이 만들어졌던 시대에 대한 설명으로 옳은 것은?

① 노장사상과 청담 사상이 유행하였다.
② 안사의 난 이후 균전제가 붕괴되었다.
③ 이백과 두보와 같은 시인들이 활동하였다.
④ 훈고학을 집대성한 『오경정의』가 완성되었다.
⑤ 강남과 화북을 연결하는 대운하가 건설되었다.

04 (가), (나) 왕조에 대한 설명으로 옳은 것은?

① (가): 몽골에 의해 멸망하였다.
② (가): 무함마드가 이슬람교를 성립하였다.
③ (나): 이슬람교가 수니파와 시아파로 나뉘었다.
④ (나): 탈라스에서 당과 벌인 전투에서 승리하였다.
⑤ (나): 수도인 다마스쿠스가 세계적인 도시로 성장하였다.

05 다음과 같은 유물을 남긴 제국에 대한 설명으로 옳은 것은?

▲ 「유스티니아누스 황제와 수행원들」(이탈리아 산비탈레성당)

| 보기 |
ㄱ. 셀주크 튀르크의 침략으로 멸망하였다.
ㄴ. 카노사의 굴욕 사건을 통해 교황의 권위가 강화되었다.
ㄷ. 이슬람 세력으로부터 서유럽 크리스트교 세계를 보호하는 방파제 역할을 하였다.
ㄹ. 황제가 교회의 우두머리로 강력한 권한을 행사하는 황제 교황주의가 확립되었다.

① ㄱ, ㄴ ② ㄱ, ㄷ ③ ㄴ, ㄷ
④ ㄴ, ㄹ ⑤ ㄷ, ㄹ

06 (가)에 대한 내용으로 옳은 것을 |보기|에서 고른 것은?

○○○ 전쟁
- 배경: 셀주크 튀르크의 콘스탄티노폴리스 위협
- 전개: 비잔티움 황제의 구원 요청 → 교황의 성지 탈환 결의 → 원정 실시
- 결과 및 영향: (가)

| 보기 |
ㄱ. 교황의 권위 추락
ㄴ. 지방 분권 체제의 강화
ㄷ. 동방과의 원거리 교역 발달
ㄹ. 크리스트교 교회의 동서 분열

① ㄱ, ㄴ ② ㄱ, ㄷ ③ ㄴ, ㄷ
④ ㄴ, ㄹ ⑤ ㄷ, ㄹ

서술형 문제

07 흑사병이 중세 유럽에 끼친 영향을 아래 제시된 단어를 사용하여 서술하시오.

흑사병은 페스트균에 의해 발생하는 급성 전염병이다. 발병 시 몸에 검은 반점이 생기고 3~5일 이내에 죽음에 이른다. 흑사병은 14세기 중엽 유럽 전역에 퍼졌으며, 약 100년 동안 주기적으로 유행하였다.

| 보기 | 인구, 임금

08 다음 글을 읽고 물음에 답하시오.

이슬람교는 우상 숭배와 다신교를 부정하고, 인간은 평등하므로 알라에 귀의하면 누구나 구원을 얻을 수 있다고 가르쳤다. 또한 (가) 에 규정된 율법으로 이슬람 사회의 일상을 지배하였다. 일부다처제, 돼지고기를 금지하는 식생활, 가난한 사람을 구제하는 자선 활동, 일정한 시간마다 행하는 예배 의식 등은 모두 (가) 의 계율에 따른 것이다.

(1) (가)에 공통으로 들어갈 단어를 쓰시오.

(2) 아랍어가 이슬람 세계의 동질성 형성에 기여한 배경을 (가)를 이용하여 서술하시오.

지역 세계의 교류와 변화

이 대주제를 배우면 »

- 몽골 제국이 세계 여러 지역 간 교류에 미친 영향을 탐구할 수 있어요.
- 명 · 청 교체에 따른 동아시아 지역 질서의 변화를 설명할 수 있어요.
- 오스만 제국의 정치적 발전 과정과 문화 교류 양상을 이해할 수 있어요.
- 유럽의 신항로 개척 이후 무역 확대가 유럽과 라틴 아메리카에 미친 변화를 말할 수 있어요.

나의 학습 계획표

	이 대주제의 학습 주제	
1 몽골 제국과 문화 교류 교과서 90~97쪽	주제 1 송의 성립과 북방 민족의 성장 주제 2 몽골 제국의 성립과 활발해진 동서 교류 **시험을 대비하는 실전 문제**	몽골 제국이 세계 여러 지역간의 교류에 미친 영향은 무엇일까요?
2 동아시아 지역 질서의 변화 교과서 98~107쪽	주제 3 명의 발전과 동아시아 질서의 재편 주제 4 청의 발전과 동아시아 질서의 변화 주제 5 명 · 청대의 경제와 문화 주제 6 일본 막부의 변화와 발전 **시험을 대비하는 실전 문제**	동아시아의 지역 질서는 어떻게 변화하였을까요?
3 서아시아와 북아프리카 지역 질서의 변화 교과서 108~115쪽	주제 7 서아시아 지역 국가의 번영 주제 8 오스만 제국의 성립과 발전 주제 9 이슬람 세력의 확대와 인도 무굴 제국의 성립 **시험을 대비하는 실전 문제**	오스만 제국의 지배 정책으로 서아시아와 북아프리카의 지역 질서는 어떻게 변화하였나요?
4 신항로 개척과 유럽 지역 질서의 변화 교과서 116~125쪽	주제 10 미지의 바다로 나서는 유럽인 주제 11 신항로 개척의 영향 주제 12 절대 군주가 다스린 유럽 **시험을 대비하는 실전 문제**	신항로 개척 이후 무역 확대가 세계 여러 지역에 어떤 영향을 미쳤을까요?
	대주제를 정리하는 종합 문제	

대주제 표지 사진 해설 ▶ 오른쪽 사진은 중국 베이징의 '자금성 태화전'이에요. 이를 통해 명의 발전과 명이 동아시아 질서에 미친 영향에 대해서 생각해 보아요.

학습 계획일	학습일	나의 목표 달성도
월 일	월 일	☆ ☆ ☆ ☆ ☆
월 일	월 일	☆ ☆ ☆ ☆ ☆
월 일	월 일	☆ ☆ ☆ ☆ ☆
월 일	월 일	☆ ☆ ☆ ☆ ☆
월 일	월 일	☆ ☆ ☆ ☆ ☆
월 일	월 일	☆ ☆ ☆ ☆ ☆
월 일	월 일	☆ ☆ ☆ ☆ ☆
월 일	월 일	☆ ☆ ☆ ☆ ☆
월 일	월 일	☆ ☆ ☆ ☆ ☆
월 일	월 일	☆ ☆ ☆ ☆ ☆
월 일	월 일	☆ ☆ ☆ ☆ ☆
월 일	월 일	☆ ☆ ☆ ☆ ☆
월 일	월 일	☆ ☆ ☆ ☆ ☆
월 일	월 일	☆ ☆ ☆ ☆ ☆
월 일	월 일	☆ ☆ ☆ ☆ ☆
월 일	월 일	☆ ☆ ☆ ☆ ☆
월 일	월 일	☆ ☆ ☆ ☆ ☆

1 몽골 제국과 문화 교류

학습 목표
송대 지배 체제의 특징과 과학 기술의 발달 모습을 설명할 수 있다.

주제 1 송의 성립과 북방 민족의 성장

1 송이 문치주의를 앞세우다

(1) 송 건국(960): 조광윤(태조), 당 멸망 이후 나타난 5대 10국의 분열 수습

(2) 태조의 정책: 황제권 강화, 절도사 세력 억제, 문치주의 시행, 전시 제도 도입

왜? 황제가 과거의 성적을 최종적으로 결정함으로써 관료들의 충성을 유도할 수 있었어. 이는 황제권을 강화하는 데 큰 영향을 미쳤지.

(3) 문치주의 정책의 영향

① 국방력 약화: 북방 민족의 침입 증가 → 북방 민족과 화친 → 재정 적자 증가

② 대책: ❶왕안석의 개혁(신법) 추진 → 보수파의 반발로 실패, 정치적 혼란 가중

2 북방 민족이 성장하다

(1) 거란(요): 야율아보기, 부족 통일 → 발해 멸망, 송과 고려 압박

(2) 탕구트(서하): 중계 무역으로 번영, 불교문화 발전, 송 압박

(3) 여진(금): 아구다, 부족 통일 → 송과 연합하여 요 멸망 → 송 몰아내고 화북 차지

(4) 거란(요) · 여진(금)의 ❷이중 지배 체제

① 목적: 고유의 전통과 문화 유지, 한족을 효율적으로 다스림.

② 방식: 부족제(유목민) + 주현제(한족), 독자적인 문자 사용(거란 문자, 서하 문자, 여진 문자) → 고유의 전통과 문화 수호

왜? 농경민을 유목민족 고유의 방식으로 통치하기 어려웠기 때문이야.

왜? 요(거란족)이나 금(여진족), 서하(탕구트)족은 독자적인 문자를 만들어 사용하거나 고유의 풍습을 유지하면서 한족 문화에 동화되지 않으려고 노력했어.

3 사대부가 지배층으로 떠오르다

(1) 사대부의 등장: 유교적 소양 중시, 본인의 능력 중시, 과거를 통해 관직 진출 → 문벌 귀족을 대신해 사회 지배층으로 성장

(2) 성리학 발달: 우주 원리와 인간 본성 탐구 → 중국 왕조와 주변 국가의 지배 이념

4 강남 경제가 성장하고 서민 문화가 꽃피다

(1) 농업 발달: 모내기법 보급 → 이모작과 품종 개량을 통해 생산량 급증, 상품 작물 재배 증가

(2) 상업 · 수공업 발달: 동업 조합 조직, 전국 규모의 시장 형성 → 동전 · 지폐(교자) 사용

(3) 서민 문화 발달: 경제력 갖춘 서민층 증가 → 구어체 소설, 수필 유행, 연극 등 오락 문화 등장

5 과학 기술의 발달로 해상 교역이 활기를 띠다

(1) 과학 기술의 발달: ❸활판 인쇄술, 나침반, 화약 발명 → 이슬람 세계 거쳐 유럽에 전파

(2) 해상 교역 발전: 항저우 · 취안저우 등 국제 교역의 중심지로 발전, 시박사 설치

무엇을? 주요 수출품으로 도자기, 비단, 서적, 차 등이 있었어.

❶ 왕안석의 신법
왕안석은 소농민과 소상인을 보호하고 부국강병을 추구하기 위해 개혁을 주도하였으나 대지주, 대상인의 이익을 대변하는 보수파의 반대로 결국 실패하였다.

❷ 이중 지배 체제
북방 민족들은 한족의 문화에 동화되는 것을 막고 유목 민족 고유의 전통과 문화를 지키고자 이중 지배 체제를 시행하였다. 요, 서하, 금은 자신만의 독자적인 문자를 만들어 사용하였으며, 요와 금은 유목 민족과 농경 민족에 대해 서로 다른 통치 방식을 적용하였다.

❸ 활판 인쇄술, 화약, 나침반
송대의 발명품은 이슬람 세계를 거쳐 유럽에 전파되어 유럽 사회를 변화시키는 데 큰 영향을 미쳤다. 나침반은 먼 바다로 나갈 수 있도록 도움을 줘 대항해 시대를 열었고, 인쇄술은 훗날 구텐베르크의 활자 발명으로 이어져 종교 개혁을 뒷받침하였다. 화약 또한 새로운 무기의 개발로 이어져 전쟁의 양상을 바꿔놓았다.

정답과 해설 13쪽

확인해 봐요

1 송 태조는 문신을 우대하는 (   )을/를 앞세워 황제권을 강화하였다.

2 송 대에는 유교적 소양을 중시하고 과거를 통해 관직에 진출한 (   )이/가 새로운 사회 지배층으로 등장하였다.

3 송대에는 (   )을/를 이용한 항해술이 발달하면서 해상 교역이 활기를 띠었다.

교과서 활동 풀이

가자! 역사 속으로

교과서 90쪽

송은 북방 민족의 침입을 받으면 그들에게 막대한 양의 비단과 은 등의 물자를 제공하여 위기를 모면하곤 하였습니다.

송은 왜 북방 민족에게 막대한 양의 물자를 제공했을까요?

예시 답안 문치주의 정책으로 군사력이 약화된 송은 북방 민족의 침략하자 막대한 물자(세폐)를 제공함으로써 평화를 유지하려고 하였다.

활동 도우미

왼쪽의 삽화는 북방 민족이 침략하자 송이 막대한 물자를 제공함으로써 평화를 유지하려고 하는 모습을 나타내고 있어요.

Q 과거제의 변화가 황제권에 미친 영향은 무엇일까?

교과서 90쪽

과거제 개혁에 담긴 의도

송은 문치주의에 따라 과거의 최종 시험을 황제 앞에서 치르는 전시를 시행하였다. 황제가 성적을 최종적으로 결정하였기 때문에 전시 결과는 이후 승진에 많은 영향을 끼쳤으며, 선발된 관리는 황제를 스승으로 모시며 충성을 바쳤다. 따라서 전시는 황제에 대한 관료의 충성을 유도하는 역할도 하였다.

전시를 치르는 모습(명대 회화)

예시 답안 황제는 전시를 주관함으로써 관리들의 충성을 유도하였으며, 이는 곧 황제권이 강화되는 결과로 이어졌다.

자료 해설

왼쪽의 내용은 과거의 최종 시험인 전시를 치르는 모습과 전시를 도입하게 된 배경에 대한 설명입니다. 송의 황제는 전시를 통해 관리의 승진에 영향을 행사함으로써 충성을 유도하고, 황제권을 강화하였지요.

탐구 해봐요 송대 과학 기술의 발달

교과서 93쪽

자료 1 활판 인쇄술

점토 활자가 발명되어 글자 하나하나를 판에 배열하여 인쇄하였다. 이로써 인쇄하는 데 드는 비용과 시간이 크게 줄었다. 점토 활자는 후에 나무 활자와 금속 활자로 개량되었다.

자료 2 나침반

자석 침을 물에 띄우거나 비단실에 바늘을 매달아 남북을 가리키도록 하는 나침반이 제작되었다. 이슬람 상인이 유럽에 전한 나침반 기술은 원거리 무역의 발달에 영향을 주었다.

자료 3 화약

화약과 화약 무기를 전문적으로 생산하고 실전에 사용하였다. 화약은 이슬람 세계를 거쳐 유럽에 전해졌고, 화약의 폭발력을 이용한 신형 무기가 발명되어 전투 방식의 변화에 영향을 끼쳤다.

1 활자가 발명된 후, 인쇄술에 어떤 변화가 나타났는지 써 보자.

예시 답안 책을 쉽게 만들 수 있게 되어 지식이 보다 널리 퍼질 수 있게 되었다.

2 나침반과 화약의 발명이 유럽 사회에 어떤 영향을 끼쳤는지 정리해 보자.

예시 답안 나침반은 먼 바다로의 항해를 가능하게 하여 신항로 개척에 영향을 미쳤다. 화약은 총, 대포 등 새로운 무기 발명에 영향을 주어 중세 봉건 기사들의 몰락을 앞당겼다.

활동 도우미

활동의 내용은 송대 발명된 활판 인쇄술, 나침반, 화약이 이후 사회에 어떤 영향을 끼친 영향에 대한 설명이에요. 이러한 발명품들이 중국뿐만 아니라 이슬람 세계를 거쳐 유럽 사회에 어떤 영향을 끼쳤는지 파악해 보아요.

스스로 확인해요

❶ 송대에는 과거제가 정착되면서 당대의 문벌 귀족 대신 사대부가 사회 지배층으로 떠올랐다. (○)

❷ 송대에는 경제력이 향상된 서 민 계층이 성장하면서 소설과 수필, 오락 문화가 유행하였다.

이 주제의 핵심

이 주제에서는 송의 성립과 발전, 쇠퇴, 그리고 북방 민족의 성장에 대해 배웠어요. 여기에서는 송대 문치주의 정책의 영향, 북방 민족의 성장과 송의 대응, 사대부 계층의 등장, 상공업의 발전, 과학기술의 발달 내용을 파악하는 것이 중요합니다. 특히 송대에 발명된 활판 인쇄술, 나침반, 화약 등이 이슬람 세계를 거쳐 유럽에 전파된 이후 유럽 사회에 어떤 영향을 끼쳤는지를 파악해야겠죠?

학습 목표
몽골 제국의 성립과 동서 교류의 확대 과정을 설명할 수 있다.

주제 2 몽골 제국의 성립과 활발해진 동서 교류

1 칭기즈 칸이 몽골 제국을 세우다

어떻게? 칭기즈 칸은 유목민을 천호씩 나누고 자신과 함께 싸운 자나 친척 중에서 천호장을 임명했어. 천호장이나 만호장 등의 자제들로 친위대도 편성했지.

(1) 성립: 테무친, 유목민 통합 → 칭기즈 칸 추대, 천호제 도입, 강력한 군주권 확보

(2) 확대: 금 · 서하 멸망, 아바스 왕조 정복 → 유라시아 전역에 걸친 대제국 건설

(3) 분열: 칭기즈 칸 사후 여러 울루스로 분할 통치

2 원이 중국을 지배하다

무엇을? 몽골 제국의 5대 대칸 쿠빌라이(세조)는 남쪽으로 대월(베트남)과 미얀마, 자와까지 원정군을 파견하는 등 활발한 정복활동을 펼쳤어.

(1) 쿠빌라이(세조): 국호 원 사용, 대도(베이징)로 천도, 고려 복속, 남송 멸망, 일본 원정 시도 → 유목민 최초로 중국 전역 지배

(2) 통치방식: 각지에 행성 설치, 다루가치 파견, ❶몽골 제일주의 채택

(3) 원의 멸망: 내부 갈등, 지배층의 사치, 자연재해, 홍건적의 반란 등 한족의 저항

3 원대 서민 문화가 발달하다

(1) 사대부 세력 약화 왜? 원대에는 과거제가 폐지되었다가 후기에 가서야 부활했으며, 그나마도 한족의 과거 합격자 정원이 적었기 때문에 사대부 세력이 크게 약화되었어.

(2) 서민 문화 발달: 잡극 유행, 『수호지』, 『서유기』 등의 소설 원형 형성

4 '몽골의 평화' 속에 동서 교류가 확대되다

(1) ❷역참 설치

① 목적: 아시아와 유럽을 잇는 방대한 제국을 원활하게 통치하기 위해 설치

② 결과: 초원길, 비단길, 바닷길 연결하는 세계적인 교통망 형성 → 사신, 문서, 상인, 여행객 등의 왕래 증가(카르피니, 마르코 폴로, 이븐 바투타 등)

(2) 활발한 동서 교류

① 아라비아와 페르시아 등의 자연과학, 문화 유입

② 중국의 화약, 인쇄술, 나침반 등이 이슬람 세계 거쳐 유럽에 전파

③ 각 민족의 언어, 종교, 문화 등에 관용 정책 실시 무엇을? 원대에는 이슬람교, 조로아스터교, 티베트 불교, 크리스트교 등 다양한 종교가 공존하였어.

❶ 몽골 제일주의

원은 몽골제일주의를 내세워 소수의 몽골인이 고위직을 독점하고, 서역 계통의 사람들인 색목인을 우대하였다. 또한 금의 지배를 받았던 한족과 기타 민족을 한인으로, 남송의 지배 하에 있었던 한족을 남인으로 분류하여 지배하였다.

❷ 역참과 패자

원의 패자

역참은 공문서의 전달, 물자의 수송, 사신이나 관리들의 여행, 상인의 이동 등에 활용되었으며, 역참 통행증인 패자를 휴대한 관리나 사신, 상인들은 역참에서 숙식이나 말 등을 제공받을 수 있었다.

핵심 자료 역참과 패자

자료 1 역참

각 지방으로 가는 주요 도로에는 25~30마일(40~48km) 마다 역참이 설치되어 있다. 이 역참에서 전령들은 명령을 기다리며 대기 중인 300~ 400마리의 말들을 볼 수 있다.

– 마르코 폴로, 『동방견문록』 –

자료 2 역참

여행자에게 중국은 가장 안전하고 좋은 고장이다. …… 전국의 모든 역참에는 여인숙이 있는데, 관리자가 몇몇 기병과 보병을 데리고 있다. …… 사람을 파견해 다음 역참까지 안내하고 ……

– 이븐 바투타, 『여행기』 –

핵심
역참은 몽골 제국 시기 동서 교류의 확대에 어떤 영향을 끼쳤을까?

몽골 제국은 광대한 영토를 원활하게 통치하기 위해 도로를 정비하고 전국 곳곳에 역참을 설치하였다. 이로 인해 유라시아 대륙을 관통하는 세계적인 교통망이 형성되었으며, 이를 통해 몽골 제국의 사신이나 관리, 상인, 여행자 등이 왕래하였다. 이 과정에서 학문, 문화, 종교 등 동서 문화 교류가 더욱 활발해졌다.

정답과 해설 13쪽

확인해 봐요

1 (   )은/는 몽골고원의 초원 지대에 흩어져 있던 여러 유목민을 통합하여 몽골 제국을 세웠다.

2 원은 소수의 몽골인이 정부 고위직을 독점하는 민족 차별 정책인 (   )을/를 채택하였다.

3 몽골 제국은 방대한 제국을 원활하게 통치하기 위해 (   )을/를 설치하였다.

교과서 활동 풀이

가자! 역사 속으로 교과서 94쪽

테무친은 몽골고원에 흩어져 살던 여러 유목민을 통합하여 칭기즈 칸(세계를 지배하는 자)으로 추대되었습니다. 이후 그는 유라시아 전역에 걸친 대제국을 건설하였습니다.

칭기즈 칸이 몽골 제국을 건설한 원동력은 무엇이었을까요?

예시 답안 칭기즈 칸은 뛰어난 기동력과 전투력을 갖춘 기마병을 활용하여 몽골 제국을 건설하였다.

활동 도우미

칭기즈 칸은 몽골 초원에 부족별로 흩어져 있던 유목민들을 통합하고, 천호제에 기반한 막강한 기마병을 활용하여 정복 전쟁을 추진하였어요.

탐구 해봐요 원의 몽골 제국주의와 그에 따른 통치 방식 교과서 95쪽

구분	민족	역할	비율
지배층	몽골인	정치·군사의 주요 관직 독점	1.5%
지배층	색목인	주로 재정·경제 분야 담당 (몽골의 정복 전쟁에 협조한 서역인)	1.5%
피지배층	한인	주로 하급 관리 (금 지배하의 여진족, 거란족, 한족)	14%
피지배층	남인	주로 생산 활동에 종사 (몽골 지배에 끝까지 저항한 남송의 한족)	83%

원의 인구 구성 －『중국 역사(하)』, 2003.－

1 원에서 가장 수가 적지만, 정치·군사의 주요 관직을 독점한 민족을 찾아 표시해 보자.

2 원이 남인을 차별한 까닭을 추측하여 써 보자.

도움말 원에서 색목인, 한인, 남인으로 민족을 분류한 기준을 고려해 보자.

예시 답안 남인은 몽골의 지배에 끝까지 저항한 남송의 한족이었기 때문이다.

활동 도우미

몽골 제국은 대외 정복 전쟁에 협력하거나 저항한 정도에 따라 각 민족을 차별적으로 대우하는 몽골 제일주의의 통치 방식을 시행하였어요.

탐구 해봐요 몽골 제국에 다녀간 사람들 교과서 97쪽

1 위 자료를 보고 외국인이 몽골 제국을 안전하게 여행할 수 있었던 까닭을 써 보자.

예시 답안 육로, 해로, 대운하 등 교통로가 잘 정비되어 있었으며, 전국 곳곳에 설치된 역참을 통해 안전하게 여행할 수 있었다.

2 몽골 제국이 동서 문물 교류에 미친 영향을 설명해 보자.

예시 답안 몽골 제국은 유럽과 아시아에 걸친 대제국을 건설하였으며, 이를 원활하게 통치하기 위해 교통로를 정비하고 역참을 설치하였다. 이 과정에서 유라시아 대륙을 연결하는 세계적인 교역망이 형성되었으며, 이를 통해 관리, 선교사, 상인, 여행가 등의 왕래가 증가하면서 동서 문물 교류가 더욱 활발해졌다.

활동 도우미

마르코 폴로, 카르피니, 이븐바투타 등의 외국인들은 몽골 제국이 원활한 통치를 위해 정비한 도로망과 역참 등을 이용해 안전하게 몽골 제국을 다녀갈 수 있었어요. 이 과정에서 유럽, 이슬람 세계, 아시아의 문물 교류가 더욱 활발해 졌어요.

스스로 확인해요

❶ 원은 정복한 모든 민족을 차별 없이 대우하였다. (×)

❷ 몽골 제국은 동서를 잇는 각 도로에 일정한 간격마다 역 참 을/를 설치하여 안전하고 편리한 교통로를 조성하였다.

이 주제의 핵심

이 주제에서는 몽골 제국의 형성 과정, 동서 문물 교류의 확대 과정에 대해 배웠어요. 칭기즈 칸이 몽골 제국을 세울 수 있었던 이유, 원이 중국을 통치한 방식, 도로망의 정비와 역참의 설치가 동서 교류 확대에 끼친 영향 등을 파악하는 것이 중요합니다. 몽골의 평화 속에 몽골을 다녀간 카르피니, 마르코 폴로, 이븐 바투타 등의 활동도 살펴봐야겠죠?

시험을 대비하는 실전 문제

기초를 튼튼하게 확인 문제

01 **서로 관련 있는 내용끼리 연결하시오.**

㉠ 송 • 　　　　• ⓐ 천호제
㉡ 몽골 • 　　　　• ⓑ 문치주의
㉢ 요 · 금 • 　　　　• ⓒ 이중 지배 체제

02 **아래 설명이 맞으면 ○, 틀리면 ×로 표시하시오.**

(1) 만주에서 세력을 키운 여진족은 금을 건국한 뒤 화북 지역을 차지하고 송을 남쪽으로 몰아냈다. (　　)

(2) 쿠빌라이는 몽골 초원의 여러 유목민들을 통합하고, 천호제를 도입하여 몽골 제국을 세웠다. (　　)

(3) 몽골 제국은 다른 언어 · 종교 · 문화 등에 관용적이었으며, 이 때문에 크리스트교, 조로아스터교, 이슬람교 등 다양한 종교가 공존하였다. (　　)

03 **|보기|의 사건들을 몽골 제국의 발전과 관련한 순서대로 나열하시오.**

| 보기 |
ㄱ. 홍건적의 반란　　　ㄴ. 일본 원정 시도
ㄷ. 아바스 왕조 정복　　ㄹ. 국호를 원으로 바꿈

04 **빈칸에 알맞은 말을 쓰시오.**

(1) (　　　)은/는 재정 적자를 해소하고 농민 생활은 안정시키기 위해 개혁(신법)을 주도했으나 보수파 관료들의 반대로 실패하였다.

(2) 송대에는 우주의 원리와 인간의 본성을 탐구하는 (　　　)이/가 발전하였다.

(3) 몽골은 일찍부터 몽골의 대외 정복 전쟁에 필요한 정보와 물자를 제공한 (　　　)을/를 우대하였다.

내신을 탄탄하게 내신 문제

01 **(가)에 들어갈 내용으로 옳은 것을 |보기|에서 고른 것은?**

조광윤(태조)은 당이 멸망한 이후 나타난 5대 10국의 분열을 수습하고 송을 건국하였다. 송 태조는 중앙의 군사 통제력을 강화하여 절도사 세력을 억제하고, [　　　(가)　　　].

| 보기 |
ㄱ. 문신을 우대하는 문치주의를 시행하였다.
ㄴ. 천호제라는 사회 · 군사 조직을 도입하였다.
ㄷ. 각지에 행성을 설치하고 다루가치를 파견하였다.
ㄹ. 과거의 최종 시험을 황제가 주관하는 전시 제도를 실시하였다.

① ㄱ, ㄴ　② ㄱ, ㄹ　③ ㄴ, ㄷ
④ ㄴ, ㄹ　⑤ ㄷ, ㄹ

02 **교사의 질문에 대한 학생의 답변으로 옳은 것은?**

① 경극 등 서민 문화가 발달하였어요.
② 문벌 귀족이 사회 지도층으로 등장하였어요.
③ 개인의 깨달음을 중시하는 양명학이 유행하였어요.
④ 유라시아를 관통하는 세계적인 교역망이 만들어졌어요.
⑤ 군사력이 약화되어 북방 민족의 잦은 침략에 시달렸어요.

03 **밑줄 친 '그'가 개혁을 주도한 배경으로 옳은 것은?**

그는 소농민과 소상인을 보호하여 안정적인 조세 자원을 마련하고자 개혁(신법)을 주도하였습니다. 이는 지주와 대상인의 이익을 침해하는 것이었기 때문에 보수파의 반발을 샀고, 결국 실패하였습니다.

① 과거제의 정착과 사대부의 성장
② 천호제의 도입과 강력한 군주권 확립
③ 문치주의 정책으로 인한 군사력 약화
④ 강남 경제의 성장과 화폐 유통량의 증가
⑤ 화약 · 나침반의 발명 등 과학기술의 발달

04 **(가)에 들어갈 내용으로 옳은 것은?**

거란(요)와 여진(금)은 고유의 부족제로 유목민을 통치하고 중국식 주현제로 한족을 다스렸다. 또한 거란(요)와 여진(금)은 중국식 한자와는 다른 자신들만의 고유한 문자를 만들어 사용하였다. 이를 통해 북방 민족들은 ((가)).

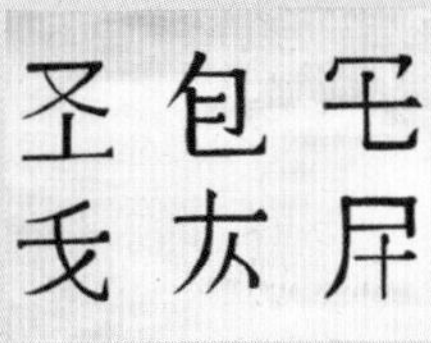
▲ 거란 문자

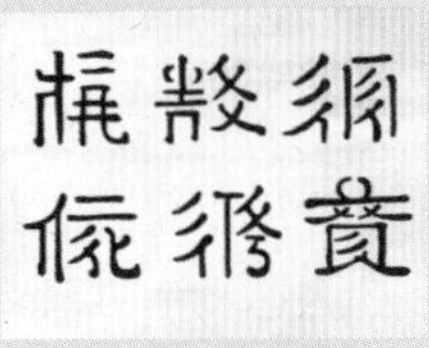
▲ 여진 문자

①『사고전서』등 대규모 편찬사업을 주도하였다.
② 우주의 본성을 탐구하는 성리학을 발전시켰다.
③ 대규모 함대를 남해에 파견하여 국력을 과시하였다.
④ 고유의 전통을 지키며 한족을 효율적으로 다스렸다.
⑤ 항구에 시박사를 설치하여 대외 무역을 맡게 하였다.

05 **다음 과학 기술이 발명된 시기의 경제 상황으로 옳은 것은?**

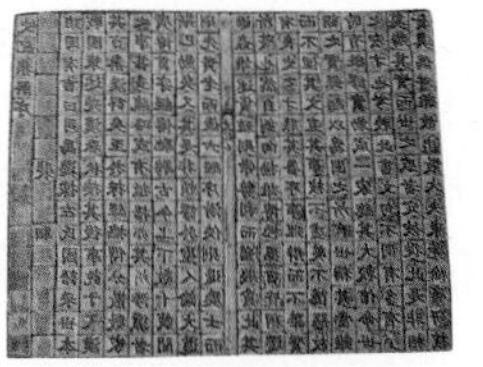
점토 활판

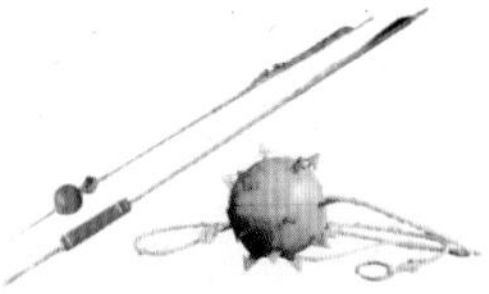
화약

① 쇄국 정책으로 민간의 대외 무역을 통제하였다.
② 은이 화폐로 사용되었으며, 세금도 은으로 거두었다.
③ 쌀 생산의 중심지가 창장강 중 · 상류 지역으로 바뀌었다.
④ 유라시아 대륙을 연결하는 세계적인 교통망이 형성되었다.
⑤ 나침반을 이용한 항해술이 발달하면서 해상 교역이 활기를 띠었다.

06 **(가)에 들어갈 탐구 주제로 가장 적절한 것은?**

탐구 주제: ((가))

• 유물 · 유적 설명

청화 자기는 백자에 이슬람 세계에서 수입한 코발트로 만든 푸른색 안료로 그림을 그린 것이다.

이슬람의 자연과학 지식이 전파된 결과 1279년 무렵 뤄양 근교에 천문대가 세워졌다.

① 송대 북방 민족의 성장
② 원대 서민 문화의 발전
③ 원대 활발한 동서 교류
④ 몽골 제국을 다녀간 사람들
⑤ 전시의 도입과 황제권 강화

07 **몽골 제국이 지도와 같은 대제국을 건설할 수 있었던 이유로 옳은 것을 |보기|에서 고른 것은?**

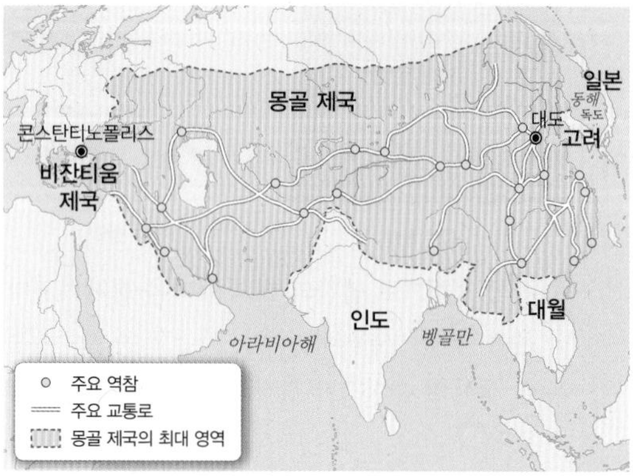

| 보기 |
ㄱ. 지방의 절도사 세력을 이용하였다.
ㄴ. 천호제라는 사회 · 군사 조직을 도입하였다.
ㄷ. 기마병을 잘 훈련시켜 전쟁에 활용하였다.
ㄹ. 팔기제를 통해 강력한 군사를 육성하였다.

① ㄱ, ㄴ ② ㄱ, ㄹ ③ ㄴ, ㄷ
④ ㄴ, ㄹ ⑤ ㄷ, ㄹ

08 **다음 정책을 추진한 인물에 대한 설명으로 옳은 것은?**

> 나를 같이 세운 자들, 같이 고생한 자들을 천호장으로 삼고, 천호를 편성하여 백호장, 십호장을 임명하였다. 만호를 편성하여 만호장을 임명하고, 만호장, 천호장 가운데 상 줄 만한 자들에게 상을 주고, 은사의 분부를 내릴 만한 자들에게 은사를 내렸다.
> -『원조비사』-

① 수도를 대도(베이징)로 옮겼다.
② 남송을 멸망시키고 중국 전역을 지배하였다.
③ 전시 제도를 도입하는 등 과거제를 개혁하였다.
④ 러시아와 네르친스크 조약을 맺고 국경을 확정하였다.
⑤ 몽골고원에 흩어져 있던 유목민을 통합한 후 칭기즈 칸에 추대되었다.

신유형
09 **(가) 왕조 시기의 역사적 사실로 옳은 것은?**

역사 통합 검색 ×
http://www.OOOO.co.kr
백과사전 | (가) 왕조의 역참 제도 | 검색

| 관련 사료

- 각 지방으로 가는 주요 도로에는 25~30마일마다 역참이 설치되어 있다. 이 역참에서 전령들은 명령을 기다리며 대기 중인 300~400마리의 말들을 볼 수 있다. -『동방견문록』-
- 여행자에게는 중국이 가장 안전하고 가장 좋은 고장이다. …… 전국의 모든 역참에는 여인숙이 있는데, 관리자가 몇몇 기병과 보병을 데리고 상주하고 있다. -『여행기』-

① 각지에 행성을 설치하고 다루가치를 파견하였다.
② 군기처를 설치하고 강력한 황제 독재 체제를 세웠다.
③ 조공의 요구를 받아들인 국가에게만 감합을 발행하였다.
④ 나가사키에서 네덜란드와 교역을 하면서 난학이 발전하였다.
⑤ 점토 활자가 발명되어 글자를 하나씩 판에 배열하여 인쇄하였다.

10 **(가) 국가의 문화에 대한 설명으로 옳은 것은?**

> 쿠빌라이 이후 (가) 은/는 내부 갈등과 분쟁, 지배층의 사치, 자연재해 등으로 급속히 약화되었다. 결국 (가) 은/는 홍건적의 반란 등 한족의 저항이 거세지면서 명을 세운 주원장에게 쫓겨 북쪽으로 밀려났다.

① 베이징을 중심으로 경극이 발전하였다.
② 화려한 채색 판화인 우키요에가 발전하였다.
③ 마테오 리치가 「곤여만국전도」를 제작하였다.
④ 악기 연주, 노래, 연기를 종합한 잡극이 유행하였다.
⑤ 『농정전서』, 『천공개물』과 같은 실용서적이 편찬되었다.

만점에 도전하는 심화 문제

01 **(가)에 들어갈 탐구 활동으로 옳은 것은?**

> 탐구 활동 계획서
>
> • 탐구 주제: 송대 과학 기술의 발달
> • 탐구 활동
>   – 1모둠: 화약의 발명과 화약 무기 조사하기
>   – 2모둠: (가)
>   – 3모둠: 활판 인쇄술의 발명과 발전 과정 알아보기

① 「기하원본」의 번역 과정 알아보기
② 나침반의 발명과 항해술의 발전 검색하기
③ 『서상기』, 『비파기』 등 잡극의 발전 찾아보기
④ 『강희자전』 등 대규모 편찬사업의 목적 파악하기
⑤ 제지법의 개량이 지식의 보급에 끼친 영향 조사하기

02 **다음 그림이 그려진 시기의 역사적 사실로 옳은 것을 |보기|에서 고른 것은?**

> |보기|
> ㄱ. 정치: 몽골 제일주의에 따라 각 민족을 차별적으로 대우하였다.
> ㄴ. 경제: 상업과 무역의 발달로 동전과 지폐(교자)가 사용되었다.
> ㄷ. 사회: 사대부가 사회 지도층으로 등장하였다.
> ㄹ. 문화: 『수호지』, 『삼국지연의』 등의 소설이 유행하였다.

① ㄱ, ㄴ　② ㄱ, ㄷ　③ ㄴ, ㄷ
④ ㄴ, ㄹ　⑤ ㄷ, ㄹ

중요
03 **다음 상황이 전개된 시기로 옳은 것은?**

> 몽골 제국의 5대 대칸인 쿠빌라이는 국호를 원으로 바꾸고, 수도를 대도(베이징)로 옮겼다. 이후 그는 남송을 멸망시키고 중국을 정복하여 유목민 최초로 중국 전역을 지배하였다.

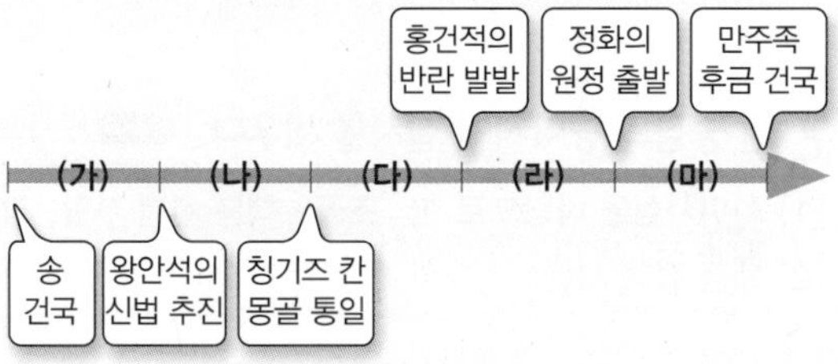

① (가)　② (나)　③ (다)　④ (라)　⑤ (마)

04 **(가), (나)에 들어갈 내용으로 옳은 것을 |보기|에서 고른 것은?**

지배층	몽골인	정치·군사의 주요 관직 독점	1.5%
지배층	색목인	(가)	1.5%
피지배층	한인	(나)	14%
피지배층	남인	주로 생산 활동에 종사	83%

> |보기|
> ㄱ. (가): 주로 하급 관리의 역할을 수행하였다.
> ㄴ. (가): 몽골의 정복 전쟁에 정보와 물자를 제공하였다.
> ㄷ. (나): 주로 재정과 경제 분야의 일을 담당하였다.
> ㄹ. (나): 금의 지배를 받았던 한족과 거란인, 여진인에 해당한다.

① ㄱ, ㄴ　② ㄱ, ㄷ　③ ㄴ, ㄷ
④ ㄴ, ㄹ　⑤ ㄷ, ㄹ

2 동아시아 지역 질서의 변화

학습 목표
명의 통치 체제 수립 과정과 주변 국과의 관계를 설명할 수 있다.

주제 3 명의 발전과 동아시아 질서의 재편

1 한족 왕조인 명이 다시 들어서다

(1) 명의 건국(1368): 주원장(홍무제), 금릉(난징)에 도읍, 몽골 세력 북쪽으로 밀어냄

(2) 홍무제의 정책 — 왜? 홍무제는 시골에 사는 사람들도 부모에 대한 효도와 윗사람에 대한 존경 등을 강조하는 유학의 가르침에 따라 살면 백성 모두가 편안히 살 수 있는 시대가 올 거라고 생각하였어.

① 유교 이념 부활: 육유 반포, 학교와 과거제 정비
② 조세 제도 정비: 토지 대장과 호적 정비
③ 황제권 강화: 공신 숙청, 황제가 6부 직접 관리 — 왜? 홍무제는 모든 정무와 권력이 황제에게 집중되게 하고자 하였어.
④ 관리의 수탈을 막기 위해 ❶이갑제 도입

2 명 중심의 동아시아 질서를 세우다

어떻게? 명은 스스로를 세계의 중심이라 생각했기 때문에 조공 요구를 받아들인 국가에 한해 무역을 허용하는 증명서(감합)를 발행하였어.

(1) 화이사상을 바탕으로 한 ❷조공·책봉 체제 부활, 감합 발행

무엇? 중국이 세계의 중심이라는 사상이야.

(2) 해금 정책 시행: 민간의 대외 무역 금지 → 명 말에 부분적으로 해소

3 명, 국력을 대외에 과시하다

(1) 영락제: 베이징 천도, 자금성 건설, 대외 팽창 추진, ❸정화의 해외 원정 지원

어떻게? 영락제가 직접 수차례에 걸쳐 북쪽의 몽골을 공격하였고, 남쪽으로는 대월(베트남)까지 점령하였어. 이로 인해 한족의 동남아시아 진출이 더욱 활발해졌어.

(2) 명 쇠퇴와 멸망

① 중기 이후: 무능한 황제의 등장, 환관의 횡포, 몽골과 왜구의 위협(북로남왜)
② 멸망: 임진왜란 지원, 여진족의 성장 견제 → 국가 재정 부족 → 가혹한 세금 징수 → 농민의 저항으로 멸망(1644) — 어떻게? 곳곳에서 농민 반란이 일어났고, 결국 이자성이 이끄는 농민군이 베이징을 점령하면서 명은 멸망하였어.

❶ 이갑제
이갑제는 향촌을 다스리기 위한 제도로 홍무제는 농민이 직접 세금을 징수하고 치안을 담당하게 함으로써 관리들의 수탈을 줄이고자 하였다. 농가 110호를 1리로 편성하되 부유하고 존경받는 10호를 이장호로 하고, 나머지 100호를 10갑(1갑=10호)으로 나누었다.

❷ 조공·책봉 체제
조공·책봉 체제는 중국 주변의 나라들이 중국에 정기적으로 사절을 보내 예물을 바치고(조공), 중국 황제가 주변 나라의 국왕을 임명하고 그 영토를 인정해주는(책봉) 외교 관계를 바탕으로 형성된 전근대 동아시아의 국제질서를 말한다.

❸ 정화의 해외 원정
영락제는 명의 국력을 과시하고 조공 체제를 확대하기 위해 환관 정화를 중심으로 여러 차례에 걸쳐 대규모 원정을 추진하였다. 이로 인해 동남아시아와 인도, 서아시아, 아프리카까지 명 중심의 국제 질서가 확대되었으며, 한족의 해외 진출이 더욱 확대되었다.

핵심 자료 명 태조 홍무제의 정책

자료 1 명의 대외 관계

자료 2 이갑제의 실시

홍무 14년(1381) 110호(戸)로 1리(里)를 조직하고 1리 가운데 사람 수가 많고 세금을 많이 내는 집 10인을 추천하여 장으로 삼고 나머지 100호로 1갑 10호의 10갑(甲)을 만드는 것이다. 해마다 이장 1인과 갑수(甲首) 10인으로 하여금 1리와 1갑의 일을 관리하도록 한다.

－『명태조실록』－

핵심 명을 건국한 홍무제는 어떤 국가를 만들고자 하였을까?

홍무제는 몽골을 북쪽으로 몰아내고 유교 이념에 기반한 한족 왕조를 부활하는 데 노력하였다. 이에 육유를 반포하고 학교와 과거제를 정비하였다. 또한 토지 대장과 호적을 다시 만들어 세금을 바로 징수하고, 이갑제를 도입해 농촌 사회를 통제하였다. 대외 관계에 있어서도 조공·책봉 체제를 부활하여 화이사상에 기반한 중국 중심의 동아시아 국제 질서를 형성하고, 이를 주도하고자 하였다.

정답과 해설 15쪽

확인해 봐요

1 명은 중화사상을 바탕으로 조공·책봉 체제를 부활하여 동아시아 질서를 주도하고자 하였다. (○, ×)

2 홍무제는 자금성을 건설하고 정화의 항해를 지원함으로써 국력을 과시하였다. (○, ×)

3 명은 몽골과 왜구의 위협으로 국력을 크게 소모하였고, 임진왜란을 지원하며 재정이 크게 어려워졌다. (○, ×)

교과서 활동 풀이

가자! 역사 속으로

교과서 98쪽

주원장은 명을 세운 뒤 원대에 무너진 유교 윤리를 되살리기 위해 백성들이 지킬 여섯 가지 가르침, 즉 육유(六諭)를 반포하였습니다.

✔ 주원장이 유교 윤리를 강조한 까닭은 무엇일까요?

예시 답안 주원장은 백성들이 유교의 가르침에 따라 살도록 함으로써 그들의 충성심을 높이고 황제의 권력을 강화하려고 하였다.

활동 도우미

홍무제가 반포한 육유의 내용을 자세히 살펴보고, 이를 바탕으로 홍무제가 어떤 사회를 만들고자 했는지 생각해 보아요.

Q 명은 정화의 항해를 통해 무엇을 추구하였을까?

교과서 99쪽

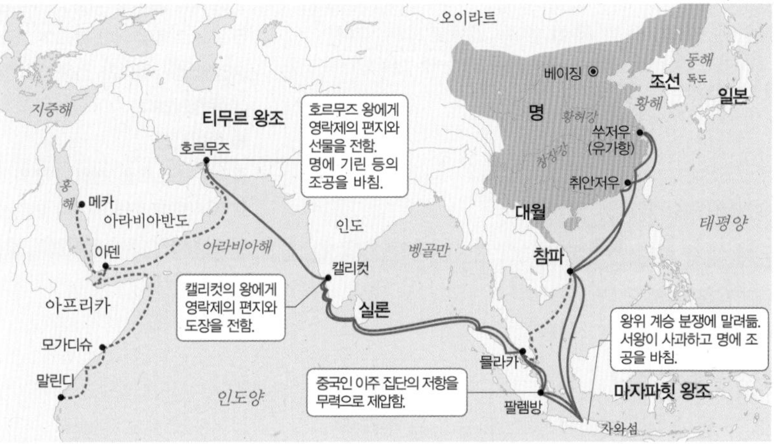

예시 답안 명은 정화의 원정을 통해 동남아시아, 인도, 아프리카 동부 해안까지 진출하였다. 이 과정에서 국력을 과시하였고, 명 중심의 조공 질서를 확대하고자 노력하였다.

자료 해설

정화의 함대는 총 7차례에 걸쳐 아프리카 동부 해안까지 진출하였다. 이 과정에서 수많은 국가를 방문했으며, 그 국가들이 명나라 황제에게 조공을 바치도록 권하였다. 이를 통해 명 중심의 국제 질서를 확대하려 하였으며, 명의 국력을 과시하였다. 하지만 이후 과도한 원정 비용에 대한 부담과 북쪽에 있던 몽골의 위협 때문에 해외 원정은 중단되고 말았다.

교과서 사진 자료 영락제와 자금성

교과서 99쪽

영락제는 조카인 건문제를 죽이고 황제의 자리에 올랐다. 이 과정에서 수도인 난징은 큰 피해를 입었고, 황궁 또한 불타버렸다. 이에 영락제는 자신의 근거지였던 베이징으로 수도를 옮기고 새로운 황궁인 자금성을 건설하였다. 이후 영락제는 대운하를 정비하여 강남의 물자를 수도로 나를 수 있도록 하였고, 방치되어 있던 만리장성을 수리하였다. 또 만리장성을 넘어 몽골을 공격하거나 베트남 정벌에 나서는 등 활발한 대외 원정을 추진하였다.

활동 도우미

명의 3대 황제인 영락제가 수도를 난징에서 베이징으로 옮기고 자금성을 건설한 이유를 생각해 보아요.

스스로 확인해요

❶ 홍무제는 관리들의 수탈을 막기 위해 이갑제를 도입하여 농촌 사회에 대한 지배를 확립하였다. (○)

❷ 명 중기 이후 북쪽의 몽골 세력과 동남 해안을 침공한 [왜][구]이/가 큰 위협으로 등장하였다.

이 주제의 핵심!

이 주제에서는 명의 통치 체제 수립 과정, 명 중심의 동아시아 질서 수립 과정, 명의 대외 팽창 정책 추진에 대해 배웠어요. 여기에서는 홍무제와 영락제의 정책, 조공 · 책봉 체제의 부활, 정화의 해외 원정 등을 파악하는 것이 중요합니다. 또 북쪽의 몽골 세력, 동남 해안의 왜구, 임진왜란 지원 등 명이 쇠퇴하고 몰락하게 된 배경도 기억해야겠죠?

2 동아시아 지역 질서의 변화

학습 목표
명 · 청 교체 이후 청의 중국 지배 방식과 주변국의 외교 인식의 변화를 설명할 수 있다.

주제 4 청의 발전과 동아시아 질서의 변화

1 만주족이 세운 청이 중국을 지배하다

(1) 누르하치(태조): 만주족 통합하여 후금 건국(1616), ❶팔기군 조직

(2) 홍타이지(태종): 국호 청으로 변경(1636), 조선 침략, 베이징 천도(1644)

왜? 청 태종은 명과의 전쟁이 장기화되자 후방의 위협을 제거하고 경제적 위기를 극복하기 위해 조선을 침략하였어.

(3) 청의 지배 방식

① 강경책: 만주족의 풍습 강요(변발, 의복 등), 청 왕조 비판 엄벌, 『사고전서』 편찬

② 회유책: 고위 관직에 만주족 · 한족 함께 임명, 유교 문화 존중, 『사고전서』 편찬

어떻게? 건륭제는 『사고전서』를 편찬하여 한족 지식인을 동원하였고, 동시에 청을 비방하는 내용이 있는지 모든 도서를 검열하였기 때문에 『사고전서』 편찬은 한족에 대한 강격책과 회유책에 모두 해당해.

2 청이 다민족 대제국을 건설하다

(1) 강희제: 타이완 정복, 러시아와 국경 확정(네르친스크 조약)

(2) 옹정제: 군기처 설치, 강력한 황제 독재 체제 확립

왜? 러시아의 시베리아 진출은 몽골과 결합할 가능성이 있기 때문에 청에 매우 위협적이었어.

(3) 건륭제: 티베트, 신장, 몽골 정복 → 다민족 대제국 건설

3 명·청 교체가 동아시아 외교 관계에 영향을 미치다

(1) ❷화이사상의 동요: 만주족의 중국 지배 → 동아시아 각국이 스스로 중화를 주장함.

① 조선: 청과 조공 · 책봉 관계 수립했지만 조선 중화 내세우며 청을 오랑캐로 여김

② 일본: 스스로 중화 자처하며 독자적인 화이사상 주장

(2) 청의 대외 정책: 해금 정책 → 18세기 이후 광저우로 교역항 제한, 공행에게만 외국 상인과 교역 허가

어떻게? 공행은 청 정부로부터 무역의 독점권을 얻은 대신 관세 징수의 의무를 지고 있었지.

❶ **팔기군**
누르하치가 조직한 8개의 집단으로 군사 및 행정을 담당하였다. 홍타이지는 만주족 외에 몽골족과 한족도 팔기에 편성하였다. 팔기군의 구성원은 15세~60세의 남자로 식량, 무기 등을 모두 스스로 갖추어야 했으며, 평소에는 생업에 종사하다가 전쟁이 나면 전쟁에 동원되었다.

❷ **화이사상**
중국이 스스로를 천하 문명의 중심으로 자처하며 주변 국가나 민족을 문화가 발전하지 않은 오랑캐로 멸시하던 사상을 말한다.

핵심 자료 명 · 청 교체와 화이사상의 변화

✓ 핵심 **명 · 청 교체의 시기에 동아시아 각국의 화이사상은 어떻게 변하였을까?**

중국이 오랑캐라고 멸시하던 만주족이 중국을 지배하자 전통적인 화이사상이 흔들렸다. 조선은 청에 조공하면서도 스스로 조선 중화를 내세웠으며, 일본 역시 독자적인 화이사상을 내세우며 자신들을 천하의 중심이라고 생각하였다. 청 또한 태어난 곳이 중요한 것이 아니라 만주족이라도 윤리를 알면 중화인이 될 수 있다고 주장하였다.

정답과 해설 15쪽

확인해 봐요

1 청 태종은 몽골을 공격하고 황제로 즉위한 후 나라 이름을 (청 / 후금)(으)로 바꾸었다.

2 (강희제 / 건륭제)은/는 티베트와 신장, 몽골까지 아우르는 다민족 대제국을 건설하였다.

3 청은 18세기 이후 교역항을 광저우로 제한하고, (공행 / 감합)(이)라는 상인에게만 외국상인과의 교역을 허가하였다.

교과서 활동 풀이

가자! 역사 속으로

교과서 100쪽

그림은 여진의 족장 누르하치의 초상입니다. 누르하치는 후금(청)을 세우고 그 뒤를 이어 홍타이지가 영토를 넓히며 나라 이름을 청으로 바꾸었습니다.

청의 등장이 동아시아 지역에 미친 영향은 무엇일까요?

예시 답안 만주족이 세운 청나라가 중국을 지배하자 중국을 천하의 중심으로 여기던 세계관이 흔들리면서 중국 중심의 동아시아 질서가 변화하였다.

활동 도우미

누르하치의 초상을 보면서 그가 세운 만주족의 나라가 중국을 지배한 후 동아시아 지역에 어떤 변화가 일어났을지 생각해 보아요.

탐구 해봐요 청의 한족 지배 정책

교과서 100쪽

(가)

고위 관직에 만주족과 한족을 같은 수로 등용하였다.

(나)

만주족의 풍습인 변발과 그들의 의복을 강요하였다.

(다)

청 왕조를 비방하면 가혹하게 처형하였다.

(라)

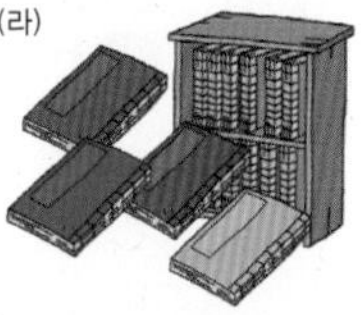

*『사고전서』를 편찬하며 한족 지식인을 동원함과 동시에 모든 도서를 검열하였다.

*『사고전서』 건륭제 때 약 8만 권에 이르는 서적을 4부로 분류하여 편찬한 것이다.

1 (가)~(라)를 한족에 대한 강경책과 회유책으로 분류해 보자.

예시 답안 강경책: (나), (다), (라) 회유책: (가), (라)

2 위 자료를 바탕으로 소수의 만주족이 다수의 한족을 효율적으로 지배할 수 있었던 까닭을 이야기해 보자.

예시 답안 한족의 지배 세력을 어느 정도 포용해주는 회유책을 시행하면서도 한족을 감시 · 통제하고 때로는 가혹하게 처벌하는 강경책을 함께 적극 사용했기 때문이다.

자료 해설

소수의 만주족이 중국을 안정적으로 지배하기 위해서는 명의 지배 세력인 신사층의 협조를 얻어야 했다. 이에 청은 신사층이 가지고 있던 기반을 인정하고, 그들을 포용하는 회유책을 시행하였다. 동시에 청의 지배에 반발하는 세력은 가혹하게 처벌하였으며, 만주족의 의복과 변발을 강요하는 강경책도 시행하였다.

교과서 지도 자료 청의 발전

교과서 101쪽

강희제는 마지막까지 청의 지배에 저항하던 세력을 진압하고 타이완을 정복했으며, 러시아와 네르친스크 조약을 체결하여 국경선을 정하였다. 옹정제는 관리들의 부정부패를 단속하고 국가를 안정적으로 이끌었으며, 건륭제는 청의 영토를 중국 역사상 최대로 확장하였다. 또한 중국의 모든 책을 망라한 『사고전서』를 편찬하여 중국을 하나로 통합하였다.

활동 도우미

청이 강희제, 건륭제, 옹정제 시기에 영토를 최대로 넓히고, 전성기를 이어갈 수 있었던 이유에 대해 생각해 보아요.

스스로 확인해요

❶ 청은 한족을 다스리기 위해 강경책과 회유책을 함께 이용하였다. (○)

❷ 18세기 이후 청은 교역항을 광저우로 제한하였으며 공 행에게만 외국 상인과 교역하도록 허가하였다.

이 주제의 핵심

이 주제에서는 청의 중국 통치 방식, 청 제국의 발전 과정, 청의 중국 지배 이후 동아시아 질서의 변동에 대해 배웠어요. 여기에서는 청이 다수의 한족을 통치하기 위해 사용한 강경책과 회유책의 내용, 청의 다민족 대제국 건설 과정을 이해해야 해요. 그리고 청대 동아시아 각국에서 나타난 화이 사상의 변화 내용 등을 파악해야겠죠?

학습 목표
명·청대의 경제 성장과 서양과의 교류를 통한 문화 변화를 설명할 수 있다.

주제 5 명·청대의 경제와 문화

1 농업과 상업이 발달하고 은이 유통되다

무엇을? 옥수수, 고구마, 감자, 땅콩, 담배 등 신대륙에서 많은 작물이 들어오면서 식량 생산도 증가하고, 인구도 많이 늘어났어.

(1) 농업 생산력 향상: 농업 기술의 발달, 품종 개량, 신대륙 작물의 보급

(2) 수공업 발전: 강남 지방에서 비단·면포 생산 → 곡창 지대 변경(창장강 중·상류)

(3) 상업 발전: 대도시 발전(쑤저우, 항저우 등), 대상인 집단 출현

(4) 대외 교역: 차, 비단, 도자기의 유럽 수출 → 은 유통량 증가 → 은을 화폐로 사용, 은으로 세금 징수

왜? 유럽 상인들이 신대륙이나 일본의 은으로 중국 상품의 대금을 지불하였기 때문이야.

2 새로운 학문과 서민 문화가 꽃피다

(1) 학문의 발전

① 명: [1]양명학 유행, 『농정전서』, 『천공개물』 등 실용 서적 편찬

② 청: 『강희자전』, 『사고전서』 등 대규모 편찬 사업 전개, 고증학 유행

어떻게? 청대에는 서양 학문의 영향을 받아 경전의 정확한 의미를 연구하는 고증학이 크게 유행하였어.

(2) 서민 문화의 발전: 경극 발전, 소설 유행

어떻게? 경극은 춤과 음악, 연극이 어우러진 공연으로 청대 베이징을 중심으로 크게 성장하였어.

3 중국과 유럽의 문화가 교류되다

(1) 서양 학문의 중국 소개: 예수회 선교사 [2]마테오 리치의 「곤여만국전도」 제작, 마테오 리치와 서광계의 『기하원본』 번역

어떻게? 명·청대 중국에 선교를 갔던 유럽의 선교사들이 중국의 사상과 문물을 유럽에 알렸기 때문이야.

(2) 중국 사상과 학문의 유럽 소개: 유교, 과거제, 차 문화, 정원 조경술, 실내 장식 등

(3) 전례 문제: 중국에서의 포교 방식을 둘러싼 갈등 발생 → 대부분의 선교사 추방, 중국과 서양의 문화 교류 제한

왜? 예수회와 달리 다른 교단의 선교사들은 조상에 대한 제사 등 중국인의 조상 숭배 전통을 인정하지 않았기 때문이야.

❶ 양명학
명대에 활동했던 왕수인(왕양명)은 성리학을 비판하며 경전을 이해하는 것보다 개인의 깨달음, 지식과 실천의 일치를 중시하는 양명학을 제창하였다. 양명학은 명 말에 상인, 수공업자 등 서민층 사이에서 크게 유행하였다.

❷ 마테오 리치
이탈리아 출신의 예수회 선교사 마테오 리치는 포교를 위해 명에 들어갔지만 먼저 중국을 이해하기 위해 노력한 인물이었다. 그는 '이마두'라는 중국식 이름을 사용했으며, 자명종과 같은 서양 문물을 소개하고 천문학이나 수학 등을 가르치기도 하였다. 또한 중국 사람들이 쉽게 가톨릭을 받아들이게 하기 위해 교리 해설집인 『천주실의』를 쓰고, 명의 관리들과 함께 중국 최초의 세계 지도인 「곤여만국전도」를 제작하였다.

핵심 자료 명·청대 중국과 유럽의 문화 교류

자료 1 「곤여만국전도」

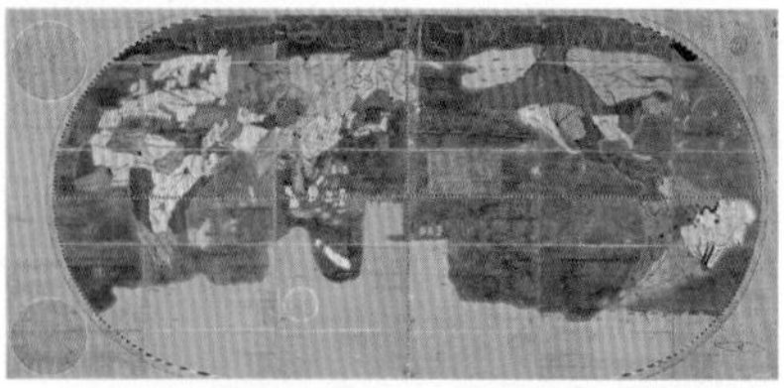

자료 2 상수시 궁전의 중국 다실

핵심 명·청대 중국과 유럽의 문화 교류는 서로에게 어떤 영향을 끼쳤을까?

16세기 후반부터 아담 샬, 마테오 리치 등 예수회의 선교사들이 중국에 들어가 활동하기 시작하였다. 이 과정에서 서양의 학문과 과학 기술이 중국에 전해졌으며, 「곤여만국전도」가 제작되었다. 선교사들은 중국의 사상이나 문물을 유럽에 전하기도 했는데 유럽의 상류층에서는 차를 마시거나 중국산 도자기로 집안을 장식하는 등 중국 열풍이 일기도 하였다.

정답과 해설 15쪽

확인해 봐요

1 유럽 상인들은 (   )을/를 지불하고 중국의 차, 비단, 도자기 등을 수입하였다.

2 명대 후기에는 서민들 사이에서 개인의 깨달음을 중시하는 (   )이/가 유행하였다.

3 예수회 선교사 (   )은/는 중국 최초의 세계 지도인 「곤여만국전도」를 제작하는 등 서양의 학문을 중국에 소개하였다.

교과서 활동 풀이

가자! 역사 속으로 교과서 102쪽

그림은 프랑스 화가 부셰가 상상하여 그린 「중국의 정원」입니다. 18세기 유럽의 화가들은 당시 유럽 귀족들의 사치품이었던 중국산 물품을 배경으로 한 그림을 그렸습니다.

18세기 유럽에서 중국산 물품이 유행한 까닭은 무엇일까요?

예시 답안 선교사들이 서양의 학문과 과학기술을 중국에 소개하고, 중국의 사상과 문물을 유럽에 알렸기 때문이다.

활동 도우미
프랑스 화가 부셰의 그림 속에서 중국의 영향을 받은 것들을 찾아 보아요. 그리고 유럽 화가의 그림에 왜 중국 물품이 그려져 있는지 생각해 보아요.

탐구 해 봐요 중국으로 모이는 세계의 은 교과서 103쪽

은의 유통(16~17세기)

활동 도우미
지도를 통해 유럽과 일본의 상인들이 중국으로부터 무엇을 사가려고 했는지 찾아 보아요. 이러한 교역을 통해 중국 사회에 어떠한 변화가 나타났을지 생각해 보아요.

1 유럽과 일본의 상인이 중국에 은을 지불하고 사 갔던 물품을 써 보자.

예시 답안
- 유럽 상인: 비단, 도자기, 차
- 일본 상인: 생사, 차

2 세계의 은이 중국에 모이면서 명 · 청대 사회에 어떠한 변화가 나타났는지 본문을 참고하여 말해 보자.

예시 답안 중국에 대량의 은이 들어오면서 은을 화폐로 사용하였다. 또한 세금을 은으로 내게 하는 제도가 만들어졌다.

스스로 확인해요

❶ 신항로 개척 이후 유럽 상인들은 중국산 물품을 수입하고, 그 대금을 은으로 지불하였다. (○)
❷ 마테오 리치 등이 만든 세계 지도인 곤여만국전도은/는 중국 중심의 세계관에 큰 충격을 주었다.

이 주제의 핵심

이 주제에서는 명 · 청대의 경제 성장, 새로운 학문과 서민 문화의 발전, 중국과 유럽의 문화 교류에 대해 배웠어요. 여기에서는 명 · 청대 대량의 은이 중국에 들어오면서 나타난 변화, 양명학 · 고증학 · 경극 · 소설 등 새로운 학문과 서민 문화의 발달 모습, 선교사들을 통한 중국과 유럽 간 문화 교류의 모습 등을 파악하는 것이 중요합니다. 특히 포교 과정에서 중국의 조상 숭배 전통을 인정하느냐 마느냐에 대한 갈등으로 문화 교류가 상당 기간 제한되었다는 것도 기억해야 합니다.

2 동아시아 지역 질서의 변화

학습 목표
막부의 성립 및 교체 과정과 에도 시대의 경제 · 문화적 특징을 설명할 수 있다.

주제 6 일본 막부의 변화와 발전

1 [1]막부가 탄생하다

(1) 무사 세력 등장: 헤이안 시대 지방 치안 약화 → 호족, 무사 고용 → 무사 세력 성장

(2) 가마쿠라 막부 성립: 미나모토노 요리토모, 쇼군(장군) 칭호 받음 → 쇼군이 실질적인 지배권 행사

2 원의 침략 이후 막부가 교체되다

(1) 가마쿠라 막부 쇠퇴: 몽골 · 고려 연합군, 두 차례 일본 공격 → 태풍의 영향으로 실패 → 재정 악화로 막부 쇠퇴, 신국 사상 확립

(2) 무로마치 막부 등장: 명과 조공 관계 체결, 일본 국왕 칭호 받음, 조선과 국교 수립

왜? 가마쿠라 막부는 때마침 들이닥친 태풍으로 몽골 고려 연합군을 물리쳤지만 무사들에게 마땅히 보상할 만한 게 없었어. 결국 무사들의 불만이 커질 수밖에 없었고, 가마쿠라 막부는 무너졌지.

3 전국 시대의 혼란을 수습하다

(1) 전개: 무로마치 막부의 통제력 약화 → 15세기 중엽부터 백여 년간 전국 시대 전개

(2) 도요토미 히데요시: 전국 시대 통일, 토지 조사, 선교사 추방, 엄격한 신분제 시행, 조선 침략(임진왜란)

4 임진왜란 이후 에도 막부가 열리다

어떻게? 도요토미 히데요시가 죽은 뒤 세키가하라 전투에서 동군을 승리로 이끌었던 도쿠가와 이에야스가 권력을 장악했고, 에도 막부를 세웠어.

(1) 에도 막부 수립: 도쿠가와 이에야스가 권력 장악 → 쇼군 취임, [2]산킨고타이 제도를 통해 다이묘 통제, 천황의 정치 간섭 금지

(2) 쇄국 정책: 크리스트교 금지, 민간 무역 통제 → 나가사키 통해 네덜란드와 교류, 중국 상인과 교역, [3]난학 발전, 조선과 국교 회복

왜? 다른 유럽 국가들과 달리 네덜란드는 포교보다는 무역을 통한 이익에 관심이 더 많았기 때문이야.

5 도시와 상업이 발전하여 조닌이 등장하다

(1) 도시와 상업의 발전: 조카마치 형성, 조닌이 도시 중산층으로 등장

(2) 조닌 문화 발전: 가부키, 우키요에 등 발전

(3) 국학 사상 발전: 19세기 막부 타도 운동의 사상적 배경이 됨.

[1] 막부
막부는 원래 군대의 총사령관이 전쟁터에서 부하들과 회의를 진행하던 천막을 의미하였다. 하지만 미나모토노 요리토모가 자신을 따르는 무사들과 함께 새로운 정부를 구성하여 실질적인 지배권을 행사하면서 막부는 쇼군을 중심으로 하는 무사 정권 자체를 뜻하게 되었다.

[2] 산킨고타이 제도
다이묘의 부인과 아들을 에도에 머물게 하고, 쇼군을 지켜야 한다는 명분을 내세워 다이묘들을 돌아가며 에도에 와서 일정 기간 동안 살게 한 제도이다. 이를 통해 다이묘 세력을 약화하여 통제하였다

[3] 난학
에도 막부가 네덜란드를 통해 받아들인 서양의 학문과 기술, 문화 등을 통틀어 '난학'이라고 한다. 특히 서양의 해부학 서적을 번역한 『해체신서』가 출판되면서 난학이 융성하였다.

핵심 자료 쇄국 정책과 난학의 발전

핵심
에도 막부는 왜 네덜란드에게만 나가사키를 개방하였을까?

에도 막부는 해외 무역을 통한 다이묘들의 세력 확장을 막고, 신분 질서를 위협하는 가톨릭의 포교를 막기 위해 쇄국 정책을 펼쳤다. 그 결과 포교보다는 무역에 따른 이익을 중시한 네덜란드에게만 나가사키(데지마)를 통해 교역을 허가하였다. 이 과정에서 서양의 학문 · 기술 · 문화가 전래하였고, 난학이 발전하였다.

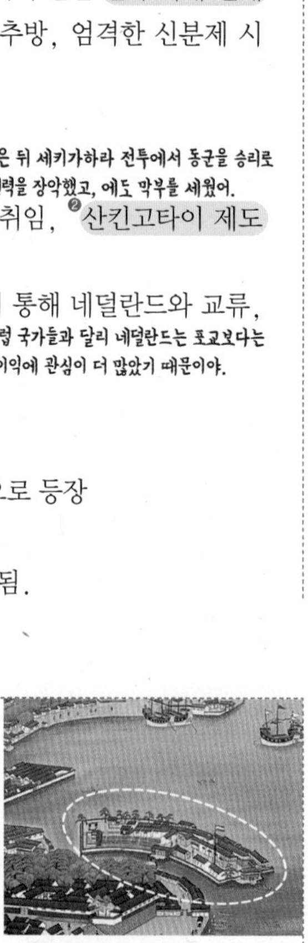

나가사키의 데지마

정답과 해설 15쪽

확인해 봐요

1 오다 노부나가가 가마쿠라에 막부를 세우고 천황으로부터 쇼군의 칭호를 받았다. (○, ×)

2 도요토미 히데요시는 전국 시대를 통일한 후 임진왜란을 일으켜 동아시아 국제 질서를 위협하였다. (○, ×)

3 에도 시대에는 가부키, 우키요에 등 이른바 조닌 문화가 발전하였다. (○, ×)

교과서 활동 풀이

가자! 역사 속으로

교과서 105쪽

12세기 이후부터 일본에서는 무사 집단이 천황을 대신하여 정치적 실권을 장악하였습니다.

무사 집단이 성장하게 된 배경은 무엇일까요?

예시 답안 지방의 치안이 약화되자 호족들이 자신의 토지와 재산을 지키기 위해 무사들을 고용하면서 무사 집단이 성장하였다.

자료 해설

헤이안 시대 말기 지방의 치안이 약화되면서 등장한 무사들은 반란을 진압하거나 내전에 참가하여 활약하면서 급격히 성장하였다. 그런 가운데 12세기 말 미나모토 가문의 미나모토 요리토모가 천황으로부터 쇼군으로 임명받은 후 자신을 따르는 부하 무사들과 함께 가마쿠라에서 막부를 열었다.

Q 에도 막부가 산킨코타이 제도를 시행한 까닭은 무엇일까?

교과서 106쪽

▲ 아즈번의 산킨코타이 행렬

예시 답안 다이묘의 가족을 에도에 인질로 잡아 두고, 다이묘로 하여금 정기적으로 에도에 와서 머물게 함으로써 경제력을 약화시켜 그들을 통제하기 위함이었다.

활동 도우미

그림은 아이즈번의 다이묘와 무사들이 에도를 향해 가고 있는 산킨코타이 행렬을 그린 것이에요. 쇼군이 다이묘로 하여금 정기적으로 에도로 와서 머물게 한 이유를 생각해 보아요.

교과서 그림 자료 우키요에와 유럽 미술의 만남

교과서 107쪽

우키요에는 목판에 밑그림을 그리고 물감을 발라 찍어낸 판화를 말한다. 유곽의 여인들, 가부키 배우들, 일상 풍경 등을 표현하였으며, 처음에는 단색판화로 시작하였지만 18세기 후반 다색판화가 개발되면서 크게 발전하였다. 목판화였기 때문에 여러 장을 찍어낼 수 있어 서민들도 즐길 수 있었다. 유럽으로 수출되는 도자기의 포장지로 쓰이며 모네, 고흐 등 유럽의 인상파 화가들에게 큰 영향을 미치기도 하였다.

고흐의 「탕기 영감」(프랑스 로댕미술관)

활동 도우미

에도 시대에 풍속화인 우키요에가 유행하게 된 배경에 대해 알아보아요. 그리고 우키요에가 어떻게 유럽에 건너가 인상파 화가들에게 영향을 미쳤을지 생각해 보아요.

스스로 확인해요

❶ 12세기 말 미나모토노 요리토모가 가마쿠라 막부를 세운 이래로 무사 정권이 시작되었다. (○)

❷ 도 요 토 미 히 데 요 시 은/는 전국 시대의 혼란을 수습하고 임진왜란을 일으켰다.

이 주제의 핵심

이 주제에서는 막부의 탄생, 막부의 교체 과정, 에도 막부 시기의 경제·문화적 특징에 대해 배웠어요.
여기에서는 무사의 등장 배경, 원의 침략 이후 막부의 교체 과정, 에도 막부 시기의 산킨코타이 제도와 쇄국 정책, 난학의 발전, 조닌 문화 등을 파악하는 것이 중요합니다.
또한 18세기 후반에 발전한 국학 사상이 이후 막부를 타도하려는 정치 운동의 사상적 배경이 되었다는 것도 기억해야겠죠?

시험을 대비하는 실전 문제

기초를 튼튼하게 확인 문제

01 서로 관련 있는 내용끼리 연결하시오.

㉠ 영락제 •	• ⓐ 이갑제 도입
㉡ 강희제 •	• ⓑ 정화 함대의 원정
㉢ 홍무제 •	• ⓒ 네르친스크 조약 체결

02 아래 설명이 맞으면 ○, 틀리면 ×로 표시하시오.

(1) 명은 조공의 요구를 받아들이는 국가에 한해 무역을 허용하는 증명서(감합)을 발행해 주었다. (　　)

(2) 청은 소수인 만주족과 다수의 한족을 다스리기 위해 강경책과 회유책을 함께 이용하였다. (　　)

(3) 무로마치 막부는 산킨코타이 제도를 시행하여 다이묘를 통제하고, 천황의 정치 간섭을 금지했다. (　　)

03 |보기|의 일본 무사 정권의 발전과 관련한 사건들을 순서대로 나열하시오.

| 보기 |
ㄱ. 에도 막부의 수립　　ㄴ. 전국 시대의 전개
ㄷ. 가마쿠라 막부의 수립　ㄹ. 무로마치 막부의 수립

04 빈칸에 알맞은 말을 쓰시오.

(1) 홍무제는 지방 사회에 대한 지배를 확립하고, 관리의 수탈을 막기 위해 (　　　)을/를 도입하였다.

(2) 예수회 선교사 마테오 리치는 (　　　)을/를 중국인의 세계 인식을 넓혀 주었다.

(3) 에도 막부 시대 조닌들은 가부키와 우키요에 등 이른바 (　　　)을/를 발전시켰다.

내신을 탄탄하게 내신 문제

01 (가) 국가의 대외 관계에 대한 설명으로 옳은 것은?

14세기 중엽 중국 각지에서 원의 지배에 저항하는 농민 봉기가 일어났다. 가난한 농민 출신인 주원장은 농민 봉기를 이용하여 금릉을 수도로 삼아 [　(가)　]을/를 세우고, 몽골 세력을 북쪽으로 몰아낸 후 중국을 지배하였다.

| 보기 |
ㄱ. 전통적인 조공·책봉 체제를 부활하였다.
ㄴ. 조공하는 국가에 한해 무역을 허용하였다.
ㄷ. 문치주의 정책으로 북방 민족의 침입이 잦았다.
ㄹ. 러시아와 네르친스크 조약을 체결하여 국경을 확정하였다.

① ㄱ, ㄴ　② ㄱ, ㄷ　③ ㄴ, ㄷ
④ ㄴ, ㄹ　⑤ ㄷ, ㄹ

02 (가) 인물에 대한 탐구 활동으로 가장 적절한 것은?

http://www.OOOO.co.kr

묻고 답하기

질문 몽골 세력을 북쪽으로 쫓아내고 명을 세운 [　(가)　]에 대해 알려주세요.

답변 ⇒ 육유를 반포하고, 학교·과거제도를 정비하였어요.
⇒ 재상을 폐지하고, 6부를 직접 관리하였어요.
⇒ 토지 대장과 호적을 정비하여 세금을 징수하였어요.

① 문치주의를 시행한 배경을 찾아본다.
② 네르친스크 조약의 내용을 분석한다.
③ 이갑제를 도입한 목적에 대해 조사한다.
④ 조닌 문화가 발전하는 과정을 살펴본다.
⑤ 팔기군을 몽골족과 한족까지 확대한 이유를 알아본다.

정답과 해설 15~16쪽

03 (가)에 들어갈 인물에 대한 설명으로 옳은 것은?

① 임진왜란 때 조선에 지원군을 파병하였다.
② 『강희자전』 등 대규모 편찬사업을 전개하였다.
③ 전시 제도를 도입하는 등 과거제를 개혁하였다.
④ 군기처를 설치하여 황제 독재 체제를 강화하였다.
⑤ 정화의 함대를 남해에 파견하여 국력을 과시하였다.

04 (가)~(다)에 들어갈 내용으로 옳은 것은?

탐구 계획서

• 탐구 주제: 명 · 청대의 문화

1. 학문 발달:	(가)
2. 서민 문화:	(나)
3. 문화 교류:	(다)

① (가): 몽테스키외가 삼권 분립을 주장하였다.
② (나): 『삼국지연의』 등 소설이 유행하였다.
③ (나): 화려한 채색 판화인 우키요에가 발전하였다.
④ (다): 현장이 인도에 다녀와 『대당서역기』를 남겼다.
⑤ (다): 교황이 포교를 위해 카르피니 등 선교사를 보냈다.

05 다음은 청의 발전 과정을 나타낸 것이다. (가)에 들어갈 역사적 사실로 옳은 것은?

타이완을 정복하고 러시아와 네르친스크 조약을 체결하였다.

↓

(가)

↓

티베트와 신장, 몽골까지 정복하여 오늘날 중국 영토의 대부분을 확보함으로써 다민족 대제국을 건설하였다.

① 조선을 공격하여 인조로부터 항복을 받았다.
② 현실 정치를 반영한 청담 사상이 유행하였다.
③ 군기처를 설치하여 황제 독재권을 강화하였다.
④ 송과 연합하여 거란족이 세운 요를 무너뜨렸다.
⑤ 유학을 집대성하여 해설서인 『오경정의』를 완성하였다.

06 (가) 국가에 대한 설명으로 옳은 것은?

① 9품중정제라는 관리 선발 제도를 시행하였다.
② 장건의 서역 파견을 계기로 비단길을 개척하였다.
③ 황제권 강화를 위해 과거에 전시 제도를 도입하였다.
④ 다수의 한족을 지배하기 위해 강경책, 회유책을 함께 이용하였다.
⑤ 천호제를 바탕으로 우수한 기마병을 활용하여 대제국을 건설하였다.

07 그림이 그려진 국가에서 있었던 사실로 옳지 않은 것은?

① 베이징을 중심으로 경극이 발전하였다.
② 은의 유통이 늘어나 세금을 은으로 거두었다.
③ 러시아와 조약을 맺고 동북부 국경을 확정하였다.
④ 나가사키를 통해 서양의 학문과 기술을 받아들였다.
⑤ 유가 경전을 실증적으로 연구하는 고증학이 발달하였다.

08 다음 사건이 전개된 시기를 연표에서 옳게 고른 것은?

> 원의 쿠빌라이는 일본이 조공을 거부하자 몽골·고려 연합군을 편성하여 두 차례에 걸쳐 일본을 공격하였다. 하지만 때마침 불어 닥친 태풍의 영향으로 공격은 실패로 돌아갔다.

가마쿠라 막부 성립		무로마치 막부 성립		전국시대 시작		임진왜란 발발		에도막부 성립		메이지 유신
	(가)		(나)		(다)		(라)		(마)	

① (가) ② (나) ③ (다) ④ (라) ⑤ (마)

09 (가) 국가에 대한 탐구 활동으로 옳은 것은?

> 오른쪽 그림의 나가사키(데지마)는 포르투갈 상인의 선교 활동을 제한하기 위해 세웠으나 (가) 상인의 활동 무대가 되었다.

① 난학의 발전 과정을 조사한다.
② 조총의 일본 전래 과정을 알아본다.
③ 감합 무역이 추진되는 과정을 살펴본다.
④ 예니체리를 편성한 목적에 대해 검색한다.
⑤ 다이카 개신의 주도 세력에 대해 찾아본다.

신유형

10 다음과 같은 문화가 발전했던 시기의 역사적 사실로 옳은 것은?

기획 전시

우키요에와 유럽 미술의 만남

- 기간: 202○년 ○○월 ○○일~○○월 ○○일
- 장소: △△미술관
- 주요 작품

▲ 우타가와 히로시게의 「아타케 다리에 내리는 소나기」(미국 브루클린 미술관)

▲ 고흐의 「빗속의 다리」(네덜란드 반고흐미술관)

① 헤이조쿄를 건설하여 수도를 옮겼다.
② 미나모토노 요리토모가 쇼군의 칭호를 받았다.
③ 한자를 변형하여 만든 가나 문자가 만들어졌다.
④ 명과 조공 관계를 맺고 일본 국왕의 칭호를 받았다.
⑤ 무사들이 모여 사는 조카마치를 중심으로 도시와 시장이 번영하였다.

정답과 해설 15~17쪽

만점에 도전하는 심화 문제

01 **(가)를 반포한 황제에 대한 설명으로 옳지 않은 것은?**

① 학교와 과거제를 정비하였다.
② 정화의 대규모 함대를 남해에 파견하였다.
③ 한족 왕조와 유교 이념을 부활하는 데 노력하였다.
④ 토지 대장을 다시 만들어 세금 징수에 이용하였다.
⑤ 이갑제를 도입하여 농촌 사회에 대한 지배를 확립하였다.

02 **(가)를 운영한 국가의 문화에 대한 설명으로 옳은 것을 |보기|에서 고른 것은?**

> (가) 은/는 군사 및 행정을 담당하는 8개의 집단으로 누르하치가 조직하였다. 구성원은 15세~60세의 남자로 식량, 무기 등을 모두 스스로 갖추어야 했으며, 평소에는 생업에 종사하다가 전쟁이 나면 동원되었다.

| 보기 |
ㄱ. 비잔티움 양식을 도입한 모스크가 발달하였다.
ㄴ. 『사고전서』 등의 대규모 편찬 사업이 이루어졌다.
ㄷ. 유가 경전을 실증적으로 연구하는 고증학이 유행하였다.
ㄹ. 개인의 깨달음을 중시하는 양명학이 서민들 사이에 유행하였다.

① ㄱ, ㄴ ② ㄱ, ㄷ ③ ㄴ, ㄷ
④ ㄴ, ㄹ ⑤ ㄷ, ㄹ

03 **자료에 나타난 무역의 상황이 중국 경제에 끼친 영향으로 옳은 것은?**

▲ 16~17세기 세계 은의 유통

① 공행에게만 외국 상인과의 교역을 허가하였다.
② 은이 화폐로 쓰였으며, 세금도 은으로 거두었다.
③ 시장을 얻기 위해 국외 식민지를 확보하는 경쟁에 적극 뛰어들었다.
④ 중국이 유럽·아메리카·아프리카를 잇는 삼각 무역에 적극 참여하였다.
⑤ 주식회사가 등장하고 주식 거래소, 보험 등 금융 제도들이 마련되었다.

04 **(가), (나) 시기에 일어난 역사적 사실로 옳은 것은?**

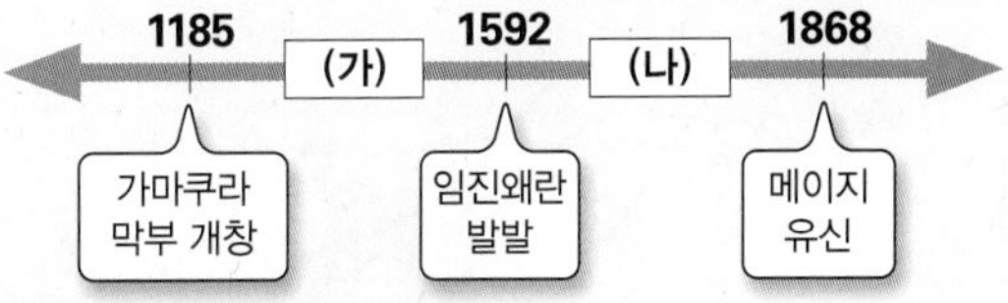

① (가): 조닌 문화가 발전하였다.
② (가): 산킨코타이 제도를 시행하였다.
③ (나): 도쿠가와 이에야스가 에도 막부를 열었다.
④ (나): 몽골·고려 연합군이 두 차례 일본을 공격하였다.
⑤ (가), (나): 천황이 강력한 권력을 행사하였다.

3 서아시아와 북아프리카 지역 질서의 변화

학습 목표
아바스 왕조 이후 서아시아 지역에서 번영했던 이슬람 국가들에 대해 설명할 수 있다.

주제 7 서아시아 지역 국가의 번영

1 셀주크 튀르크가 이슬람 세계의 새 지배자가 되다

(1) 발전: 아바스 왕조 이어 서아시아 세계 지배
① 9세기 아바스 왕조의 용병으로 세력 확대 → 11세기 바그다드 점령, [1]술탄 칭호
② 전성기: 동서 교역로의 중심지 장악, 예루살렘 점령, 비잔티움 제국 위협 → [2]십자군 전쟁 발발

어떻게? 셀주크 튀르크가 서쪽으로 세력을 확대하자 비잔티움 제국은 결국 로마 교황에게 도움을 요청하였고, 그 결과 십자군 전쟁이 발발하였어.

(2) 멸망: 십자군 전쟁 이후 국력 쇠퇴 → 13세기 중엽 몽골 침략으로 멸망(1507)

2 티무르가 몽골 제국의 부흥을 선언하다

(1) 건국: 칭기즈 칸의 후예 자처, 몽골 제국 부흥 내세운 티무르가 왕조 건국(1370)
(2) 발전
① 수도 사마르칸트, 동서 교역로 장악하고 중계 무역으로 번영
② 이슬람 문화 바탕으로 몽골, 페르시아, 튀르크 문화 융합

어떻게? 티무르는 정복지를 약탈하는 과정에서 수많은 건축가와 예술가를 사마르칸트로 데려왔어.

(3) 멸망: 내분, 이민족의 침략으로 멸망

3 사파비 왕조가 이란 민족 국가를 부흥하다

(1) 건국: 사파비 가문의 이스마엘 1세, 페르시아 제국의 계승을 내세우며 건국(1501)
(2) 발전
① 아바스 1세: 이스파한으로 천도, 중앙 집권 국가 건설(관료제, 상비군)

무엇을? 아바스 1세는 오스만 제국으로부터 바그다드를 되찾았을 뿐만 아니라 도로 다리의 정비, 숙박 시설 건설, 비단 산업의 국영화 등 경제 발전에도 크게 기여하였어.

② 동서 잇는 중계 무역 주도, 페르시아 비단 · 양탄자를 유럽에 수출, 이란 · 이슬람 문화 발전
(3) 멸망: 내부 갈등과 반란, 아프간족의 침략으로 멸망

❶ 술탄
칼리프는 이슬람 세계에서 정치적 · 종교적 지도자를 일컫는 말이었다. 하지만 셀주크의 족장 토그릴 벡이 칼리프로부터 술탄의 칭호를 받으면서 칼리프는 종교적 권위만 갖게 되었고, 실질적인 정치 권력은 술탄에게 넘어갔다.

❷ 십자군
십자군은 성지 예루살렘을 되찾기 위해 구성된 그리스도교 세계의 연합군으로 총 8차례에 걸쳐 원정을 떠났다. 하지만 예루살렘을 정복하고 그리스도교 왕국을 세웠던 1차 원정 외에는 별다른 성과를 거두지 못하였다.

정답과 해설 17쪽

확인해 봐요

1 이슬람 세계의 정치적 지도자를 가리켜 (   )(이)라고 불렀다.

2 (   )은/는 칭기즈 칸의 후예를 자처하고 인도 서북부에서 서아시아에 이르는 대제국을 건설하였다.

3 티무르 왕조의 세력이 쇠퇴하자 이를 기회로 페르시아 제국의 계승을 내세우며 (   ) 이/가 등장하였다.

핵심 자료 셀주크 튀르크의 발전

핵심
셀주크 튀르크는 어떻게 발전하였을까?
셀주크 튀르크는 중앙아시아 지역의 유목 민족이었으나 9세기 무렵 아바스 왕조의 용병으로 활약하며 세력을 키웠다. 10세기 중반에는 이슬람교로 개종하였으며, 11세기에는 바그다드를 점령하고 아바스 왕조로부터 술탄의 칭호를 받았다. 이후 예루살렘을 점령하고 비잔티움 제국을 위협할 정도로 세력을 키웠던 셀주크 튀르크는 십자군 전쟁 이후 약화된 상태에서 13세기에 몽골의 침략을 받아 멸망하였다.

교과서 활동 풀이

가자! 역사 속으로

교과서 108쪽

11세기 무렵 이슬람 세계에서 새로운 지배자가 된 셀주크 튀르크의 전사를 새긴 조각입니다. 전성기의 셀주크 튀르크는 예루살렘을 점령하고 비잔티움 제국의 황제까지 사로잡았습니다.

셀주크 튀르크의 성장은 이후 역사에 어떤 영향을 미쳤을까요?

예시 답안 셀주크 튀르크는 예루살렘을 점령하고 비잔티움 제국을 위협하며 크리스트교 세계와 충돌하였고, 이후 유럽에서 파견된 십자군의 침략을 받았다.

자료 해설

셀주크 튀르크는 바그다드를 점령한 이후 칼리프로부터 술탄의 칭호를 받았으며, 파미르 고원에서 지중해에 이르는 대제국을 건설하였다. 하지만 비잔티움 제국 등 크리스트교 세계와 충돌하여 십자군의 침략을 받기도 하였다.

Q 사마르칸트와 이스파한이 중계 무역으로 번영할 수 있었던 지리적 공통점은 무엇일까?

교과서 109쪽

활동 도우미

지도에서 티무르 왕조의 수도인 사마르칸트와 사파비 왕조의 수도인 이스파한을 찾아보아요. 그리고 두 도시의 위치를 세계지도에서 다시 확인하여 동과 서를 잇는 중계 무역의 이익을 얻을 수 있는 곳인지 생각해 보아요.

체헬소툰 궁전(이란 이스파한) 사파비 왕조의 아바스 2세가 17세기에 만든 궁전이다. '체헬소툰'은 40개의 기둥이라는 뜻으로, 실제 궁전에 20개의 기둥이 세워져 있고, 궁전 앞 연못에 20개의 기둥이 비친다.

레기스탄 광장(우즈베키스탄 사마르칸트) 사마르칸트의 중심에 위치한 이 광장은 상업의 중심지이자 각종 국가 행사가 열리는 장소였다.

예시 답안 티무르 왕조의 수도인 사마르칸트와 사파비 왕조의 수도인 이스파한은 모두 유럽, 이슬람, 중국을 잇는 교통의 중심지에 위치해 있었다. 이를 통해 동서를 잇는 중계 무역의 이익을 독점함으로써 경제적으로 크게 번영하였다.

스스로 확인해요

❶ 11세기에 셀주크 튀르크는 아바스 왕조로부터 술탄의 칭호를 받았다. (○)

❷ 1501년 이스마일 1세는 페르시아 제국의 계승을 외치며 [사][파][비] 왕조를 세웠다.

이 주제의 핵심

이 주제에서는 아바스 왕조 이후 서아시아와 중앙아시아 지역의 이슬람 세계를 지배했던 셀주크 튀르크와 티무르 왕조, 사파비 왕조에 대해 배웠어요. 여기에서는 이들이 동서 교통로의 중심지에 위치함으로써 중계무역의 이익을 독점했다는 것을 기억해야 해요.

그리고 셀주크 튀르크와 크리스트교 세력의 충돌 결과 십자군 전쟁이 일어났다는 점, 사파비 왕조가 시아파 이슬람교를 국교로 정하고 페르시아 제국의 계승을 내세웠다는 점도 기억해야겠죠?

3 서아시아와 북아프리카 지역 질서의 변화

학습 목표
오스만 제국의 발전과 다양한 민족 · 종교에 대한 지배 정책을 설명할 수 있다.

주제 8 오스만 제국의 성립과 발전

1 오스만 제국이 술탄 칼리프로서 이슬람 세계의 지배자가 되다

(1) 건국: 셀주크 튀르크 멸망 이후 오스만족이 소아시아에서 세력 키워 제국을 세움.

(2) 발전

① 14세기 말 헝가리 중심의 크리스트교 연합군 격파 → 술탄의 칭호 받음

② 메흐메트 2세: 비잔티움 제국 멸망(1453), ❶이스탄불(콘스탄티노폴리스) 천도

③ 이집트 정복한 후 종교적 지도자인 칼리프직 차지

④ 술레이만 1세 **누가?** 오스만 제국의 정치적 지도자인 술탄이 이슬람 세계의 종교적 지도자인 칼리프를 겸하게 되었어. 이를 술탄-칼리프제라고 해.

㉠ 아시아, 아프리카, 유럽에 걸친 영토 확보

㉡ 이슬람 세계의 중심 차지, 동서 무역 장악

㉢ 법 정비, 학문 · 예술 · 건축 등 후원

2 다양한 민족과 종교를 인정하다

(1) 통치 방식

① 술탄이 중앙 집권적 통치 기구 통해 대부분의 지역 직접 지배

② 데브시르메 제도: 크리스트교 청소년 징발하여 이슬람교로 개종, 교육 · 훈련 → 상비군(예니체리)이나 관료로 충당

③ 관용 정책: 인두세만 내면 다른 종교도 인정(❷밀레트의 자치권 인정)

(2) 문화의 특징

① 동서 문화의 융합: 비잔티움 문화 계승, 튀르크 문화 발전

② 미술(세밀화, 아라베스크 무늬), 건축(모스크), 문학(궁정 문학)

③ 천문학 · 수학 · 지리학 등 실용적인 학문 발달

④ 자연과학, 커피 문화 등을 유럽에 전파

❶ 이스탄불
비잔티움 제국의 수도였던 콘스탄티노폴리스는 오스만 제국이 점령한 이후 수도로 쓰이면서 이스탄불로 이름이 바뀌었다.

❷ 밀레트
오스만 제국은 이슬람의 전통에 따라 이들이 인두세만 납부하면 종교 · 관습 · 언어 등을 그대로 유지하며 자치를 누리도록 허용하였는데 이러한 공동체를 밀레트라고 하였다.

정답과 해설 17쪽

확인해 봐요

1 (메흐메트 2세 / 술레이만 1세)은/는 콘스탄티노폴리스를 함락하고, 비잔티움 제국을 정복하였다.

2 오스만 제국은 지역마다 종교별 · 언어별 공동체를 만들고 자치를 누리도록 하는 (예니체리 / 밀레트)을/를 시행하였다.

3 오스만 제국은 건축 분야에서 비잔티움 양식을 도입한 (성당 / 모스크)이/가 발달하였다.

핵심 자료 오스만 제국의 발전

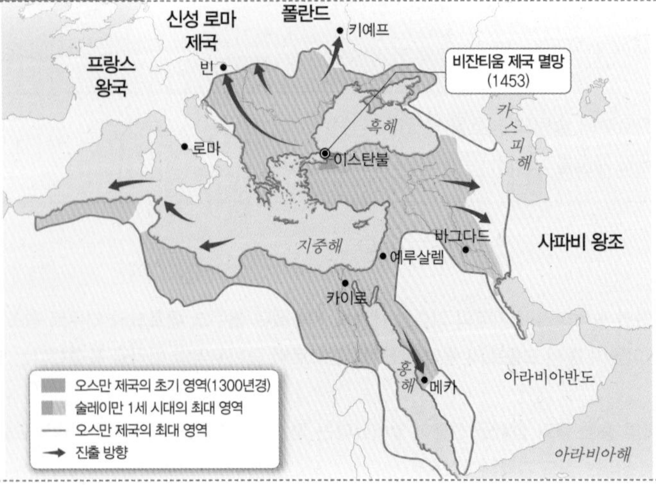

술레이만 1세

핵심 누가 오스만 제국의 발전을 이끌었을까?

메흐메트 2세는 비잔티움 제국을 정복하고 콘스탄티노폴리스를 이스탄불로 바꿔 수도로 삼았다. 또한 술레이만 1세는 유럽의 중심부인 신성 로마 제국의 수도 빈을 포위 공격하였으며, 지중해 해상권과 동서 무역을 장악함으로써 전성기를 이끌었다.

교과서 활동 풀이

가자! 역사 속으로

교과서 110쪽

16세기 이스탄불의 시장 모습을 나타낸 그림입니다. 이 시기 오스만 제국은 동아시아, 인도, 아라비아 등 각지에서 교역을 위해 찾아오는 상인과 물자들로 넘쳐났습니다.

오스만 제국에 대규모 시장이 생겨난 배경은 무엇일까요?

예시 답안 오스만 제국은 유럽, 아시아, 아프리카에 걸친 대제국을 건설하였고 지중해 해상권과 동서 무역을 장악하였다. 이에 동서양의 수많은 물건들이 오스만 제국으로 모여들었다.

자료 해설

이스탄불에는 세계에서 가장 크고 오래된 실내 시장인 그랜드 바자르가 있다. 메흐메트 2세 때 조성되었으며, 현재에도 5천여 개의 상점에서 세계 각지에서 온 상품들이 거래되고 있다.

탐구 해 봐요 오스만 제국의 관용 정책

교과서 111쪽

자료 1 술탄의 친위 부대, 예니체리

오스만 제국은 발칸반도의 크리스트교도 가운데 재능 있는 소년들을 선발하여 이슬람교로 개종시키고 훈련과 교육을 통해서 술탄의 친위 부대인 상비군(예니체리)으로 충당하는 정책을 시행하였다.

자료 2 자치 공동체, 밀레트

오스만 제국은 나라를 안정시키기 위해 밀레트라고 불리는 종교 공동체의 자치권을 인정해 주었다. 밀레트에 소속된 이교도들은 인두세만 내면 자신들의 고유 신앙을 유지할 수 있었다.

활동 도우미

교과서 110쪽의 지도를 통해 오스만 제국이 통치했던 영토를 확인해 보아요. 그리고 자료의 내용을 자세히 살펴본 후 오스만 제국이 예니체리를 조직하고, 밀레트 제도를 시행한 이유에 대해 생각해 보아요.

1 오스만 제국에서 예니체리와 밀레트를 만든 공통된 목적을 써 보자.

예시 답안 오스만 제국은 아시아, 유럽, 아프리카에 걸친 광대한 영토 안에 다양한 종교를 가진 여러 민족을 효과적으로 통치해야 했기 때문이다.

2 오스만 제국 내 이교도들은 위와 같은 통치 방식을 어떻게 생각하였을지 이야기해 보자.

예시 답안 오스만 제국은 이슬람교를 믿지 않더라도 제국 내에서 같은 종교를 믿는 사람들끼리 모여 만든 종교 공동체(밀레트)의 자치를 인정했기 때문에 큰 불만이 없었을 거라고 생각한다.

스스로 확인해요

❶ 오스만 제국은 술탄과 칼리프 칭호를 차지하면서 이슬람 세계의 정치적·종교적 지도자가 되었다. (○)

❷ 오스만 제국은 관용 정책을 실시하여 [인] [두] [세]만 납부하면 이교도들의 신앙을 인정해 주었다.

역량 키우기 역사 탐방 동서 문화의 교차로, 이스탄불

교과서 113쪽

생각하고 써 보기

이스탄불에서 가장 인상적인 곳은 메흐메트 2세 때 조성된 세계에서 가장 오래된 실내 시장이라 불리는 그랜드 바자르야. 왜냐하면 예시 답안 60여 개의 통로에 5천여 개의 상점이 있을 정도로 규모가 크고, 보석이나 양탄자, 향신료, 도자기 등 세계 곳곳에서 수많은 상품들이 모여들기 때문이지. 오늘날에도 매일 25만 명에서 40만 명에 이르는 사람들이 찾는다고 하니 나도 이스탄불에 가게 된다면 꼭 한 번 가고 싶어.

이 주제의 핵심

이 주제에서는 오스만 제국의 발전 과정, 오스만 제국의 통치 방식, 오스만 제국 문화의 특징에 대해 배웠어요.
여기에서는 메흐메트 2세와 술레이만 1세의 업적, 예니체리와 밀레트 제도 등 오스만 제국의 관용적인 통치 정책, 커피 문화 등을 파악하는 것이 중요합니다.
술탄 아흐메드 사원, 톱카프 궁전 등 오스만 제국을 대표하는 문화유산도 기억해야겠죠?

학습 목표
무굴 제국의 성립 배경을 이해하고, 힌두교 문화와 이슬람 문화가 융합된 사례를 말할 수 있다.

주제 9 이슬람 세력의 확대와 인도 무굴 제국의 성립

1 이슬람 세력이 확대되고 무굴 제국이 들어서다

(1) 이슬람 세력의 확대
① 8세기: 이슬람 세력이 인도 서북부 지역 침입
② 13세기: 이슬람 왕조 등장 → 델리 술탄 시대

(2) 무굴 제국의 성립과 발전
① 건국: 16세기 초 바부르, 아프가니스탄 점령, 북인도 침입 → 무굴 제국 수립
② [1]아크바르 황제
㉠ 정복 전쟁으로 영토 확장, 중앙 집권 체제 강화
㉡ 관용 정책: 힌두교도 존중, 인두세 폐지
③ [2]아우랑제브 황제
㉠ 영토 확장: 데칸고원 이남까지 정복, 최대 영토 확보 → 재정난 심화
㉡ 이슬람 제일주의 정책: 힌두교 사원 파괴, 인두세 부활

(3) 무굴 제국의 쇠퇴: 반란으로 제국 분열, 영국 · 프랑스의 인도 침략

2 힌두교 문화와 이슬람 문화가 융합되다

(1) 배경: 초기에는 불교 · 힌두교 탄압 → 인두세 납부 시 종교 · 관습 인정

(2) 특징: 힌두교(인도) 문화와 이슬람 문화의 융합 → 힌두 · 이슬람 문화 발전
① 언어: 공식 문서나 외교 문서(페르시아어), 일상생활(우르두어)
② 회화: 페르시아 세밀화와 인도 문화의 조화 → 무굴 회화 발전
③ 건축: 힌두 · 이슬람 양식 발전 → 타지마할
무엇? 타지마할은 5대 황제 샤자한의 왕비인 뭄타즈 마할의 무덤이야.
④ 종교: 힌두교와 이슬람교의 융합 → [3]시크교 발전

[1] 아크바르 황제
무굴 제국의 3대 황제였던 아크바르는 제국 내 세력 간 균형을 유지하고 왕권을 안정시키기 위해 힌두교도를 존중하였다. 이에 힌두교도를 이슬람교로 강제 개종시키는 일을 금지하고, 고위 관직에 힌두교도를 임명하였다. 또한 힌두교도와 이슬람교도 사이의 결혼을 장려하였다.

[2] 아우랑제브 황제
아우랑제브 황제는 정복 전쟁을 통해 최대 영토를 확보하였지만 힌두교도 차별 정책으로 제국이 무너지는 계기를 만들기도 하였다.

[3] 시크교
힌두교와 이슬람교가 융합된 종교로 16세기 나나크가 창시하였다. 유일신 신앙, 카스트제 반대 등은 이슬람교의 영향을 받았고, 윤회를 믿는 것은 힌두교의 영향을 받았다. 현재 인도에서 시크교를 믿는 사람은 2% 정도이며, 황금 사원이 유명하다.

핵심 자료 힌두 · 이슬람 문화의 발전

▲ 시크교의 총본산인 황금 사원

▲ 우르두어

핵심
무굴 제국 시기에 발전한 문화의 특징은 무엇일까?

무굴 제국 시기에는 힌두교 문화와 이슬람 문화가 융합된 힌두 · 이슬람 문화가 발전하였다. 언어에서는 일상에서 우르두어가 사용되었고, 회화에서는 무굴 회화가 발전하였다. 건축에서는 타지마할로 대표되는 힌두 · 이슬람 양식이 나타났으며, 종교에서는 16세기에 나나크가 시크교를 창시하였다.

정답과 해설 17쪽

확인해 봐요

1 바부르의 손자인 (   ) 은/는 힌두교도를 존중하고 인두세를 폐지하는 등 관용 정책을 펼쳤다.

2 (   )은/는 이슬람 제일주의 정책을 내세우며 힌두교 사원을 파괴하고 인두세를 부활하였다.

3 16세기 무렵 나나크는 이슬람교와 힌두교를 융합하여 (   )을/를 창시하였다.

교과서 활동 풀이

가자! 역사 속으로 교과서 114쪽

인도의 전통 음식 중에는 양고기를 주재료로 사용하는 것이 많습니다. 원래 양고기는 돼지고기를 금하는 이슬람 문화권에서 즐겨 먹는 식재료입니다.

✔ 이슬람 문화권에서 즐겨 먹는 양고기가 왜 인도 음식에 들어있을까요?

예시 답안 인도에 이슬람 세력이 진출하여 이슬람 국가들이 세워지면서 돼지고기 대신 양고기를 즐겨먹는 이슬람 문화가 퍼져 나갔기 때문이다.

> **활동 도우미**
> 인도가 이슬람 문화의 영향을 받게 된 계기가 무엇인지 생각해 보아요.

Q 아크바르 황제가 무굴 제국의 전성기를 이끌 수 있었던 까닭은 무엇일까? 교과서 114쪽

"나는 나의 신앙에 일치시키려고 다른 사람들을 박해하였으며, 그것이 신에 대한 귀의라고 생각하였다. 그러나 …… 강제로 개종시킨 사람에게서 어떤 성실성을 기대할 수 있을까? …… 인간의 힘으로 이해할 수 없는 존재에 이름을 붙이는 것은 부질없는 짓이다.

– 아불 파즐, 『아크바르나마』 –"

예시 답안 무굴 제국은 이슬람 국가였지만 제국 내 인도인의 대다수는 힌두교를 믿었다. 아크바르는 이러한 상황에서 국가를 안정적으로 통치하고 황제권을 강화하기 위해 힌두교도에 대한 관용정책을 실시하였으며, 무굴 제국의 번영을 이끌었다.

> **활동 도우미**
> 자료를 자세히 읽고 아크바르가 어떤 생각을 가지고 있었는지 파악하고, 그것이 어떤 정책으로 이어졌을지 생각해 보아요.

Q 타지마할에서 힌두교 문화와 이슬람 문화가 드러나는 부분은 어디일까? 교과서 115쪽

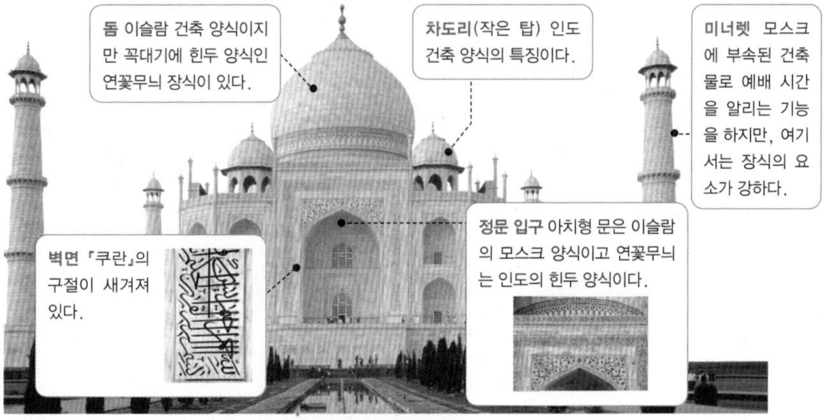

예시 답안 힌두교 문화: 연꽃무늬 장식, 차도리(작은 탑) 등
이슬람 문화: 돔, 아치형 문, 미너렛, 벽면의 『쿠란』 구절 등

> **활동 도우미**
> 타지마할의 부속 건축물과 장식, 문양 등에 대한 설명을 참고하여 힌두교 문화와 이슬람 문화가 드러난 부분들을 찾아보아요.

스스로 확인해요

❶ 16세기 초에 티무르의 후손 바부르가 델리 술탄 왕조를 세웠다. (×)

❷ 타 지 마 할 은/는 힌두교 문화와 이슬람 문화가 융합된 인도의 대표적인 건축물이다.

이 주제의 핵심

이 주제에서는 이슬람 세력의 인도 침입, 무굴 제국의 발전과 쇠퇴, 힌두 · 이슬람 문화의 특징에 대해 배웠어요. 여기에서는 아크바르 황제와 아우랑제브 황제의 통치 방식을 비교해 보고, 시크교나 타지마할 등 힌두 · 이슬람 문화의 구체적 사례를 알아야겠죠?

시험을 대비하는 실전 문제

기초를 튼튼하게 확인 문제

01 **서로 관련 있는 내용끼리 연결하시오.**

㉠ 무굴 제국 • • ⓐ 타지마할
㉡ 오스만 제국 • • ⓑ 체헬소툰 궁전
㉢ 사파비 왕조 • • ⓒ 술탄 아흐메드 사원

02 **아래 설명이 맞으면 ○, 틀리면 ×로 표시하시오.**

(1) 셀주크 튀르크는 비잔티움 제국 등 크리스트교 세계와 충돌하여 십자군의 공격을 받았다. ( )

(2) 티무르 왕조는 수도 이스파한을 중심으로 동서 교역로를 장악하고 중계무역으로 번영을 누렸다. ( )

(3) 술레이만 1세는 아시아 · 아프리카 · 유럽에 걸친 영토를 확보하여 오스만 제국의 전성기를 이끌었다. ( )

(4) 무굴 제국에서는 힌두 · 이슬람 문화가 발전하였는데, 톱카프 궁전이 대표적이다. ( )

03 **|보기|의 무굴 제국의 발전과 관련한 사건들을 순서대로 나열하시오.**

| 보기 |
ㄱ. 바부르, 델리 술탄 왕조 멸망
ㄴ. 아크바르, 힌두교도에 대한 관용정책 실시
ㄷ. 아우랑제브, 이슬람 제일주의 내세워 인두세 부활

04 **빈칸에 알맞은 말을 쓰시오.**

(1) ( )은/는 11세기 바그다드를 점령한 후 칼리프로부터 술탄의 칭호를 받았다.

(2) 오스만 제국은 발칸반도의 크리스트교 소년들을 선발하여 술탄의 친위부대인 ( )(으)로 충당하였다.

(3) ( )은/는 무굴 제국의 황제 샤자한이 왕비 뭄타즈 마할을 추모하기 위해 만든 묘당이다.

내신을 탄탄하게 내신 문제

01 **(가) 국가에 대한 역사적 사실로 옳은 것은?**

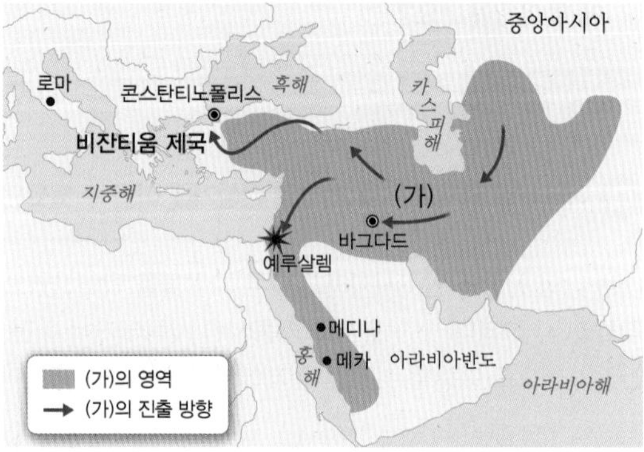

① 종교 공동체인 밀레트의 자치권을 인정하였다.
② 타지마할, 시크교 등 힌두 · 이슬람 문화가 발전하였다.
③ 베르사유 궁전을 모방하여 돌마바흐체 궁전을 지었다.
④ 콘스탄티노폴리스를 점령하고 비잔티움 제국을 멸망시켰다.
⑤ 바그다드를 점령하고 칼리프를 보호하여 술탄의 칭호를 받았다.

02 **(가) 인물에 대한 설명으로 옳은 것은?**

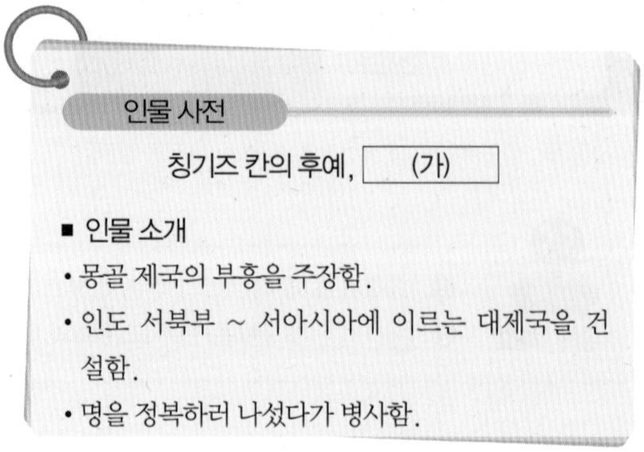

① 티무르 ② 아바스 1세
③ 메흐메트 2세 ④ 이스마일 1세
⑤ 술레이만 1세

03 (가) 왕조에 대한 설명으로 옳은 것을 |보기|에서 고른 것은?

> 이란 지역에서는 티무르 왕조의 세력이 약화되자 이스마일 1세가 페르시아 제국의 계승을 내세우며 (가) 왕조를 세웠다. 이후 아바스 1세는 관료제와 상비군을 통한 중앙 집권 국가를 만들고 오스만 제국을 물리쳐 서아시아의 광대한 지역을 차지하였다.

| 보기 |
ㄱ. 이란 · 이슬람 문화를 발전시켰다.
ㄴ. 『수호지』, 『홍루몽』 등의 소설이 유행하였다.
ㄷ. 페르시아 비단과 양탄자를 유럽에 수출하여 번영하였다.
ㄹ. 항구에 시박사를 두어 관세 징수 등의 업무를 맡게 하였다.

① ㄱ, ㄴ ② ㄱ, ㄷ ③ ㄴ, ㄷ
④ ㄴ, ㄹ ⑤ ㄷ, ㄹ

04 (가)에 들어갈 국가로 옳은 것은?

① 무굴 제국 ② 사파비 왕조
③ 오스만 제국 ④ 티무르 왕조
⑤ 셀주크 튀르크

05 (가)~(다)에 들어갈 내용으로 옳은 것은?

> 오스만 제국의 성립과 발전
> 1. 성립: 13세기 말 튀르크계의 오스만족이 소아시아 부근에서 건국
> 2. 발전
> ① 영토 확장: (가)
> ② 관용 정책: (나)
> ③ 문화 발전: (다)

① (가): 정화의 원정을 통해 아프리카까지 진출하였다.
② (가): 티베트, 신장, 몽골까지 포함하는 거대한 제국을 건설하였다.
③ (나): 밀레트의 자치권을 인정해 주었다.
④ (나): 이슬람 제일주의를 내세워 인두세를 부활하였다.
⑤ (다): 인간의 이성과 인류의 진보를 믿는 계몽사상이 발전하였다.

06 (가)에 들어갈 탐구 활동 내용으로 옳은 것은?

> 탐구 활동 계획서
> • 탐구 주제: 동서 문화의 교차로, 이스탄불
> • 탐구 활동
> – 1모둠: 성 소피아 성당 알아보기
> – 2모둠: (가)
> – 3모둠: 돌마바흐체 궁전 조사하기

① 상수시 궁전 검색하기
② 베르사유 궁전 조사하기
③ 체헬소툰 궁전 검색하기
④ 엘에스코리알 궁전 알아보기
⑤ 술탄 아흐메드 사원 조사하기

시험을 대비하는 실전 문제

07 **다음 궁전을 건축한 국가의 문화에 대한 설명으로 옳은 것을 |보기|에서 고른 것은?**

| 보기 |
ㄱ. 일상에서는 우르두어가 주로 사용되었다.
ㄴ. 자연 과학, 커피 문화 등을 유럽에 전해주었다.
ㄷ. 경쾌하고 사치스러운 로코코 양식이 등장하였다.
ㄹ. 비잔티움 문화를 계승한 튀르크 문화가 발전하였다.

① ㄱ, ㄴ ② ㄱ, ㄷ ③ ㄴ, ㄷ
④ ㄴ, ㄹ ⑤ ㄷ, ㄹ

08 **다음 자료를 활용한 탐구 과제로 옳은 것은?**

> 나는 나의 신앙에 일치시키려고 다른 사람들을 박해하였으며, 그것이 신에 대한 귀의라고 생각하였다. 그러나 …… 강제로 개종시킨 사람에게서 어떤 성실성을 기대할 수 있을까? …… 인간의 힘으로 이해할 수 없는 존재에 이름을 붙이는 것은 부질없는 짓이다.

① 아크바르 황제의 관용 정책
② 몽골 제국의 부흥을 내세운 티무르
③ 아우랑제브 황제의 이슬람 제일주의
④ 무굴 제국과 힌두 · 이슬람 문화의 발전
⑤ 페르시아 제국의 계승을 주장한 이스마일 1세

09 **(가)에 들어갈 내용으로 옳은 것은?**

http://www.○○○○.co.kr
묻고 답하기 세계사 Q&A

질문 무굴 제국의 아우랑제브 황제에 대해 알려주세요.
답변 ⇒ 데칸고원 이남까지 영토를 넓혔어요.
⇒ (가)
⇒ 이슬람 제일주의로 인해 시크교도의 반란 등 각지에서 반란이 일어났어요.

① 마젤란의 신항로 개척을 후원하였다.
② 비이슬람교도에 대한 인두세를 부활하였다.
③ 콜베르를 등용하여 중상주의 경제 정책을 펼쳤다.
④ 스웨덴과의 북방 전쟁을 통해 발트해로 진출하였다.
⑤ 아메리카 원주민을 동원하여 포토시 은 광산을 개발하였다.

10 **밑줄 친 '이슬람 제국'에서 발전한 문화의 특징으로 옳은 것을 |보기|에서 고른 것은?**

> 16세기 초 바부르는 아프가니스탄 지방을 점령하고 북인도로 침입하여 델리 술탄 왕조를 무너뜨리고 <u>이슬람 제국</u>을 세웠다.

| 보기 |
ㄱ. 건축에서는 타지마할 등 힌두 · 이슬람 양식이 발전하였다.
ㄴ. 종교에서는 힌두교와 이슬람교가 융합된 시크교가 발전하였다.
ㄷ. 과학 기술의 발전으로 화약, 나침반, 활판 인쇄술 등이 발명되었다.
ㄹ. 커피가 종교 의식에 쓰이기 시작하면서 커피 하우스 등 커피 문화가 발전하였다.

① ㄱ, ㄴ ② ㄱ, ㄷ ③ ㄴ, ㄷ
④ ㄴ, ㄹ ⑤ ㄷ, ㄹ

만점에 도전하는 심화 문제

01 밑줄 친 '국가'에 대한 설명으로 옳은 것은?

① 사파비 가문의 이스마일 1세가 건국하였다.
② 톱카프 궁전, 술탄 아흐메드 사원 등을 건축하였다.
③ 크리스트교 세계와 충돌하여 십자군의 공격을 받았다.
④ 수도 사마르칸트를 중심으로 동서 교역로를 장악하였다.
⑤ 발칸반도의 크리스트교도 자제를 선발하여 예니체리로 충당하였다.

02 (가)에 들어갈 내용으로 옳은 것은?

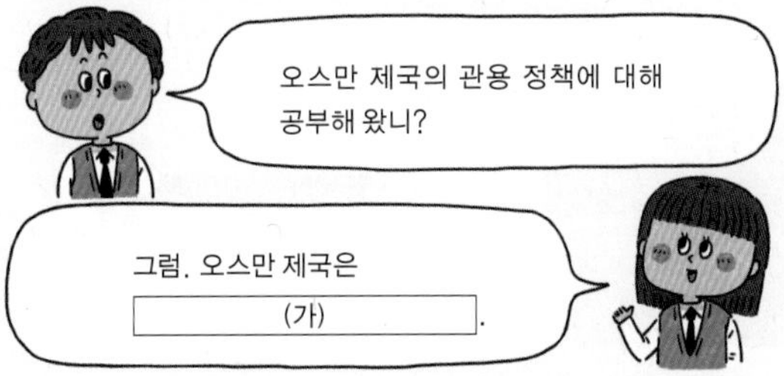

① 이슬람 제일주의를 내세워 인두세를 부활하였어.
② 힌두교도를 존중하여 관리와 군인으로 등용하였어.
③ 황제가 교회의 우두머리로 강력한 권한을 행사하였어.
④ 지역마다 종교별 · 언어별 공동체의 자치를 인정하였어.
⑤ 수도원을 중심으로 엄격한 계율을 지키도록 강요하였어.

신유형
03 밑줄 친 '제국' 시기의 역사적 사실로 옳은 것을 |보기|에서 고른 것은?

역사 통합 검색
http://www.OOOO.co.kr
백과사전 그랜드 바자르 검색

| 검색결과
이 제국의 메흐메트 2세 때부터 조성된 그랜드 바자르는 비단길의 종착지로 동서양의 수많은 물건이 넘쳐났다.

| 보기 |
ㄱ. 조카마치를 중심으로 도시와 시장이 크게 번영하였다.
ㄴ. 유럽의 연합 함대를 물리치고 지중해를 장악하였다.
ㄷ. 콘스탄티노폴리스의 이름을 이스탄불로 바꿔 수도로 삼았다.
ㄹ. 나나크가 힌두교와 이슬람교를 절충하여 시크교를 창시하였다.

① ㄱ, ㄴ ② ㄱ, ㄷ ③ ㄴ, ㄷ
④ ㄴ, ㄹ ⑤ ㄷ, ㄹ

04 (가)에 들어갈 내용으로 옳은 것은?

세계사 인물 조사 보고서
1. 인물: 무굴 제국의 발전을 이끈 □□□□ 황제
2. 인물의 업적
① 남부 지역 일부를 제외한 전 인도 통일
② 관료제 정비를 통한 중앙 집권 체제 강화
③ (가)

① 힌두교도를 관리와 군인으로 등용
② 다이묘의 영지와 독립적인 지위 허용
③ 아바스 왕조를 무너뜨리고 서아시아로 진출
④ 수도 사마르칸트를 중심으로 동서 중계 무역 장악
⑤ 공신세력 숙청하고 6부를 직접 관리하여 황제권 강화

4 신항로 개척과 유럽 지역 질서의 변화

학습 목표
유럽인의 신항로 개척 배경과
그 성과를 설명할 수 있다.

주제 10 미지의 바다로 나서는 유럽인

1 유럽인들이 새로운 항로를 찾아 나서다

(1) 배경 — 왜? 『동방견문록』 속의 동방은 향신료, 황금, 비단 등 비싸고 귀한 물건들이 넘치는 곳으로 묘사되어 있었어. 콜럼버스는 동방견문록을 메모까지 해 가면서 열심히 읽었다고 해.

① 동방에 대한 호기심 자극: 마르크 폴로의 『동방 견문록』 등

② 이슬람 · 이탈리아 상인의 동방 무역 독점 → [1]향료, 비단, 도자기 등 동양 산물에 대한 직접 교역 욕구

왜? 오스만 제국이 세력을 확대하면서 지중해 교역권을 장악하였어. 이로 인해 유럽의 상인들은 동방과 교역할 수 있는 새로운 길을 찾아야만 했지.

③ 이슬람 세력 몰아내고 크리스트교 전파 욕구

④ 천문학 · 지리학의 발전: 지구가 둥글다는 사실([2]지구 구형설)이 알려짐

⑤ 기술의 발전: 정확한 항해 지도 작성, 선박 제조 기술의 발전, 나침반의 도입 → 원거리 항해 가능

(2) 전개: 대서양 연안의 포르투갈 · 에스파냐 등 중앙 집권 국가들이 항해 사업 후원 → 신항로 개척 주도

① 바로톨로메우 디아스: 포르투갈의 후원, 아프리카 남단의 희망봉에 가는 항로 개척

② 바스쿠 다 가마: 포르투갈의 후원, 희망봉 돌아 인도 가는 항로 개척

③ 콜럼버스: 에스파냐의 후원, 대서양 가로질러 아메리카의 서인도 제도 도착

④ 마젤란과 일행: 에스파냐의 후원, 필리핀 도착, 최초로 세계 일주 성공

왜? 필리핀이라는 이름은 에스파냐의 왕 펠리페 2세의 이름에서 따왔어. 에스파냐는 필리핀을 식민지로 삼고 필리핀과 아메리카를 연결하는 항로를 개척해 무역을 시작하였지.

❶ 향료
향료는 후추, 계피 등의 향신료와 향수 등을 포괄하는 물질이다. 육식을 즐겼던 유럽인들은 향신료 중에서도 고기의 누린내를 잡아줄 뿐만 아니라 맛을 더 좋게 해준 후추를 매우 귀하게 여겼다. 후추가 가장 비쌀 때는 같은 무게의 금보다 가치가 컸다. 이에 유럽의 상인들은 향신료의 원산지에 가서 직접 교역을 하고 싶어 했고, 적극적으로 신항로 개척에 나섰다.

❷ 지구 구형설
지구의 외형이 둥글다는 주장으로 중세에는 기독교의 신앙적인 압박에 의해서 금기시 되었다. 그러나 지구가 둥글다고 하는 주장이 끊임없이 제기되었고, 마침내 신항로 개척 시기에 마젤란 일행에 의해서 입증되었다.

핵심 자료 신항로 개척의 배경

자료 1 경제적인 욕심, 향신료

자료 2 종교적인 열망, 신에게 기도하는 바스쿠 다 가마 조각

핵심 유럽인들이 신항로 개척에 나선 이유는 무엇일까?

유럽인들이 신항로 개척에 나선 이유 중 가장 중요한 두 가지는 경제적인 욕심과 종교적인 열정 때문이다. 포르투갈과 에스파냐는 금과 은, 향신료, 비단, 카펫, 도자기 등 동양의 진귀하고 값비싼 상품들을 이슬람 상인이나 이탈리아 상인을 거치지 않고 직접 교역하고 싶어 하였다. 또한 유럽인들은 프레스터 존이라는 그리스도교 지배자가 다스리는 나라가 아시아나 아프리카 어딘가에 존재한다고 생각했다. 유럽인들은 이 국가를 찾고 그들의 도움을 받아 이슬람 세력을 몰아내고 크리스트교를 전파하고자 하였다.

정답과 해설 19쪽

확인해 봐요

1 마르코 폴로의 『동방견문록』은 유럽인들의 동양에 대한 호기심을 자극하였다. (○, ×)

2 천문학 · 지리학의 발전, 선박 제조 기술의 발전, 나침반의 도입 등으로 원거리 항해가 가능해졌다. (○, ×)

3 바스쿠 다 가마는 에스파냐의 후원을 받아 아메리카의 서인도 제도에 도착하였다. (○, ×)

교과서 활동 풀이

가자! 역사 속으로 교과서 116쪽

콜럼버스는 마르코 폴로가 동양을 여행한 기록이 담긴 『동방견문록』을 사진과 같이 메모를 남기며 열심히 읽었습니다.

콜럼버스는 『동방견문록』을 읽고 어떤 생각을 했을까요?

예시 답안 콜럼버스는 『동방견문록』을 읽고 엄청난 부와 기회를 얻을 수 있는 동양에 직접 가보고 싶다는 생각을 했을 것 같습니다.

자료 해설

중세 시대 여행기 중 사람들에게 가장 많이 읽힌 책 중 하나가 베네치아 출신의 상인인 마르코 폴로의 『동방견문록』이었다. 이 책은 유럽인들에게 아시아가 향신료는 물론이고 황금, 보석, 비단과 같은 값비싸고 진귀한 것들이 넘쳐나는 곳이라는 인식을 남겨 주었다.

탐구 해봐요 신항로 개척에 나선 유럽인 교과서 117쪽

마젤란과 그 일행 에스파냐의 지원으로 아메리카 남단을 돌아 태평양을 가로질러 필리핀에 도착하였다. 마젤란 사망 이후 그 일행이 인도양을 거쳐 귀환하여 세계 일주에 성공하였다(1519~1522).

콜럼버스 지구가 둥글다고 믿으며 서쪽으로 가면 인도에 도착한다고 생각하였다. 에스파냐의 후원으로 대서양을 가로질러 아메리카의 서인도 제도에 도착하였다(1492).

바르톨로메우 디아스 아프리카 남단의 희망봉으로 가는 항로를 개척하였다(1488).

바스쿠 다 가마 유럽에서 아프리카 희망봉을 돌아 인도의 캘리컷에 도착하였다(1498).

'대항해 시대'에 태평양을 누빈 배

활동 도우미

지도를 통해 신항로 개척에 나선 주요 탐험가들의 항로를 파악해 보아요. 그리고 에스파냐와 포르투갈의 위치를 지도에서 찾아보고, 두 나라가 왜 신항로 개척에 앞장섰는지 추측해 보아요.

1 위 지도를 보고 신항로 개척의 성과를 관련 있는 것끼리 연결해 보자.

예시 답안 바르톨로메우 디아스 - 희망봉으로 가는 항로 개척
콜럼버스 - 아메리카의 서인도 제도 도착
마젤란 - 일행이 세계 일주에 성공
바스쿠 다 가마 - 인도로 가는 항로 개척

2 에스파냐와 포르투갈이 신항로 개척에 적극적으로 나선 까닭을 추측하여 써 보자.

예시 답안 유럽의 서쪽 끝에 있는 이베리아반도에 위치해 있어 지중해 무역에서 소외되었으며, 일찍 중앙 집권 국가로 발전하여 신항로 개척을 적극 후원할 수 있었기 때문이다.

스스로 확인해요

❶ 콜럼버스가 출간한 『동방견문록』은 동양에 대한 유럽인의 호기심을 자극하였다. (×)
❷ 지중해 무역에서 소외되었던 에스파냐와 포르투갈은 새로운 항 로을/를 개척하는 데 앞장섰다.

이 주제의 핵심

이 주제에서는 신항로 개척의 배경과 과정에 대해 배웠어요. 여기에서는 신항로 개척의 배경을 경제적인 욕심, 종교적인 열망, 학문과 과학 기술의 발전으로 나눠 파악하는 것이 중요해요.
그리고 포르투갈, 에스파냐의 지원을 받아 신항로 개척에 나선 탐험가들의 노력과 성과를 지도에서 찾아보고 기억해야겠죠?

4 신항로 개척과 유럽 지역 질서의 변화

학습 목표
신항로 개척이 유럽과 아메리카 지역에 미친 영향을 설명할 수 있다.

주제 11 신항로 개척의 영향

1 신항로 개척으로 대서양 무역이 등장하다

(1) 무역의 중심지 변화: 지중해(이탈리아 도시) → 대서양(포르투갈, 에스파냐)

① 에스파냐: 아메리카 대륙에서 ❶플랜테이션 농장 경영에 주력

② 포르투갈: 인도양에 무역 거점 건설, 향료 무역에 집중

③ 네덜란드, 영국, 프랑스: 국외 진출 → 식민지화에 앞장섬

(2) 삼각 무역 번성: 유럽, 아프리카에 공산품 수출 → 아프리카 노예, 아메리카에 공급 → 아메리카, 노예 노동력을 이용해 대농장 경영 · 생산 작물 유럽에 수출

2 라틴 아메리카 문명이 파괴되다

(1) 토착 문명 파괴

① 에스파냐의 침략으로 ❷멕시코의 아스테카 제국, 페루의 잉카 제국 멸망

② 영향: 아메리카 원주민, 대농장 · 광산 등에서 가혹한 노동에 시달림, 새로운 질병에 노출

(2) 노예 무역 번성: 아메리카 원주민 인구 감소 → 아프리카 노예 노동력 투입

왜? 유럽인들의 가혹한 통치와 천연두, 파상풍 등의 질병으로 인해 100여년 만에 90%가 넘는 원주민들이 목숨을 잃고 말았어.

3 유럽 사회가 변화하다

(1) 상업의 발달: 유럽, 아시아, 아프리카, 아메리카의 상권 연결

① 가격 혁명: 아메리카의 금 · 은이 유럽에 유입 → 물가 폭등

② 신흥 상공업자의 지위 향상, 지주층은 큰 타격

③ 제조업 성장: 값싼 원료 공급, 넓은 판매 시장 확보

④ 자본주의 발달 촉진: 은행업 · 대출업 등장, 주식 회사 등장, 각종 금융제도 마련

(2) 일상생활의 변화: 중국의 차, 인도의 면제품, 아메리카의 감자 · 옥수수 등이 유입

❶ 플랜테이션 농업
서양의 자본 · 기술과 원주민의 노동력을 이용해 커피, 사탕수수, 차 등을 기업적으로 재배하는 농업 형태를 말한다.

❷ 아메리카 문명의 파괴
코르테스와 피사로의 원정대는 아메리카 원주민들이 본적 없는 총과 대포로 무장하고 말을 타고 싸웠다. 게다가 원정대는 제국에 불만을 갖고 있던 원주민 세력과 동맹을 맺어 힘을 키웠다. 아메리카 원주민들에게 면역력이 약한 천연두가 급속히 퍼져 나간 것도 원정대에게 유리하게 작용하였다. 결국 멕시코의 아스테카 제국과 페루의 잉카 제국은 유럽인들에게 멸망하고 말았다.

핵심 자료 신항로 개척 이후 유럽 사회의 변화

자료 1 가격 혁명

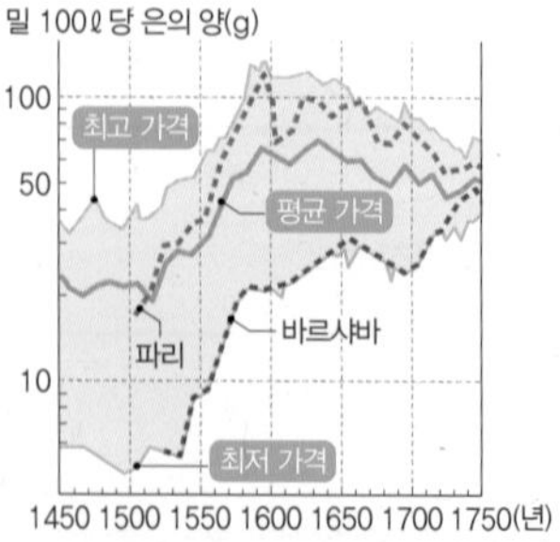

- 『세계사 도록 히스토리카』, 2014. -

자료 2 새로운 작물의 유입, 감자

고흐의 「감자 먹는 사람들」(네덜란드 반고흐미술관)

핵심 신항로 개척 이후 유럽 사회는 어떻게 변화하였을까?

라틴 아메리카에서 채굴한 금과 은이 유럽에 쏟아져 들어와 가격 혁명이 일어났으며, 이로 인해 신흥 상공업자의 지위가 향상되었다. 주식회사, 주식 거래소, 보험 등 금융 제도가 마련되었고, 아메리카 대륙에서는 감자, 카카오, 옥수수 등 새로운 작물이 유입되었다. 특히 감자는 구황작물로 가난한 농민들에게 중요한 영양원이 되었다.

정답과 해설 19쪽

확인해 봐요

1 신항로가 열리면서 시작된 대서양 무역은 유럽과 아메리카, 아시아를 잇는 (   )의 형태로 발달하였다.

2 아메리카에서 채굴된 은이 유럽에 들어오자 물가가 급등하여 (   )이/가 일어났다.

3 아메리카에서 들어온 새로운 작물 중 (   )은/는 생명력이 강하고 경작이 쉬워 유럽의 가난한 농민들에게 유용한 영양원이 되었다.

교과서 활동 풀이

가자! 역사 속으로 교과서 118쪽

미국에서는 콜럼버스가 아메리카 대륙에 도착한 날을 '콜럼버스의 날'로 기념해 왔으나 점차 오른쪽 사진처럼 '원주민의 날'로 대체하여 토착 원주민을 기리는 주가 늘고 있습니다.

'콜럼버스의 날'을 '원주민의 날'로 대체하는 까닭은 무엇일까요?

예시 답안 콜럼버스의 아메리카 대륙 도착이 원주민에게는 고통과 희생의 시작이었기 때문이다.

활동 도우미
콜럼버스가 아메리카 대륙을 발견한 날은 10월 12일이다. 이 날을 왜 콜럼버스의 날과 원주민의 날로 부르는지 생각해 보아요.

탐구 해 봐요 **신항로 개척이 라틴 아메리카에 미친 영향** 교과서 119쪽

1 자료1, 자료2를 보고 신항로 개척이 라틴 아메리카 원주민에게 끼친 영향을 정리해 보자.

예시 답안 광산이나 플랜테이션 농장에서 가혹한 노동에 시달렸으며, 천연두와 같은 질병이 퍼져 인구가 크게 감소하였다.

2 자료2, 자료3을 참고하여 유럽인이 아프리카 노예를 아메리카로 데려간 까닭을 써 보자.

예시 답안 아메리카 원주민의 인구가 줄면서 부족한 노동력을 아프리카 노예로 보충하였다.

활동 도우미
자료1을 통해 신항로 개척 이후 유럽인들이 아메리카 원주민들을 어떻게 대우했는지 찾아보아요. 자료2를 통해 라틴 아메리카 원주민의 인구가 크게 감소한 이유를 생각해 보아요. 그리고 자료3의 유럽인들이 아프리카 노예를 아메리카로 데려간 이유를 써 보아요.

스스로 확인해요

① 신항로 개척으로 아스테카 문명은 파괴되었고, 정복당한 원주민은 가혹한 노동에 시달렸다. (○)

② 신항로 개척 이후 아메리카에서 유럽으로 은이 대량 유입되자 유럽의 물가가 급등하여 가격 혁명이/가 일어났다.

역량 키우기 역사 탐구 **세계를 누빈 에스파냐 은화** 교과서 121쪽

생각하고 탐구하기

1 (나), (다)에서 나타난 은화의 이동 경로를 다음과 같이 정리해 보자.

- (나): 라틴 아메리카 → 대서양 → 에스파냐
- (다): 라틴 아메리카 → 필리핀 마닐라 → 중국

2 은이 세계 시장에서 유통되면서 라틴 아메리카인과 유럽인의 생활에 어떤 변화가 나타났을지 생각해 보자.

라틴 아메리카인
예시 답안 라틴 아메리카인은 광산에서 가혹한 노동에 시달렸다.

유럽인
예시 답안 유럽에서는 상공업과 금융제도 등이 발전하였으며, 아메리카 은을 이용해 향신료, 비단 등 동양 산물을 구입하였다.

활동 도우미
라틴 아메리카에서 채굴한 은으로 만든 에스파냐 은화의 여정을 정리해 보아요. 에스파냐 은화가 세계 시장에서 널리 유통되면서 라틴 아메리카인과 유럽인의 생활에 어떤 변화가 일어났을지 생각해 보아요.

이 주제의 핵심

이 주제에서는 신항로 개척 이후 세계 무역 관계의 변화, 유럽과 라틴 아메리카 사회의 변화에 대해 배웠어요. 여기에서는 대서양 중심의 삼각무역, 아메리카 원주민의 희생과 노예 무역의 발전, 신항로 개척 이후 유럽의 경제 · 사회 · 일상생활에 나타난 변화 등을 파악하는 것이 중요합니다. 아메리카의 은으로 만든 에스파냐 은화의 여정도 알아야겠죠?

4 신항로 개척과 유럽 지역 질서의 변화

학습 목표
절대 왕정의 형성 과정과 특징을 설명할 수 있다.

주제 12 절대 군주가 다스린 유럽

1 절대 왕정이 등장하다

(1) 절대 왕정: 강력한 왕권 중심의 중앙 집권 국가

(2) 절대 왕정의 기반

① 정치: 왕권을 뒷받침하는 관료제와 상비군 운용

② 사상: 왕이 권력이 신에게서 나온다는 왕권신수설 주장

③ 경제: 수입 제한, 수출 증대, 상업 장려, 국내 제조업 보호, 국외 식민지 확보 등 ❶중상주의 경제 정책 추진 → 시민 계급의 이익 보호해 주고 재정 지원 받음

핵심 자료 절대 왕정의 등장

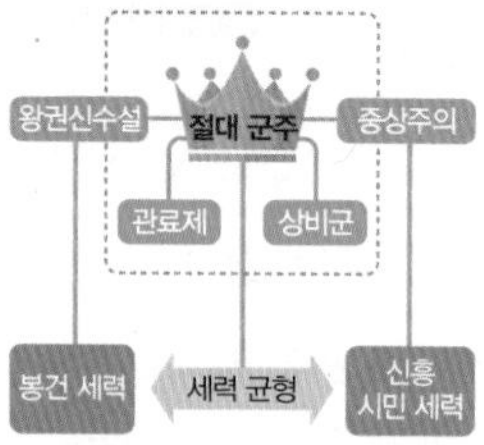

서유럽 절대 왕정의 구조

핵심
서유럽 절대 왕정은 어떻게 이루어졌을까?

절대 왕정은 강력한 왕권을 바탕으로 한 중앙 집권 국가를 말한다. 왕의 권력이 신에게서 나온다는 왕권신수설, 국가 행정을 전담하는 관료제, 그리고 상비군이 왕권을 뒷받침하였다. 또한 중상주의 경제 정책을 시행하여 국가 재정을 충당하였으며, 이 과정에서 상공업자 등 시민 계급이 성장하였다.

2 절대 왕정기의 문화, 바로크와 로코코로 대표되다

(1) 바로크 양식: 화려하고 웅장, 베르사유 궁전

(2) 로코코 양식: 경쾌하고 사치스러움, 상수시 궁전

(3) 과학 혁명: 과학적 사고방식 확산 → 데카르트(기계론적 사고관 제시), 뉴턴(만유인력의 법칙 발견) **무엇을?** 16세기 이후 유럽에서는 천문학과 물리학을 비롯한 여러 과학 분야에서 탁월한 업적들이 나왔는데, 이를 과학 혁명이라고 해.

(4) ❷계몽사상 확산: 인간의 이성 중시, 인류의 진보 주장, 낡은 제도 · 관습 타파 주장 → 시민 혁명에 영향 **누가?** 대표적인 계몽사상가에는 로크, 볼테르, 몽테스키외, 루소 등이 있어.

3 유럽 각지에서 절대 왕정이 발전하다

(1) 서유럽의 절대 왕정: 상공업, 도시 발전

국가	국왕	내용
에스파냐	펠리페 2세	아메리카 식민지에서 막대한 금 · 은 획득하며 번영 → 국내 산업 육성하지 못하여 경제 쇠퇴
영국	엘리자베스 1세	에스파냐의 무적 함대 격파, 동인도 회사 설립, 해외 식민지 확대(인도 진출 등)
프랑스	루이 14세	베르사유 궁전 건축, 중상주의 경제 정책 추진(콜베르)

(2) 동유럽의 절대 왕정: 농노제 유지, 상공업 발달 미약, 봉건 귀족 세력에 의존

국가	국왕	내용
프로이센	프리드리히 2세	상수시 궁전 건축, 계몽 전제 군주 자처
러시아	표트르 대제	서유럽 문물 적극 수용, 발트 해 진출, 상트페테르부르크로 천도(페테르고프 궁전 건축)

❶ 중상주의 경제 정책
유럽의 왕들이 수입을 줄이고 수출을 증대하기 위해 수입품에 높은 관세를 부과한 경제 정책이다.

❷ 계몽사상
계몽사상은 인간의 이성에 대한 믿음을 바탕으로 낡은 제도와 관습을 타파하여 사회 발전을 이룰 수 있다는 사상이다. 계몽사상가들은 인간의 자유와 평등, 삼권분립, 신앙과 언론의 자유 등을 주장하였고, 이는 시민혁명에 영향을 미쳤다.

정답과 해설 19쪽

확인해 봐요

1 서유럽의 절대 군주는 관료제 · 상비군을 통해 왕권을 강화하였고, 이에 필요한 재정은 (시민 계급 / 봉건 귀족)에게 충당하였다.

2 절대 왕정 시기에는 베르사유 궁전과 같은 화려하고 웅장한 (바로크 / 로코코) 양식이 유행하였다.

3 영국의 (엘리자베스 1세 / 프리드리히 2세)은/는 동인도 회사를 설립하고 해외 식민지 개척에 노력하였다.

교과서 활동 풀이

가자! 역사 속으로

교과서 122쪽

프랑스의 사상가 보쉬에(오른쪽 사진)는 국왕의 권력은 신으로부터 부여받은 것으로, 국왕은 오직 신에게만 책임을 진다고 주장하였습니다.

✔ 보쉬에가 이런 주장을 하게 된 배경은 무엇일까요?

예시 답안 16~18세기 유럽 각국에서 왕이 강력한 권력을 행사하는 중앙 집권 국가가 등장하였는데, 이와 같은 절대 왕정을 종교적 권위를 이용해 정당화하려고 하였다.

자료 해설

절대 왕정은 국왕에게 권력이 집중되어 있는 중앙 집권적 국가 형태를 말한다. 절대 군주는 국왕의 권력이 신에게 부여받은 것이라는 왕권신수설을 바탕으로 강력한 왕권 행사를 정당화하였다.

Q 절대 왕정이 중상주의 경제 정책을 시행한 목적은 무엇일까?

교과서 122쪽

예시 답안 절대 왕정은 중상주의 경제 정책을 통해 국가 운영에 필요한 재정을 충당할 수 있었다.

탐구 해봐요 계몽사상의 등장

교과서 123쪽

1 로크는 사람들이 정부를 세운 목적이 무엇이라고 주장하였는지 써 보자.

예시 답안 생명 · 자유 · 재산권을 보장받기 위해 정부를 세우는 데 합의하였다고 주장하였다.

2 계몽 사상가들은 절대 왕정을 어떻게 생각하였는지 말해 보자.

예시 답안 절대 왕정이 낡은 제도이므로 타파해야 한다고 생각하였으며, 훗날 시민 혁명에 영향을 미쳤다.

활동 도우미

로크와 몽테스키외의 주장을 살펴보고, 계몽사상가들이 주장하는 국가(사회)와 절대 왕정을 비교해 보아요. 계몽사상가들의 주장이 시민 혁명에 어떤 영향을 미쳤을지 파악해 보아요.

탐구 해봐요 절대 왕정의 다양한 모습

교과서 124~125쪽

1 자료1, 자료2를 보고 다음 표를 완성해 보자.

예시 답안 대표군주: 에스파냐-펠리페 2세, 프랑스-루이14세, 프로이센-프리드리히 2세, 러시아-표트르 대제 / 주요업적: 영국-에스파냐 무적함대 격파, 동인도 회사 설립, 프랑스-베르사유 궁전 건축, 중상주의 경제 정책 추진, 러시아-서유럽 문물 적극 수용, 북방 정책 추진

2 본문을 참고하여 동유럽 절대 왕정이 서유럽 절대 왕정과 다른 점을 설명해 보자.

예시 답안 동유럽은 상공업의 발달이 미약하였고, 농노제가 오랫동안 유지되었다. 이에 절대 왕정도 서유럽에 비해 늦게 나타났으며, 시민 계급보다 봉건 귀족 세력에게 의존하였다.

활동 도우미

유럽의 각국에서 절대 왕정을 이끈 군주와 그들의 업적을 정리해 보고, 서유럽과 동유럽에서 절대 왕정이 어떻게 다르게 나타났는지 파악해 보아요.

스스로 확인해요

❶ 절대 왕정 시기 유럽의 각국은 수입을 억제하고 수출을 장려하는 중상주의 경제 정책을 시행하였다. (○)

❷ 17~18세기 유럽에서는 인간의 이성과 인류의 진보를 믿는 계 몽 사 상이/가 등장하였다.

이 주제의 핵심

이 주제에서는 절대 왕정의 형성 과정, 절대 왕정 시기 문화의 특징에 대해 배웠어요.
여기에서는 절대 왕정이 유지되는데 기여한 관료제, 상비군, 왕권신수설, 그리고 중상주의 경제 정책과 과학 혁명, 계몽사상의 발전 등을 파악하는 것이 중요합니다. 또한 유럽 각국에서 절대 왕정을 이끈 대표적인 군주들의 업적도 기억해야겠죠?

시험을 대비하는 실전 문제

기초를 튼튼하게 확인 문제

01 서로 관련 있는 내용끼리 연결하시오.

㉠ 루이 14세 • • ⓐ 상수시 궁전 건축

㉡ 엘리자베스 1세 • • ⓑ 콜베르를 재상으로 등용

㉢ 프리드리히 2세 • • ⓒ 에스파냐 무적함대 격파

02 아래 설명이 맞으면 ○, 틀리면 ×로 표시하시오.

(1) 유럽인들은 동양과 직접 교역하고, 크리스트교를 전파하기 위해 새로운 항로 개척에 나섰다. ( )

(2) 신항로 개척 이후 유럽 경제의 무대는 대서양에서 지중해로 바뀌었다. ( )

(3) 러시아의 표트르 대제는 계몽사상의 영향을 받아 서유럽의 문물을 적극 수용하였다. ( )

03 |보기|의 신항로 개척 과정과 관련한 사건들을 순서대로 나열하시오.

| 보기 |

ㄱ. 마젤란과 일행, 세계일주에 성공

ㄴ. 바스쿠 다 가마, 인도로 가는 항로 개척

ㄷ. 콜럼버스, 아메리카의 서인도 제도 도착

ㄹ. 바르톨로메우 디아스, 희망봉으로 가는 항로 개척

04 빈칸에 알맞은 말을 쓰시오.

(1) 정확한 항해 지도 제작, ( )의 도입, 선박 제조 기술의 발전 등으로 원거리 항해가 가능해졌다.

(2) 신항로 개척 이후 ( )은/는 아메리카에서 광산 개발, 플랜테이션 농장 경영에 주력하였다.

(3) 절대 왕정 시대에는 인간의 이성과 인류의 진보를 믿는 ( )이/가 확산되었다.

내신을 탄탄하게 내신 문제

01 (가)에 들어갈 내용으로 옳은 것을 |보기|에서 고르면?

신항로 개척의 목적과 전개 과정

1. 목적: (가)
2. 후원 국가: 포르투갈, 에스파냐
3. 탐험가: 콜럼버스, 바스쿠 다 가마, 마젤란 등

| 보기 |

ㄱ. 조공 · 책봉의 국제 질서를 확대하기 위해

ㄴ. 향료 · 비단 등 동양 산물을 직접 교역하기 위해

ㄷ. 이슬람 세력을 몰아내고 크리스트교를 전파하기 위해

ㄹ. 강력한 왕권을 바탕으로 한 중앙 집권 국가를 만들기 위해

① ㄱ, ㄴ ② ㄱ, ㄷ ③ ㄴ, ㄷ
④ ㄴ, ㄹ ⑤ ㄷ, ㄹ

02 다음은 신항로 개척에 나선 유럽인들의 성과를 정리한 것이다. (가)~(다)에 들어갈 인물을 바르게 짝지은 것은?

〈역사 정리 노트〉

신항로 개척의 나선 유럽인들의 성과

■ 주요 인물
- (가) : 아메리카의 서인도 제도 도착
- (나) : 인도로 가는 항로 개척
- (다) : 세계 일주에 성공

	(가)	(나)	(다)
①	콜럼버스	바스쿠 다 가마	마젤란 일행
②	마젤란 일행	바스쿠 다 가마	콜럼버스
③	콜럼버스	마젤란 일행	바스쿠 다 가마
④	바스쿠 다 가마	마젤란 일행	콜럼버스
⑤	마젤란 일행	콜럼버스	바스쿠 다 가마

03 (가), (나)에 들어갈 내용으로 옳은 것을 |보기|에서 고른 것은?

| 보기 |
ㄱ. (가): 지중해를 중심으로 이슬람 상인과 교역하였어.
ㄴ. (가): 아메리카에서 커피 등 플랜테이션 농장을 경영하였어.
ㄷ. (나): 동인도 회사를 세워 인도에 진출하여 식민지로 만들었어.
ㄹ. (나): 인도양에 무역 거점을 마련하여 향료 무역에 집중하였어.

① ㄱ, ㄴ ② ㄱ, ㄷ ③ ㄴ, ㄷ
④ ㄴ, ㄹ ⑤ ㄷ, ㄹ

04 (가)에 들어갈 내용으로 옳은 것은?

새로운 항로를 개척한 이후 에스파냐의 코르테스와 피사로는 화포로 무장한 소수의 병력을 이끌고 각각 아스테카 제국과 잉카 제국을 정복하였다. 이후 유럽인들은 (가).

① 교황청을 로마에서 프랑스 아비뇽으로 옮겼다.
② 예루살렘을 되찾기 위해 십자군을 파병하였다.
③ 과학 혁명을 전개하고, 계몽사상을 확산시켰다.
④ 클뤼니 수도원을 중심으로 개혁운동을 전개하였다.
⑤ 원주민의 노동력을 이용해 대농장, 광산 등을 경영하였다.

05 다음과 같은 모습이 나타나게 된 이유로 옳은 것은?

아프리카 노예들은 마치 '책꽂이의 책처럼' 노예선에 실려 수송되었다. 아메리카에 도착할 즈음에는 수많은 노예들이 이미 사망한 경우도 많았다.

① 종교의 자유를 얻기 위해
② 크리스트교를 전파하기 위해
③ 새로운 항로를 개척하기 위해
④ 향료, 비단 등 동양 산물을 얻기 위해
⑤ 아메리카의 부족한 노동력을 보충하기 위해서

06 교사의 질문에 대한 학생의 답변으로 옳지 않은 것은?

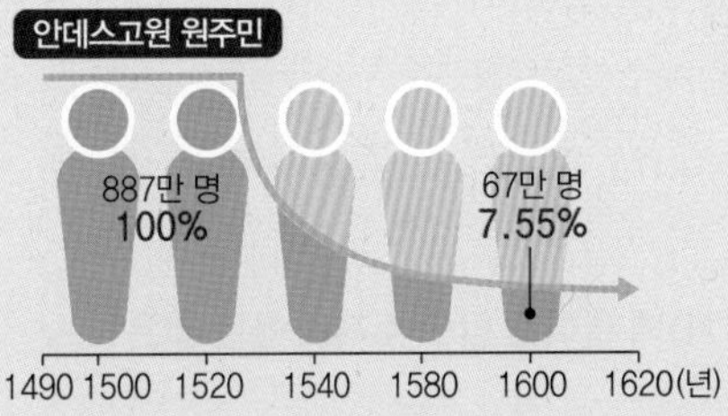

교사: 라틴 아메리카의 인구가 16~17세기에 이르러 급격히 감소한 이유는 무엇일까요?

① 피사로가 페루의 잉카 제국을 멸망시켰기 때문입니다.
② 코르테스가 멕시코의 아스테카 제국을 정복하였기 때문입니다.
③ 아프리카에서 흑인 노예들이 대규모로 유입되었기 때문입니다.
④ 유럽인들이 옮긴 천연두와 같은 질병이 확산되었기 때문입니다.
⑤ 원주민들이 유럽인들이 경영하는 플랜테이션 농장에서 가혹한 노동에 시달렸기 때문입니다.

07 (가)에 들어갈 내용으로 옳은 것은?

① 지중해 무역이 더욱 발전하였어.
② 신흥 상공업자의 지위가 향상되었어.
③ 이탈리아에서 르네상스가 시작되었어.
④ 새로운 작물의 유입으로 물가가 폭락하였어.
⑤ 루터, 칼뱅 등에 의해 종교 개혁이 전개되었어.

중요
08 (가)에 들어갈 탐구 주제로 옳은 것은?

탐구 활동 계획서

• 탐구 주제: (가)
• 탐구 활동
  - 1모둠: 왕권신수설의 내용 찾아보기
  - 2모둠: 중상주의 경제 정책 내용 조사하기
  - 3모둠: 관료제와 상비군 운용 목적 검색하기

① 대서양 무역의 발달
② 바로크 양식의 유행
③ 절대 왕정의 등장과 기반
④ 가격 혁명과 상공업의 발전
⑤ 신항로 개척과 자본주의의 발달

09 밑줄 친 '왕'에 대한 설명으로 옳은 것은?

① 성직자 임명권을 두고 교황과 대립하였다.
② 베르사유 궁전을 지어 왕실의 권위를 자랑하였다.
③ 칼레 해전에서 에스파냐의 무적함대를 격파하였다.
④ 스웨덴과의 북방 전쟁을 통해 발트해로 진출하였다.
⑤ 성 베드로 성당을 개축하기 위해 면벌부 판매를 강화하였다.

10 (가)의 사례로 옳은 것을 |보기|에서 고른 것은?

동유럽은 서유럽에 비해 농노제가 늦게까지 유지되었으며 상공업의 발달이 미약하여 절대 왕정이 늦게 나타났다. 동유럽의 절대 군주는 계몽사상의 영향을 받아 저마다 (가) 부국강병을 추구하였다.

| 보기 |
ㄱ. 엘리자베스 1세: 동인도 회사 설립
ㄴ. 표트르 대제: 서유럽 문물 적극 수용
ㄷ. 루이 14세: 중상주의 경제 정책 추진
ㄹ. 프리드리히 2세: 슐레지엔 등 영토 확장

① ㄱ, ㄴ ② ㄱ, ㄷ ③ ㄴ, ㄷ
④ ㄴ, ㄹ ⑤ ㄷ, ㄹ

정답과 해설 19~20쪽

만점에 도전하는 심화 문제

01 **(가), (나) 시기 사이에 있었던 사실로 옳은 것은?**

> (가) 포르투갈의 지원을 받은 바르톨로메우 디아스는 아프리카 남단의 희망봉으로 가는 항로를 개척하였다.
>
> (나) 에스파냐의 지원을 받은 마젤란과 그 일행은 아메리카 남단을 돌아 필리핀에 도착하였다. 마젤란 사망 이후 그 일행은 인도양을 거쳐 에스파냐로 돌아왔으며, 이로써 세계일주에 성공하였다.

① 뉴턴, 만유인력의 법칙 발견
② 피사로, 페루의 잉카 제국 정복
③ 루이 14세, 베르사유 궁전 건축
④ 콜럼버스, 아메리카 서인도 제도 도착
⑤ 엘리자베스 1세, 에스파냐의 무적함대 격파

02 **(가), (나)에 대한 설명으로 옳은 것은?**

> (가) 자연권인 생명, 자유, 재산의 권리를 가진 인간은 이러한 권리가 잘 보장되도록 정부를 세우는 데 합의(계약)한 것이다. -『시민 정부론』-
>
> (나) 정부에는 입법권, 행정권, 사법권이 있는데, 이들 삼권을 한 사람이나 어느 한 단체가 행사하게 되면 모든 일은 끝장이 날 것이다. -『법의 정신』-

① (가): 과학 혁명의 전개에 도움을 주었다.
② (가): 만유인력의 법칙에 대해 설명하고 있다.
③ (나): 절대 왕정을 이상적인 정치 형태로 보았다.
④ (나): 왕의 절대 권력을 사상적으로 뒷받침하였다.
⑤ (가), (나): 시민 혁명이 일어나는 데 영향을 끼쳤다.

03 **(가)에 들어갈 질문으로 옳은 것은?**

> http://www.OOOO.co.kr
>
> 물고 답하기
>
> 질문 (가) 에 대해 설명해 주세요.
>
> 답변 콜럼버스는 아메리카에서 인도가 원산지로 알려진 사탕수수를 키워 막대한 이익을 얻었습니다. 아메리카가 원산지인 감자는 유럽에 전해져 많이 재배되었습니다. 전염병이 전파되어 많은 아메리카 사람들이 죽기도 하였습니다.

① 미국 독립 운동의 과정
② 아메리카 문명의 발달 과정
③ 신항로를 따라 전파된 것들
④ 흑사병이 전 세계에 미친 영향
⑤ 유럽이 신항로 개척에 나선 이유

04 **다음은 서유럽 절대 왕정의 구조를 나타낸 것이다. (가)~(마)에 대한 설명으로 옳지 않은 것은?**

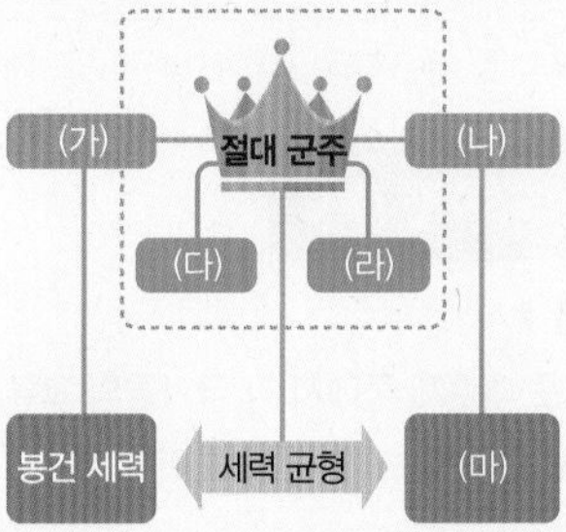

① (가): 왕의 권력이 신으로부터 나왔다는 주장이다.
② (나): 수입을 늘리고 수출을 제한하는 경제 정책이다.
③ (다): 왕의 명령에 따라 국가 업무를 전담하였다.
④ (라): 왕이 언제든지 동원할 수 있도록 항상 대기하는 군대이다.
⑤ (마): 절대 군주의 국가 운영에 필요한 재정을 지원하였다.

Ⅲ 대주제 마무리 풀이

교과서 126~127쪽

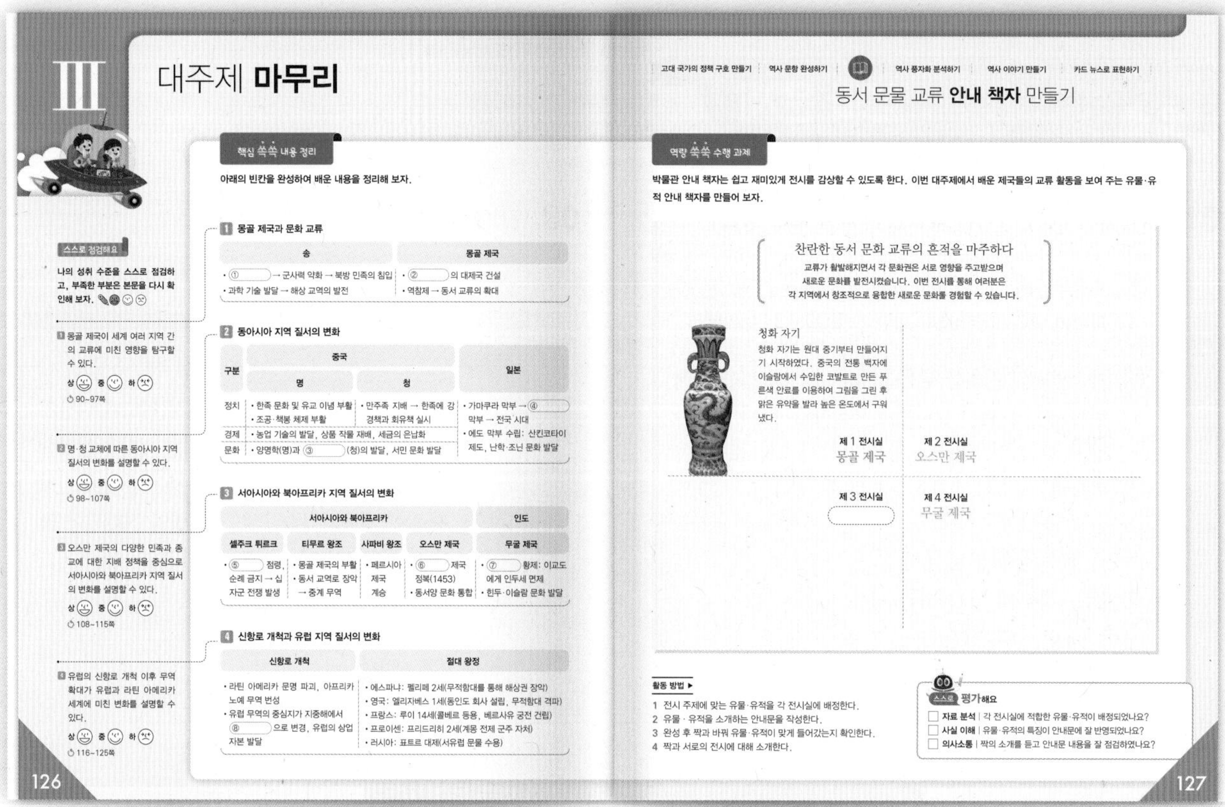

Ⅲ 대주제 **마무리**

스스로 점검해요

나의 성취 수준을 스스로 점검하고, 부족한 부분은 본문을 다시 확인해 보자.

1 몽골 제국이 세계 여러 지역 간의 교류에 미친 영향을 탐구할 수 있다. 상 중 하 90~97쪽

2 명·청 교체에 따른 동아시아 지역 질서의 변화를 설명할 수 있다. 상 중 하 98~107쪽

3 오스만 제국의 다양한 민족과 종교에 대한 지배 정책을 중심으로 서아시아와 북아프리카 지역 질서의 변화를 설명할 수 있다. 상 중 하 108~115쪽

4 유럽의 신항로 개척 이후 무역 확대가 유럽과 라틴 아메리카 세계에 미친 변화를 설명할 수 있다. 상 중 하 116~125쪽

핵심 쏙쏙 내용 정리

아래의 빈칸을 완성하여 배운 내용을 정리해 보자.

1 몽골 제국과 문화 교류

송	몽골 제국
• ① ( ) → 군사력 약화 → 북방 민족의 침입 • 과학 기술 발달 → 해상 교역의 발전	• ② ( )의 대제국 건설 • 역참제 → 동서 교류의 확대

2 동아시아 지역 질서의 변화

구분	중국		일본
	명	청	
정치	• 한족 문화 및 유교 이념 부활 • 조공·책봉 체제 부활	• 만주족 지배 → 한족에 강경책과 회유책 실시	• 가마쿠라 막부 → ④ ( ) 막부 → 전국 시대 • 에도 막부 수립: 산킨코타이 제도, 난학·조닌 문화 발달
경제	• 농업 기술의 발달, 상품 작물 재배, 세금의 은납화		
문화	• 양명학(명)과 ③ ( )(청)의 발달, 서민 문화 발달		

3 서아시아와 북아프리카 지역 질서의 변화

서아시아와 북아프리카				인도
셀주크 튀르크	티무르 왕조	사파비 왕조	오스만 제국	무굴 제국
• ⑤ ( ) 점령, 순례 금지 → 십자군 전쟁 발생	• 몽골 제국의 부활 • 동서 교역로 장악 → 중계 무역	• 페르시아 제국 계승	• ⑥ ( ) 제국 정복(1453) • 동서양 문화 통합	• ⑦ ( ) 황제: 이교도에게 인두세 면제 • 힌두·이슬람 문화 발달

4 신항로 개척과 유럽 지역 질서의 변화

신항로 개척	절대 왕정
• 라틴 아메리카 문명 파괴, 아프리카 노예 무역 번성 • 유럽 무역의 중심지가 지중해에서 ⑧ ( )으로 변경, 유럽의 상업 자본 발달	• 에스파냐: 펠리페 2세(무적함대를 통해 해상권 장악) • 영국: 엘리자베스 1세(동인도 회사 설립, 무적함대 격파) • 프랑스: 루이 14세(콜베르 등용, 베르사유 궁전 건립) • 프로이센: 프리드리히 2세(계몽 전제 군주 자처) • 러시아: 표트르 대제(서유럽 문물 수용)

126

고대 국가의 정책 구호 만들기 | 역사 문항 완성하기 | 역사 풍자화 분석하기 | 역사 이야기 만들기 | 카드 뉴스로 표현하기

동서 문물 교류 **안내 책자** 만들기

역량 쑥쑥 수행 과제

박물관 안내 책자는 쉽고 재미있게 전시를 감상할 수 있도록 한다. 이번 대주제에서 배운 제국들의 교류 활동을 보여 주는 유물·유적 안내 책자를 만들어 보자.

찬란한 동서 문화 교류의 흔적을 마주하다

교류가 활발해지면서 각 문화권은 서로 영향을 주고받으며 새로운 문화를 발전시켰습니다. 이번 전시를 통해 여러분은 각 지역에서 창조적으로 융합한 새로운 문화를 경험할 수 있습니다.

청화 자기

청화 자기는 원대 중기부터 만들어지기 시작하였다. 중국의 전통 백자에 이슬람에서 수입한 코발트로 만든 푸른색 안료를 이용하여 그림을 그린 후 맑은 유약을 발라 높은 온도에서 구워 냈다.

제 1 전시실 몽골 제국

제 2 전시실 오스만 제국

제 3 전시실 ( )

제 4 전시실 무굴 제국

활동 방법 ▸

1 전시 주제에 맞는 유물·유적을 각 전시실에 배정한다.
2 유물 · 유적을 소개하는 안내문을 작성한다.
3 완성 후 짝과 바꿔 유물·유적이 맞게 들어갔는지 확인한다.
4 짝과 서로의 전시에 대해 소개한다.

스스로 평가해요

☐ **자료 분석** | 각 전시실에 적합한 유물·유적이 배정되었나요?
☐ **사실 이해** | 유물·유적의 특징이 안내문에 잘 반영되었나요?
☐ **의사소통** | 짝의 소개를 듣고 안내문 내용을 잘 점검하였나요?

127

해결 열쇠

대주제에서 학습한 내용들을 복습하면서 빈칸에 알맞은 답을 채워 보아요.

핵심 쏙쏙 내용 정리

정답 ① 문치주의 ② 칭기즈 칸 ③ 고증학 ④ 무로마치 ⑤ 예루살렘 ⑥ 비잔티움 ⑦ 아크바르 ⑧ 대서양

역량 쑥쑥 수행 과제

활동 소개 ▶

이번에 배운 대주제 중에서 각 국가들의 교류 활동을 보여주는 유물 · 유적을 안내하는 책자를 만들어 봅시다.

활동 방법 ▶

1단계 박물관 전시실의 주제에 맞는 유물 · 유적을 찾고 조사해 보아요.

2단계 선택한 유물 · 유적에 대한 조사 내용을 바탕으로 중요한 특징이 잘 드러나도록 안내문을 작성해 보아요.

3단계 자신이 작성한 안내문을 짝과 서로 바꿔 보며 잘 이해할 수 있도록 소개해 보아요.

문물 교류 안내 책자 만들기 활동 도우미

- 먼저 교과서에 나오는 유물 · 유적의 사례들을 찾고, 관련 내용들을 조사해야 합니다. 이후 전시 주제에 맞는 사례를 선정하고, 필요하다면 추가 조사를 진행합니다.
- 선택한 유물 · 유적에 대한 조사 내용을 바탕으로 문화 교류의 구체적 내용을 알 수 있도록 안내 책자를 제작합니다.
- 관람객의 입장에서 주요 정보를 쉽게 이해할 수 있도록 내용의 구조화, 디자인 등도 고민하면 더 좋은 결과물을 얻을 수 있습니다.

예시 답안 우키요에와 유럽 미술의 만남

임진왜란 때 끌려간 도공들이 자기를 생산해내자 일본은 기술을 계속 발전시켜 유럽의 도자기 시장을 공략하는데 성공하였다. 우키요에는 수출하던 도자기가 깨지는 것을 막기 위한 완충제로 사용되면서 유럽에 알려졌으며, 마네, 드가, 고흐 등 인상파 화가들에게 큰 영향을 끼쳤다. 당시 유럽의 화가들이 우키요에에 관심을 두었던 이유는 파격적인 구도, 강렬한 색채에 기반한 장식성과 일본식으로 재해석한 서양의 원근법 등에 있었다. 즉 원근법이나 안료 등 유럽의 영향을 받아 완성된 우키요에가 다시 유럽의 인상파 화가들에게 중요한 영향을 끼친 것이다.

교과서 128~129쪽

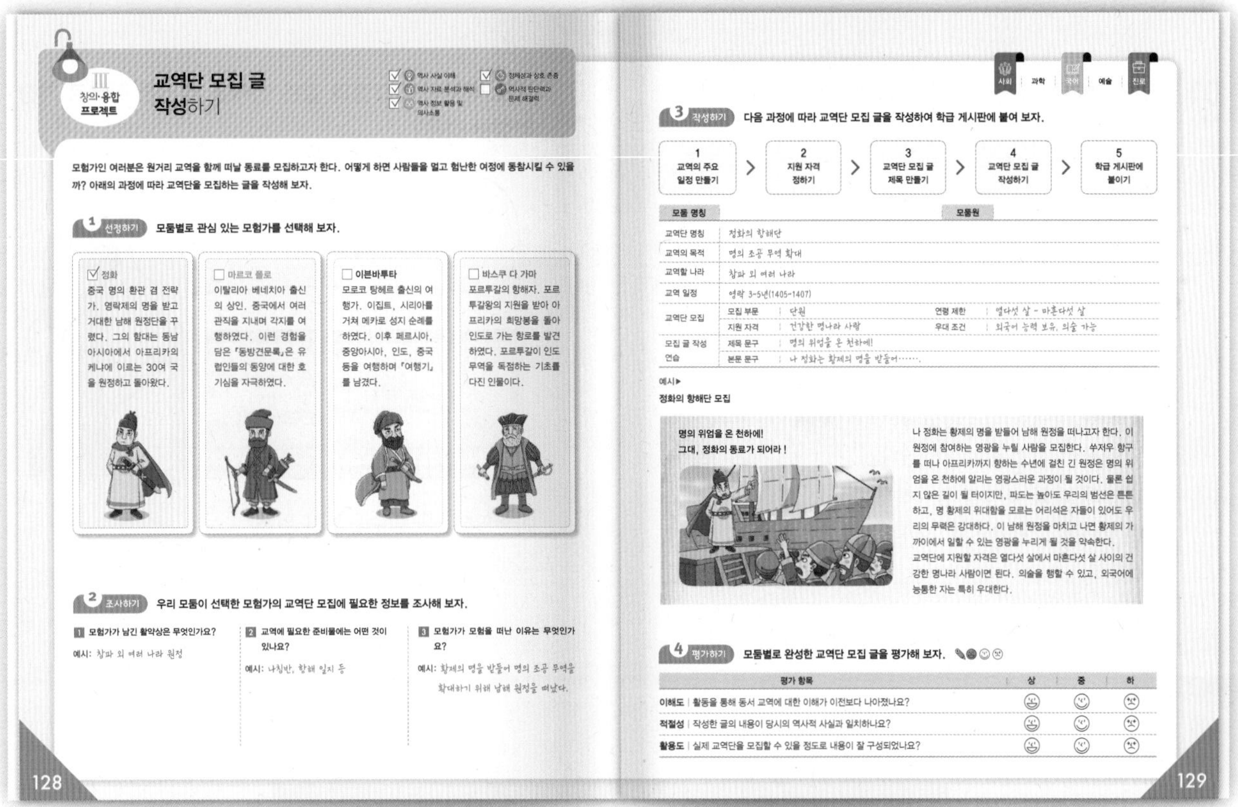

Ⅲ 창의·융합 프로젝트

교역단 모집 글 작성하기

☑ 역사 사실 이해 ☑ 역사 자료 분석과 해석 ☑ 역사 정보 활용 및 의사소통 ☑ 정체성과 상호 존중 ☐ 역사적 판단력과 문제 해결력

모험가인 여러분은 원거리 교역을 함께 떠날 동료를 모집하고자 한다. 어떻게 하면 사람들을 얻고 험난한 여정에 동참시킬 수 있을까? 아래의 과정에 따라 교역단을 모집하는 글을 작성해 보자.

1 선정하기 모둠별로 관심 있는 모험가를 선택해 보자.

☑ 정화
중국 명의 환관 겸 전략가. 영락제의 명을 받고 거대한 남해 원정단을 꾸렸다. 그의 함대는 동남아시아에서 아프리카의 케냐에 이르는 30여 국을 원정하고 돌아왔다.

☐ 마르코 폴로
이탈리아 베네치아 출신의 상인. 중국에서 여러 관직을 지내며 각지를 여행하였다. 이런 경험을 담은 『동방견문록』은 유럽인들의 동양에 대한 호기심을 자극하였다.

☐ 이븐바투타
모로코 탕헤르 출신의 여행가. 이집트, 시리아를 거쳐 메카로 성지 순례를 하였다. 이후 페르시아, 중앙아시아, 인도, 중국 등을 여행하며 『여행기』를 남겼다.

☐ 바스쿠 다 가마
포르투갈의 항해자. 포르투갈왕의 지원을 받아 아프리카의 희망봉을 돌아 인도로 가는 항로를 발견하였다. 포르투갈이 인도 무역을 독점하는 기초를 다진 인물이다.

2 조사하기 우리 모둠이 선택한 모험가의 교역단 모집에 필요한 정보를 조사해 보자.

1 모험가가 남긴 활약상은 무엇인가요?
예시: 참파 외 여러 나라 원정

2 교역에 필요한 준비물에는 어떤 것이 있나요?
예시: 나침반, 항해 일지 등

3 모험가가 모험을 떠난 이유는 무엇인가요?
예시: 황제의 명을 받들어 명의 조공 무역을 확대하기 위해 남해 원정을 떠났다.

128

사회 | 과학 | 국어 | 예술 | 진로

3 작성하기 다음 과정에 따라 교역단 모집 글을 작성하여 학급 게시판에 붙여 보자.

1 교역의 주요 일정 만들기 > 2 지원 자격 정하기 > 3 교역단 모집 글 제목 만들기 > 4 교역단 모집 글 작성하기 > 5 학급 게시판에 붙이기

모둠 명칭			모둠원	
교역단 명칭	정화의 항해단			
교역의 목적	명의 조공 무역 확대			
교역할 나라	참파 외 여러 나라			
교역 일정	영락 3~5년(1405~1407)			
교역단 모집	모집 부문	단원	연령 제한	열다섯 살 ~ 마흔다섯 살
	지원 자격	건강한 명나라 사람	우대 조건	외국어 능력 보유, 의술 가능
모집 글 작성 연습	제목 문구	명의 위엄을 온 천하에!		
	본문 문구	나 정화는 황제의 명을 받들어…….		

예시▶

정화의 항해단 모집

명의 위엄을 온 천하에!
그대, 정화의 동료가 되어라!

나 정화는 황제의 명을 받들어 남해 원정을 떠나고자 한다. 이 원정에 참여하는 영광을 누릴 사람을 모집한다. 쑤저우 항구를 떠나 아프리카까지 향하는 수년에 걸친 긴 원정은 명의 위엄을 온 천하에 알리는 영광스러운 과정이 될 것이다. 물론 쉽지 않은 길이 될 터이지만, 파도는 높아도 우리의 범선은 튼튼하고, 명 황제의 위대함을 모르는 어리석은 자들이 있어도 우리의 무력은 강대하다. 이 남해 원정을 마치고 나면 황제의 가까이에서 일할 수 있는 영광을 누리게 될 것을 약속한다.
교역단에 지원할 자격은 열다섯 살에서 마흔다섯 살 사이의 건강한 명나라 사람이면 된다. 의술을 행할 수 있고, 외국어에 능통한 자는 특히 우대한다.

4 평가하기 모둠별로 완성한 교역단 모집 글을 평가해 보자.

평가 항목	상	중	하
이해도 | 활동을 통해 동서 교역에 대한 이해가 이전보다 나아졌나요?			
적절성 | 작성한 글의 내용이 당시의 역사적 사실과 일치하나요?			
활용도 | 실제 교역단을 모집할 수 있을 정도로 내용이 잘 구성되었나요?			

129

활동 예시 답안

1단계: 선정하기

- **우리 모둠이 고른 인물:** 바스쿠 다 가마
- **선정 이유:** 포르투갈의 인도 무역을 독점하는 기초를 다진 인물이어서

2단계: 조사하기

- **질문:** 바스쿠 다 가마가 항해를 떠난 이유는 무엇인가요?
- **답변:** 향신료 등 동양 산물 교역하고, 크리스트교를 전파하기 위해 항해를 떠났다.

3단계: 작성하기

모둠 명칭		모둠원		
교역단 명칭	바스쿠 다 가마 항해단			
교역의 목적	동양 산물 무역, 크리스트교 전파			
교역 대상국	인도, 동남아시아의 여러 국가, 중국 등			
교역 일정	1497.7. ~ 1499.9.			
교역단 모집	모집 부문	선원	연령 제한	15세~50세
	지원 자격	신체 건강한 자	우대 조건	항해 경험자, 외국어 가능한 자
모집글 작성 예시	제목 문구	신항로 개척, 부를 그대 품안에		
	본문 문구	나 바스쿠 다 가마는 새로 개척한 …….		

활동 소개

각 국가의 대표적인 모험가(탐험가)를 선정하고, 해당 인물의 항해 목적, 항해 경로, 성과 등에 대해 조사합니다. 이후 조사한 내용을 바탕으로 해당 인물이 교역단을 모집하는 글을 작성해 보는 활동입니다.

진로 탐방 '선장(항해사)', 그 직업이 알고 싶다!

Q: 선장(항해사)은 어떤 일을 하나요?
상선, 여객선, 어선 등 다양한 선박을 운전하고, 배에서 일하는 사람들을 관리하는 역할을 합니다.

Q: 선장(항해사)이 되려면 어떤 능력이 필요한가요?
한정된 공간에서 가족들과 오랜 기간 떨어져 공동 생활을 해야 하므로 협동심, 인내심 등이 필요합니다. 선원들을 관리하고 감독해야 하므로 통솔력과 판단력도 필요합니다.

Q: 선장(항해사)이 되려면 어떻게 준비해야 하나요?
항해사, 기관사, 통신사 등 선박의 운항, 운전, 통신 업무 등을 수행할 수 있는 면허를 취득해야 합니다. 해사고등학교, 수산고등학교나 해양대학교, 수산대학교 등을 졸업하면 유리합니다.

Q: 선장(항해사)의 향후 전망은 어떻게 되나요?
다른 직업에 비해 취업 경쟁이 심하지 않고, 임금 및 복리 후생은 좋은 편입니다. 하지만 근무 시간이 불규칙하고 근무 환경에 어려움이 있어 정신적 · 육체적 스트레스가 심할 수 있습니다.

대주제를 정리하는 종합 문제

01 (가)에 들어갈 내용으로 옳은 것은?

> 송대에는 북방 민족의 침략이 잦아졌다. 송은 북방 민족에게 은과 비단 등 막대한 물자를 제공하여 위기에서 벗어나려 하였다. 그 결과 재정 적자가 늘고 농민의 부담은 커졌다. 이에 송에서는 [(가)]. 그러나 보수파 관료들의 반발로 실패하였다.

① 육유를 반포하였다.
② 수도를 베이징으로 옮겼다.
③ 왕안석이 신법을 주도하였다.
④ 민간의 대외 무역을 금지하였다.
⑤ 러시아와 네르친스크 조약을 맺었다.

02 (가), (나)에서 설명하고 있는 인물로 옳은 것은?

> (가) 이탈리아 상인 출신으로 아버지를 따라 원에 왔다가 17년간 머물며 관직을 맡고 여행도 하였다. 여행 중에 경험하거나 보고 들은 것들을 『동방견문록』에 실었다.
>
> (나) 탕헤르(모로코)에서 태어난 여행가로 아프리카, 인도, 동남아시아, 중국 등을 여행하면서 보고 들은 것들을 『여행기』라는 책에 소개하였다.

	(가)	(나)
①	카르피니	이븐바투타
②	이븐바투타	마르코 폴로
③	이븐바투타	카르피니
④	마르코 폴로	이븐바투타
⑤	마르코 폴로	카르피니

03 에도 막부에서 그림과 같은 정책을 추진한 이유로 가장 적절한 것은?

① 서양 문물을 수용하기 위해
② 다이묘 세력을 통제하기 위해
③ 크리스트교 포교를 막기 위해
④ 천황의 정치 간섭을 금지하기 위해
⑤ 몽골 · 고려 연합군의 침략을 물리치기 위해

04 (가), (나)의 정책을 시행한 국가에서 있었던 사실로 옳은 것은?

> (가) 발칸반도의 크리스트교도 가운데 재능 있는 소년들을 선발하여 이슬람교로 개종시키고 훈련 · 교육을 통해 술탄의 친위 부대로 충당하였다.
>
> (나) 국가의 안정적인 통치를 위해 밀레트라고 불리는 종교 공동체의 자치권을 인정해 주었다.

① 정화 함대의 원정을 적극 지원하였다.
② 아스테카 제국과 잉카 제국을 멸망시켰다.
③ 동인도 회사를 설립하고 인도에 진출하였다.
④ 이슬람 제일주의를 내세워 힌두교 사원을 파괴하였다.
⑤ 비잔티움 제국을 멸망시키고 이스탄불로 수도를 옮겼다.

정답과 해설 20~21쪽

05 (가)에 들어갈 내용으로 옳은 것은?

탐구 계획 보고서

주제: 힌두 · 이슬람 문화의 발전
1. 언어: 일상에서 우르두어 사용
2. 회화: 무굴 회화의 발달
3. (가)

① 종교: 시크교의 발전
② 학문: 과학 혁명의 전개
③ 연극: 경극 등 연극의 발전
④ 건축: 성 소피아 성당의 건축
⑤ 회화: 채색 판화인 우키요에 유행

06 라틴 아메리카 원주민의 인구가 그래프와 같이 변한 이유로 옳은 것을 |보기|에서 고른 것은?

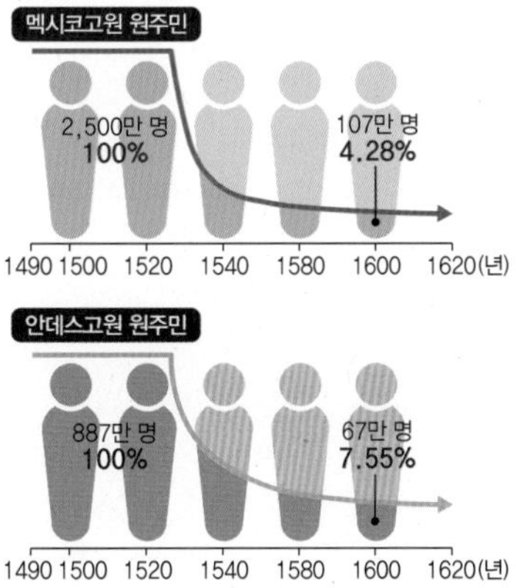

|보기|
ㄱ. 대농장, 광산 등에서 가혹한 노동에 시달렸기 때문에
ㄴ. 천연두, 파상풍 등 새로운 질병에 노출되었기 때문에
ㄷ. 인간의 이성과 진보를 믿는 계몽사상이 확산되었기 때문에
ㄹ. 노예 무역이 번성하여 아프리카 노예들이 많이 유입되었기 때문에

① ㄱ, ㄴ ② ㄱ, ㄷ ③ ㄴ, ㄷ
④ ㄴ, ㄹ ⑤ ㄷ, ㄹ

서술형 문제

07 (가), (나)의 구체적인 사례를 한 가지씩 서술하시오.

청은 만주족 고유의 전통과 풍습을 유지하면서 지배자의 특권을 보전하였다. 소수인 만주족은 다수의 한족을 다스리기 위해 (가) 강경책과 (나) 회유책을 함께 이용하였다.

08 다음 지도를 보고 물음에 답하시오.

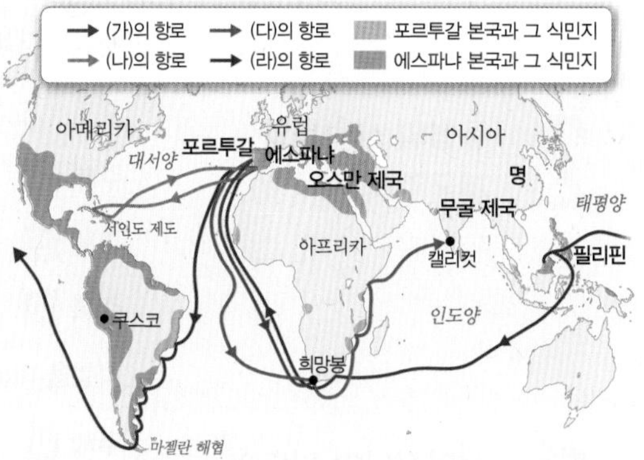

(1) (가)~(라)에 들어갈 항해가의 이름을 쓰시오.

(2) 유럽인들이 지도와 같이 신항로 개척에 나서게 된 목적을 두 가지 서술하시오.

Ⅳ 제국주의 침략과 국민 국가 건설 운동

이 대주제를 배우면 ≫

- 유럽과 아메리카의 시민 혁명과 국민 국가 형성 과정을 설명할 수 있어요.
- 산업 혁명의 배경과 전개 과정을 설명할 수 있어요.
- 제국주의가 나타난 배경과 특징을 말할 수 있어요.
- 제국주의 침략에 맞서기 위한 아시아 지역의 개혁 운동 사례를 제시할 수 있어요.

나의 학습 계획표

이 대주제의 학습 주제

1 유럽과 아메리카의 국민 국가 체제
교과서 132~145쪽

- 주제 1 입헌 군주정의 수립, 영국 혁명
- 주제 2 신대륙에서 들려오는 독립의 함성, 미국 혁명
- 주제 3 프랑스 혁명, 구제도에서 국민 국가로
- 주제 4 빈 체제의 동요와 자유주의의 확산
- 주제 5 민족주의의 확산과 새로운 국민 국가의 등장
- 주제 6 미국과 라틴 아메리카의 발전
- 시험을 대비하는 실전 문제

국민 국가 체제는 무엇이며, 유럽과 아메리카는 어떻게 국민 국가 체제가 형성되었을까요?

2 유럽의 산업화와 제국주의
교과서 146~153쪽

- 주제 7 산업 혁명의 전개
- 주제 8 자본주의 발전과 사회 문제의 대두
- 주제 9 19세기 문화의 발전
- 주제 10 국제 질서의 변화와 제국주의 열강
- 시험을 대비하는 실전 문제

유럽의 산업화와 제국주의는 어떻게 등장하였을까요?

3 서아시아와 인도의 국민 국가 건설 운동
교과서 154~161쪽

- 주제 11 서아시아의 국민 국가 건설 운동
- 주제 12 인도의 국민 국가 건설 운동
- 시험을 대비하는 실전 문제

서아시아와 인도는 국민 국가 건설을 위해 어떤 노력을 하였을까요?

4 동아시아의 국민 국가 건설 운동
교과서 162~173쪽

- 주제 13 동아시아 3국의 개항
- 주제 14 근대화 운동의 전개
- 주제 15 국민 국가 수립을 위한 노력
- 주제 16 일본의 제국주의 침략
- 시험을 대비하는 실전 문제

동아시아는 국민 국가 건설 과정에서 어떤 일들이 발생하였을까요?

대주제를 정리하는 종합 문제

대주제 표지 사진 해설 ▶ 오른쪽 사진은 나폴레옹 1세가 프랑스군의 승리를 기념하기 위해 만든 '에투알 개선문'의 모습이에요. 에투알 개선문이 만들어진 목적을 생각하며 프랑스의 국민 국가 형성 과정을 추측해 보고 자유주의와 민족주의가 유럽에 널리 전파될 수 있었던 계기를 생각해 보아요.

학습 계획일	학습일	나의 목표 달성도
월 일	월 일	☆☆☆☆☆
월 일	월 일	☆☆☆☆☆
월 일	월 일	☆☆☆☆☆
월 일	월 일	☆☆☆☆☆
월 일	월 일	☆☆☆☆☆
월 일	월 일	☆☆☆☆☆
월 일	월 일	☆☆☆☆☆
월 일	월 일	☆☆☆☆☆
월 일	월 일	☆☆☆☆☆
월 일	월 일	☆☆☆☆☆
월 일	월 일	☆☆☆☆☆
월 일	월 일	☆☆☆☆☆
월 일	월 일	☆☆☆☆☆
월 일	월 일	☆☆☆☆☆
월 일	월 일	☆☆☆☆☆
월 일	월 일	☆☆☆☆☆
월 일	월 일	☆☆☆☆☆
월 일	월 일	☆☆☆☆☆
월 일	월 일	☆☆☆☆☆
월 일	월 일	☆☆☆☆☆
월 일	월 일	☆☆☆☆☆

1 유럽과 아메리카의 국민 국가 체제

학습 목표
영국 혁명을 통해 입헌 군주정이 수립되는 과정을 이해한다.

주제 1 입헌 군주정의 수립, 영국 혁명

1 영국 사회의 변화로 청교도 혁명이 일어나다

(1) 배경

① 농촌: 장원제가 무너지면서 자영 농민과 지주층인 ❶젠트리 성장

② 도시: 상공업의 발달로 상인과 제조업자 등 시민층 성장

누구? 젠트리와 시민층은 대부분 청교도였고, 의회에 대거 진출하였어.

(2) ❷청교도 혁명(1642~1649)

① 배경: 스튜어트 왕조의 전제 정치 어떻게? 스튜어트 왕조는 청교도를 박해하고 의회를 무시하였어.

② 경과: 왕당파와 의회파의 충돌 → 의회파를 이끈 크롬웰의 군대가 왕당파를 무찌르고 국왕 처형

③ 결과: 공화정 수립, 크롬웰의 독재 정치로 왕정 복고

왜? 크롬웰이 엄격한 청교도 생활을 강요하여 국민의 불만이 커졌기 때문이야.

2 명예혁명으로 입헌 군주정이 수립되다

(1) 명예혁명(1688) 왜? 피를 흘리는 상황 없이 이루어졌기 때문에 이를 명예혁명이라고 불러.

① 배경: 전제 정치 강화 어떻게? 찰스 2세와 제임스 2세가 권력을 자기 마음대로 휘두르고, 친가톨릭 정책을 시행하였어.

② 경과: 의회의 제임스 2세 폐위 → 메리와 그의 남편 윌리엄을 공동 왕으로 추대 →「권리 장전」 승인 → 의회 중심의 입헌 군주정 수립

③ 결과: 의회 정치 발달, ❸내각 책임제 도입 → 정치 안정, 시민의 자유 보장

❶ 젠트리
중세의 장원이 붕괴되면서 나타난 토지 소유층을 말한다. 귀족과 자영농의 중간 정도의 신분으로 법률가나 부유한 상인들이 토지를 매입하여 젠트리가 되는 경우도 있었다.

❷ 청교도
영국의 칼뱅파 신교도로, 엄격한 도덕적 생활과 철저한 개혁을 주장하였다.

❸ 내각 책임제
실질적인 행정권을 담당하는 내각이 의회 다수당의 신임에 따라 존속하는 의회 중심주의 권력 융합 형태로, '의원 내각제'라고도 한다. 내각은 의회를 해산할 수 있고 의회는 내각을 불신임할 수 있다.

핵심 자료 영국 국왕의 권력을 제한하고자 한 문서들

자료 1 「권리 청원」(1628)

현재 의회에 소집된 성직자, 귀족, 평민은 지극히 높으신 국왕 폐하께 다음과 같이 같이 탄원한다.

제 1 조 | …… 폐하의 신민은 의회에서 만장일치로 동의한 것이 아니면 어떤 세금, 차입금, 기부금 및 기타 이와 유사한 부조금을 내도록 강제당하지 않을 자유를 누린다.

제 3 조 | …… 누구도 적법한 판결과 국법에 따르지 않고서 함부로 체포·구속 되지 않는다. 자유인은 소유권과 특권 및 개인의 자유를 보장하는 관습을 침해당하거나 법의 보호 밖에 방치되고 추방되는……일이 없다.

자료 2 「권리 장전」(1689)

제 1 조 | …… '왕은 의회의 동의 없이 법률의 효력 정지 및 집행 정리를 할 권한이 있다.'라는 주장은 위법이다.

제 4 조 | …… 왕이 대권을 구실로 하여 의회의 동의 없이…… 왕이 쓰기 위한 비용을 과세하는 것은 위법이다.

제 6 조 | …… 의회의 동의가 없는 한, 평상시에 상비군을 징집, 유지하는 것은 위법이다.

제 7 조 | …… 의회의 선거는 자유롭지 않으면 안 된다.

핵심
「권리 청원」과 「권리 장전」에 나타난 의회의 요구는 무엇일까?

「권리 청원」은 의회의 동의 없는 과세 금지, 이유가 없는 체포나 구속 금지 등을 담고 있고, 「권리 장전」은 의회의 입법권과 과세권, 의원 면책권 등을 규정하고 있다.

정답과 해설 21쪽

확인해 봐요

1 청교도 혁명으로 수립된 정부는 (공화정/입헌 군주정)이다.

2 영국에서 제임스 2세를 폐위하고 메리와 윌리엄 3세를 공동 왕으로 추대한 혁명은 (청교도 혁명/명예혁명)이다.

3 명예혁명으로 승인된 문서는 (「권리 청원」/「권리 장전」)이다.

교과서 활동 풀이

가자! 역사 속으로

교과서 132쪽

영국 의회에 진출한 젠트리와 시민층은 영국 국왕의 전제 정치에 맞서 혁명을 일으켰습니다.

젠트리와 시민층은 왜 영국 국왕에게 맞섰을까요?

예시 답안 국왕의 전제 정치에 맞서 의회 중심의 입헌 군주정을 수립하기 위해서이다.

활동 도우미

지난 시간에 배운 절대 왕정의 영국과 젠트리와 시민층의 모습을 비교해 보아요. 그리고 이들이 영국 국왕에게 맞선 이유를 적어보아요.

교과서 사진 자료 청교도 혁명 이후 영국을 장악한 크롬웰

교과서 133쪽

젠트리 출신의 청교도였던 크롬웰은 철기군을 조직하여 왕당파를 격파하고, 공화정을 수립하였다. 이후 크롬웰은 의회를 해산한 후 호국경에 취임하였으며, 군사력을 바탕으로 독재 정치와 금욕적인 청교도 정치를 시행하였다. 크롬웰은 도박을 금하고 술을 마시지 못하도록 하였으며 일요일을 거룩하게 보내는 방법으로 모든 극장을 없앴다. 이러한 엄격한 청교도 정치는 국민의 많은 불만을 불러일으켰다.

활동 도우미

자료를 통해 청교도 혁명 이후 권력을 장악한 크롬웰이 어떠한 계기로 국민의 지지를 잃게 되었는지를 알아 보아요. 또한 크롬웰의 사후 영국의 정치 변화에 대해서도 생각해 보아요.

탐구 해봐요 의회의 권한을 강조한 영국의 「권리 장전」(1689)

교과서 133쪽

「권리 장전」의 주요 내용
- 국왕은 의회의 동의 없이 법의 효력과 집행을 정지할 수 없다.
- 국왕은 의회의 승인 없이 과세할 수 없다.
- 국왕은 의회의 동의 없이 평상시에 군대를 징집 · 유지할 수 없다.
- 의회의 선거는 자유로워야 한다.

「권리 장전」을 승인하는 메리 2세와 윌리엄 3세

자료 해설

자료는 명예혁명 이후 나타난 「권리 장전」의 승인 장면으로 여기에는 의회의 주요 권한이 설명되어 있다.

1 「권리장전」에 나타난 영국 의회의 주요 권한을 정리해 보자.

예시 답안 국왕이 함부로 법의 효력을 정지하거나 법 집행을 정리할 수 없게 한다. 국왕이 함부로 과세하지 못하도록 한다. 국왕이 평상시에 군대를 징집 · 유지하지 못하도록 한다. 의회의 자유로운 선거를 보장한다.

2 「권리장전」 승인 이후 수립된 영국의 정치 체제를 본문에서 찾아보고, 그 특징을 말해 보자.

예시 답안 입헌 군주정, 국왕이라 하더라도 의회에서 만든 법을 지켜야 한다.

스스로 확인해요

❶ 의회파를 이끌었던 크롬웰은 청교도 혁명에서 승리한 후 공화정을 수립하였다. (○)

❷ 메리 · 윌리엄 공동 왕이 「권리 장전」을 승인하면서 영국에는 입헌 군주정이/가 수립되었다.

이 주제의 핵심

이 주제에서는 영국이 영국 혁명을 통해 입헌 군주정을 수립하는 과정을 배웠어요.
여기에서는 청교도 혁명과 명예혁명의 과정, 명예혁명의 결과로 발표된 「권리 장전」에서 보이는 특징을 파악해 보아요.
이로부터 비롯된 입헌 군주정도 기억해야지요?

학습 목표
미국 혁명이 일어난 원인과 전개 과정을 알고 그 역사적 의의를 설명할 수 있다.

주제 2 신대륙에서 들려오는 독립의 함성, 미국 혁명

1 영국과 북아메리카 대륙 식민지 간의 갈등이 격화되다

(1) 혁명 전 아메리카

① 17세기: 종교적 · 경제적 자유를 찾아 영국인들이 이주

② 18세기 초: 13개의 식민지 건설 → 독자적인 의회를 구성하여 자치를 누림.

(2) 영국과 식민지의 대립: 영국의 중상주의(경제 정책 강화) → 식민지에 세금 부과 (차, 설탕 등) → ❶보스턴 차 사건 → 영국의 보스턴 항구 폐쇄 등

왜? 오랜 전쟁으로 영국이 부족해진 돈을 식민지로부터 얻으려고 했기 때문이야.

2 미국 혁명으로 북아메리카 식민지가 독립하다

(1) 대륙 회의 개최: 식민지 대표들이 모여 영국에 항의

(2) 독립 전쟁 시작: 영국군과 식민지 ❷민병대의 무력 충돌 발생이 계기

(3) 「독립 선언문」 발표(1776): 인간의 기본권과 민주주의를 천명

(4) 파리 조약 체결(1783): 영국이 미국의 독립을 인정

3 미국이 탄생하다

(1) 세계 최초의 민주 공화국인 아메리카 합중국(미국) 탄생: ❸연방주의 · 공화주의 · 삼권 분립에 기초한 헌법 제정 → 연방 정부 구성, 워싱턴이 초대 대통령으로 취임

(2) 영향: 프랑스 혁명과 라틴 아메리카 독립에 영향

어떻게? 프랑스 사회의 지식인들은 미국혁명에서 발표된 문건과 사상을 접하며 영향을 받았어.

❶ 보스턴 차 사건
식민지의 주민들이 영국으로부터 수입되는 차를 막기 위해 벌인 사건으로, 주민들은 보스턴 항에 정박되어 있던 영국 동인도 회사의 배를 습격하여 차를 모두 바다에 던져버렸다.

❷ 민병대
식민지 주민들이 자체적으로 결성한 부대로 영국에서 파견한 군대와 전쟁을 치루었다.

❸ 연방주의
기본적으로 연방들의 주권을 인정하면서, 여러 연방을 통합하는 중앙 정부를 만들어 국가를 운영하자는 생각이다.

핵심 자료 미국의 독립 과정

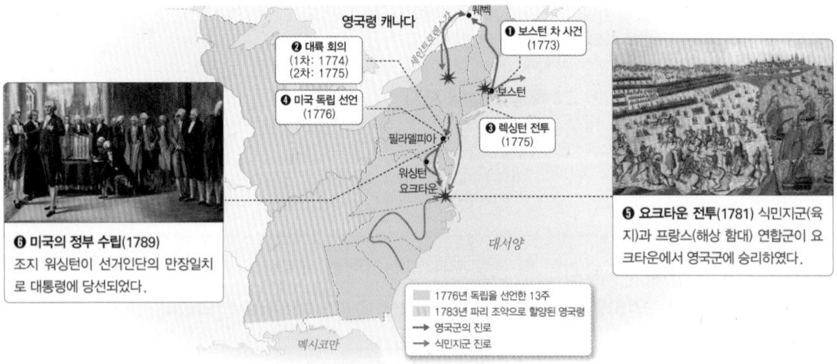

❻ **미국의 정부 수립(1789)** 조지 워싱턴이 선거인단의 만장일치로 대통령에 당선되었다.

❺ **요크타운 전투(1781)** 식민지군(육지)과 프랑스(해상 함대) 연합군이 요크타운에서 영국군에 승리하였다.

핵심

미국 혁명은 어떻게 전개되었을까?

보스턴 차 사건을 계기로 영국군과 식민지 민병대가 충돌하였다. 이 과정에서 발생한 렉싱턴 전투로 독립 전쟁이 시작되었다. 이후 식민지 대표는 「독립 선언문」을 발표하였으며 요크타운 전투에서 식민지군이 대승을 거둔 후 파리 조약으로 미국의 독립이 승인되었다.

정답과 해설 21쪽

확인해 봐요

1 영국과 아메리카 식민지는 영국의 (중상주의/자유주의)정책으로 갈등을 빚었다.

2 「독립 선언문」을 작성한 사람은 (토마스 페인/조지 워싱턴)이다.

3 미국 혁명으로 최초의 (입헌 군주제/민주 공화제) 국가가 탄생하였다.

교과서 활동 풀이

가자! 역사 속으로

교과서 134쪽

1773년 12월, 인디언으로 변장한 백인 수십 명이 보스턴 항에 정박해 있던 영국 상선에 올라가 차 상자 300여 개를 바다에 던졌습니다.

보스턴 차 사건

이들은 왜 상자를 바다에 던졌을까요?

예시 답안 식민지에 사는 백인들이 영국에게 많이 화가 났기 때문이다.

자료 해설

당시 영국은 아메리카 식민지 상인에 의한 차 밀무역을 금지시키고, 영국 동인도 회사에게만 독점권을 부여하였다.

교과서 사진 자료 토머스 페인의 『상식』

교과서 134쪽

토머스 페인은 영국과 식민지가 무력 충돌을 보이기 전부터 아메리카 대륙이 영국으로부터 독립하는 것은 지극히 상식이라는 주장을 하였다. 왜냐하면 현재의 영국이 아메리카 식민지에 대해 폭정을 행하기 때문이었다. 페인의 주장은 식민지 주민들이 자신들의 삶을 되돌아보게 만들었고, 독립 혁명을 일으키는 데에 영향을 미쳤다.

활동 도우미

토머스 페인의 주장이 독립 혁명 과정에서 발표된 「독립 선언서」와 어떤 점이 비슷한지 생각해 보아요.

탐구 해봐요 미국 「독립 선언문」에 나타난 기본권과 민주주의 원리

교과서 135쪽

「독립 선언문」(1776)
모든 사람은 평등하게 태어났으며, 창조주로부터 빼앗을 수 없는 권리를 부여받았다. 그중에는 생명과 자유, 행복을 추구할 권리가 포함되어 있다. 이 권리를 확보하기 위해 인민은 정부를 조직하였으며, 이 정부의 정당한 권력은 인민의 동의로부터 유래한다. 또 어떠한 형태의 정부이든 본래의 목적을 파괴했을 때, 인민은 언제든지 정부를 바꾸거나 무너뜨릴 권리가 있다.

「독립 선언문」을 채택하는 식민지 대표들

활동 도우미

자료에서 인간이라면 누려야하는 권리는 무엇이라 말하고 있는지를 찾아보고, 교과서 본문을 통해 미국 혁명이 다른 나라에 미친 영향을 무엇인지에 대해서도 생각해 보아요.

1 「독립 선언문」에 나타난 인간의 권리를 찾아 써 보자.

예시 답안 평등권, 자유권, 행복 추구권, 정부 조직권, 저항권, 국민 주권 등이 나타나있다.

2 밑줄 친 부분이 다른 나라에 끼친 영향을 본문에서 찾아보자.

예시 답안 전제 정치에 시달리던 유럽에 자극제가 되어 프랑스 혁명에 큰 영향을 주었으며, 식민 지배를 받고 있던 라틴 아메리카의 독립운동을 일깨우는 역할을 하였다.

스스로 확인해요

❶ 식민지 대표들은 「독립 선언문」을 통해 인간의 기본권을 주장하였다. (○)
❷ 미국 혁명으로 세계 최초의 민주 공화국인 미국이 탄생하였다.

이 주제의 핵심

이번 주제에서는 미국이 영국으로부터 독립하고, 미국이 탄생한 과정에 대해서 배웠어요.
이 과정에서 발표된 문서인 「독립 선언서」에는 아메리카 사람들이 영국에게 저항하는 이유가 구체적으로 적혀있답니다.
자신들이 인간으로서 누려야할 마땅한 권리를 적극적으로 펼친 문서 내용에 주목해 봅시다!

학습 목표
프랑스 혁명이 일어난 배경과 전개 과정을 설명할 수 있다.

주제 3 프랑스 혁명, 구제도에서 국민 국가로

1 신분제 사회의 모순에 저항하여 프랑스 혁명이 일어나다

(1) ❶구제도의 모순: 신분제도의 모순
① 성직자(제1 신분), 귀족(제2 신분): 많은 토지와 고위 관직을 독점한 특권층
② 평민(제3 신분): 신분 차별과 무거운 세금 부담, 정치 참여 배제

(2) 국가 재정의 악화: 잦은 전쟁과 왕실의 사치 → 루이 16세가 삼부회를 소집

(3) ❷계몽사상과 미국 독립 혁명의 영향: 제3 신분 중 시민 계급은 계몽사상을 받아들여 성직자와 귀족의 특권을 비판하고 사회 개혁 주장, 자유롭고 평등한 사회를 지향

(4) 삼부회: 표결 방식을 둘러싸고 대립
어떻게? 평민 대표는 머릿수 표결을 성직자와 귀족 대표는 신분제 표결을 내세웠어.

(5) 국민 의회: 제3 신분이 테니스코트에 모여 결성(테니스코트의 선언)

2 인간과 시민의 권리를 선언하다

(1) 바스티유 감옥 습격: 루이 16세의 탄압→ 바스티유 감옥 습격

(2) 인권 선언 발표: 「인간과 시민의 권리 선언(인권 선언)」 발표, 새로운 헌법 제정
무엇을? 자유, 평등, 재산권, 저항권 등 인간의 기본권을 보장하는 내용으로 프랑스 혁명의 이념을 반영하였어.

3 프랑스 혁명이 막을 내리다

(1) 입법 의회: 국민 의회가 제정한 새로운 헌법으로 구성 → 이웃 나라의 군주들이 프랑스 위협 왜? 이웃 나라의 군주들이 프랑스를 위협하면서 혁명 전쟁이 시작되었어.

(2) 국민 공회: 혁명과 전쟁으로 인한 사회 혼란 상황에서 소집 → 공화정 시작, 루이 16세 처형, 공포 정치 시작(로베스피에르 시행)
무엇을? 공포 정치는 정권을 유지할 목적으로 공포감을 조성하는 정치로 혁명에 반대하는 사람들을 처형하였어.

(3) 총재 정부 결성: 공포 정치에 대한 사람들의 불만 → 온건파가 로베스피에르를 처형
왜? 공포 정치로 처형이 계속 되자 불만이 커지기 시작하였어.

(4) 통령 정부 수립: 총재 정부에 대한 불만 → 나폴레옹이 쿠데타로 정권 장악

(5) 혁명의 영향: 자유, 평등, 우애의 혁명 이념이 전 세계에 전파

4 나폴레옹이 유럽에 혁명 이념을 전하다

(1) 정권 장악: 제1 통령으로 취임 → 나폴레옹이 황제로 즉위
어떻게? 나폴레옹은 국민 투표를 통해 황제가 되었어.

(2) 유럽 정복 전쟁: 유럽 각국 정복 → 자유주의와 민족주의 확산
어떻게? 프랑스의 지배에 대항하여 민족의 단결을 주창하는 과정에서 자유주의와 민족주의가 확산되었어.

(3) 국내 개혁 추진: 사회 질서 회복, 국민 교육 제도 도입, 국민 재정 안정 모색, 『나폴레옹 법전』 편찬

(4) 몰락: 영국의 굴복을 위해 대륙 봉쇄령 시행 → 러시아가 대륙 봉쇄령을 어김 → 원정 단행 → 러시아 원정 실패(유럽 각국의 공세) → 나폴레옹 격파

❶ 혁명 전 프랑스의 신분 구조 (구제도의 모순)

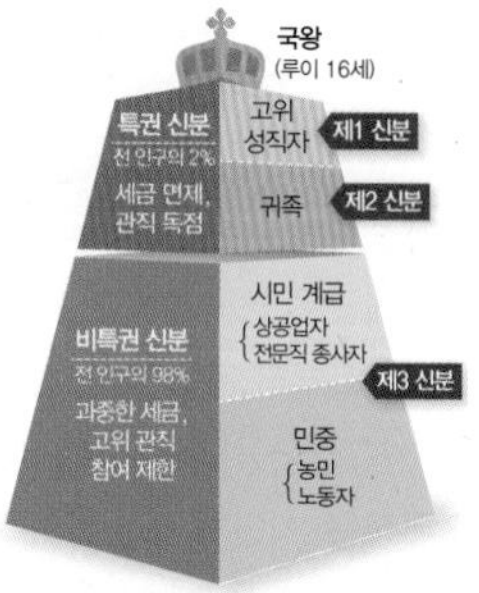

프랑스 혁명 전 프랑스 사회에서는 제1 신분(성직자)과 제2 신분(귀족)은 전 인구의 2%에 불과하였지만 다양한 면세 혜택과 광대한 토지를 소유하였고 주요 관직을 독점하였다. 그에 비해 인구의 대부분을 차지하고 있는 제3 신분(평민)은 봉건적 속박과 무거운 세금에 시달리며 특권에서 제외 되었다.

❷ 계몽사상
미신을 배격하고 상식과 경험, 과학을 중시하였으며, 이성과 합리성에 바탕을 둔 사고를 지향하였다. 17~18세기 유럽에서 유행한 사상으로 시민 혁명의 바탕이 되었다.

정답과 해설 21쪽

확인해 봐요

1 혁명이 일어나기 전의 프랑스 사회 체제는? ( )

2 삼부회에서 제3 신분의 요구가 받아들여지지 않으면서 평민 대표들이 결성한 의회는? ( )

3 프랑스 총재 정부의 무능함을 틈타 쿠데타를 일으켜 정권을 장악한 인물은? ( )

교과서 활동 풀이

가자! 역사 속으로 교과서 136쪽

혁명 전 프랑스 사회에서 제3 신분은 무거운 세금을 내면서도 자신의 권리를 보장받지 못하였고, 이에 이들은 혁명을 일으켰습니다.

제3 신분은 혁명으로 어떤 사회를 건설하고자 하였을까요?

예시 답안 제3 신분을 구속하는 성직자와 귀족들을 타도하고 자유롭고 평등한 사회를 건설하고자 하였을 것 같다.

활동 도우미

프랑스 혁명 당시 풍자화를 보고, 여러분이 이 당시 제3 신분이었다면 제3 신분이 어떤 불만을 가졌을지 그리고 그들이 꿈꾸는 사회 모습이 어떠했을지 생각해 보아요.

Q 「인권 선언」에 나타난 인간의 기본권은 무엇일까? 교과서 137쪽

「인간과 시민의 권리 선언(인권 선언)」(1789)

제**1**조 인간은 자유롭고 평등한 권리를 가지고 태어났다.
제**2**조 모든 정치적 결사의 목적은 인간의 자연권을 보전하는 데 있다. 그 권리는 자유, 재산권, 안전 그리고 압제에 대한 저항이다.
제**3**조 모든 주권의 원천은 본질적으로 국민에게 있다.

예시 답안 자유권, 평등권, 재산권, 안전권, 저항권, 국민 주권

「인권 선언」을 든 남자

활동 도우미

프랑스 혁명 당시 발표된 「인간과 시민의 권리 선언」을 우리의 일상생활과 연관 지어 생각해 봄으로써 프랑스 혁명을 일으킨 이유와 인간의 기본권이 나타난 조항을 알아보아요.

스스로 확인해요

❶ 국민 의회는 봉건제 폐지를 선언하고 「인간과 시민의 권리 선언」을 발표하였다. (○)
❷ 나폴레옹 전쟁으로 유럽 전역에 자 유 ·평등·우애라는 프랑스 혁명의 정신이 널리 전파되었다.

역량 키우기 **역사 탐구** **프랑스 혁명이 국민 국가 형성에 끼친 영향** 교과서 139쪽

생각하고 탐구하기

1 자료를 참고하여 국민 국가의 세 가지 요소를 찾아보자.

국민, 주권, 영토

2 프랑스 혁명이 프랑스의 국민 국가 형성에 끼친 영향을 이야기해 보자.

예시 답안 프랑스는 「인권과 시민의 권리 선언」에 나와있는 것처럼 국가의 헌법에 시민들의 존엄한 권리를 보장해 줌으로써 국민의 존재를 전제로 국가를 상상하는 국민 국가 건설에 긍정적인 영향을 미쳤다.

활동 도우미

새롭게 등장한 국민 국가의 특징과 이전의 국가와의 차이점에 대해서 생각해 보는 활동입니다. 앞의 자료를 통해 국민 국가의 세 가지 요소를 알아보고, 프랑스 혁명을 거치면서 프랑스의 국민 국가 형성에 끼친 영향을 생각하여 적어 보아요.

이 주제의 핵심

이 주제에서는 프랑스 혁명으로 프랑스가 국민 국가로 건설되는 과정, 그리고 이후 영향에 대해서 배웠어요. 특히 프랑스 혁명 과정에서 발표된 「인간과 시민의 권리 선언」은 모든 인간이 기본권을 가지고 있고, 주권은 국민에게 있다는 내용을 담은 것이었어요. 그 의미가 현재까지 이어져오고 있으니, 관심을 갖고 봐야겠죠?

학습 목표
빈 체제의 등장과 이에 저항하는 자유주의 운동을 말할 수 있다.

주제 4 빈 체제의 동요와 자유주의의 확산

1 유럽에 보수적인 빈 체제가 들어서다

(1) 빈 체제: [1]메테르니히가 빈 회의 주도
- ① 내용: 유럽의 영토와 지배권을 프랑스 혁명 이전으로 회복
  어떻게? 프랑스 혁명 이전인 절대 왕정으로 돌아가고, 나폴레옹의 유럽 진출로 혼란스러워진 영토 소유를 이전으로 되돌리자는 것이었어.
- ② 결과: 유럽 여러 국가 간에 동맹 체결

(2) 빈 체제에 대한 저항
- ① 자유주의 운동: 개인의 자유 · 선거권 확대 요구
- ② 민족주의 운동: 민족의 독립과 통일 주장
- ③ 대응: 빈 체제 자유주의 · 민족주의 운동 탄압
- ④ 빈 체제의 동요: 그리스 · 라틴 아메리카 독립 → 빈체제 동요

2 빈 체제에 저항하는 자유주의 혁명이 일어나다

(1) 7월 혁명(1830)
- ① 원인: 빈 체제 이후 국왕의 전제 정치(언론 탄압, 의회 해산)
- ② 전개: 시민과 자유주의자가 7월 혁명을 일으킴.
- ③ 결과: [2]루이 필리프를 '시민의 왕'으로 추대 → 입헌 군주정 수립

(2) 2월 혁명(1848)
- ① 원인: 부유한 금융가 · 대지주만의 이익 보호 → 국민 불만 → 2월 혁명
  왜? 7월 혁명 이후 선거권이 소수의 부유한 시민들에게만 주어져서 큰 불만이었어.
- ② 전개: 중하층 시민, 노동자들, 공화주의자들이 합세
- ③ 결과: 왕정 폐지, 공화정 수립
- ④ 영향: 혁명의 이념이 유럽 전역으로 확산 → 빈 체제 붕괴
  어떻게? 2월 혁명의 영향으로 다른 나라에서도 자유주의와 민족주의 운동이 벌어졌지.

3 영국에서 자유주의 개혁이 이루어지다

(1) 선거법 개정
- ① 전개: 중간 계급에 선거권 부여(제1차 선거법 개정, 1832) → 노동자 선거권 확대를 위해 「인민 헌장」 발표(차티스트 운동)
  무엇을? 인민 헌장에는 21세 이상의 모든 남자에게 선거권을 달라는 요구가 담겨있어.
- ② 결과: 잇다른 선거권 개정 → 노동자 선거권 부여

(2) 자유주의 경제 개혁: 곡물법, [3]항해법 폐지

❶ 메테르니히
오스트리아의 수상이었던 메테르니히는 빈 회의를 개최하여 유럽 각국과 회의를 진행하여 동맹을 이끌었다. 동맹이 추구하는 방향은 프랑스 혁명 이전으로 되돌리자는 보수적인 것이었다.

❷ 루이 필리프
귀족 가문에서 태어난 사람이었으나 시민들로부터 '평등한 자의 아들'이라 불렸다. 7월 혁명으로 왕위에 추대되었으나 2월 혁명 시기에는 '늙은 독재자'라고 불렸다.

❸ 항해법
이 법은 잉글랜드의 무역은 잉글랜드의 배로만 한정해야한다는 내용을 담은 법이다.

핵심 자료 들라크루아가 그린 7월 혁명

핵심
들라크루아는 7월 혁명의 어떤 모습을 표현하고 싶었을까?

들라크루아가 그린 자유의 여신 밑에는 희생된 민중들, 뒤에는 여신을 따르는 다양한 계층의 민중들이 그려져 있다. 이 장면을 통해 7월 혁명 참가자들이 자유를 추구하였음을 파악할 수 있다.

「민중을 이끄는 자유의 여신」(들라크루아, 프랑스 루브르박물관) 프랑스 7월 혁명 당시 민중을 이끄는 자유의 여신을 의인화하여 표현하였다.

정답과 해설 21쪽

확인해 봐요

1 메테르니히가 주도하여 유럽에서 형성한 보수적인 성격의 국가 체제는? (　　　)

2 7월 혁명으로 형성된 프랑스의 정치 체제는? (　　　)

3 영국 노동자들이 선거권 확대를 위해 발표한 문서는? (　　　)

교과서 활동 풀이

가자! 역사 속으로

교과서 140쪽

빈 회의에 참석한 각국의 대표는 유럽의 질서를 프랑스 혁명과 나폴레옹 전쟁 전으로 되돌리고 강대국 간의 세력 균형을 추구하였습니다.

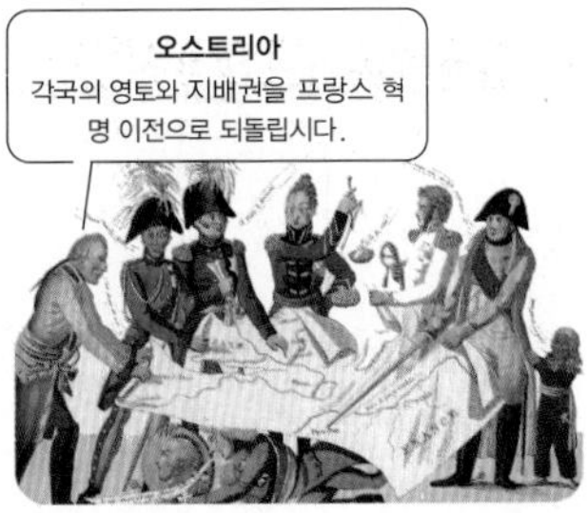

이들은 왜 유럽의 질서를 프랑스 혁명 전으로 되돌리려 하였을까요?

예시 답안 왕 중심의 정치 체제를 계속 유지하고, 나폴레옹이 일으켰던 전쟁 이전으로 각 나라의 영토를 되돌리기 위해서일 것 같다.

활동 도우미

여러 나라들의 대표는 왕실의 대표자들이었습니다. 이들이 빈에 모여 각국의 영토와 지배권을 프랑스 혁명 이전으로 되돌리자고 주장한 까닭을 생각해 보아요.

탐구 해 봐요 영국의 선거법 개정과 차티스트 운동

교과서 141쪽

자료 1 영국의 선거법 개정

구분	확대된 유권자	전 국민에 대한 유권자 비율
개정 전	귀족, 젠트리	3%
제1차(1832)	도시의 신흥 상공업자	5%
제2차(1867)	도시 소시민과 노동자	9%
제3차(1884)	농촌·광산의 노동자	19%
제4차(1918)	21세 이상의 남자 30세 이상의 여자	46%
제5차(1928)	21세 이상의 남녀	62%

- 『사료로 읽는 서양사 4: 근대편 Ⅱ』, 2015. -

자료 2 차티스트 운동의 6개 요구 사항

1. 21세 이상 모든 남자의 선거권 인정
2. 유권자 보호를 위해 비밀 투표제 시행
3. 하원 의원의 재산 자격 조항 폐지
4. 하원 의원에게 보수 지급
5. 인구 비례에 따른 동등한 선거구 설정
6. 의원 임기를 1년으로 하여 매년 선거 시행

- 「인민헌장」, 1838. -

「인민헌장」을 들고 있는 노동자

활동 도우미

자료 1을 통해 선거권의 확대되는 과정을 살펴보고, 그 의미에 대해 생각해 보아요.
또한 자료 2를 통해서는 노동자들이 인민 헌장에 각 조항들을 넣기 위해 어떤 토론을 벌였을지 상상해보고, 이 운동이 당시 사회에 어떤 영향을 미쳤을지 생각해 보아요.

1 〈보기〉의 인물들이 선거권을 획득한 순서대로 나열해 보자.

보기

㉠ 농민 ㉡ 23세 여성 ㉢ 35세 여성 ㉣ 도시 노동자 ㉤ 부유한 도시 상공업자

예시 답안 ㉤-㉣-㉠-㉢-㉡

2 차티스트 운동으로 달라졌을 영국 사회의 모습에 대해 토의해 보자.

예시 답안 노동자들의 바람이 모두 이루어지지는 않았으나 이후 여러 차례 선거법 개정 과정을 통해 선거권을 갖기 위한 운동이 더욱 활발하게 전개되었다.

스스로 확인해요

❶ 빈 체제에 저항하여 자유주의·민족주의 운동이 확산되었다. (○)
❷ 영국에서는 선거권을 얻지 못한 노동자들이 보통 선거를 요구하는 차 티 스 트 운동을 벌였다.

이 주제의 핵심

이번 주제는 유럽의 보수적인 국제질서에 대항하여 어떤 사건들이 있었는지를 살펴보는 것이 중요합니다.
7월 혁명, 2월 혁명에서 나타난 정신이 유럽 전역으로 퍼졌다는 점을 생각해보도록 합시다.
또한 영국에서도 선거법이 개정되고 자유주의를 반영한 경제 개혁이 진행되었다는 점도 기억해 볼 필요가 있겠죠?

학습 목표
이탈리아와 독일의 통일 과정을 설명할 수 있다.

주제 5 민족주의의 확산과 새로운 국민 국가의 등장

1 이탈리아의 통일

(1) 배경: 빈 체제 아래에서 여러 나라로 분열, 북부 일부 지역은 오스트리아 지배

(2) 경과

① 마치니: 통일 민족 운동 전개 **어떻게?** '청년 이탈리아당'이라는 정당을 만들어 혁명을 위한 운동을 벌였어.

② 카보우르: 프랑스와 동맹을 맺고 오스트리아에 승리 → 중북부 이탈리아 통합

③ [1]가리발디: 시칠리아와 나폴리 정복 → 사르데냐 왕국에 바침 → 이탈리아 왕국 탄생(1861) **왜?** 이탈리아 통일을 위해서는 사르데냐 왕국과 합쳐야 한다는 생각을 했던 거야.

2 독일의 통일

(1) 배경

① 빈 체제 하에서 여러 나라로 분열 → 프로이센과 오스트리아를 중심으로 통일의 움직임 활발

② [2]관세 동맹 체결: 프로이센 주도, 동맹국 간 관세 폐지, 화폐와 도량형 통일 → 독일 통일의 경제적 기반 마련

(2) 경과

① 비스마르크의 통일 정책: [3]철혈 정책(강력한 군사 정책 추진)

② 오스트리아와의 전쟁에서 승리하여 북독일 연방 창설

③ 프랑스와의 전쟁에서 승리한 뒤 독일 제국 선포(1871)

❶ 가리발디
이탈리아 통일의 주역으로 민족주의자이자 공화주의자였다. '붉은 셔츠대'를 조직해 시칠리아와 나폴리를 정복한 뒤, 통일을 위해 이를 사르데냐 왕국 국왕에게 바쳤다.

❷ 관세 동맹
독일 안에 있는 나라들에게는 서로 관세를 부과하지 않고 자유롭게 거래하자는 협정이다.

❸ 철혈 정책
독일의 통일은 철(무기)과 피(전쟁)로 가능하다고 생각하여 군비를 증대했던 정책이다.

핵심 자료 이탈리아와 독일의 통일 과정에서 나온 연설

자료 1 카보우르의 의회 연설

이탈리아는 지금 매우 어려운 상황에 놓여 있습니다. 가리발디는 자신의 방식대로 나아가고 있습니다. …… 우리는 이 위기에서 벗어나 반동적인 사람들의 완고함과 공화주의자들의 어리석은 생각에도 불구하고, 질서와 자유의 굳건한 기반 위에 우리의 국가를 건설할 것입니다.

자료 2 비스마르크의 의회 연설

비록 빈약한 우리 몸보다 군비가 너무 무겁다 해도 그것이 우리에게 이롭다면 우리는 그것에 익숙해지려는 정열을 가져야 합니다. 독일이 당면 과제를 수행하기 위해 눈여겨보아야 할 것은 프로이센의 자유주의가 아니라 군비일 것입니다.

핵심
이탈리아와 독일은 어떻게 통일을 이루었을까?

이탈리아의 통일은 사르데냐 왕국을 중심으로 카보우르가 오스트리아에 맞서 중·북부 이탈리아를 통합하였고, 남부에서는 가리발디가 시칠리아와 나폴리를 점령하여 이루어졌다. 독일은 프로이센의 강력한 군비와 무력을 통한 철혈 정책을 추진하여 빠른 속도로 독일을 통일하였다.

정답과 해설 21쪽

확인해 봐요

1 카보우르는 시칠리아와 나폴리를 정복한 뒤 이를 사르데냐 국왕에게 바쳤다. (○, ×)

2 독일 통일은 프로이센 주도하에 진행되었다. (○, ×)

3 독일의 비스마르크는 통일을 위한 방법으로 철혈 정책을 제시하였다. (○, ×)

교과서 활동 풀이

가자! 역사 속으로

교과서 142쪽

오른쪽 사진은 사르데냐 국왕과 가리발디가 만나는 장면입니다. 1860년 붉은 셔츠단을 조직한 가리발디는 시칠리아와 나폴리를 정복한 후, 두 지역을 사르데냐 국왕에게 바쳤습니다.

가리발디는 왜 정복한 지역을 사르데냐 국왕에게 바쳤을까요?

예시 답안 이탈리아의 통일이 자신의 이익보다 더욱 중요하다고 생각하였기 때문이다.

활동 도우미
가리발디가 자신이 정복한 지역을 왜 사르데냐 국왕에게 바쳤을지 생각해 보아요.

교과서 사진 자료 이탈리아 통일의 주역들

교과서 142쪽

4명의 인물은 이탈리아 통일에 공헌을 한 바가 있다고 평가받는 인물들이다. 비토리오 에마누엘레 2세는 카보우르를 재상으로 임명하였으며, 프랑스 · 영국과 외교를 맺어 통일을 방해하는 오스트리아와 싸워 승리를 이끌었다. 카보우르는 이탈리아 재상으로 사르데냐 왕국 중심의 통일을 점진적으로 이끌었으며, 유럽의 주요 열강들에게 이탈리아 통일의 중요성을 인식시켰다.

이탈리아 통일의 주역들

활동 도우미
이탈리아 통일에 공헌했다고 평가받는 인물들의 행적을 조사해 볼까요? 그리고 이탈리아 국민들에게 4명의 인물은 어떤 평가를 받고 있을지 상상해 보아요.

탐구 해 봐요 마치니와 비스마르크의 통일에 대한 생각

교과서 143쪽

자료 1 청년 이탈리아당과 마치니

마치니

"청년 이탈리아는 '공화주의적'이고 '통일적'이다. …… 모든 주권은 본질적으로 국민에게 있기 때문이며, …… 통일 없이 진정한 힘은 존재하지 않기 때문이다. …… 청년 이탈리아가 목표에 도달하는 수단은 바로 교육과 봉기이다."
– 마치니, 「청년 이탈리아」 –

자료 2 비스마르크의 철혈 정책

비스마르크

"독일이 눈여겨보아야 할 것은 프로이센의 자유주의가 아니라 군비입니다. …… 중요한 문제들은 …… 철(鐵)과 피(血)에 의해서만 문제(독일 통일)가 해결될 수 있습니다."
– 비스마르크, 철혈 정책에 대한 의회 연설 –

1 마치니와 비스마르크가 공통으로 추구했던 목표를 써 보자.

예시 답안 마치니와 비스마르크는 모두 조국의 통일을 추구하였다.

2 마치니와 비스마르크가 제시한 통일 방식의 차이점을 비교해 보자.

예시 답안 마치니는 공화주의에 입각한 통일 국가 수립을 위해 봉기가 필요하며, 교육을 통해 봉기의 필연성을 가르쳐야 한다고 주장하였다. 반면에 비스마르크는 강력한 통일 독일을 만들기 위해 철혈 정책을 주장하며 군사 제도 개혁을 단행하였다.

활동 도우미
통일의 과정에서 나온 발언들을 통해 당시의 사람들이 국가 통일을 위해 어떤 수단들을 제시하였는지 찾아보고, 그 방법의 차이를 비교해 보아요.

스스로 확인해요

❶ 마치니와 가리발디, 카보우르 등의 노력에 힘입어 새로운 국민 국가인 독일 제국이 탄생하였다. (×)

❷ 프로이센의 총리였던 비스마르크는 철 혈 정 책을/를 통해 독일 통일을 이루고자 하였다.

이 주제의 핵심

이번 주제는 민족주의의 확산으로 국민 국가가 만들어졌던 대표적인 두 사례, 이탈리아와 독일에 대해 공부했어요. 여기에서는 이탈리아와 독일이 통일을 추진한 배경과 경과에 대해를 비교하여 알아보아요.

7 유럽과 아메리카의 국민 국가 체제

학습 목표
미국의 발전 과정과 라틴 아메리카의 독립 과정을 설명할 수 있다.

주제 6 미국과 라틴 아메리카의 발전

1 미국이 발전하다

(1) 독립 이후: 서부 개척, 영토 매입 → 태평양 연안까지 영토 확대 → 강대국으로 성장

(2) 남북 전쟁의 배경: 남부와 북부의 대립 (왜? 남부와 북부의 사람들은 사회·경제적 환경의 차이가 있었기 때문에 자연스럽게 정치적인 측면에서도 생각이 다를 수밖에 없었어.)

남부	대농장 경영, 노예 제도 찬성, 자유 무역
북부	상공업 발달, 노예 제도 확산 반대, 보호 무역

(3) 남북 전쟁의 전개

① 원인: 링컨이 대통령에 당선(노예 제도 확산 반대와 연방주의 주장) → 남부 연방에서 탈퇴

② 결과: 남북 전쟁 발발 → 링컨, 노예 해방령 발표 → 북부 승리

(4) 미국의 발전: 전쟁 복구, ❶대륙 횡단 철도 건설, 이민자 유입 → 산업화 추진

2 라틴 아메리카의 여러 나라가 독립을 이루다

(1) 배경: 미국 혁명과 프랑스 혁명의 이념 전파, 나폴레옹 전쟁으로 식민지에 대한 유럽의 통제력 약화 → 독립운동 활발

(2) 전개: ❷아이티가 프랑스로부터 독립(1804) → 크리요오인 볼리바르, 산마르틴 등의 활약으로 콜롬비아와 아르헨티나 등 각국 독립
(어떻게? 투생 루베르튀르를 중심으로 혁명 세력이 흑인 노예에 대한 차별을 반대하며 독립을 이끌었지.)

(3) 독립 이후의 상황

① 대내: 빈부 격차 심화, 독재 정권 출현, 국내 공업 기반 취약

② 대외: 강대국의 정치적 간섭 → 미국과 유럽의 영향에서 벗어나려는 움직임

❶ 대륙 횡단 철도
시카고를 기점으로 샌프란시스코까지 약 5000km에 이르는 철도이다. 남북 전쟁으로 피폐해진 미국이 경제적 통일을 이루어 빠른 속도로 산업화를 달성하는 데 큰 역할을 하였다.

❷ 아이티
아이티는 프랑스의 식민지였다. 투생 루베르튀르를 중심으로 한 아이티 혁명 세력은 노예 제도를 끝내고 프랑스로부터 독립을 이루었다.

핵심 자료 링컨과 노예 해방령과 노예 인구 비율

자료 1 링컨의 노예 해방령

현재 미국에 대해 반란 상태에 있는 주나 일부의 노예들은 1863년 1월 1일 이후부터 영원히 자유의 몸이 될 것이다. 육해군 당국을 포함해 미국 행정부는 그들의 자유를 인정하고 지켜줄 것이며, 그들이 진정한 자유를 얻고자 노력하는 데 어떠한 제약도 가하지 않을 것이다.

핵심
링컨의 노예 해방 선언이 남북 전쟁에 어떤 영향을 미쳤을까?

자료 2 노예 인구 비율

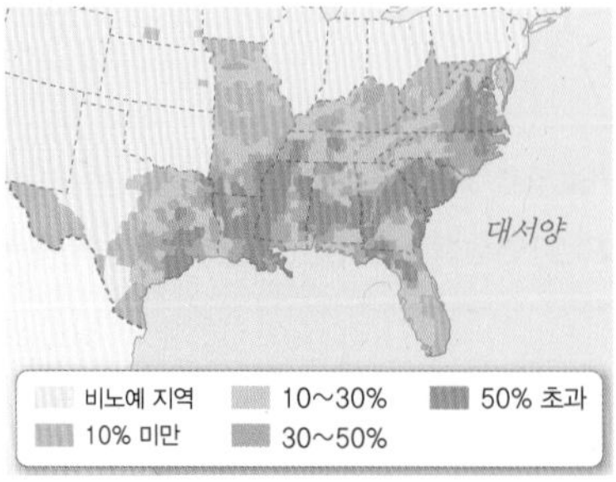

아메리카 대륙에는 노예의 인구비율이 생각보다 많이 높았기 때문에 링컨의 노예 해방 선언은 남북 전쟁에서 북부가 많은 인구로부터 지지를 받는 데에 영향을 미쳤을 것이다.

정답과 해설 21쪽

확인해 봐요

1 남북 전쟁 이전 미국의 북부는 상공업이 발달한 곳이었다. (○, ×)

2 남북 전쟁의 결과 남부가 승리하였다. (○, ×)

3 볼리바르, 산마르틴의 활약으로 라틴 아메리카의 독립이 활발히 진행되었다. (○, ×)

교과서 활동 풀이

가자! 역사 속으로

교과서 144쪽

독립 당시의 13개 주를 상징하는 가로줄과 흰색 별로 시작한 미국 국기는 1959년 하와이가 50번째 주로 편입되면서 현재처럼 변화되었습니다.

1777년

1960년

미국 국기가 현재와 같이 변화된 이유는 무엇일까요?

예시 답안 미국 연방에 속해 있는 주의 수가 늘어나 미국의 국기가 현재와 같이 변한 것 같다.

활동 도우미

미국 국기 안에 별이 상징하는 바가 무엇인지를 생각해보면서, 별이 늘어난다는 것은 무엇을 의미하고 있을지 추측해 보아요.

탐구 해봐요 남북 전쟁의 배경

교과서 144쪽

남부의 목화 농장

북부의 면직물 공장

1 자료와 본문을 참조하여 아래의 표를 완성해 보자.

구분	북부	남부
산업 구조	상공업	대농장 경영
노예 제도	확산 반대	유지
무역 형태	보호 무역	자유 무역

2 북부와 남부가 노예 제도에 대해 서로 다른 의견을 주장한 이유를 산업 구조와 연관 지어 파악해 보자.

예시 답안 북부는 자유로운 임금 노동자에 기초한 상공업이 발달하여 노예 제도의 확산을 반대하였고, 남부는 흑인 노예를 이용해 목화를 생산하는 대농장 경영이 발전하여 노예 제도 유지를 주장하였다.

자료 해설

자료는 미국 남부와 북부의 산업구조를 보여주는 사진이다. 남부의 지주들은 노예 노동을 이용하여 목화 농장과 같은 대농장을 경영하였고, 북부의 자본가는 노동자들을 고용하여 공장을 경영하였다.

교과서 사진 자료 아이티 독립의 영웅 투생 루베르튀르

교과서 145쪽

프랑스 식민지였던 아이티에서 흑인 노예들은 그들의 지도자였던 투생 루베르튀르를 중심으로 혁명을 일으켰다. 투생 루베르튀르는 프랑스, 에스파냐, 영국 등과 적절하게 가깝게 지내는 외교 전략을 펼치는 한편, 군대를 조련하고 유럽인들의 전술까지 익히는 등 군사력을 강화하였다. 그는 자유와 평등이라는 단어를 사용하며 흑인 노예의 노동 조건 개선을 넘어 노예제의 전면적인 폐지를 요구하였다. 실질적으로 생도맹그섬을 장악한 투생 루베르튀르의 세력에 압도당한 프랑스 혁명 정부는 노예제의 폐지를 선언하고 아이티의 독립을 승인해주었다.

활동 도우미

아이티 혁명은 소수자였던 흑인의 외침이자 동시에 라틴 아메리카의 독립이 이루어진 역사적 사건이에요. 프랑스의 식민지인 아이티에서 흑인들이 혁명을 일으키고, 독립을 이루었다는 사실이 유럽에 전해졌을 때, 유럽 사람들은 이를 어떻게 바라보고 있었을지 생각해 보아요.

스스로 확인해요

❶ 미국에서는 노예 제도를 둘러싸고 남북 전쟁이 발생하였다. (○)

❷ 볼 리 바 르 은/는 베네수엘라, 콜롬비아, 볼리비아 등을 독립시켜 라틴 아메리카의 해방자라고 불린다.

이 주제의 핵심

이 주제에서는 미국에서 남부와 북부 간에 어떤 차이점이 있었는지를 확인하고 남북 전쟁을 통해 미국이 어떤 방향으로 나아갔는지를 살펴볼 필요가 있어요. 또한 신항로 개척 이후 식민지가 되었던 라틴 아메리카도 자유의 바람 속에 독립을 이루기 시작하였다는 사실에도 주목해야겠지요?

시험을 대비하는 실전 문제

기초를 튼튼하게 확인 문제

01 서로 관련 있는 내용끼리 연결하시오.

㉠ 영국 혁명 • • ⓐ「인권 선언」
㉡ 미국 혁명 • • ⓑ「권리 장전」
㉢ 프랑스 혁명 • • ⓒ「독립 선언문」

02 아래 설명이 맞으면 ○, 틀리면 ×로 표시하시오.

(1) 미국 혁명으로 의회 중심의 입헌 군주제 국가가 수립되었다. ( )
(2) 빈 체제는 유럽 각국의 자유주의와 민족주의 운동을 탄압하였다. ( )
(3) 차티스트 운동 결과 성인 남자의 보통 선거가 이루어졌다. ( )
(4) 독일은 카보우르의 철혈 정책으로 통일을 이루었다. ( )

03 |보기|의 미국 혁명과 관련한 사건들을 순서대로 나열하시오.

| 보기 |
ㄱ. 파리 조약 ㄴ. 대륙 회의
ㄷ. 보스턴 차 사건 ㄹ.「독립선언문」발표

04 빈칸에 알맞은 말을 쓰시오.

(1) 찰스 1세가 전제 정치를 강화하자, 의회는 이에 맞서 ( )이/가 발생하였다.
(2) 재정 위기를 해소하기 위해 루이 16세는 ( )을/를 소집하였다.
(3) ( )(으)로 공화정이 수립되고 빈 체제가 무너지게 되었다.

내신을 탄탄하게 내신 문제

01 밑줄 친 (가)에 들어갈 내용으로 옳은 것은?

> 17세기 들어 튜더 왕조를 뒤이은 스튜어트 왕조의 국왕들이 청교도를 박해하고 의회를 무시하자, 왕당파와 의회파 사이에 충돌이 일어났다. 마침내 의회파 지도자 크롬웰은 왕당파 군대를 무찌르고 (가) .

① 대헌장을 제정하였다.
② 공화정을 수립하였다.
③ 입헌 군주정을 수립하였다.
④ 귀족 중심의 정치를 실현하였다.
⑤ 왕권 신수설을 기반으로 왕권을 강화하였다.

02 다음 가상 대화와 관련한 혁명에 대한 설명으로 옳지 않은 것은?

> S#3. 대륙 회의
> 갑과 을이 분노에 찬 표정으로 서로 말하고 있다.
> 갑: 이번 보스턴 차 사건은 그냥 넘길 수 없는 본국 정부에 대한 저항이오! 따라서 보스턴 항을 폐쇄할 것을 명령하는 바이오.
> 을: '대표 없는 곳에 과세할 수 없다.'라는 우리의 입장은 변함이 없소. 우리 식민지 대표들이 모여 영국에 강력히 항의했으며, 우리의 권리와 자유 회복을 강력히 요구하는 바이오.

① 유럽 각국의 지원을 받았다.
② 프랑스 혁명의 영향을 받았다.
③ 보스턴 차 사건으로부터 시작되었다.
④ 세계 최초의 민주 공화국을 탄생시켰다.
⑤ 영국의 중상주의 정책 강화가 원인이 되었다.

03 (가)에 들어갈 내용으로 옳은 것은?

① 산업 혁명기 노동자의 삶을 표현하고 있어요.
② 아프리카 노예 노동의 실태를 고발하고 있어요.
③ 왕권에 저항하는 의회의 투쟁을 보여주고 있어요.
④ 봉건적 의무에 시달리는 제3 신분을 나타내고 있어요.
⑤ 무거운 세금을 부담하는 식민지인을 나타내고 있어요.

04 다음 선언문이 제정된 시기를 연표에서 고른 것으로 옳은 것은?

> **제1조** 인간은 자유롭게 그리고 평등한 권리를 가지고 태어났다.
> **제2조** 자유, 재산, 안전 그리고 억압에 대한 저항은 누구도 침해할 수 없는 권리이다.
> **제3조** 모든 주권은 국민으로부터 나온다.
> **제8조** 모든 시민은 직접 또는 대표를 통해서 입법에 참여할 수 있는 권리를 지닌다.

(가)	(나)	(다)	(라)	(마)

삼부회 소집 / 바스티유 감옥 습격 / 국민 공회 구성 / 공포 정치 시행

① (가) ② (나) ③ (다) ④ (라) ⑤ (마)

05 프랑스 혁명 과정에 일어난 |보기|의 사건들을 순서대로 나열한 것으로 옳은 것은?

| 보기 |
ㄱ. 삼부회 소집
ㄴ. 국민 의회 결성
ㄷ. 「인권 선언」 발표
ㄹ. 공포 정치 시행
ㅁ. 바스티유 감옥 습격

① ㄱ－ㄴ－ㄷ－ㄹ－ㅁ ② ㄱ－ㄴ－ㄹ－ㄷ－ㅁ
③ ㄱ－ㄴ－ㅁ－ㄷ－ㄹ ④ ㄴ－ㄱ－ㄷ－ㄹ－ㅁ
⑤ ㄴ－ㄱ－ㅁ－ㄷ－ㄹ

06 자료의 밑줄 친 '그'에 대한 설명으로 옳은 것은?

> 베토벤은 프랑스 혁명 전쟁에서 적과 싸우는 <u>그</u>의 모습을 보고 크게 감명을 받아 그를 위한 교향곡을 작곡하였다. 그러나 1804년 <u>그</u>가 황제의 자리에 오르자 크게 실망하여 악보의 표지를 찢어 바닥에 내던졌다. 한때 <u>그</u>의 이름이 붙었던 이 작품은 '에로이카(영웅)'라는 곡명으로 세상에 알려져 있다.

① 테니스코트에 모여 국민 의회를 결성하였다.
② 세 신분의 대표로 구성된 삼부회를 소집하였다.
③ 빈 체제로 불리는 보수적인 유럽 체제를 이끌었다.
④ 유럽과 영국의 통상을 금지하는 대륙 봉쇄령을 내렸다.
⑤ 혁명에 반대하는 사람들을 처형하는 공포 정치를 시행하였다.

07 교사의 질문에 대한 학생의 답변으로 옳은 것은?

① 계몽 사상의 영향을 받았습니다.
② 프랑스에 공화정을 수립하고자 하였습니다.
③ 자유주의와 민족주의 운동을 옹호하였습니다.
④ 프랑스 혁명의 정신을 계승하고자 하였습니다.
⑤ 각국의 영토와 지배권을 프랑스 혁명 이전으로 돌리고자 하였습니다.

중요
08 (가)에 대한 설명으로 옳지 않은 것은?

① 프랑스에서 발생하였다.
② 자유주의 운동과 관련이 있다.
③ 노동자에게 선거권을 부여하였다.
④ 국왕의 전제 정치가 배경이 되었다.
⑤ 혁명의 결과 입헌 군주정이 수립되었다.

중요
09 (가)에 대한 설명으로 옳은 것을 |보기|에서 모두 고른 것은?

미국의 발전
- 전개: 남북 전쟁 발발 → 링컨의 노예 해방 선언 → 북부 승리
- 전후 미국의 발전

(가)

|보기|
ㄱ. 유럽 대륙으로부터 이민자가 몰려 노동력이 풍부해졌다.
ㄴ. 교통 · 통신 수단의 발달로 전국 규모의 시장이 형성되었다.
ㄷ. 개인의 창의성과 기업의 자유가 보장되는 사회 분위기가 형성되었다.
ㄹ. 연방 주의와 공화 주의, 삼권 분립에 바탕을 둔 연방 헌법이 제정되었다.

① ㄱ, ㄴ, ㄷ ② ㄱ, ㄴ, ㄹ ③ ㄱ, ㄷ, ㄹ
④ ㄴ, ㄷ, ㄹ ⑤ ㄱ, ㄴ, ㄷ, ㄹ

10 (가)에 들어갈 인물로 옳은 것은?

인물 카드

독립 운동가 (가)

(가) 는 콜롬비아, 베네수엘라, 에콰도르, 볼리비아를 에스파냐의 식민 통치에서 해방시켰다. 또한 (가) 가 소집한 파나마 회의는 '범아메리카주의'의 기초가 되었다.

① 볼리바르 ② 산 마르틴 ③ 루베르튀르
④ 페트릭 헨리 ⑤ 올리버 크롬웰

정답과 해설 21~23쪽

만점에 도전하는 심화 문제

중요

01 (가), (나) 문서 사이의 시기에 있었던 사실로 옳지 않은 것은?

> (가) 현재 의회에 소집된 성직자, 귀족, 평민은 지극히 높으신 국왕 폐하께 다음과 같이 탄원한다.
> **제1조** …… 폐하의 신민은 의회에서 만장일치로 동의한 것이 아니면 어떠한 세금, 차입금, 기부금 및 기타 이와 유사한 부조금을 내도록 강제당하지 않을 자유를 누린다.
> (나) **제2조** '왕은 의회의 동의 없이 법률의 효력 정지 및 집행 정지를 할 권한이 있다.'라는 주장은 위법이다.
> **제4조** 왕이 대권을 구실로 하여 의회의 동의 없이 …… 왕이 쓰기 위한 비용을 과세하는 것은 위법이다.

① 토리당과 휘그당이 의회에서 대립하였다.
② 찰스 1세가 처형되고 공화정이 수립되었다.
③ 크롬웰이 의회를 해산하고 호국경에 올랐다.
④ 왕당파와 의회파 사이에 내란이 발생하였다.
⑤ 의회 다수당이 내각을 구성하여 통치하였다.

신유형

02 다음 가상 편지에서 (가)에 들어갈 내용으로 옳지 않은 것은?

> ○○께
> 지난 몇 년간 이곳 프랑스는 그야말로 혼돈의 소용돌이였습니다. 왕이 처형되다니 상상도 할 수 없는 일이었지요. 이에 놀란 주변국들은 우리 프랑스를 공격하였고, 계속된 전쟁으로 위기에 처한 자코뱅파는 온건파를 제거하고 권력을 장악했어요. 자코뱅파가 수립한 새로운 정부는 ((가)).

① 봉건적 공납을 무상으로 폐지했어요.
② 징병제를 통해 국민군을 조직했어요.
③ 혁명 재판소를 통해 반대파를 처형했어요.
④ 프랑스 은행을 설립하고 산업을 장려했어요.
⑤ 물가 안정을 위해 최고 가격제를 도입했어요.

03 다음 내용과 관련된 사건에 대한 설명으로 옳은 것은?

> - 21세 이상 모든 남자의 선거권 인정하라.
> - 유권자 보호를 위해 비밀 투표제 시행하라.
> - 하원 의원의 재산 자격 조항 폐지하라.
> - 하원 의원에게 보수를 지급하라.
> - 인구 비례에 따른 동등한 선거구를 설정하라.
> - 의원 임기를 1년으로 하여 매년 선거를 시행하라.

① 빈 체제가 붕괴되었다.
② 공화주의자들이 주도하였다.
③ 루이필리프가 시민의 왕으로 추대되었다.
④ 노동자 계급의 정치적 권리를 추구하였다.
⑤ 유럽 각국에 자유주의 이념이 확산되었다.

04 (가) 국가의 통일 운동에 대한 옳은 설명을 |보기|에서 고른 것은?

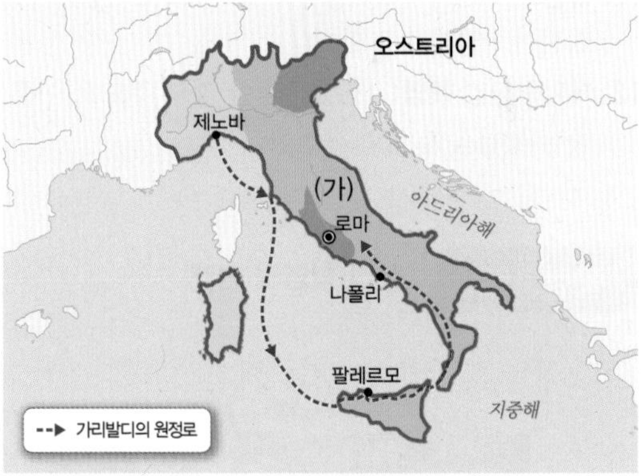

| 보기 |
ㄱ. 마치니가 청년 이탈리아당을 조직하였다.
ㄴ. 가리발디가 시칠리아와 나폴리를 점령하였다.
ㄷ. 관세 동맹을 통해 경제적 통합을 먼저 이루었다.
ㄹ. 프랑크푸르트 의회에서 통일 방안을 논의하였다.

① ㄱ, ㄴ ② ㄱ, ㄷ ③ ㄴ, ㄷ
④ ㄴ, ㄹ ⑤ ㄷ, ㄹ

2 유럽의 산업화와 제국주의

학습 목표
산업 혁명이 일어난 원인과 그로 인한 변화를 설명할 수 있다.

주제 7 산업 혁명의 전개

1 영국이 세계의 공장이 되다

(1) 산업 혁명: 기계와 기술의 발전으로 산업이 급속하게 발달한 현상

어디서? 18세기 후반 영국에서 시작되었어.

(2) 배경

① 정치적 안정: 자유로운 경제 활동 보장

왜? 영국의 명예혁명 이후 영국의 정치는 커다란 굴곡이 없었어.

② 풍부한 자원: 석탄과 철 자원 풍부

③ 식민지 개척을 통한 해외 시장 확대

④ 노동력 확보: 토지를 잃은 농민들의 도시 이주

(3) 전개: 방적기 · 방직기 발명, 면직물 산업의 발달 → ❶공장제 기계 공업 발달

무엇을? 실을 뽑아내는 기계야. 무엇을? 실을 이용하여 면직물을 만들어내는 기계야.

→ 상품의 대량 생산 가능

(4) 동력 혁명: 증기 기관의 개량(제임스 와트) → ❷대량 생산 체제 확립 → 생산력 향상, ❸자본주의 발달

(5) 교통 · 통신 혁명: 증기 기관차, 증기선, 무선 전신, 전화 등장 → 시장의 확대, 산업화의 급속한 확산

2 산업 혁명의 확산되고 국제 질서가 변화하다

(1) 확산: 19세기 전반 벨기에 · 프랑스 → 19세기 중반 미국 → 19세기 후반 독일 · 러시아 · 일본으로 확대

(2) 제2차 산업 혁명: 19세기 후반 정부 주도로 이루어진 철강, 화학, 전기 등 중공업 중심의 급속한 산업화 진행

❶ 공장제 기계 공업
집에서 물건을 만들었던 가내 수공업과는 대비되는 현상을 일컫는다. 공장에 사람들이 모이고, 기계를 활용하여 물건을 만드는 현상을 지칭하는 개념이다.

❷ 대량 생산 체제
대량 생산 체제는 공장제 기계공업으로 사람들이 원하는 만큼 많은 물건을 만들어낼 수 있는 시스템을 말한다.

❸ 자본주의
산업 혁명 이후 자본가의 자본-노동자의 노동을 바탕으로 생산물을 만들고 소비하는 사회구조, 자본가-노동자의 상호관계를 통해 구성되는 사회를 의미한다.

핵심 자료 산업 혁명의 전개

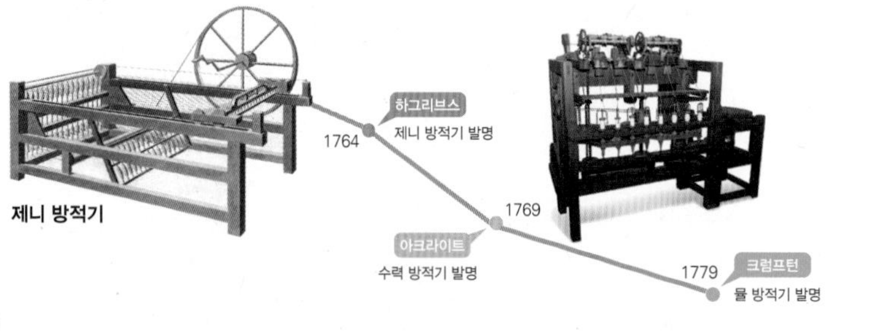

핵심 방적기와 방직기의 발명은 산업 사회에 어떤 영향을 미쳤을까?

기계를 통해 실을 많이 뽑아내고 면을 직조하면서 영국은 면직물을 대량 생산할 수 있었다. 이를 통해 공장에서 기계를 활용하여 물건을 대량 생산하는 시스템을 구축할 수 있었다.

정답과 해설 23쪽

확인해 봐요

1 산업 혁명은 영국에서 시작되었다. (○, ×)

2 아크라이트가 증기 기관을 개량하여 동력 혁명에 기여하였다. (○, ×)

3 산업 혁명은 독일, 러시아 등으로 확대되었다. (○, ×)

교과서 활동 풀이

가자! 역사 속으로

교과서 146쪽

스톡턴-달링턴 구간을 연결하는 철도가 개통된 1825년 9월 27일, 조지 스티븐슨은 자신이 발명한 로코모션호에 석탄과 밀가루 90톤을 싣고 시속 18km로 달리는 데 성공하였습니다.

증기 기관차의 개발 이후 사회에는 어떤 변화가 나타났을까요?

예시 답안 증기 기관차를 통해 원료와 상품을 더욱 빠르고 값싸게 운반할 수 있게 되었다. 그 영향으로 유통과 산업이 발전하였다.

활동 도우미

증기 기관차가 개발되어 수송과 이동이 편해지면, 인간에게 어떤 긍정적인 영향을 미칠지 생각해 보아요.

교과서 도표 자료 산업 혁명의 전개

교과서 146쪽

산업 혁명 이전에는 각 가정에서 필요한 물건을 만들어 사용하였다. 그러다 사용하고 남은 물건, 혹은 사람들에게 팔기 위해 만든 물건을 시장에서 거래하였다. 산업 혁명 이후 사람들은 '공장'이라 불리는 하나의 장소에 모여 함께 물건을 만들기 시작하였다. 이를 '공장제 수공업'이라고 부른다.

농촌의 가내 수공업

공장제 수공업

활동 도우미

가내 수공업과 공장제 수공업의 가장 큰 차이는 사람이 한 장소에 모이는 것이에요. 물건을 만들 때, 함께 일하는 사람들이 많으면 어떻게 효율적으로 물건을 만들 수 있을지를 생각해 볼까요?

Q 동력 혁명과 교통 혁명 이후 어떤 변화가 나타났을까?

교과서 147쪽

동력 혁명

제임스 와트가 개량한 증기 기관은 광산, 직조 공장 등 여러 분야에 사용되어 산업 혁명을 이끌었다.

제임스 와트가 개량한 증기 기관

교통 혁명

산업 혁명은 교통 혁명을 촉진하였고 증기 기관차가 등장한 후, 각지에 철도가 부설되었다.

증기 기관차

예시 답안 동력 혁명으로 상품의 대량 생산 체제가 확립되어 생산력이 크게 향상되었으며, 교통 혁명으로 물자와 사람의 이동과 교류가 활발해져 시장이 확대되었다.

활동 도우미

동력 혁명은 이전에 비해 대량의 에너지를 쉽게 얻게 해주었고, 교통 혁명은 물건이나 사람을 운반하는 데에 도움을 주었어요. 이러한 두 가지의 변화가 사회에 어떤 영향을 끼쳤을지 생각해 보아요.

스스로 확인해요

❶ 18세기 후반 영국에서는 정치적 안정과 풍부한 자원·노동력을 바탕으로 산업 혁명이 일어났다. (○)

❷ 공장제 기 계 공 업의 발달로 기계를 이용한 상품의 대량 생산이 가능해졌다.

이 주제의 핵심

이번 주제에서는 산업 혁명의 배경과 그 과정에서 나타난 변화에 대해 배웠어요.
여기에서는 산업 혁명의 과정과 산업 혁명의 확산 과정, 그에 따른 국제 질서의 변화를 알아보아요.

학습 목표
산업 혁명으로 달라진 사회의 변화와 사회 문제를 설명할 수 있다.

주제 8 자본주의의 발전과 사회 문제의 대두

1 산업 혁명으로 자본주의 사회가 발전하다

(1) **도시화:** 도시 발전, 도시 거주자 증가
왜? 산업화가 진행되면서 도시에 일자리가 생기자 농촌에서 먹고 살기 힘든 임노동자들이 도시로 모여들었어.

(2) ❶**자본주의 경제 체제의 발전:** 자본가, 노동자 계급의 출현

(3) **중간 계급의 성장:** 선거권 획득, 의회 진출 → 사회 지도층으로 부상

(4) **노동자:** 자본을 갖지 못함, 낮은 임금과 어려운 생활

2 산업 혁명으로 새로운 사회 문제가 대두하다

(1) **계급 간 빈부 격차 발생**

(2) **노동 문제:** 저임금, 장시간 노동, 비위생적인 근로 환경, 아동 노동 등 → 기계 파괴 운동(❷러다이트 운동) 전개 왜? 자신들의 불행이 기계 탓이라고 생각했기 때문이야.

(3) **도시 문제:** 주택, 위생, 환경 등 도시 문제 심각

(4) **사회주의의 등장**

① 초기 사회주의자인 오언: 경쟁보다 협동을 내세움.
어떻게? 협동으로 운영하는 농장을 만들어 함께 살면 이상적인 사회가 만들어질 것이라고 생각했어.

② ❸마르크스: 계급투쟁을 통해 생산 수단을 함께 소유 · 관리하는 사회 건설 주장

❶ 자본주의
이윤을 추구하는 목적으로 존재하는 자본이 경제의 중심이 되는 시스템이다. 대체로 생산수단을 소유한 자본가가 노동자를 고용하여 생산물을 만들어내는 사회를 일컫는다.

❷ 러다이트
19세기 전반기 영국에서 벌어진 노동자들의 운동이다. 정체불명의 지도자 '러드'라는 인물이 지도하여 러다이트라는 이름이 붙었다.

❸ 마르크스
서양의 경제학자 · 정치학자 · 철학자로 과학적 사회주의 · 공산주의를 창시한 인물로 평가받는다.

핵심 자료 산업 혁명기 아동 노동 문제

자료 영국 국회 특별 위원회에서의 증언(1840)

문: 공장에서의 노동 시간은?
답: 보통 새벽 4시부터 밤 12시까지 하루 20시간 정도이다. 어떤 곳에서는 24시간 계속 일하는 공장도 있다.

문: 공장에서 일하는 소년 노동자들의 나이는 대략 몇 살 정도인가?
답: 대략 10세에서 15세 정도이다.

문: 아이들을 계속 공장에 붙잡아 두는가?
답: 대부분 그렇다. 필요할 때 언제든지 부려먹기 위해 밤새도록 잡아 두는 공장이 많다.

문: 이런 조건이라면 아이들이 교육을 받을 시간이 있는가?
답: 일요일 말고는 전혀 없다.

문: 1주일에 120시간이나 일을 하고도 일요일에 공부를 할 수 있을까?
답: 없을 것이다.

핵심
영국 국회의 증언을 토대로 볼 때, 당시 아동들은 어떤 환경에 처해 있었을까?

노동자들의 열악한 환경에서 장시간 노동에 시달렸는데 이는 여성과 아동까지 나타났다. 당시 아동들은 하루에 20시간 정도를 일했고, 대부분 교육을 받지 못하는 환경에 처해 있었다.

정답과 해설 23쪽

확인해 봐요

1 도시화가 진행되면서 도시 내의 거주자 수도 증가하였다. (○, ×)

2 자본가들은 노동 문제에 대한 대응으로 러다이트 운동을 일으켰다. (○, ×)

3 오언은 자본주의에 대한 대안으로 협동을 중시하였다. (○, ×)

교과서 활동 풀이

가자! 역사 속으로

교과서 148쪽

산업 혁명 시기에 나타난 계급 간의 빈부 격차를 풍자한 그림입니다. 위는 부유한 계급의 편안한 생활을, 아래는 탄광에서 일하는 굶주린 노동자를 표현하였습니다.

산업 혁명으로 빈부 격차가 나타난 이유는 무엇일까요?

예시 답안 산업 혁명으로 부유한 계급은 혜택을 받았지만, 노동자들은 제대로 된 보호를 받지 못하고 열악한 환경에 처하였다.

자료 해설

산업 혁명 이후 산업 자본가나 전문직 종사자들은 물질적 풍요를 누리고 정치에 참여하여 영향력을 확대해 나갔으나 노동자들은 열악한 환경에서 저임금과 장시간 노동에 시달려야 했다.

교과서 사진 자료 러다이트 운동

교과서 149쪽

이 그림은 19세기 초 영국에서 벌어진 러다이트 운동을 표현한 것이다. 당시 노동자들은 기계가 자신들의 일자리를 빼앗아간다고 여겨 기계를 파괴하였다. 산업 혁명으로 생산성이 향상되고 생활도 풍요로워졌지만 노동자들의 생활은 비참하였으며 각종 사회 문제도 발생하였다.

러다이트 운동을 묘사한 그림

활동 도우미

당시 노동자들은 저임금, 장시간 노동을 하였는데, 이는 일자리에 비해 일을 할 사람의 수가 많음과 동시에, 자본가들이 노동자들의 노동환경에 대한 배려를 해주지 않았기 때문이다.

탐구 해봐요 산업 혁명의 빛과 그림자

교과서 149쪽

여가를 즐기는 중간 계급의 모습

「기차에서 본 런던」(귀스타브 도레, 1870)

1 자료1 과 자료2 에 나타난 산업 혁명의 긍정적인 면과 부정적인 면을 써 보자.

예시 답안 - 긍정적인 면: 도시화와 산업 발달이 진행되었다. 중간 계급이 성장 하였다.
- 부정적인 면: 자본가와 노동자 간의 빈부격차가 발생했고, 노동자들은 저임금, 장시간 노동을 하였다. 또한 비위생적인 근로 환경에서 노동자들이 일해야 했다.

2 당시 영국인의 입장에서, 산업 사회의 문제를 해결하기 위한 정책을 모둠별로 토의해 보자.

예시 답안 아동 노동을 금지한다. 일일 노동 시간을 단축하고, 최대 근로 시간을 정해 지키도록 한다. 비위생적인 근로 환경을 개선한다. 안전사고에 대한 교육을 강화하고 시설을 수시로 점검한다. 등

활동 도우미

그림을 보면서 산업 혁명이 지니고 있는 빛과 그림자에 대해 유추해볼까요? 그리고 산업 혁명의 과정에서 나타난 사회 문제들을 해결하기 위해 어떤 대안들이 필요할지 모둠 친구들과 아이디어를 모아 보아요.

스스로 확인해요

❶ 산업 혁명으로 자본주의가 발달하면서 노동자가 사회 지도층으로 등장하였다. (×)

❷ 산업 혁명으로 발생한 여러 가지 사회 문제를 비판하면서 사 회 주 의이/가 등장하였다.

이 주제의 핵심

이번 주제에서는 산업 혁명이 사회 변화에 미친 영향을 탐구해보는 것이 중요합니다.
산업 혁명을 통해 달라진 사회 변화를 파악하고 사람들이 문제를 극복하기 위해 사람들이 어떤 고민을 했는지도 살펴 보아요.

2 유럽의 산업화와 제국주의

학습 목표
19세기 문화의 발전 양상을 설명할 수 있다.

주제 9 19세기 문화의 발전

1 과학과 학문의 발달이 19세기 유럽 문화를 이끌다

(1) 과학과 기술의 발전

① 배경: '과학의 세기'라고 불릴 정도로 과학과 기술이 크게 발전

② 내용

생물학	다윈(❶진화론 제시), 멘델(유전 법칙 발견)
의학	뢴트겐(X선 발견)
과학	에디슨(전구와 축음기 발명)

(2) 사상과 학문의 발전

① 배경: 산업 혁명과 시민 혁명 → 새로운 사상과 학문 발전

② 내용 왜? 산업 혁명으로 먹고 사는 문제가 해결되기 시작하고, 시민 혁명으로 자유와 의지, 이성에 대한 사람들의 확신이 생기면서 사상과 학문도 발전하기 시작하였어.

사상	벤담의 공리주의: 공동체 구성원의 이익이 훼손될 경우 개인의 이익 일부 희생
사회학	콩트: 실증주의 제시, 사회학 개척
역사학	랑케: 사료를 바탕으로 사실을 객관적으로 기록 강조
경제	애덤 스미스: ❷자유방임주의 주장 무엇을? 국가의 개입을 최소화하고 '보이지 않는 손'으로 불리는 자유로운 시장에 경제를 맡기자고 주장했어.

2 다양한 문예 사조가 나타나다

(1) 19세기 전반

① 낭만주의(개인의 감정 중시) 유행

② 바이런 · 하이네(문학), 슈베르트(음악), 들라크루아(회화) 등 활약

(2) 19세기 후반

① 사실주의와 자연주의(현실을 있는 그대로 묘사) 유행 → 쿠르베, 밀레 등

② 인상주의(화가의 주관적 인상과 빛의 색채 강조) 유행 → 모네

③ 디킨스 · 톨스토이(문학), 차이콥스키 · 베르디(음악)

핵심 자료 벤담의 공리주의

공리의 원리는 이해관계가 걸려있는 사람들의 행복을 증대시키거나 감소시킬 수 있는 상황에 따라 각각의 행동들을 승인하거나 부인하는 원리를 의미한다. …… 각 개인은 공동체의 구성원들 전체에게 해로울 것이라고 예상되는 모든 행위를 스스로 삼가야 한다.

– 벤담, 『도덕 및 입법의 원리 서설』 –

핵심
벤담은 어떤 경우에 개인이 행복을 추구하는 행위에 제한을 두어야 한다고 주장했을까?

벤담은 개인이 자신의 쾌락과 행복을 위해 자유롭게 행동할 수 있다는 것을 기본 전제로 하였다. 단, 공동체 구성원들 전체에게 해로울 것이라고 예상될 경우 개인의 행복을 제한해야 한다고 주장하고 있다.

❶ 진화론
지구상의 생물은 자신이 살고 있는 환경에 적응하는 존재이며, 그 과정에서 적응에 유리하게 태어난 존재가 살아남는다는 학설이다.

❷ 자유방임주의
개인의 경제활동을 최대한 자유롭게 보장하고, 경제활동에 대한 국가권력 · 정부의 개입은 최대한 배제하자는 주장이다.

정답과 해설 23쪽

확인해 봐요

1 다윈은 『종의 기원』을 발표하며 진화론을 주장하였다. (○, ×)

2 벤담은 역사를 사료로 바탕으로 사실을 객관적으로 기록해야 한다고 주장하였다. (○, ×)

3 19세기 전반에는 개인의 감정을 중시하는 낭만주의 사조가 유행하였다. (○, ×)

교과서 활동 풀이

가자! 역사 속으로

교과서 150쪽

에디슨은 많은 실험 끝에 탄소 필라멘트를 이용하여 40시간 동안 빛을 내는 전구를 개발하는 데 성공하였습니다.

전구 외에 실생활에 사용된 19세기 발명품에는 무엇이 있을까요?

예시 답안 19세기에는 에디슨이 축음기, 영사기 등을 발명하였고, 칼 벤츠는 세계 최초로 가솔린 자동차를 발명하였다.

활동 도우미

우리 일상생활에 쓰이는 과학적인 물건들은 대체로 19세기로부터 영향을 받은 것들이 많아요. 주위를 둘러보면서 우리 인간에게 유용하게 쓰이는 물품들을 찾아보아요.

교과서 사진 자료 **다윈의 진화론을 풍자한 그림**

교과서 150쪽

다윈은 영국의 생물학자로 "모든 식물과 동물은 자연 선택을 통해 진화한다."는 진화론을 주장하였다. 즉 모든 생명체는 생존을 위해 적응하고, 그 가운데 환경에 유리한 조건을 갖춘 생명체만이 살아남는다는 것이었다. 당시 사람들은 인간, 원숭이, 고릴라 등을 포함한 유인원의 조상이 같은 생물이라는 주장에 대해 오른쪽과 같은 그림으로 풍자하여 표현하기로 하였다.

활동 도우미

자료를 통해 생물의 진화가 과학적으로 어떻게 진행되고 있는 것인지를 추측해 보아요. 그리고 이러한 주장이 당시 사람들에게 어떻게 받아들여졌을지도 상상해 보아요.

Q 19세기 미술은 시기별로 어떤 특징을 지녔을까?

교과서 151쪽

1 낭만주의 미술 ▼

「키오스섬의 학살」(들라크루아, 프랑스 루브르박물관)

2 사실주의·자연주의 미술 ▼

「오르낭의 장례식」(쿠르베, 프랑스 오르세미술관)

3 인상주의 미술

「인상, 해돋이」(모네, 프랑스 마르모탕모네 미술관)

예시 답안 19세기 미술은 전반기에는 개인의 감정을 중시하는 낭만주의 미술이, 후반기에는 사실주의와 자연주의, 인상주의 미술이 나타났다.

활동 도우미

자료를 통해 19세기 시기별로 미술로 보는 문화의 변화를 파악해 보아요.

스스로 확인해요

❶ 19세기 생물학에서는 다윈이 유전 법칙을 제시하였다. (×)

❷ 19세기 후반에는 화가 개인의 주관적 인상을 강조해 표현하는 인 상 주 의 미술이 발전하였다.

이 주제의 핵심

이번 주제에서는 19세기에 발전한 과학 기술과 문화에 어떤 것들이 있는지를 살펴보는 것이 중요해요. 또한 물질문명의 발전과 사람들의 의식 변화에 따라 다양하게 출현하였던 사상과 학문의 특징도 살펴봅시다.

학습 목표
열강의 제국주의 침략 실상을 구체적인 사례를 통해 설명할 수 있다.

주제 10 국제 질서의 변화와 제국주의 열강

1 제국주의가 등장하다

(1) **제국주의:** 서양 열강이 추진한 적극적인 팽창 정책

(2) **배경:** ❶독점 자본주의의 발전 → 급속한 산업화에 따른 원료와 시장 확보 필요를 이유로 다른 대륙 침략 → 식민지 확보, 아프리카와 아시아의 약소국들 지배

왜? 싼 값에 원료를 얻고, 많이 생산된 물품을 판매할 장소를 확보하면 국가와 자본가의 입장에서는 이윤을 많이 볼 수 있기 때문이야.

(3) **사상적 기반:** ❷사회 진화론, 인종주의 등 → 제국주의 침략 정당화

어떻게? 강한자가 살아남는 것이 당연하고, 백인이 우월하다는 생각을 바탕으로 다른 대륙과 인종을 침략하는 것은 정당하다는 주장을 하였어.

2 제국주의 열강이 아프리카 분할을 꾀하다

(1) **배경:** 아프리카의 잠재성 발견 → 서양 열강의 아프리카 진출, 식민지 쟁탈전

(2) **파쇼다 사건:** 영국의 ❸종단 정책과 프랑스의 횡단 정책 충돌 → 프랑스의 양보로 종결

(3) **모로코 사건:** 뒤늦게 제국주의 경쟁에 뛰어든 독일과 프랑스가 충돌

(4) **에티오피아, 라이베리아를 제외한 아프리카 전역이 식민지로 전락**

3 열강의 아시아·태평양 지역을 분할하다

(1) **영국:** 인도, 싱가포르, 말레이반도, 오스트레일리아, 뉴질랜드

(2) **프랑스:** 인도차이나반도(베트남, 라오스, 캄보디아)로 세력 확대

(3) **미국:** 필리핀 지배, 괌과 하와이 병합

(4) **네덜란드:** 인도네시아 지배, 자와섬에서 대농장(플랜테이션) 경영

❶ **독점 자본주의**
독점이 경제의 지배적인 구조로 자리 잡은 자본주의의 상태를 의미한다. 이때 소수의 기업이 자본을 독점하고 자신의 이익을 극대화해 나가는 현상이 나타난다.

❷ **사회 진화론**
다윈의 진화론을 변형시켜 인간 사회에 적용한 사회이론이다. 스펜서가 처음 주장하기 시작하였는데, 약육강식과 적자생존의 논리가 반영되어 있다.

❸ **종단 정책**
케이프 타운과 카이로를 철도와 전선으로 연결하던 영국의 제국주의 침략 정책이었다. 진출의 방향이 아프리카 대륙을 종단하는 모습과 같다 하여 종단 정책이라는 이름이 붙었다.

핵심 자료 제국주의자들의 생각

자료 1 쥘 페리의 연설

나는 우등 민족에게 권리가 있다고 다시 한 번 말씀드립니다. 왜냐하면 그들에게는 의무가 있기 때문입니다. 그들은 열등한 민족을 교화시킬 의무를 가지고 있습니다. …… 여러분 인도차이나, 마다가스카르, 튀니지에 대한 진출 과정이 우리의 항해에 안전을 위해 필요한 과정인지 아닌지 말씀해 주시기 바랍니다.

자료 2 키플링 「백인의 짐」

백인의 짐을 져라. 그대가 키운 최정예를 보내라.
그대의 아들들을 역경의 길로 보내라.
그대가 잡은 원주민들의 욕구를 달래주기 위해
……
그대가 막 붙잡은 음울한 족속들 절반은 악마 같고
절반은 어린이 같은 자들에게 아주 힘겹게 시중들기 위해

핵심 쥘 페리와 키플링의 발언에 담긴 생각에는 어떤 공통점이 있을까요?

백인이 우월한 인종 또는 민족이라고 생각한다는 공통점이 있다. 이는 사회 진화론으로부터 비롯된 생각으로 당시 제국주의 침략을 정당화하였다.

정답과 해설 23쪽

확인해 봐요

1 제국주의의 침략을 정당화시킨 논리는 인종주의와 사회 진화론이다. (○, ×)

2 영국과 프랑스의 제국주의 정책은 에티오피아에서 충돌했다. (○, ×)

3 서양 제국주의 국가들의 아시아 침략으로 필리핀이 미국의 식민지가 되었다. (○, ×)

교과서 활동 풀이

가자! 역사 속으로

교과서 152쪽

자본가가 아프리카 식민지 원주민에게 럼주를 들이붓고 군인이 쥐어짜자 황금이 쏟아져 나옵니다. 그 옆에서 성직자는 이 모든 것이 신의 뜻이라며 식민 지배를 정당화하고 있습니다.

제국주의 국가의 식민지 수탈 풍자화

제국주의 열강이 약소국을 침략한 까닭은 무엇일까요?

예시 답안 약소국을 이용하여 자신들이 경제적 이익을 얻기 위해서인 것 같다.

자료 해설

왼쪽 자료는 독일 화가 토마스 하이네가 잡지 『심플리시무스』에 실은 작품으로, 영국의 식민지 정책을 풍자하는 그림이다.

탐구 해봐요 제국주의 성격

교과서 152쪽

나는 어제 런던 이스트엔드에서 빵을 달라고 외치는 실업자들의 이야기를 들은 후 제국주의가 중요함을 더욱 확신하였다. 나의 포부는 사회 문제를 해결하는 데 있다. …… 이를 위해 새로운 영토를 확보하고, 또 상품의 판로를 개척해야만 한다. 만일 당신이 내란을 피하고 싶다면 당신은 제국주의자가 되어야 한다. – 세실 로즈, 『유언집』 –

◀ 제국주의자 세실 로즈를 풍자한 그림

「백인의 짐」(잡지 『저지』, 1899.)

영국 화가 빅터 길럼은 1899년 미국 잡지에 「백인의 짐」이라는 그림을 실어 제국주의를 정당화하였다.

1 자료에서 제국주의가 등장한 배경을 찾아보자.

예시 답안 세실 로즈는 영국에서 생산한 상품의 판매 시장을 개척하기 위해 새로운 식민지를 확보해야 한다고 주장하였다.

2 자료에 나타난 제국주의자들의 주장을 비판해 보자.

예시 답안 백인이 유색 인종보다 우월하다고 주장할 근거는 없다. 식민 지배는 정당화할 수 없는 침략행위일 뿐이다.

활동 도우미

세실 로즈의 사료를 통해 그가 제국주의를 주장한 배경을 살펴 보아요. 또한, 제국주의를 정당화하는 풍자화 비판적으로 관찰해 보면서 제국주의자들의 주장을 반박해 보아요.

교과서 사진 자료 파쇼다 사건 풍자화

교과서 153쪽

영국의 종단 정책은 수에즈 운하를 매입하고, 아프리카 남쪽의 케이프타운과 북쪽의 카이로를 남북으로 연결하는 것이었다. 반면 프랑스의 횡단 정책은 알제리를 거점으로 삼고, 마다가스카르섬으로 진출하여 아프리카를 동서로 연결하는 것이었다. 이러한 두 나라의 정책은 1898년 이집트령 수단의 파쇼다에서 충돌을 일으켜 전쟁의 위기를 맞았다. 하지만 프랑스의 양보로 양국 사이에 타협이 이루어졌다.

활동 도우미

자료를 통해 영국과 프랑스가 제국주의 정책을 통해 아프리카 대륙으로 진출한 방향을 알아보아요. 그리고 그 결과 나타난 사건인 파쇼다 사건은 어떤 사건인지도 살펴보아요.

스스로 확인해요

❶ 서양 열강은 사회 진화론과 인종주의를 바탕으로 자신들의 침략 행위를 정당화하였다. (○)

❷ 아프리카에 진출하여 식민지 쟁탈전을 벌이던 영국과 프랑스는 파 쇼 다에서 충돌하였다.

이 주제의 핵심

이번 주제에서는 제국주의 국가들이 아프리카와 아시아를 침략한 사실과 그 실상을 파악하는 것이 중요해요. 또한 서양 국가들이 제국주의로 변한 배경과 이를 정당화하기 위해 나타난 사상도 알아봅시다.

시험을 대비하는 실전 문제

기초를 튼튼하게 확인 문제

01 **서로 관련 있는 내용끼리 연결하시오.**

㉠ 산업 혁명 •	• ⓐ 마르크스
㉡ 사회주의 •	• ⓑ 자유방임주의
㉢ 애덤 스미스 •	• ⓒ 공장제 기계공업

02 **아래 설명이 맞으면 ○, 틀리면 ×로 표시하시오.**

(1) 동력 혁명으로 대량 생산 체제가 확립되었다. (　　)

(2) 영국 노동자들은 노동 문제에 대처하기 위해 기계 파괴 운동(러다이트)을 일으켰다. (　　)

(3) 19세기 랑케는 실증주의를 제시하며 사회학을 개척하였다. (　　)

(4) 영국은 아프리카에 대한 팽창 과정에서 횡단 정책을 추진하였다. (　　)

03 **|보기|의 사건을 전개된 순서대로 나열하시오.**

| 보기 |
ㄱ. 모로코 사건　　ㄴ. 파쇼다 사건
ㄷ. 직조기 발명　　ㄹ. 제니 방적기 발명

04 **빈칸에 알맞은 말을 쓰시오.**

(1) 산업 혁명으로 발생한 사회 문제에 대한 대안으로 (　　　) 사상이 제시되었다.

(2) 뢴트겐은 (　　　)을/를 발견하면서 의학 발달에 기여하였다.

(3) 미국은 에스파냐와의 전쟁에서 승리하여 (　　　)을/를 지배하였다.

내신을 탄탄하게 내신 문제

신유형

01 **교사의 질문에 대한 학생들의 답변 내용으로 옳지 <u>않은</u> 것은?**

① 사람과 물자의 이동이 수월해졌어요.
② 생활이 풍요로워짐에 따라 인구가 늘어났어요.
③ 공장제 기계 공업이 확산되어 생산력이 늘어났어요.
④ 자본주의 경제 체제가 발전하면서 노동자들이 부유해졌어요.
⑤ 제임스 와트가 개량한 증기 기관이 기계의 동력으로 활용되면서 생산력이 크게 향상되었어요.

02 **다음 퀴즈의 정답으로 옳은 것은?**

① 독일　② 영국　③ 일본
④ 프랑스　⑤ 러시아

03 (가)에 들어갈 내용으로 옳은 것은?

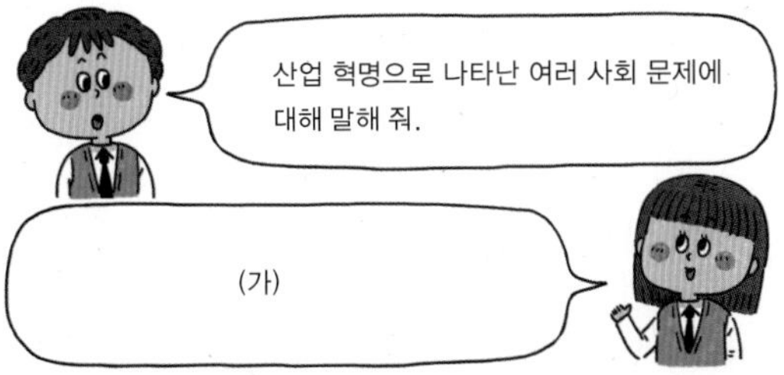

| 보기 |
ㄱ. 노동자들이 저임금 장시간 노동을 하였어.
ㄴ. 인클로저 운동으로 농민들이 토지에서 쫓겨났어.
ㄷ. 아동들도 공장으로 내몰리면서 제대로 된 교육을 받지 못하였어.
ㄹ. 구제도의 모순으로 부르주아 계층의 불만이 커지기 시작하였어.

① ㄱ, ㄴ ② ㄱ, ㄷ ③ ㄴ, ㄷ
④ ㄴ, ㄹ ⑤ ㄷ, ㄹ

04 다음 자료의 사회 계층에 대한 설명으로 옳은 것은?

- 산업 혁명 이후 사회 지도층으로 성장하였다.
- 산업 자본가와 전문직 종사직 등으로 이루어졌다.

① 차티스트 운동을 주도하였다.
② 사회주의 사상을 확산하였다.
③ 개인의 자유와 권리보다는 평등을 강조하였다.
④ 의회에 진출하여 자신들의 이익을 보호하였다.
⑤ 높은 신분을 이용하여 고위 관직을 독점하였다.

05 다음의 그림이 유행했던 시기에 볼 수 있었던 모습으로 옳은 것을 |보기|에서 고른 것은?

▲ 「오르낭의 장례식」(크로베)

| 보기 |
ㄱ. 레오나르도 다빈치의 「최후의 만찬」
ㄴ. 솔직한 감정을 표현한 페트라르카의 서정시
ㄷ. 사실주의 화풍으로 그림을 표현한 밀레의 「이삭줍기」
ㄹ. 개인의 주관적 인상과 빛의 색채를 강조한 모네의 「인상, 해돋이」

① ㄱ, ㄴ ② ㄱ, ㄹ ③ ㄴ, ㄷ
④ ㄴ, ㄹ ⑤ ㄷ, ㄹ

06 (가)에 들어갈 내용으로 옳은 것은?

① 인상주의 미술의 대표적인 작품입니다.
② 현실을 있는 그대로 표현하고자 하였습니다.
③ 다윈이 주장한 진화론을 풍자한 그림입니다.
④ 빛의 색채를 강조하여 그리고자 한 그림입니다.
⑤ 쿠르베와 밀레의 작품과 공통적인 특징을 지니고 있습니다.

시험을 대비하는 실전 문제

07 (가)에 들어갈 사상으로 옳은 것은?

> 나는 어제 런던의 이스트엔드에서 빵을 달라고 외치는 실업자들의 이야기를 들은 후 [(가)]이/가 중요함을 더욱 확신하였다. 나의 포부는 사회 문제를 해결하는 데 있다. …… 이를 위해 새로운 영토를 확보하고, 또 상품의 판로를 개척해야만 한다. 만일 당신이 내란을 피하고 싶다면, [(가)]을/를 지지하는 사람이 되어야 한다.
>
> – 세실로즈, 『유언집』 –

① 자본주의　② 사회주의
③ 제국주의　④ 민족주의
⑤ 공리주의

08 (가)에 들어갈 내용으로 옳지 않은 것은?

> http://www.OOOO.co.kr
>
> 묻고 답하기
>
> 질문　제국주의에 대해 알려 주세요.
>
> 답변　서양 제국이 추진한 적극적인 팽창 정책입니다.
>
> [(가)]

① 사회 진화론과 같은 사상에 의해 뒷받침되었어요.
② 제국주의 정책을 펼치던 영국과 프랑스는 모로코에서 충돌하였어요.
③ 제국주의에 반대한 각지의 민족들이 저항운동을 전개하기도 하였어요.
④ 아프리카와 아시아의 약소국들은 서양 열강들의 지배를 받기 시작하였어요.
⑤ 서양 열강과 독점 기업들이 값싼 원료 수입과 상품 판매지 확보를 둘러싸고 경쟁하는 과정에서 나타난 현상입니다.

09 밑줄 친 '그대'에 대한 설명으로 옳은 것을 |보기|에서 고른 것은?

> 백인의 짐을 져라.
> <u>그대</u>가 키운 최정예를 보내라.
> <u>그대</u>들의 아들들을 역경의 길로 보내라.
> <u>그대</u>가 잡은 원주민들의 욕구를 달래주기 위해.
>
> –「백인의 짐」–

> |보기|
> ㄱ. 아시아 · 아프리카의 사람들이다.
> ㄴ. 인종주의를 신봉하는 사람들이다.
> ㄷ. 산업 혁명을 일찍 경험한 나라의 주민이다.
> ㄹ. 원료 공급지의 역할을 하는 지역의 주민이다.

① ㄱ, ㄴ　② ㄱ, ㄹ　③ ㄴ, ㄷ
④ ㄴ, ㄹ　⑤ ㄷ, ㄹ

10 (가)에 들어갈 사건으로 옳은 것은?

> 영국은 이집트의 카이로에서 남쪽의 케이프 타운까지를 잇는 아프리카 종단 정책을 펼쳤다. 프랑스는 아프리카 서부 해안을 확보하고 이를 바탕으로 동쪽으로 진출하는 아프리카 횡단 정책을 추진하였다. 결국 영국과 프랑스가 충돌하였는데, [(가)]이/가 발생하였다(1898).

① 탄지마트　② 파쇼다 사건
③ 와하브 운동　④ 모로코 사건
⑤ 플라시 전투

정답과 해설 23~24쪽

만점에 도전하는 심화 문제

01 다음 설명 중 옳지 않은 것은?

① 산업 혁명은 영국에서 가장 먼저 일어났다. 영국은 청교도 혁명과 명예혁명을 거치면서 ② 정치가 안정되어 있어 자유로운 경제 활동이 가능하였다. 또한 ③ 일찍부터 면직물 공업이 발달하여 자본과 기술을 가지고 있었고, ④ 지하 자원이 풍부하였다. 그리고 ⑤ 공장제 기계 공업이 도입됨에 따라 일자리를 잃은 노동자들이 귀향하여 농촌으로 유입되었다.

02 다음 문제를 해결하기 위한 노력으로 옳지 않은 것은?

질문자: 지금 몇 살이고 언제부터 공장에서 일했습니까?
노동자: 올해 스물세 살이고 여섯 살 때부터 일했습니다.
질문자: 하루에 몇 시간씩 일했습니까?
노동자: 아침 5시부터 저녁 7시까지인데, 바쁘면 9시까지 한 적도 있습니다.
질문자: 일을 게을리 하면 채찍질을 다했다는데 사실입니까?
노동자: 예, 사실입니다.

① 오언은 경쟁대신 협동을 내세웠어요.
② 노동자들은 러다이트 운동으로 저항하였어요.
③ 의회에서 장시간 노동을 해결하는 법을 제정하였어요.
④ 국왕은 의회의 건의를 받아들여 「권리장전」을 승인하였어요.
⑤ 마르크스는 계급 투쟁을 통한 새로운 사회 건설을 주장하였어요.

03 (가)에 들어갈 자료로 옳은 것을 |보기|에서 고른 것은?

19세기 문화 특별전

우리 박물관에서는 19세기 문화를 엿볼 수있는 특별전을 개최하고자 합니다. 관심 있는 분들의 많은 관람 바랍니다.

(가)

|보기|

ㄱ.

ㄴ.

ㄷ.

ㄹ.
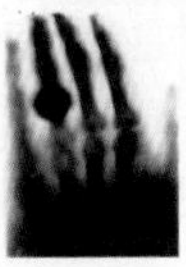

① ㄱ, ㄴ ② ㄱ, ㄷ ③ ㄴ, ㄷ
④ ㄴ, ㄹ ⑤ ㄷ, ㄹ

04 다음 그림을 보고 나눈 대화 내용으로 옳지 않은 것은?

① 갑: 백인 우월주의가 담겨있어.
② 을: 서양 열강의 제국주의 정책을 풍자하고 그린 그림이야.
③ 병: 백인이 등에 지고 있는 사람들은 아시아 · 아프리카 사람들이야.
④ 정: 실제로 아시아 · 아프리카 사람들은 그림과 다르게 제국주의 정책에 착취를 당하였지.
⑤ 무: 백인들의 행위가 아시아 · 아프리카 사람들을 문명화시키는 것이라 생각하고 그린 그림이야.

3 서아시아와 인도의 국민 국가 건설 운동

학습 목표
서아시아 국가들의 국민 국가 건설 운동 사례를 제시할 수 있다.

주제11 서아시아의 국민 국가 건설 운동

1 오스만 제국의 국민 국가 건설을 시도하다

(1) **배경:** 그리스의 독립을 시작, 제국 내 소수 민족의 독립 운동 → 영국, 러시아 등 유럽 열강의 간섭과 침입

(2) **탄지마트(은혜 개혁)**

① 내용: 서양 문물 적극 수용 → 군대 · 교육 · 행정 제도 등 개혁 단행, 헌법 공포

② 결과: 러시아 전쟁 패배, 보수 세력 반대 · 제정 악화 · 유럽 열강 간섭 등 → 큰 성과를 거두지 못함.

(3) **청년 튀르크당의 개혁:** ❶술탄 압둘 하미드 2세의 전제 정치 강화에 저항 → ❷입헌 정치의 부활을 외치며 혁명 추진 → 정권 장악, 근대화 정책 추진, 헌법과 의회 부활, 외세 배척 운동 전개

2 아랍 민족주의와 민족 운동이 일어나다

(1) **배경:** 서양 열강이 오스만 제국의 지배를 받는 아랍 지역에 침입하여 내부 분열을 이용하며 영향력 확대

(2) **와하브 운동:** 『쿠란』의 가르침으로 돌아가자는 운동 → 20세기 오스만 제국에 반대하는 민족운동으로 발전 → 사우디아라비아 왕국의 건국 이념

(3) **아랍 문화 부흥 운동과 계몽 운동:** 아랍 민족주의 발전

3 이란에서 입헌 혁명이 전개되다

(1) **배경:** 러시아와 영국의 이란지역 침략, 근대화 개혁의 필요성 대두

(2) **담배 불매 운동 전개:** 영국의 담배 독점권 획득 → 담배 수호 운동(알 아프가니가 주도) → 실패(영국에 배상금 지불, 열강의 간섭)

어떻게? 이란 국왕이 영국인에게 담배에 대한 독점권을 넘겨주자, 이슬람교의 단결을 강조하며 담배를 피우지 말 것을 호소하며 운동을 이끌어 갔어.

(3) **입헌 혁명:** 반영 운동 세력 주도, 국민 의회 수립 및 헌법 제정 → 보수 세력 반발, 영국과 러시아의 간섭으로 좌절 → 두 나라에 의해 분할 통치

4 이집트가 근대화를 시도하다

(1) **배경:** 나폴레옹의 침공을 계기로 독립의 움직임 대두

(2) **무함마드 알리:** 근대화 정책, 오스만 제국으로부터 자치권 획득

(3) **수에즈 운하 건설**

① 배경: 19세기 후반 철도 전신 시설 마련, 수에즈 운하건설

② 결과: 외채 발생 → 영국의 수에즈 운하 차지, 내정 간섭

③ 강조 의의: 유럽과 아시아의거리가 대폭 감소

(4) **'이집트인을 위한 이집트 건설':** 아라비 파샤 주도 → 영국 진압 → 이집트, 영국의 보호령이 됨.

어떻게? 서양식 군대훈련을 도입하고, 새로운 문물을 도입하는 등의 개혁을 실시하였어.

---

❶ 술탄
이슬람의 종교적 최고 권위자인 칼리프가 정치적 지배자로 임명한 사람을 말한다.

❷ 입헌 정치
헌법에 입각하여 정치를 한다는 의미로 영국에서 시작되었던 입헌 군주정을 의미한다. 이에 따르면 왕도 헌법을 통해 권력을 제한받는다.

정답과 해설 24쪽

확인해 봐요

1 탄지마트는 국왕의 절대 권력 위에서 국가를 개혁하려는 움직임이었다. (○, ×)

2 아라비아반도에서 발생한 와하브 운동은 『쿠란』의 가르침으로 돌아가자고 주장하였다. (○, ×)

3 아라비 파샤는 '이집트인을 위한 이집트의 건설'을 주장하며 근대적 개혁을 시도하였다. (○, ×)

교과서 활동 풀이

가자! 역사 속으로

교과서 154쪽

독일 · 영국 · 프랑스 · 러시아 사람들이 오스만 제국 지도를 보면서 서로 이야기를 나누고 있는 오스만 제국 분할 풍자화입니다. 뒤에 선 오스만 제국 술탄은 이를 멀뚱히 쳐다볼 수밖에 없는 처지임을 묘사하였습니다.

오스만 제국은 왜 이런 상황에 놓이게 되었을까요?

예시 답안 오스만 제국 내부의 소수민족이 독립의 움직임을 보이고, 서양 열강들이 오스만 제국을 침략했기 때문이다.

활동 도우미

19세기 러시아와의 전쟁, 여러 민족의 독립운동 등으로 쇠퇴하기 시작한 오스만 제국의 상황을 생각해보고, 이후 어떤 일이 벌어질지 상상해 보아요.

교과서 사진 자료 '헌법 만세'라는 현수막을 들고 행진하는 청년 튀르크당

교과서 154쪽

청년 튀르크당은 규율, 헌법, 정의라는 이념을 기반으로 무장 봉기를 통해 권력을 잡았다. 청년 튀르크당은 헌법을 부활하였으며, 언론의 자유 보장, 산업 육성, 교육과 조세 제도 개혁 등을 추진하였다.

'헌법 만세'라는 현수막을 들고 행진하는 청년 튀르크당

활동 도우미

청년 튀르크당의 현수막에 보이는 단어는 '규율', '헌법', '정의'에요. 이 현수막의 단어로 당시 청년 튀르크당이 혁명을 일으킬 당시 어떤 지향점을 지니고 있었는지 알 수 있어요. 이를 바탕으로 청년 튀르크당이 혁명 당시 실시했던 정책들을 알아 보아요.

탐구 해봐요 오스만 제국의 국민 국가 건설 시도

교과서 155쪽

1 자료1을 참고하여 탄지마트 개혁의 내용을 정리해 보자.

예시 답안 – 정치: 입헌 군주제를 시행하고자 하였다.
– 경제: 백성들의 재산에 대한 안전을 보장하고, 합리적인 조세제도를 마련하고자 하였다.
– 군사: 군대 징집에 있어서 명확한 원칙을 두고자 하였다.

2 자료1과 자료2가 추구한 개혁의 공통점을 써 보자.

예시 답안 입헌 군주제 시행을 주장하였다.

활동 도우미

오스만 제국은 17세기부터 쇠퇴하기 시작했어요. 이러한 제국의 몰락은 19세기 들어서 더욱 가속화 되었지요. 오스만 제국에서 일어난 탄지마트와 청년 튀르크당과 관련된 자료를 통해 이러한 변혁의 움직임이 나타난 배경을 파악해보고, 어떤 지향점을 지니고 있었는지 생각해 보아요.

Q 수에즈 운하를 건설한 후 어떤 변화가 나타났을까?

교과서 156쪽

예시 답안 수에즈 운하 개통으로 유럽에서 아시아로 가는 길이 단축되었다. 하지만 운하 공사비로 많은 빚을 지게 된 이집트는 영국의 내정 간섭을 받게 되었다.

수에즈 운하

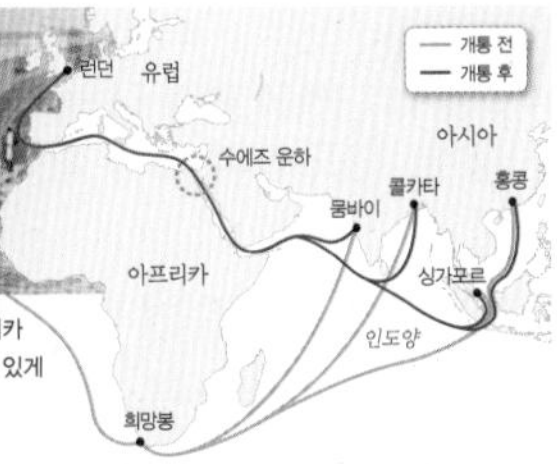

수에즈 운하 수에즈 운하의 개통(1869)으로 아프리카 대륙을 우회하지 않고도 유럽과 아시아를 오갈 수 있게 되었다.

활동 도우미

지도를 참고하여 수에즈 운하를 건설 전과 후의 변화를 비교해 보아요.

스스로 확인해요

❶ 19세기 중엽 오스만 제국의 청년 튀르크당은 탄지마트 개혁을 시행하였다. (×)

❷ 이란의 반영 운동 세력은 입헌 혁명을 통해 의회를 수립하고 헌 법을/를 제정하였다.

이 주제의 핵심

이번 주제에서는 서아시아의 국민 국가 건설 운동에 대해 배웠어요.
서아시아 여러 지역에서 국민 국가를 건설하기 위해 어떤 운동들이 진행되었는지 파악하고, 이 운동의 배경 · 목표 · 한계를 정리해 보아요.

3 서아시아와 인도의 국민 국가 건설 운동

학습 목표
인도의 국민 국가 건설 운동의 전개 과정을 설명할 수 있다.

주제12 인도의 국민 국가 건설 운동

1 영국의 인도 침략으로 인도 사회가 변화하다

(1) 배경: 내부의 반란으로 무굴 제국 분열, 영국과 프랑스의 침투로 쇠퇴

(2) [1]플라시 전투(1757): 인도 지배를 둘러싼 영국과 프랑스 충돌 → 영국 승리

(3) 영국의 식민 지배 확대: 동인도 회사를 내세워 식민지화 추진 → 값싼 영국산 면직물 침투 → 인도산 면직물 산업 붕괴, 인도의 농촌 경제 침체, 인도 고유의 종교와 문화 파괴

왜? 토지 소유자에게 높은 세금을 부과하였기 때문이야.

2 세포이가 영국의 식민 지배에 맞서다

(1) 원인: 영국의 강압적 식민 정책에 반발

(2) 전개: [2]세포이의 항쟁 → 전국적인 반영 운동으로 확대 → 영국의 진압

(3) 의의: 인도인의 민족 의식 각성

(4) 결과: 무굴 제국 황제 폐위, 영국령 인도 제국 성립(1877)

어떻게? 영국 여왕이 인도 황제를 겸임하였어.

3 인도 국민 회의가 조직되다

(1) 영국의 정책: 인도의 종교적 다양성 · 민족 구성 분열 → 인도에 대한 지배력 강화

(2) 배경: 19세기 후반 영국식 근대교육을 받은 인도 지식인 · 학생 증가

(3) 목적: 영국이 인도의 지식인을 회유할 목적으로 인도인 자치 기구 구성

왜? 인도의 지식인들은 영국의 식민지배를 인정한 토대 위에서 인도인의 권리를 확보할 수있을 것이라 생각했었어.

4 인도의 국민 회의가 반영으로 돌아서다

(1) 초기: 영국에 협조하면서 인도인의 권익 보호를 위해 노력

(2) 변화: [3]벵골 분할령을 계기로 반영 운동 추진

무엇을? 벵골주를 힌두교가 중심인 서벵골과 이슬람교도가 중심인 동벵골로 분할하여 통치하려고 하였어.

(3) 활동: 콜카타 대회 개최 → 영국 상품 불매, 인도인의 자치 획득(스와라지), 국산품 애용(스와데시), 국민 교육 진흥 주도

(4) 결과: 영국 벵골 분할령 취소, 명목상 인도인의 자치권 인정

(5) 의의: 인도 국민회의 광범위한 민중 호응, 인도 민족 운동의 중심

핵심 자료 인도와 영국의 면직물 산업의 변화

핵심
인도와 영국의 면직물 산업에 어떤 변화가 나타났을까?

본래 인도는 세계 최대의 면직물 수출 국가였다. 그러나 19세기에 들어 공장에서 생산된 영국의 값싼 면직물이 인도에 대량으로 들어오면서 인도의 면직물 산업이 몰락하고 실업자가 속출하였다. 영국은 동인도 회사가 벵골 지방에서 거둔 세금으로 엄청난 양의 인도산 면화를 값싸게 구입하여 이를 토대로 만든 면제품을 인도에 되팔았다.

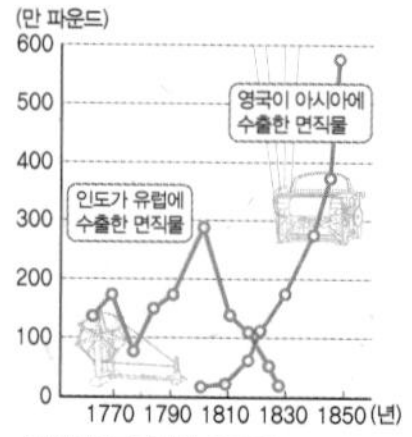

-「세계사 도록 히스토리카」, 2014. -

❶ 플라시 전투
1757년 영국의 동인도 회사군과 벵골의 태수군이 벌인 전투였다. 이 때 프랑스는 벵골의 태수를 지원하였는데, 전쟁에서 영국이 승리함으로써 영국은 이 지역에 대한 영유권을 차지했다.

❷ 세포이
영국이 인도를 식민 지배하였던 시기에 채용했던 현지 사람들로 구성된 용병을 의미한다.

❸ 벵골 분할령
1905년 영국이 식민지 인도에서 행정적 편의를 명분으로 영국에 반대하는 벵골 지역을 동 · 서로 분리한 명령이다.

정답과 해설 24쪽

확인해 봐요

1 플라시 전투 이후 영국은 벵골 지역에 대한 징세권을 획득하였다. (○, ×)

2 세포이들은 영국의 식민 지배에 호응하며 반영 운동에 반대하였다. (○, ×)

3 인도 국민 회의의 운동으로 벵골 분할령이 취소되었고, 인도인들은 자치권을 인정받았다. (○, ×)

교과서 활동 풀이

가자! 역사 속으로

교과서 157쪽

면직물 생산지로 유명한 벵골 지방을 탐내던 영국은 플라시 전투 후 프랑스를 인도에서 쫓아냈습니다. 이후 영국은 인도 각 지역으로 세력을 확대하였습니다.

플라시 전투에서 승리한 영국

영국의 침략에 인도인은 어떻게 저항하였을까요?

예시 답안 영국의 침략에 맞서 인도 각지에서 저항하는 다양한 움직임이 벌어졌다.

활동 도우미

플라시 전투에서 승리한 영국이 벵골 지방을 식민통치에 어떻게 활용했는지 알아보고 이에 대응한 인도인의 저항을 살펴보아요.

탐구해 봐요 벵골 분할령과 인도 국민 회의의 대응

교과서 159쪽

1905년 영국은 벵골주를 힌두교도가 중심인 서벵골과 이슬람교도가 중심인 동벵골로 분리하는 벵골 분할령을 발표하였다. 이 정책에는 반영 운동이 활발한 벵골 지방을 힌두교도와 이슬람교도 거주지로 분리하여 민족 운동을 약화하려는 의도가 담겨 있었다. 영국이 벵골 분할령을 발표한 뒤 인도 국민 회의에는 커다란 변화가 나타났다.

활동 도우미

영국은 힌두교도와 이슬람교도의 분열을 꾀할 목적으로 벵골 분할령을 발표했어요. 벵골 분할령의 본질과 그에 대한 인도인의 대응에 대해 생각해 보아요.

1 영국이 벵골 분할령을 발표한 의도를 생각해 보자.

예시 답안 표면적으로는 통치의 효율성을 내세웠으나 실질적으로는 반영 운동의 중심인 벵골 지식인의 세력을 약화하고, 힌두교도와 이슬람교도의 종교적 대립을 자극하여 민족 운동을 분열하려는 의도가 담겨 있었다.

2 밑줄 친 벵골 분할령 발표 이후, 인도 국민 회의의 성격이 어떻게 변화하였는지 본문에서 찾아보자.

예시 답안 인도 국민 회의는 영국의 벵골 분할령을 계기로 반영 운동을 전개하였고, 이후 인도의 완전한 독립을 주장하면서 반영 운동의 중심이 되었다.

스스로 확인해요

❶ 벵골 분할령 이후 영국은 무굴 제국의 황제를 폐위하고 인도를 직접 지배하였다. (×)

❷ 인도 국민 회의은/는 영국에 맞서 영국 상품 불매, 인도인의 자치, 국산품 애용 등을 주장하였다.

역량 키우기 역사 탐방 동남아시아 국민 국가 건설 운동의 현장을 가다!

교과서 160~161쪽

생각하고 써 보기

나는 국민 국가 건설 운동의 현장 중 필리핀 마닐라에 **가장 가 보고 싶어.**

왜냐하면 예시 답안 필리핀의 자치 독립을 주장한 호세 리살에 관해 좀 더 알고 싶기 때문이야**. 그래서 나는 이곳에 대한 답사 계획을 세울 생각이야.**

이 주제의 핵심

이번 주제에서는 인도에서 국민 국가를 건설하기 위해 어떤 운동을 벌였는지 파악해보는 것이 중요해요. 또한 이 과정에서 벌어진 다양한 움직임들이 성취해낸 결과를 파악해 보아요.

시험을 대비하는 실전 문제

기초를 튼튼하게 확인 문제

01 서로 관련 있는 내용끼리 연결하시오.

㉠ 이란 •	• ⓐ 탄지마트
㉡ 아랍 지역 •	• ⓑ 와하브 운동
㉢ 오스만 제국 •	• ⓒ 담배 불매 운동

02 아래 설명이 맞으면 ○, 틀리면 ×로 표시하시오.

(1) 아랍 지역에서는 청년 튀르크당을 중심으로 개혁의 움직임이 나타났다. (　　)

(2) 이집트의 아라비 파샤는 이집트인을 위한 이집트 국가 건설을 주장하였다. (　　)

(3) 인도에서는 벵골 분할령의 영향으로 세포이 항쟁이 발생하였다. (　　)

(4) 인도 국민 회의는 영국에 저항하고자 만들어졌다. (　　)

03 |보기|의 인도의 국민 국가 운동과 관련한 사건들을 순서대로 나열하시오.

| 보기 |
ㄱ. 세포이 항쟁　　ㄴ. 플라시 전투
ㄷ. 벵골 분할령　　ㄹ. 인도 국민 회의 조직

04 빈칸에 알맞은 말을 쓰시오.

(1) 술탄 압둘 하미드2세의 전제정치에 반대하며 (　　　)은/는 개혁을 시도하였다.

(2) 아랍 지역에서는 쿠란의 가르침으로 돌아가자는 (　　　)이/가 발생하였다.

(3) 플라시 전투에서 (　　　)이/가 승리하며 인도에 대한 지배권을 갖게 되었다.

내신을 탄탄하게 내신 문제

01 (가)에 들어갈 사건으로 옳은 것은?

역사 통합 검색
http://www.OOOO.co.kr
백과사전　(가)　검색

| 검색결과
오스만 제국은 위기에서 벗어나기 위해 19세기 중엽에 추진한 개혁으로 이 개혁을 통해 서양 문물을 적극적으로 받아들여 군대, 교육, 행정 제도를 개혁하고 제국의 부흥을 꾀하고자 하였다. 또한 입헌 군주제 실시, 의회 설립, 술탄의 전제 정치 폐지 등의 내용을 담은 헌법도 공포하였다.

① 탄지마트　② 양무운동
③ 와하브 운동　④ 담배 불매 운동
⑤ 청년 튀르크당의 개혁

02 오스만 제국이 다음 개혁을 추진한 배경으로 옳지 않은 것은?

1. 술탄의 권한 일부를 의회에 넘기고, 의회는 술탄의 승인을 얻어 법을 제정한다.
2. 백성들의 생명, 명예, 재산에 대한 충분한 안전을 보장한다.
3. 조세 제도의 확립과 조세 징수에 관한 정식 규정을 정한다.
4. 군대의 징집에 대한 정식 규정 및 근무 기간을 설정한다.

① 그리스가 독립하였다.
② 소수 민족의 독립 움직임이 나타났다.
③ 영국과 러시아 등 열강의 침략이 심해졌다.
④ 아랍 고전을 연구하는 아랍 문화 운동이 나타났다.
⑤ 신항로 개척으로 동서 중계 무역의 이익이 감소하였다.

정답과 해설 24~25쪽

03 다음과 관련된 개혁 운동에 내세웠을 구호로 옳은 것은?

① 쿠란으로 돌아가자! ② 헌법을 부활시키자!
③ 술탄제를 폐지하자! ④ 전제 정치를 강화하자!
⑤ 이집트인을 위한 이집트를 건설하자!

04 다음 자료와 관련된 사건에 대한 설명으로 옳은 것은?

> 청년 튀르크당은 처음에는 비밀 결사로 출발하였지만, 헌법의 부활을 통해 입헌 정부로 돌아갈 것을 주장하며 혁명을 일으켰다.

① 알 아프가니가 주도하였다.
② 이집트에서 발생한 사건이다.
③ 운동의 결과로 헌법과 의회가 부활하였다.
④ 담배 전매권에 대한 불만으로 발생하였다.
⑤ 러시아와의 전쟁에 패배하면서 실패하였다.

05 (가)에 들어갈 인물로 옳은 것은?

> **인물 카드**
>
> 이집트의 근대화에 앞장선 (가)
>
> 오스만 제국이 임명한 이집트의 총독으로 이집트가 오스만 제국으로부터 독립하기 위해서는 군대를 강하게 키우는 것이 중요하다고 여겼다.

① 간디 ② 네루 ③ 알 아프가니
④ 아라비 파샤 ⑤ 무함마드 알리

중요
06 (가)에 대한 설명으로 옳은 것을 |보기|에서 고른 것은?

> **| 보기 |**
> ㄱ. 영국으로부터 자치권을 인정받는 계기가 되었다.
> ㄴ. 20세기 아랍 세계의 단결과 아랍 민족주의 형성에 영향을 미쳤다.
> ㄷ. 이슬람교의 근본 교리가 담긴 『쿠란』으로 돌아가자는 주장이 담겼다.
> ㄹ. 이를 계기로 탄지마트 개혁을 추진하여 서양 문물을 적극적으로 받아들였다.

① ㄱ, ㄴ ② ㄱ, ㄷ ③ ㄴ, ㄷ
④ ㄴ, ㄹ ⑤ ㄷ, ㄹ

시험을 대비하는 실전 문제

신유형
07 **밑줄 친 '이 운하'의 건설이 이집트에 끼친 영향으로 옳은 것은?**

▲ 이 운하의 개통으로 아프리카 대륙을 우회하지 않고도 유럽과 아시아를 오갈 수 있게 되었다.

① 영국이 내정을 간섭하였다.
② 나폴레옹의 침공을 받게 되었다.
③ 영국이 이집트의 독립을 인정하였다.
④ 무함마드 알리가 통치권을 위임받았다.
⑤ 무스타파 케말이 문자 개혁을 일으켰다.

08 **밑줄 친 '항쟁'에 대한 설명으로 옳은 것을 |보기|에서 고른 것은?**

19세기 중반 영국의 인도 침략이 강화되자 동인도 회사에 고용된 인도인 용병들이 영국의 식민 지배 정책에 반발하여 항쟁하였다. 이 항쟁은 각계각층의 참여로 순식간에 전국적인 반영 운동으로 확대되었다. 비록 영국군에 의해 진압되었지만 이 항쟁은 인도 최초의 민족 운동으로 의미가 깊다.

|보기|
ㄱ. 항쟁의 결과 인도인의 자치권을 인정받았다.
ㄴ. 항쟁의 과정에서 콜카타 대회가 개최되었다.
ㄷ. 인도 무굴 제국의 황제는 세포이 항쟁을 지원하였다.
ㄹ. 항쟁을 일으킨 주체는 동인도 회사에 고용된 인도인 용병이었다.

① ㄱ, ㄴ ② ㄱ, ㄷ ③ ㄴ, ㄷ
④ ㄴ, ㄹ ⑤ ㄷ, ㄹ

09 **(가)에 들어갈 단어로 옳은 것은?**

역사 용어 사전

(가)

19세기 후반 인도에서는 영국식 근대 교육을 받은 지식인과 학생이 늘어나면서 정치의식이 높아졌다. 영국은 이들의 불만을 흡수하고 인도인의 정치 참여를 확대하기 위해 조직한 단체이다.

① 세포이 ② 와하브
③ 콜카타 대회 ④ 청년 튀르크당
⑤ 인도 국민 회의

10 **(가)에 들어갈 내용으로 옳은 것은?**

벵골 분할령
• 내용: 벵골주를 힌두교도가 중심인 서벵골과 이슬람 교도가 중심인 동벵골로 분리
• 목적: (가)
• 결과: 인도 국민 회의가 반영 운동에 앞장섬.

① 동인도 회사의 진출을 위해
② 인도의 종교적 통합을 위해
③ 인도 민족 운동의 분열을 위해
④ 인도 지식인들을 회유하기 위해
⑤ 무굴 제국의 통치력 약화를 위해

정답과 해설 24~25쪽

만점에 도전하는 심화 문제

01 자료와 관련된 사건에 대한 설명으로 옳지 않은 것은?

> 1. 술탄의 권한을 일부 의회에 넘기고, 의회는 술탄의 승인을 얻어 법을 제정한다.
> 2. 백성의 생명, 명예 재산에 대한 충분한 안전을 보장한다.
> 3. 조세 제도의 확립과 조세 징수에 관한 정식 규정을 정한다.
> 4. 군대의 징집에 대한 정식 규정 및 근무 기간을 설정한다.

① 오스만 제국의 부흥을 개혁의 목표로 설정하였다.
② 서양 문물을 적극적으로 받아들이자는 주장이 수용되었다.
③ 젊은 장교와 관료 · 지식인이 중심이 되어 개혁을 진행하였다.
④ 술탄의 전제 정치를 폐지 등의 내용을 담은 헌법이 발표되었다.
⑤ 유럽 열강의 간섭과 재정 악화 등으로 개혁은 큰 성과를 거두지 못하였다.

02 이란의 입헌 혁명에 대한 설명으로 옳은 것을 |보기|에서 고른 것은?

> |보기|
> ㄱ. 수에즈 운하 건설 반대 운동이 계기가 되었다.
> ㄴ. 보수 세력의 반발과 영국, 러시아의 간섭으로 실패하였다.
> ㄷ. 아랍 세계의 단결을 고취하는 아랍 민족주의의 형성에 영향을 주었다.
> ㄹ. 입헌 혁명은 반영 운동 세력이 주도하여 국민 의회를 설립하고 헌법을 제정하였다.

① ㄱ, ㄴ ② ㄱ, ㄷ ③ ㄴ, ㄷ
④ ㄴ, ㄹ ⑤ ㄷ, ㄹ

신유형
03 (가)에 들어갈 장소로 옳은 것을 |보기|에서 고른 것은?

> 〈답사 계획서〉
> 동남아시아 국민 국가 건설 운동의 현장을 찾아가다!
> 1. 일시: 202□년 10월 1일~10월 30일
> 2. 답사 장소: (가)
> 3. 관련 인물: 호치민, 푸푸탄, 아기날도, 라마5세

> |보기|
> ㄱ. 짜끄리 궁전 ㄴ. 그랜드 바자르
> ㄷ. 모나스 독립 기념탑 ㄹ. 술탄 아흐메드 사원

① ㄱ, ㄴ ② ㄱ, ㄷ ③ ㄴ, ㄷ
④ ㄴ, ㄹ ⑤ ㄷ, ㄹ

04 (가)를 계기로 나타난 사건에 대한 설명으로 옳은 것을 |보기|에서 고른 것은?

> 1905년 영국은 벵골주를 힌두교도가 중심인 서벵골과 이슬람교도가 중심인 동벵골로 분리하는 (가) 을/를 발표하였다. 이 정책에는 반영 운동이 활발한 벵골 지방을 힌두교도와 이슬람교도 거주지로 분리하여 민족운동을 약화하려는 의도가 담겨있었다.

> |보기|
> ㄱ. 스와라지, 스와데시 운동이 전개되었다.
> ㄴ. 담배 불매 운동이 전국적으로 확산되었다.
> ㄷ. 일부 이슬람교도들도 해당 사건에 참여하였다.
> ㄹ. 영국 여왕이 인도 황제를 겸하는 인도 제국이 만들어졌다.

① ㄱ, ㄴ ② ㄱ, ㄷ ③ ㄴ, ㄷ
④ ㄴ, ㄹ ⑤ ㄷ, ㄹ

동아시아의 국민 국가 건설 운동

학습 목표
청 · 일본 · 조선이 개항하는 과정에서 드러난 공통점과 개항 이후 상황을 설명할 수 있다.

주제 13 동아시아 3국의 개항

1 청이 아편 전쟁으로 개항하다

(1) 17~18세기 영국과 청의 무역: 영국이 청의 도자기와 차를 구입하기 위해 많은 양의 은을 지불

(2) 19세기 삼각 무역: 영국이 인도산 아편을 청에 밀 수출 → 청은 은의 대량 유출로 재정 궁핍, 농민 생활 피폐, 국민 건강 악화

(3) 제1차 아편 전쟁

① 원인: 아편 몰수를 빌미로 영국이 전쟁을 일으킴
왜? 청의 관리였던 임칙서가 아편을 몰수하는 조치를 취하자 이를 빌미로 영국이 침략하였어.

② 경과: 영국의 승리로 난징 조약 체결(1842) → 배상금 지불, 홍콩 할양, 상하이 등 5개 항구 개항

(4) 제2차 아편 전쟁

① 배경: 난징 조약 이후 기대만큼 중국과의 무역에서 이익이 발생하지 않음.

② 계기: 애로호 사건을 구실로 영국이 프랑스와 협력하여 전쟁 발발 → 영국과 프랑스 베이징 점령
어떻게? 청이 밀무역 선박으로 의심되는 애로호를 검문하던 과정에 영국 국기를 내린 사건이야.

③ 경과: 영국과 프랑스의 승리로 텐진 조약 및 베이징 조약 체결(추가 항구 개항, 외교관의 베이징 주둔 허용)

핵심 자료 청과 영국의 무역 구조의 변화

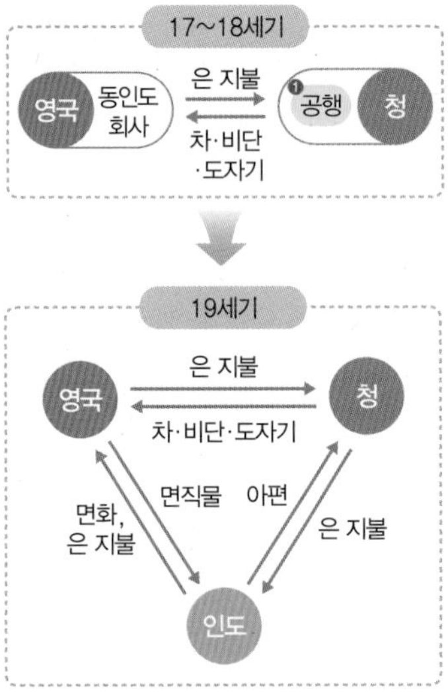

핵심
청과 영국의 무역 구조는 어떻게 변화하였을까?

17~18세기 영국은 청의 물품을 은으로 구매하고 있었다. 이 과정에서 많은 양의 은이 청나라로 흘러들어갔다. 반면 19세기에는 영국이 인도산 아편을 통해 무역 구조를 변화시킴에 따라 영국-인도-청의 삼각 무역이 이루어지면서 은을 다시 영국으로 돌아오게 만들었다. 이 결과 청은 은이 대량 유출 되었으며 국민의 건강이 악화되었다. 이후 아편으로 인한 문제는 중국과 영국 사이의 갈등을 낳아 아편 전쟁의 원인이 되었다.

2 일본이 페리 제독의 내항으로 개항하다

(1) 배경: 개항 이전 네덜란드를 제외한 서양 열강과 통상을 거부, 미국 페리 제독의 무력 시위 어떻게? 미국은 배에 장착된 함포로 일본을 위협하였어.

(2) 경과: 미 · 일 화친 조약(1854)과 미 · 일 수호 통상 조약(1858) 체결 → 미국의 ❷최혜국 대우와 ❸치외 법권 인정

3 조선이 운요호 사건으로 개항하다

(1) 배경: 서양 열강의 통상 수교 요구 → 조선의 거부, 프랑스, 미국의 통상 수교 요구에 저항 → 병인양요(1866) · 신미양요(1871)

(2) 경과: 일본의 접근(운요호 사건) → 강화도 조약(1876) 체결 → 부산, 원산, 인천 개항 및 해안 측량권 · 치외 법권 등을 인정, 불평등 조약
무엇을? 운요호를 조선 조정이 국경을 방어하는 차원에서 공격을 하자, 이를 빌미로 일본이 조선을 공격했었지.

❶ 공행 무역
공행은 청이 서양인들과 무역할 수 있도록 허가해준 광저우의 상인집단이었다. 청은 직접 서양인들과 직접 무역을 하지 않고 공행 제도를 통해 제한적인 무역을 허용하였다.

❷ 최혜국 대우
한 나라가 제3의 외국에게 부여하고 있는 가장 유리한 대우를 상대국에게 해준다는 것을 의미한다.

❸ 치외법권
외국인이 어떤 나라의 영토에서 해당 나라의 법을 적용받지 않고, 자기 나라의 법을 적용받을 수 있는 권리를 의미한다.

정답과 해설 25쪽

확인해 봐요

1 제1차 아편 전쟁의 결과 베이징 조약이 체결되었다. (○, ×)

2 일본은 개항 후 조약을 체결하면서 미국에 최혜국 대우와 치외 법권을 인정하였다. (○, ×)

3 조선은 병인양요를 경험하며 최초로 외국에 공식적으로 개항하였다. (○, ×)

교과서 활동 풀이

가자! 역사 속으로

교과서 162쪽

18세기 후반 영국은 청에 자유 무역을 허가해 달라고 요구하였지만 청은 이에 응하지 않았습니다.

✔ 영국은 청의 문호 개방을 위해 어떤 방법을 취하였을까요?

예시 답안 영국은 청에 인도산 아편을 밀수출하는 삼각 무역을 추진하였다.

활동 도우미

영국은 청에게 제한적인 공행 무역을 폐지해달라고 하였지만 청은 이에 응하지 않았어요. 청의 입장에서는 영국과 활발하게 교역할 필요성을 느끼지 않았기 때문이에요. 영국이 자신들의 이익을 취하기 위해 어떤 방법을 동원했을지 상상해 보아요.

탐구 해봐요 동아시아 3국의 개항

교과서 163쪽

3국 개항의 계기가 된 사건과 개항장

난징 조약(1842)

제2조 영국 국민은 광저우, 상하이 등 5개 항구에 거주할 수 있으며 방해받지 않고 무역에 종사할 수 있다.

제5조 앞으로는 공행하고만 거래하는 제도를 폐지한다.

미·일 수호 통상 조약(1858)

제3조 시모다, 하코다테 외에 가나가와(요코하마), 나가사키, 니가타, 효고(고베)를 개항한다.

제6조 일본인에 대하여 범법 행위를 한 미국인은 미국의 법으로 재판한다.

강화도 조약(1876)

제4조 조선은 부산 외에 두 곳의 항구를 개항하고 일본인이 와서 통상하도록 허가한다.

제10조 일본인이 조선의 항구에서 지은 죄는 모두 일본의 관원이 심판한다.

활동 도우미

동아시아 3국은 개항 과정에서 불평등한 조약을 맺었다는 공통점을 가지고 있어요. 그러나 청과 일본은 서양 열강인 영국과 미국에게 강요당했지만, 조선은 일본에게 강요받았다는 차이점이 있지요. 동아시아 3국 개항의 계기가 된 사건과 이때 맺은 조약을 비교해보며 불평등한 요소들을 찾아보아요.

1 위 자료를 참고하여 아래 도표를 완성해 보자.

국가	개항의 계기가 된 사건	체결 국가	조약명
청	아편 전쟁	영국	난징 조약
일본	페리 내항	미국	미·일 수호 통상 조약
조선	운요호 사건	일본	강화도 조약

2 동아시아 3국이 개항 후 맺은 조약들로 볼 수 있는 불평등 요소를 찾아보자.

예시 답안 외국인들이 개항장에서 방해받지 않고 무역을 하게 되었다. 개항장에서 외국인이 범죄를 일으키면 본국의 법에 따라 재판을 한다.

스스로 확인해요

❶ 청은 영국과 난징 조약을 체결한 후 홍콩을 영국에 넘기고, 상하이 등 5개 항구를 개방하였다. (○)

❷ 청·일본·조선은 모두 통상 수교 압력에 저항하다가 불평등한 조약을 맺으며 개항하였다.

이 주제의 핵심

이번 주제에서는 동아시아 3국이 개항의 과정에 대해 배웠어요.
동아시아 3국이 개항의 과정에서 체결한 조약의 성격과 불평등 요소에 대해 자세히 살펴봅시다. 그리고 여러 나라들과 맺었던 조약의 특징은 무엇인지도 자세히 살펴봐야겠죠?

4 동아시아의 국민 국가 건설 운동

학습 목표
동아시아 3국에서 발생한 근대화 운동에 대해 설명할 수 있다.

주제 14 근대화 운동의 전개

1 태평천국 운동이 일어나다

(1) 태평천국 운동

① 배경: 막대한 배상금 지불을 위해 세금 확대 → 백성들의 생활이 더욱 어려워 짐.

② 전개: 홍수전, [1]상제회 중심으로 반란을 일으킴. → 난징 점령, 청 왕조 타도, 남녀 평등, 토지 균등 분배 주장

어떻게? 크리스트교의 영향을 받은 상제회는 민중들의 마음을 헤아리는 태도로 많은 인기를 받게 되었지.

③ 결과: 지방 의용군과 외국 군대에게 진압

2 근대화 운동이 전개되다

양무운동	• 전개: 중국번, 이홍장이 태평천국 운동 진압 과정에서 서양 무기의 우수성 확인 • 주장: 서양의 군사력과 과학 기술을 수용
변법자강 운동	• 전개: 캉유웨이, 량치차오 등이 일본 메이지 유신을 모방하여 의회제도 도입 등 근대화 개혁 추진
의화단 운동	• 전개: 하층 농민을 중심으로 청을 도와 서양 세력을 몰아내자는 반외세 운동 • 결과: 영국, 독일, 일본 등 8개국 연합국에 의해 진압 → 청은 막대한 이권과 배상금 지급, 외국 군대 주둔 허용(신축 조약)

3 일본, 메이지 유신으로 근대화를 추진하다

(1) 메이지 유신(1868)

① 배경: 지방의 하급 무사들 중심으로 [2]막부 타도 → 천황을 중심으로 하는 새로운 정부 수립

어떻게? 당시 급격하게 변화하는 상황에서 막부가 적절하게 대처하지 못했다는 명목으로 막부타도운동을 벌였어.

② 경과: 봉건제 폐지, 의무 교육 실시, 조세 제도 정비, 서양의 과학기술 및 제도 도입, 상공업 육성 등의 개혁 실시

(2) 서양식 근대 국가 건설 모방 : 서양에 사절단 파견 등

4 조선에서 근대화 운동을 추진하다

(1) 개항 이후의 상황: 근대 문물 유입, 개화 정책의 추진

(2) 근대화 운동

임오군란 (1882)	• 전개: 개화 정책에 대한 구식 군인과 도시 빈민층이 저항 • 결과: 청의 진압 → 청의 내정 간섭 심화 • 영향: 온건 개화파와 급진 개화파의 대립
갑신정변 (1884)	• 전개: 근대화 정치 개혁안 발표(청으로부터의 독립, 문벌 폐지) • 결과: 보수파의 반발, 청의 개입으로 실패
동학 농민 운동 (1894)	• 전개: 외세 배척, 신분제 철폐, 토지 제도 개혁 주장 → 청과 일본의 개입 • 결과: 정부, 동학 농민군과 휴전 → 청 · 일 군대 철수 요구 → 일본 거부

❶ 상제회
19세기 중국에서 태평천국 운동의 바탕이 되었던 종교 결사이다.

❷ 막부
12세기부터 19세기까지 지속되었던 일본의 무사정권을 의미한다.

정답과 해설 25쪽

확인해 봐요

1 태평천국 운동에서는 청 왕조 타도, 남녀 평등, 토지 균등 분배와 같은 주장이 제기되었다. (○, ×)

2 메이지 유신은 막부를 중심으로 근대화를 추진하려는 개혁 운동이었다. (○, ×)

3 갑신정변은 근대화 개혁안을 발표하였지만, 보수파의 반발과 청의 개입으로 실패하였다. (○, ×)

교과서 활동 풀이

가자! 역사 속으로

교과서 164쪽

청은 양무운동이 추진되던 시기에 아홉 살에서 열다섯 살의 소년 120명을 4차례에 걸쳐 미국에 유학 보내 서양 문물을 배우도록 하였습니다.

청은 미국에 간 유학생들에게 무엇을 배워 오도록 하였을까요?

예시 답안 서양 열강의 군사력과 무기에 대해 연구해 오도록 하였을 것이다.

활동 도우미 청은 양무운동을 추진하면서 소년들을 미국으로 보냈어요. 유학생들이 미국으로 유학가서 주로 무엇을 배웠을지를 생각해 보아요.

탐구 해봐요 청의 근대화 과정에서 제안된 서로 다른 주장

교과서 165쪽

가 중국의 문물이나 제도는 서양보다 우세하나, 중국이 자강하려면 외국의 이점을 배워야 한다. 외국의 이점을 배우려면 외국의 좋은 기술, 특히 무기 제조 기술을 중국의 것으로 완성하여야 한다.

– 이홍장, 「서양식 철공소 및 기계 설치에 관한 상소문」 –

나 중국이 부강한 나라를 이룩하려면 서양의 제도를 배워야 한다. 서양의 의회 제도는 군주와 백성이 하나가 되고 윗사람과 아랫사람이 한마음이 되자는 것이지, 황제의 권력에 손상이 가는 것이 아니다.

– 캉유웨이, 『무술 주고』 –

1 가, 나와 연관 깊은 근대화 운동을 써 보자.

예시 답안 • 가: 양무운동 • 나: 변법자강 운동

2 가, 나 중 하나를 골라 추진 세력들이 외쳤을 구호를 만들어 보자.

예시 답안 • 가: 새로운 무기 제조 기술을 익혀 부국강병을 이루자!
• 나: 청 왕조를 중심으로 의회를 만들어 입헌 군주제 국가를 수립하자!

활동 도우미 서양의 과학 기술을 받아들여 중국을 근대적인 국가로 바꾸려고 했던 양무운동과 일본의 메이지 유신을 모델로 삼아서 근대화를 추진하려던 변법자강 운동의 주장에는 어떤 공통점과 차이점이 있는지 생각해 보아요.

Q 후쿠자와 유키치가 추구한 개혁의 목표는 무엇일까?

교과서 166쪽

후쿠자와 유키치의 개혁론

후쿠자와 유키치

“옛것을 버리고 새로운 것을 얻는 과정에서 가장 핵심적인 것은 '아시아를 벗어나 유럽처럼 되는 것'이다. …… 일본은 이미 정신적으로 아시아를 벗어났다. 그런데 이웃의 두 나라는 개혁을 생각조차 하지 못하고 있다. 개혁이 실패한다면 곧 세계열강에 나라를 빼앗길 것이다.

– 『탈아론』, 1885. –”

예시 답안 개혁을 바탕으로 아시아를 벗어나 유럽처럼 강해지는 것이다.

활동 도우미 후쿠자와 유키치는 일본의 근대화를 이끌었던 대표적인 지식인 중 한 명이에요. 그의 주장을 보면서 후쿠자와 유키치가 추구한 개혁의 목표가 무엇이었을지 추측해 보아요.

스스로 확인해요

❶ 청의 변법자강 운동을 주도하였던 세력들은 보수파의 반대에 부딪혀 실패하였다. (○)
❷ 청의 의화단 운동과 조선의 동학 농민 운동은 모두 민중이 나서서 외 세을/를 물리치자는 주장을 하였다.

이 주제의 핵심!

이번 주제에서는 동아시아 3국의 근대화 운동들에는 어떤 것들이 있는지 주목해볼 필요가 있어요.
또한 각 운동이 발생한 당시의 시대적 배경과 동아시아의 3국에서 발생한 근대화 운동을 그들이 운동에서 주장한 내용과 결과를 비교하여 파악해 보아요.

4 동아시아의 국민 국가 건설 운동

학습 목표
동아시아 각국의 국민 국가수립 과정을 설명할 수 있다.

주제 15 국민 국가 수립을 위한 노력

1 신해혁명으로 중화민국이 수립되다

(1) 청의 근대화 정책(신정): 신식 군대 편성, 교육 개혁 및 실업 진흥 추진 → 세금 부담 등으로 국민들의 불만 증가

(2) 쑨원의 혁명 운동: [1]삼민주의(민족 · 민권 · 민생주의) 주장, 중국 동맹회 결성 → 청 왕조 타도, 한족 중심의 공화정 수립 주장

(3) 신해혁명과 중화민국

① 신해혁명(1911): 민간 철도 국유화 반대 운동 전개 → 우창에서 신군 봉기 → 전국 확산 → 지방의 많은 성이 독립 선포

왜? 당시 사람들은 청 조정이 외국에게 돈을 빌려 국가 소유의 철도를 만들고자 한 것에 대해 반대했어.

② 경과: 중화민국 수립(1912) → 중국 최초의 공화국, 쑨원이 임시 대총통으로 선출, 「중화민국 임시약법」 제정

③ 중화민국의 시련: 위안 스카이, 중화민국의 대총통으로 취임 → 황제 체제 부활 시도 실패 → 각지의 군벌이 대두

2 일본, 메이지 정부가 국민 체제를 갖추다

(1) 배경: 메이지 정부 주도의 근대화 정책 추진 → 소외된 무사들과 농민들의 불만

(2) 전개

① [2]자유 민권 운동 전개: 정부의 독재와 독점 비판 → 헌법 제정, 의회 개설, 언론 자유, 국민의 참정 요구

② 「대일본 제국 헌법」 제정(1889): 천황에게 절대 권력 부여, 제국 의회 개최, 정당 정치와 내각 책임제 도입 → 국민 국가 체제 수립

3 조선에서 국민 국가를 만들기 위한 개혁 운동이 일어나다

(1) 배경: 청 · 일전쟁 이후 조선에 대한 일본의 내정 간섭 심화

(2) 개혁 운동

①

갑오개혁(1894)	을미사변(1895)	[3]아관파천(1896)
• 근대적 개혁 추진 • 한계: 일본의 강요	• 조선의 친러정책 강화 → 명성황후 시해	• 고종 러시아 공사관으로 피신 • 영향: 서양 열강들의 간섭 확대

② 대한 제국 선포(1897): 고종 환궁, 연호 제정(광무), 황제 칭호 사용

③ 독립 협회: 자주독립을 위한 노력, 자유 민권 운동 전개 → 관민 공동회 개최(「헌의 6조」) → 보수 세력 모함(공화제 수립) → 고종, 독립 협회 강제 해산

④ 광무 개혁: 서구 근대 문물 수용, 「대한국제 선포」(1899) → 황제의 무한한 권력, 자주 독립국 선포

---

❶ 삼민주의
삼민주의는 쑨원이 중국에서 혁명을 일으킬 때 기반으로 삼았던 사상이다. 쑨원은 민족 · 민권 · 민생이 중요하다는 주장을 하였다.

❷ 자유 민권 운동
자유 민권 운동은 19세기 후반 일본에서 민주주의를 요구했던 정치 운동이자 사회운동이었다. 이 결과로 일본에서는 헌법이 만들어졌고, 이에 따라 의회 및 내각이 구성되었다.

❸ 아관파천
을미사변 이후 생명에 위협을 느낀 고종이 조선에 있던 러시아 공사관으로 피신한 사건이었다. 이 사건 이후 러시아 등 서양 열강들의 간섭이 더욱 확대되었다.

정답과 해설 25쪽

확인해 봐요

1 신해혁명으로 중국 최초의 공화국인 중화민국이 만들어졌다. (○, ×)

2 일본에서는 자유 민권 운동에 동조하여 「대일본 제국 헌법」을 만들어졌다. (○, ×)

3 조선에서는 독립 협회의 노력으로 최초의 공화국인 대한제국이 만들어졌다. (○, ×)

교과서 활동 풀이

가자! 역사 속으로

교과서 168쪽

의화단 운동이 실패로 끝난 후, 청 왕조에 실망한 백성들과 해외에 거주하는 화교들이 혁명 운동에 적극적으로 가담하였습니다.

이들이 꿈꾸었던 새로운 국가는 어떤 모습이었을까요?

예시 답안 황제의 통치에서 벗어나 백성이 주인이 되는 나라를 건설하고자 하였다. 또는 만주족 지배에서 벗어나 한족이 주인이 되는 나라를 건설하고자 하였다.

활동 도우미

의화단 운동이 실패한 뒤, 서양 열강의 간섭이 더욱 심해졌어요. 청 황실의 무능과 외세의 침입을 함께 목격한 중국 사람들이 어떤 세상을 꿈꾸었을지 상상해 보아요.

탐구 해 봐요 쑨원의 혁명 사상

교과서 168쪽

백과사전 ∨ ○○○○ 검색

[검색 결과]
쑨원은 청 왕조를 타도하자는 취지로 혁명 운동에 뜻을 두고 ○○○○을/를 강령으로 한 중국 동맹회를 결성하였다.
○○○○은/는 민족·민권·민생으로 설명된다.

민족주의: 만주족이 세운 청을 몰아낸다.
민권주의: 공화정을 세우고 백성의 권리를 신장한다.
민생주의: 토지 소유권을 고르게 하여 백성의 생활을 안정시킨다.

쑨원은 「민보」 발간사에서 혁명 사상을 발표하였다.

1 검색창에 들어갈 용어를 써 보자.

예시 답안 삼민주의

2 쑨원이 추구한 정치 형태를 파악해 보자.

예시 답안 쑨원은 청 왕조를 타도하고 한족 중심의 공화정을 수립하고자 하였다.

자료 해설

삼민주의는 쑨원의 혁명 사상이었고, 이는 곧 신해혁명의 이념이 되었다. 민족주의, 민권주의, 민생주의로 구성되어 있다. 특히 민족주의는 처음에는 만주족인 청 왕조를 타도하고 한족의 주권을 회복하자는 주장이었으나, 나중에는 제국주의 열강의 침략에 대한 중화 민족의 자유로 확대·발전하였다.

Q 「대일본 제국 헌법」에 규정된 천황의 권한은 무엇일까?

교과서 170쪽

「대일본 제국 헌법」(1889)
제1조 일본 제국은 천황이 통치한다.
제3조 천황은 신성하여 누구라도 침범할 수 없다.
제4조 천황은 국가의 원수로서 통치권을 총괄하며, 헌법의 조항에 따라 이를 이행한다.
제7조 천황은 제국 의회를 소집하고 그 개회, 폐회, 정회 및 의회 해산을 명할 수 있다.
제11조 천황은 육해군을 통솔한다.
제13조 천황은 전쟁을 선언하며, 여러 조약을 체결한다.

「대일본 제국 헌법」 공포 장면

예시 답안 천황은 의회 해산권, 군대 통솔권, 조약 체결권 등의 권한을 가진다.

활동 도우미

「대일본 제국 헌법」을 보며 자유 민권 운동과의 차이점과 천황의 권한을 찾아보아요.

스스로 확인해요

❶ 신해혁명을 통해 중국 최초의 공화정 국가로 중화민국이 수립되었다. (○)
❷ 대한 제국의 대 한 국 국 제에서는 대한 제국이 자주독립국임을 선포하였다.

이 주제의 핵심

이번 주제에서는 동아시아 3국의 국민 국가 건설 운동에는 어떤 것들이 있는지 주목해 볼 필요가 있어요. 또한 각 운동에서 이루고자 노력한 지향점과 생각을 비교해 보고 이들의 국민 국가 건설 과정을 설명할 수 있어야겠죠?

학습 목표
일본 제국주의 침략 과정을 설명할 수 있다.

주제 16 일본의 제국주의 침략

1 일본이 적극적으로 대외 팽창에 나서다

(1) **일본의 대외 팽창:** 입헌 군주 국가 체제 마련 → 적극적인 대외 팽창(❶타이완 침공, 홋카이도와 쿠릴 열도 차지, 조선 개항, 류큐 왕국 병합)

(2) **청 · 일 전쟁(1894~1895)의 승리:** 시모노세키 조약 체결, 조선에 대한 압력 강화, 타이완 차지, 막대한 배상금을 받음

(3) **중국 의화단 진압에 개입:** 청을 대신하여 동아시아 강자로 부상

2 일본이 제국주의의 길을 걷다

(1) **삼국 간섭(1895):** 러시아, 프랑스, 독일이 일본이 차지한 ❷랴오둥반도를 청에 반환하도록 강요 → 러시아에 대한 적대감 고조

(2) **청 · 일 전쟁 후 받은 배상금으로 군비 확장 → 러 · 일 전쟁 발발(1904) → 일본의 승리**

(3) **포츠머스 조약 체결(1905):** 랴오둥 반도, ❸사할린 일부 회복, 대한 제국을 지도 및 보호할 권리 인정받음 → 대한 제국 강제 병합 → 제국주의 국가 대열에 합류

❶ 타이완
타이완은 중국 청나라가 지배하던 섬이었는데, 청일전쟁으로 일본의 식민지가 되었다. 일본의 식민지배는 1945년까지 이어졌다.

❷ 랴오둥 반도
중국 랴오닝성 남부에 있는 반도이다. 요동반도라고도 부른다. 이 지역은 중요한 무역항이기도 했고 군사적 요충지이기도 하였다.

❸ 사할린
러시아의 본토와 일본의 본토 사이에 남북으로 길게 뻗어있는 섬이다. 러일전쟁 이후 남쪽은 일본의 영토가 되었는데, 제2차 세계대전 이후에는 섬 전체가 러시아 소유로 인정되었다.

핵심 자료 일본의 제국주의화

자료 1 시모노세키 조약(1895)

제 1 조 | …… 청은 조선이 완전한 자주국임을 인정한다.
제 2 조 | …… 청은 랴오둥반도, 타이완 및 그 부속 여러 섬을 일본에 넘겨준다.
제 4 조 | …… 청은 일본에 배상금 2억 냥을 지불한다.

자료 2 포츠머스 조약(1905)

제 1 조 | …… 러시아는 한국에 대한 일본의 지도, 보호, 감리를 승인한다.
제 2 조 | …… 뤼순, 다롄의 조차권, 장춘 이남의 철도와 그 부속의 이권을 일본에 양도한다.

핵심
시모노세키 조약과 포츠머스 1조의 내용은 무엇인가요?

시모노세키 조약은 청 · 일 전쟁 직후 체결된 조약이다. 청 · 일 전쟁의 승리로 조선의 종주국이라고 생각하고 있는 청의 간섭을 배제하기 위해 이 조항을 넣었다. 포츠머스 조약은 러 · 일 전쟁 직후 체결된 조약으로 러 · 일 전쟁 이전까지 일본은 대한 제국을 두고 치열한 경쟁을 벌였지. 그런데 일본이 러 · 일 전쟁의 승리로 대한 제국에 우월한 지위를 차지하게 되었고 1조의 내용에 이를 확인하고 있어.

정답과 해설 25쪽

확인해 봐요

1 청은 청 · 일전쟁에서 일본에게 가까스로 승리하였다. (○, ×)

2 일본은 삼국 간섭으로 랴오둥 반도를 다시 청에 반환하였다. (○, ×)

3 일본은 러 · 일전쟁의 결과로 사할린 영토 일부를 확보하였다. (○, ×)

교과서 활동 풀이

가자! 역사 속으로

교과서 172쪽

오른쪽 그림은 이제 막 제국주의 국가의 대열에 합류하게 된 일본을 풍자한 그림입니다.

✔ 일본은 어떻게 제국주의 국가의 대열에 합류하게 되었을까요?

예시 답안 유럽 강대국들처럼 군사력을 키워 다른 나라를 침략하는 행위를 통해 제국주의 국가 대열에 합류할 수 있었을 것이다.

활동 도우미

일본이 영국의 안내를 받으며 제국주의 국가들이 앉아 있는 장소에 합석하는 그림을 살펴보면서, 일본에게 어떤 일이 벌어졌는지를 생각해 보아요.

탐구 해봐요 배상금의 사용 내역을 통해 본 일본의 대외 정책 방향

교과서 173쪽

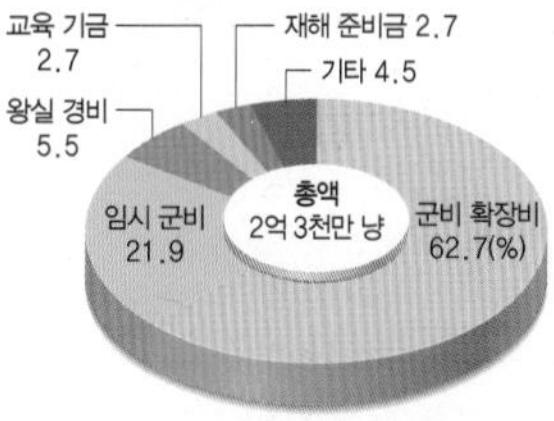

-『상설 일본사 도록』, 2008.-

1 도표에서 가장 많은 부분을 차지하는 항목 세 가지를 순서대로 써 보자.

군비 확장비 > 임시 군비 > 왕실 경비

2 배상금 사용 내역을 통해 이후 일본의 대외 정책 방향을 추론해 보자.

예시 답안 러시아의 압력으로 랴오둥반도를 청에 반환한 일본은 러시아에 적대감을 갖게 되었고, 군비를 확장하는 등 대외 침략을 준비하였다.

활동 도우미

도표는 일본이 청·일 전쟁으로 얻은 배상금을 어디에 사용하였는지 보여주고 있어요. 일본이 막대한 배상금을 이후 어디에 가장 많이 사용했는지를 살펴보면, 일본의 집권자들이 어떤 방향으로 국가를 운영해나갔는지에 대해 생각해 보아요.

교과서 사진 자료 청·일 전쟁의 전개

교과서 173쪽

청·일 전쟁으로 맺게 된 시모노세키 조약은 일본을 포함한 동아시아에 많은 영향을 미쳤다. 일본은 이를 계기로 조선에서 청의 영향력을 없앤 뒤 동아시아에서 주도권을 가지게 되었다. 또한, 막대한 배상금을 얻어 군비를 확장하며 후일을 도모하였으며 10년 뒤 러·일 전쟁을 일으켰다. 러·일 전쟁 이후 일본은 대한 제국을 지도 및 보호할 권리를 인정받았으며, 대한 제국을 강제로 병합하여 식민지로 삼았다.

시모노세키 조약(1895)

"
제1조 청은 조선이 완전한 자주국임을 인정한다.
제2조 청은 랴오둥반도, 타이완 및 그 부속 여러 섬을 일본에 넘겨준다.
제4조 청은 일본에 배상금 2억 냥을 지불한다.
"

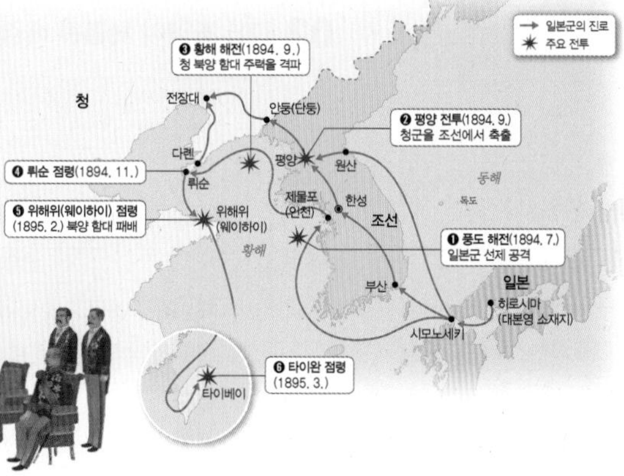

활동 도우미

해당 자료는 청·일 전쟁의 과정과 그 결과로 맺은 시모노세키 조약의 내용을 보여주고 있어요. 청·일 전쟁의 승리로 일본이 어떤 생각을 하게 되었을지 추측해보고, 이를 비판적으로 생각해 보아요.

스스로 확인해요

❶ 일본은 포츠머스 조약을 통해 받은 배상금으로 군사력을 강화하여 동아시아의 강자로 떠올랐다. (×)

❷ 일본은 영 국와/과 동맹을 맺고, 러시아의 뤼순을 기습 공격하여 러·일 전쟁을 일으켰다.

이 주제의 핵심

이번 주제에서는 일본이 제국주의 국가로 변모하는 과정에서 어떤 사건들이 발생하였는지 살펴보는 것이 중요해요. 대체로 그 과정에서 전쟁이 벌어졌는데, 전쟁의 결과로 맺은 조약의 내용도 비교하여 살펴봅시다.

시험을 대비하는 실전 문제

기초를 튼튼하게 확인 문제

01 **서로 관련 있는 내용끼리 연결하시오.**

㉠ 청 • • ⓐ 아편 전쟁

㉡ 조선 • • ⓑ 운요호 사건

㉢ 일본 • • ⓒ 페리 제독 시위

02 **아래 설명이 맞으면 ○, 틀리면 ×로 표시하시오.**

(1) 양무운동은 전통적 체제를 유지하면서 서양의 기술만을 받아들인 근대화 운동이었다. ( )

(2) 일본은 메이지 유신을 통해 천황을 중심으로 새로운 정부를 수립하였다. ( )

(3) 갑신정변은 신분 제도 철폐를 주장한 아래로부터의 운동이었다. ( )

(4) 중국은 신해혁명으로 공화국인 중화민국이 만들어졌다. ( )

03 **|보기|의 중국의 국민 국가 건설 운동과 관련한 사건들을 순서대로 나열하시오.**

| 보기 |

ㄱ. 양무운동　　ㄴ. 신해혁명

ㄷ. 의화단 운동　　ㄹ. 변법자강 운동

04 **빈칸에 알맞은 말을 쓰시오.**

(1) 일본은 조선과 ( )을/를 맺어 조선을 개항하게 하였다.

(2) 청·일전쟁에서 승리한 일본은 ( )을 맺고 막대한 배상금을 얻었다.

(3) 러시아가 만주와 한반도에서 영향력을 확대하자 일본은 영국과 동맹을 맺고 뤼순을 기습 공격하여 ( )을/를 일으켰다.

내신을 탄탄하게 내신 문제

01 **교사의 질문에 대한 학생의 답변으로 옳은 것은?**

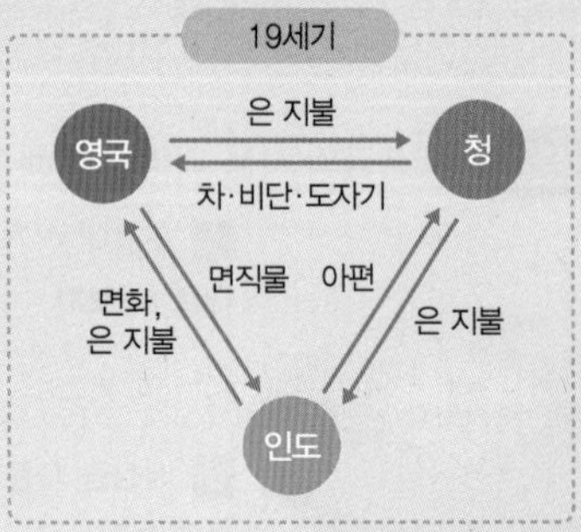

교사: 아편의 폐해로 청이 아편을 몰수하자 이를 계기로 영국은 전쟁을 일으켰어요. 그 결과 청이 맺게 된 최초의 불평등 조약은 무엇일까요?

① 톈진 조약　　② 난징 조약

③ 강화도 조약　　④ 포츠머스 조약

⑤ 미·일 화친 조약

02 **(가) 조약이 체결된 배경으로 옳은 것은?**

역사 통합 검색 ×

http://www.OOOO.co.kr

백과사전 (가) 검색

| 검색결과

(가) 조약(1842)

제2조 영국 국민은 광저우, 상하이 등 5개 항구에 거주할 수 있으며 방해받지 않고 무역에 종사할 수 있다.

제5조 앞으로는 공행하고만 거래하는 제도를 폐지한다.

① 애로호 사건이 발생하였다.

② 병미양요와 신미양요가 발생하였다.

③ 미국의 페리 제독이 군함을 이끌고 무력 시위를 하였다.

④ 영국과 청 사이에 아편 밀 무역을 두고 갈등이 생겼다.

⑤ 운요호 사건을 계기로 일본과 조선 사이에 갈등이 발생하였다.

03 (가)에 대한 설명으로 옳은 것을 |보기|에서 고른 것은?

태평천국 운동
- 배경: (가)
- 주장: 청 왕조 타도, 남녀 평등, 토지 균등 분배
- 결과: 한인 관료가 조직한 지방 의용군과 외국 군대의 공격으로 진압

|보기|
ㄱ. 아편 전쟁의 패배로 청의 위신이 떨어졌다.
ㄴ. 청·일전쟁에서 패한 뒤 양무운동의 한계를 깨달았다.
ㄷ. 크리스트교 신앙을 바탕으로 조직된 상제회가 민중들에게 호응을 받았다.
ㄹ. 증국번, 이홍장 등의 한인 관료들이 서양 무기의 우수성에 자극을 받았다.

① ㄱ, ㄴ ② ㄱ, ㄷ ③ ㄴ, ㄷ
④ ㄴ, ㄹ ⑤ ㄷ, ㄹ

04 자료와 관련된 중국의 근대화 운동으로 옳은 것은?

중국의 문물이나 제도는 서양보다 우세하나, 중국이 자강하려면 외국의 이점을 배워야 한다. 외국의 이점을 배우려면 외국의 좋은 기술, 특히 무기 제조 기술을 중국의 것으로 완성하여야 한다.

① 양무운동 ② 신해혁명
③ 의화단 운동 ④ 태평 천국 운동
⑤ 변법자강 운동

중요
05 자료와 관련된 사건에 대한 설명으로 옳은 것을 |보기|에서 고른 것은?

중국이 부강한 나라를 이룩하려면 서양의 제도를 배워야 한다. 서양의 의회 제도는 군주와 백성이 하나가 되고 윗사람과 아랫사람이 한마음이 되자는 것이지, 황제의 권력에 손상이 가는 것이 아니다.

|보기|
ㄱ. 일본의 메이지 유신을 모방한 개혁이었다.
ㄴ. 입헌 군주제와 의회 제도 도입을 추구하였다.
ㄷ. 청 왕조를 도와 서양 세력을 물리치려는 반외세 운동이었다.
ㄹ. 이 사건의 결과로 외국 군대의 주둔을 허용하는 신축 조약을 맺었다.

① ㄱ, ㄴ ② ㄱ, ㄷ ③ ㄴ, ㄷ
④ ㄴ, ㄹ ⑤ ㄷ, ㄹ

06 다음 개혁에 대한 설명으로 옳은 것을 |보기|에서 고른 것은?

다이묘가 통치하던 번들을 통합하여 현을 설치하고 중앙 정부가 임명한 지사를 파견하였다. 그리고 신분제를 개혁하고 징병제를 시행하였으며 서양식 의무 교육을 도입하였다.

|보기|
ㄱ. 지방의 하급 무사들이 중심이 되어 일으켰다.
ㄴ. 막부 체제를 유지한 상태에서 국가를 개혁하고자 하였다.
ㄷ. 천황을 중심으로 한 새로운 정부를 수립하고 개혁을 실시하였다.
ㄹ. 막부 중심의 중앙 집권적인 국가 체제를 강화하고, 서양의 문물과 정신을 받아들였다.

① ㄱ, ㄴ ② ㄱ, ㄷ ③ ㄴ, ㄷ
④ ㄴ, ㄹ ⑤ ㄷ, ㄹ

신유형
07 (가)에 들어갈 단어로 옳은 것은?

(가)
1. 원인: 조선의 급진 개화파가 청의 간섭에서 벗어나고자 추진
2. 개혁 내용: 청으로부터의 독립과 문벌 폐지 등이 담긴 근대적 개혁안을 발표
3. 결과: 보수파의 반발, 청의 개입으로 3일 만에 실패

① 임오군란 ② 갑신정변
③ 병인양요 ④ 운요호 사건
⑤ 동학 농민 운동

08 (가)에 들어갈 인물의 이름으로 옳은 것은?

역사 통합 검색 × +
http://www.OOOO.co.kr
백과사전 (가) 검색

| 검색결과
(가) 는 청 왕조를 타도하자는 취지로 삼민주의를 강령으로 한 중국 동맹회를 결성하였다.

| 관련이미지

▲『민보』

① 쑨원 ② 이홍장
③ 캉유웨이 ④ 위안 스카이
⑤ 후쿠자와 유키치

09 다음 건축물을 건립한 단체의 활동으로 옳은 것을 |보기|에서 고른 것은?

| 보기 |
ㄱ. 아관 파천을 단행하였다.
ㄴ. 「대한국 국제」를 선포하였다.
ㄷ. 민중 계몽과 개혁 운동을 펼쳤다.
ㄹ. 관민 공동회를 열어 「헌의 6조」를 결의하였다.

① ㄱ, ㄴ ② ㄱ, ㄷ ③ ㄴ, ㄷ
④ ㄴ, ㄹ ⑤ ㄷ, ㄹ

10 다음과 같은 조약이 맺어진 전쟁에 대한 설명으로 옳은 것을 |보기|에서 고른 것은?

제1조 러시아는 한국에 대한 일본의 지도, 보호, 감리를 승인한다.
제2조 뤼순, 다롄의 조차권, 장춘 이남의 철도와 그 부속의 이권을 일본에 양도한다.

| 보기 |
ㄱ. 일본이 러시아에게 패하였다.
ㄴ. 포츠머스 조약이 체결되었다.
ㄷ. 랴오둥 반도를 청에 반환하였다.
ㄹ. 만주와 한반도에 대한 영향력을 둘러싸고 벌어진 전쟁이었다.

① ㄱ, ㄴ ② ㄱ, ㄷ ③ ㄴ, ㄷ
④ ㄴ, ㄹ ⑤ ㄷ, ㄹ

만점에 도전하는 심화 문제

01 교사의 질문에 대한 학생의 답변으로 옳은 것은?

동아시아 3국의 개항

	한국	(가)	(나)
계기	운요호 사건		페리의 입항
조약	강화도 조약	난징 조약	

교사: (가)와 (나)의 개항에 대해 말해 볼까요?

① (가)의 개항 이후 막부 타도 운동이 전개되었어요.
② (가)는 미국의 무력 시위로 개항을 하게 되었어요.
③ (나)의 개항이 (가)보다 빨랐어요.
④ (나)의 개항으로 공행을 폐지하게 되었어요.
⑤ (가), (나) 모두 불평등 조약을 체결하였어요.

신유형

02 자료와 관련된 사건에 대한 설명으로 옳은 것을 |보기| 에서 고른 것은?

> 모든 토지는 남녀 구분 없이 각 가정의 호구 수에 비례하여 분배한다. …… 같이 경작할 밭을 마련하고, 같이 먹을 밥을 준비하며 …… 어디에도 균등하지 못한 곳이 없고, 어디에도 배부르고 따뜻하지 않은 자가 없게 하라. -『천조 전무 제도』-

|보기|
ㄱ. 영국, 독일, 일본 등 8개국 연합군에 의해 사건이 진압되었다.
ㄴ. 중국의 전통을 지키면서 서양의 기술을 받아들이자는 운동이었다.
ㄷ. 크리스트교 신앙을 바탕으로 조직한 상제회가 운동의 중심이 되었다.
ㄹ. 청 왕조 타도, 남녀평등, 토지 균등 분배, 악습 폐지 등의 주장이 제기되었다.

① ㄱ, ㄴ ② ㄱ, ㄷ ③ ㄴ, ㄷ
④ ㄴ, ㄹ ⑤ ㄷ, ㄹ

중요

03 다음 연표에 표시된 시기의 일본의 상황에 대한 설명으로 옳은 것은?

1858 1868
미·일 수호 통상 조약 메이지 유신

① 쇄국 정책을 추진하였다.
② 막부 타도 운동이 일어났다.
③ 근대적인 헌법이 제정되었다.
④ 이와쿠라 사절단을 파견하였다.
⑤ 미·일 화친 조약을 체결하였다.

04 (가) 이후 중국에서 발생했던 역사적 사실로 옳은 것을 |보기|에서 고른 것은?

> 청 정부의 민간 철도 국유화 사건 이후 이에 대한 저항 운동이 발생하였다. 곧 우창에서 신군이 봉기하였고 혁명에 동조한 각 성들이 청으로부터 독립을 선포하며 (가) 이/가 발생하였다.

|보기|
ㄱ. 중국 최초의 공화국인 중화민국이 수립되었다.
ㄴ. 중국 북부 지역에서 하층 농민을 중심으로 의화단이 조직되었다.
ㄷ. 위안 스카이가 혁명군과 협상하여 임시 대총통의 자리에 올랐다.
ㄹ. 쑨원이 삼민주의를 내세우며 중국 동맹회를 결성하여 혁명 운동을 주도하였다.

① ㄱ, ㄴ ② ㄱ, ㄷ ③ ㄴ, ㄷ
④ ㄴ, ㄹ ⑤ ㄷ, ㄹ

Ⅳ 대주제 마무리 풀이

교과서 174~175쪽

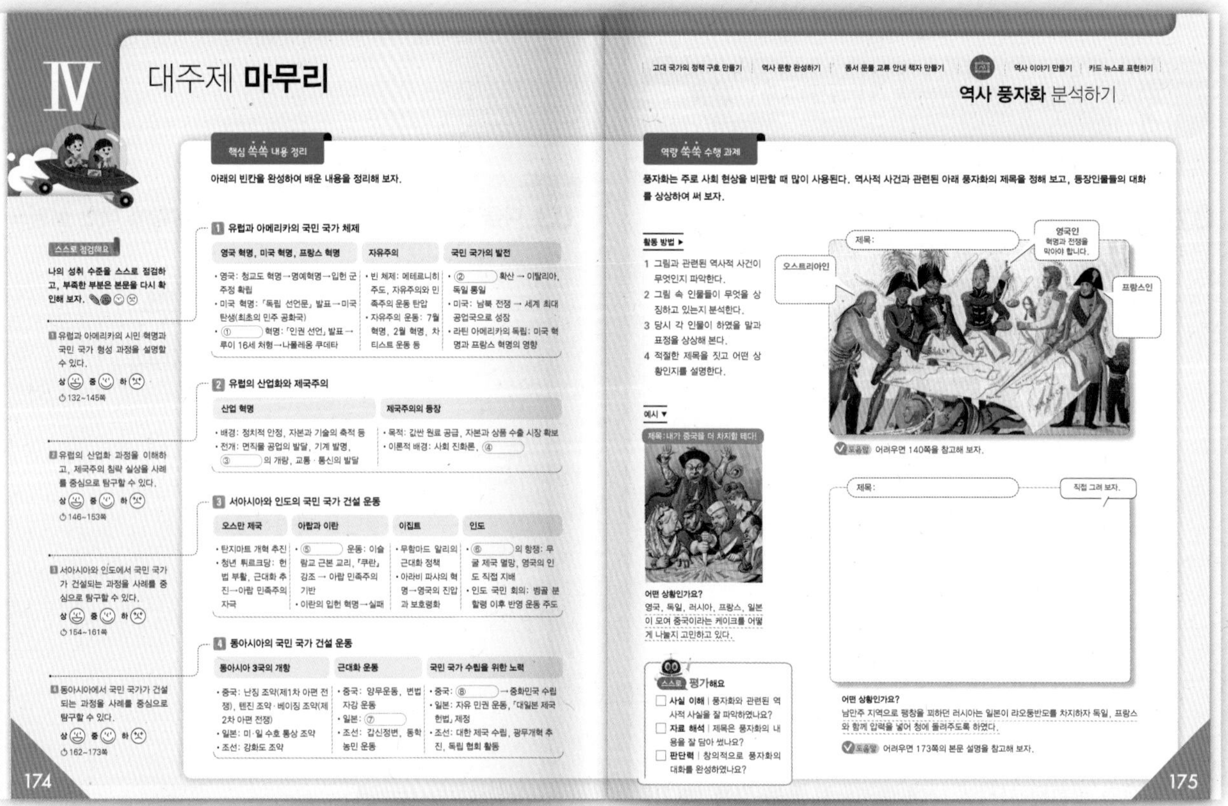

Ⅳ 대주제 마무리

핵심 쏙쏙 내용 정리

아래의 빈칸을 완성하여 배운 내용을 정리해 보자.

스스로 점검해요

나의 성취 수준을 스스로 점검하고, 부족한 부분은 본문을 다시 확인해 보자.

1 유럽과 아메리카의 시민 혁명과 국민 국가 형성 과정을 설명할 수 있다. 상 중 하 132~145쪽

2 유럽의 산업화 과정을 이해하고, 제국주의 침략 실상을 사례를 중심으로 탐구할 수 있다. 상 중 하 146~153쪽

3 서아시아와 인도에서 국민 국가가 건설되는 과정을 사례를 중심으로 탐구할 수 있다. 상 중 하 154~161쪽

4 동아시아에서 국민 국가가 건설되는 과정을 사례를 중심으로 탐구할 수 있다. 상 중 하 162~173쪽

1 유럽과 아메리카의 국민 국가 체제

영국 혁명, 미국 혁명, 프랑스 혁명	자유주의	국민 국가의 발전
• 영국: 청교도 혁명→명예혁명→입헌 군주정 확립 • 미국 혁명: 「독립 선언문」 발표→미국 탄생(최초의 민주 공화국) • (①) 혁명: 「인권 선언」 발표→루이 16세 처형→나폴레옹 쿠데타	• 빈 체제: 메테르니히 주도, 자유주의와 민족주의 운동 탄압 • 자유주의 운동: 7월 혁명, 2월 혁명, 차티스트 운동 등	• (②) 확산 → 이탈리아, 독일 통일 • 미국: 남북 전쟁 → 세계 최대 공업국으로 성장 • 라틴 아메리카의 독립: 미국 혁명과 프랑스 혁명의 영향

2 유럽의 산업화와 제국주의

산업 혁명	제국주의의 등장
• 배경: 정치적 안정, 자본과 기술의 축적 등 • 전개: 면직물 공업의 발달, 기계 발명, (③)의 개량, 교통·통신의 발달	• 목적: 값싼 원료 공급, 자본과 상품 수출 시장 확보 • 이론적 배경: 사회 진화론, (④)

3 서아시아와 인도의 국민 국가 건설 운동

오스만 제국	아랍과 이란	이집트	인도
• 탄지마트 개혁 추진 • 청년 튀르크당: 헌법 부활, 근대화 추진→아랍 민족주의 자극	• (⑤) 운동: 이슬람교 근본 교리, 『쿠란』 강조 → 아랍 민족주의의 기반 • 이란의 입헌 혁명→실패	• 무함마드 알리의 근대화 정책 • 아라비 파샤의 혁명→영국의 진압과 보호령화	• (⑥)의 항쟁: 무굴 제국 멸망, 영국의 인도 직접 지배 • 인도 국민 회의: 벵골 분할령 이후 반영 운동 주도

4 동아시아의 국민 국가 건설 운동

동아시아 3국의 개항	근대화 운동	국민 국가 수립을 위한 노력
• 중국: 난징 조약(제1차 아편 전쟁), 톈진 조약·베이징 조약(제2차 아편 전쟁) • 일본: 미·일 수호 통상 조약 • 조선: 강화도 조약	• 중국: 양무운동, 변법자강 운동 • 일본: (⑦) • 조선: 갑신정변, 동학 농민 운동	• 중국: (⑧) → 중화민국 수립 • 일본: 자유 민권 운동, 「대일본 제국 헌법」 제정 • 조선: 대한 제국 수립, 광무개혁 추진, 독립 협회 활동

174

고대 국가의 정책 구호 만들기 | 역사 문항 완성하기 | 동서 문물 교류 안내 책자 만들기 | 역사 이야기 만들기 | 카드 뉴스로 표현하기

역사 풍자화 분석하기

역량 쏙쏙 수행 과제

풍자화는 주로 사회 현상을 비판할 때 많이 사용된다. 역사적 사건과 관련된 아래 풍자화의 제목을 정해 보고, 등장인물들의 대화를 상상하여 써 보자.

활동 방법 ▶

1 그림과 관련된 역사적 사건이 무엇인지 파악한다.
2 그림 속 인물들이 무엇을 상징하고 있는지 분석한다.
3 당시 각 인물이 하였을 말과 표정을 상상해 본다.
4 적절한 제목을 짓고 어떤 상황인지를 설명한다.

도움말 어려우면 140쪽을 참고해 보자.

예시 ▼

어떤 상황인가요?
영국, 독일, 러시아, 프랑스, 일본이 모여 중국이라는 케이크를 어떻게 나눌지 고민하고 있다.

어떤 상황인가요?
남만주 지역으로 팽창을 꾀하던 러시아는 일본이 랴오둥반도를 차지하자 독일, 프랑스와 함께 압력을 넣어 청에 돌려주도록 하였다.

도움말 어려우면 173쪽의 본문 설명을 참고해 보자.

스스로 평가해요

☐ **사실 이해** | 풍자화와 관련된 역사적 사실을 잘 파악하였나요?
☐ **자료 해석** | 제목은 풍자화의 내용을 잘 담아 썼나요?
☐ **판단력** | 창의적으로 풍자화의 대화를 완성하였나요?

175

해결 열쇠 대주제에서 학습한 내용들을 복습하면서 빈칸에 알맞은 답을 채워 보아요.

핵심 쏙쏙 내용 정리

정답 ① 프랑스 ② 민족주의 ③ 증기 기관 ④ 인종주의
⑤ 와하브 ⑥ 세포이 ⑦ 메이지유신 ⑧ 신해혁명

역량 쏙쏙 수행 과제

활동 소개 ▶

풍자는 주어진 사실을 과장하거나 왜곡, 비꼬아서 표현하는 비판적 웃음을 의미합니다. 풍자화는 이러한 풍자를 그림으로 표현하여 사회 현상을 비판합니다. 이러한 풍자의 의미를 생각하면서 교과서의 풍자화를 분석하고, 이후에는 역사적 사실을 풍자하는 풍자화를 그려 봅시다.

활동 방법 ▶

1단계 예시를 활용하여 그림과 관련된 사건을 조사하고 그림 속 인물, 배경 등이 뜻하는 바를 파악해 보아요.

2단계 역사적 맥락을 생각하여 풍자화 속 인물들의 표정, 대사 등을 적어 보아요.

3단계 활동 1과 2를 바탕으로 밑의 풍자화 상황을 파악하고 이를 바탕으로 자신만의 풍자화를 그린 후 제목을 지어 보아요.

풍자화 분석하고 그리기 활동 도우미

- 풍자화를 분석하기 위해서는 먼저 풍자화에서 나타난 사건에 대한 조사가 필요합니다. 또한 그림 속 인물과 배경 등이 뜻하는 것을 파악해야합니다.
- 풍자화를 그릴 때는 먼저 풍자화의 개념을 이해하고 자신이 표현하고자 하는 사건을 정한 후 이를 직접 그려야합니다. 이러한 과정이 선행되어야 좀 더 다른 사람들이 이 풍자화에 대해 쉽게 이해할 수 있습니다.

예시 답안 **빈 체제의 시작**

오스트리아인: 우리의 영광을 계속하기 위해 각국의 영토와 지배권을 프랑스 혁명 이전으로 되돌려야 합니다.

영국인: 옳소 옳소! 다시는 프랑스 혁명과 같은 전쟁이 나타나지 않도록 해야 합니다.

프랑스인: 내가 이렇게 약해지다니…….

교과서 176~177쪽

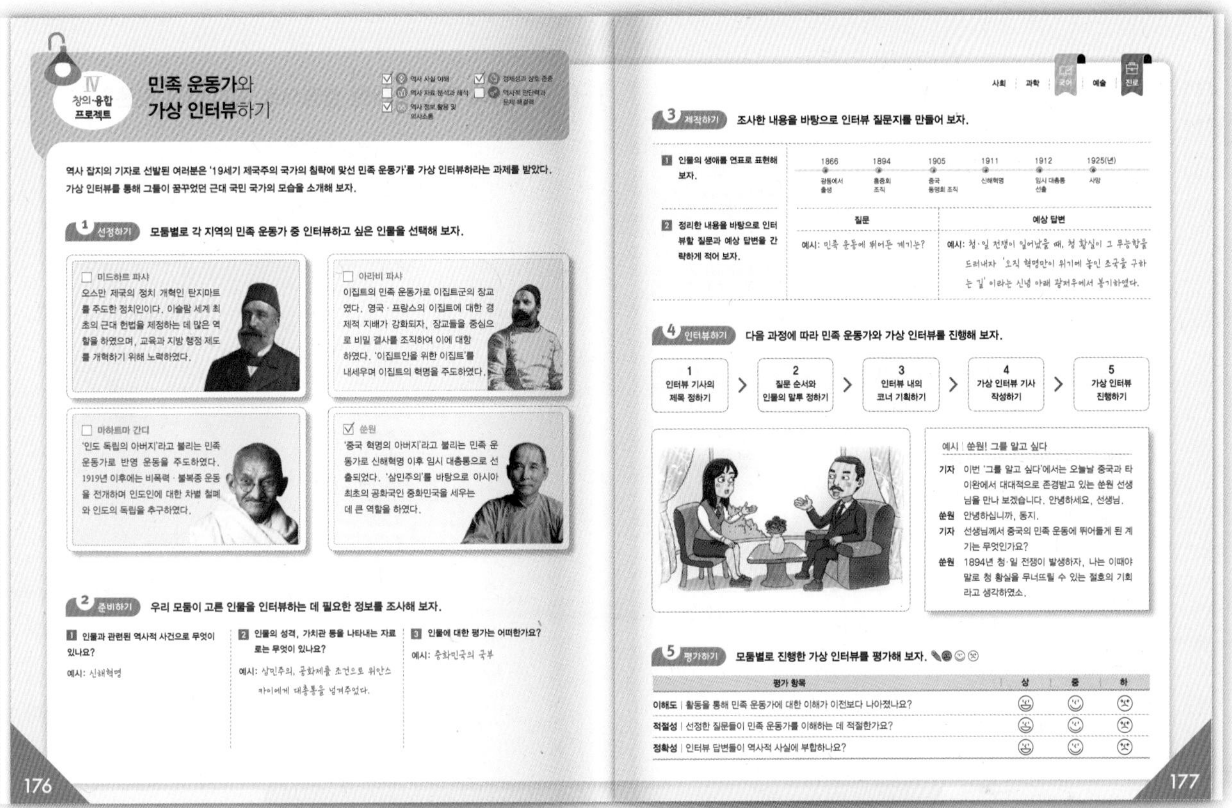

Ⅳ 창의·융합 프로젝트

민족 운동가와 가상 인터뷰하기

☑ 역사 사실 이해 ☐ 역사 자료 분석과 해석 ☑ 역사 정보 활용 및 의사소통 ☑ 정체성과 상호 존중 ☐ 역사적 판단력과 문제 해결력

역사 잡지의 기자로 선발된 여러분은 '19세기 제국주의 국가의 침략에 맞선 민족 운동가'를 가상 인터뷰하라는 과제를 받았다. 가상 인터뷰를 통해 그들이 꿈꾸었던 근대 국민 국가의 모습을 소개해 보자.

1 선정하기 모둠별로 각 지역의 민족 운동가 중 인터뷰하고 싶은 인물을 선택해 보자.

☐ 미드하트 파샤
오스만 제국의 정치 개혁인 탄지마트를 주도한 정치인이다. 이슬람 세계 최초의 근대 헌법을 제정하는 데 많은 역할을 하였으며, 교육과 지방 행정 제도를 개혁하기 위해 노력하였다.

☐ 아라비 파샤
이집트의 민족 운동가로 이집트군의 장교였다. 영국·프랑스의 이집트에 대한 경제적 지배가 강화되자, 장교들을 중심으로 비밀 결사를 조직하여 이에 대항하였다. '이집트인을 위한 이집트'를 내세우며 이집트의 혁명을 주도하였다.

☐ 마하트마 간디
'인도 독립의 아버지'라고 불리는 민족 운동가로 반영 운동을 주도하였다. 1919년 이후에는 비폭력·불복종 운동을 전개하며 인도인에 대한 차별 철폐와 인도의 독립을 추구하였다.

☑ 쑨원
'중국 혁명의 아버지'라고 불리는 민족 운동가로 신해혁명 이후 임시 대총통으로 선출되었다. '삼민주의'를 바탕으로 아시아 최초의 공화국인 중화민국을 세우는 데 큰 역할을 하였다.

2 준비하기 우리 모둠이 고른 인물을 인터뷰하는 데 필요한 정보를 조사해 보자.

1 인물과 관련된 역사적 사건으로 무엇이 있나요?
예시: 신해혁명

2 인물의 성격, 가치관 등을 나타내는 자료로는 무엇이 있나요?
예시: 삼민주의, 공화제를 조건으로 위안스카이에게 대총통을 넘겨주었다.

3 인물에 대한 평가는 어떠한가요?
예시: 중화민국의 국부

176

사회 | 과학 | 국어 | 예술 | 진로

3 제작하기 조사한 내용을 바탕으로 인터뷰 질문지를 만들어 보자.

1 인물의 생애를 연표로 표현해 보자.

1866	1894	1905	1911	1912	1925(년)
광둥에서 출생	흥중회 조직	중국 동맹회 조직	신해혁명	임시 대총통 선출	사망

2 정리한 내용을 바탕으로 인터뷰할 질문과 예상 답변을 간략하게 적어 보자.

질문	예상 답변
예시: 민족 운동에 뛰어든 계기는?	예시: 청·일 전쟁이 일어났을 때, 청 황실이 그 무능함을 드러내자 '오직 혁명만이 위기에 놓인 조국을 구하는 길'이라는 신념 아래 광저우에서 봉기하였다.

4 인터뷰하기 다음 과정에 따라 민족 운동가와 가상 인터뷰를 진행해 보자.

1 인터뷰 기사의 제목 정하기 > 2 질문 순서와 인물의 말투 정하기 > 3 인터뷰 내의 코너 기획하기 > 4 가상 인터뷰 기사 작성하기 > 5 가상 인터뷰 진행하기

예시 | 쑨원! 그를 알고 싶다

기자 이번 '그를 알고 싶다'에서는 오늘날 중국과 타이완에서 대대적으로 존경받고 있는 쑨원 선생님을 만나 보겠습니다. 안녕하세요, 선생님.
쑨원 안녕하십니까, 동지.
기자 선생님께서 중국의 민족 운동에 뛰어들게 된 계기는 무엇인가요?
쑨원 1894년 청·일 전쟁이 발생하자, 나는 이때야말로 청 황실을 무너뜨릴 수 있는 절호의 기회라고 생각하였소.

5 평가하기 모둠별로 진행한 가상 인터뷰를 평가해 보자.

평가 항목	상	중	하
이해도 | 활동을 통해 민족 운동가에 대한 이해가 이전보다 나아졌나요?			
적절성 | 선정한 질문들이 민족 운동가를 이해하는 데 적절한가요?			
정확성 | 인터뷰 답변들이 역사적 사실에 부합하나요?			

177

활동 예시 답안

1단계: 선정하기

우리 모둠이 고른 인물: 간디, 선정 이유
→ 인도의 비폭력 민족 운동을 이끈 인물이어서

2단계: 준비하기

질문: 간디가 진행한 독립 운동으로는 무엇이 있나요?
답변: 소금법 반대 운동, 영국 불복종 운동 등

3단계: 제작하기

질문: 간디가 진행한 독립 운동을 시작한 계기는 무엇인가요?
답변: 1등석 티켓을 가지고 있어도 인도인이라는 이유로 타지 못하는 상황을 경험하고 인도의 독립을 위해 영국과 싸우는 민족 운동가가 되기로 결심하였지요.

4단계: 인터뷰하기

기자: 선생님께서 독립 운동을 시작한 계기는 무엇인가요?
간디: 저는 1등석 티켓을 가지고 있어도 인도인이라고 차별 받는 상황을 경험하면서 민족 운동가가 되기로 결심하였어요.
기자: 선생님께서 진행하신 민족 운동으로는 어떤 것들이 있는지 소개 부탁드립니다.
간디: 제가 실행한 독립 운동으로는 영국이 소금 판매권을 독점하자 이를 반대한 소금법 반대 운동, 영국 불복종 운동 등이 있으며 저는 이러한 운동을 평화적인 비폭력 운동을 주장하였습니다.

활동 소개

각 지역의 민족 운동가를 선정하여 그에 대한 조사를 바탕으로 가상 인터뷰를 해 봄으로써 아시아와 아프리카의 국민 국가 건설 운동에 대한 내용을 알아보는 활동입니다.

활동 도우미

가상 인터뷰를 진행할 때는 선정한 민족 운동가의 어떤 이야기를 들려줄 지를 상상하여 민족 운동가의 활동을 잘 나타낼 수 있는 인터뷰 질문을 선정해요. 또한 질문을 선정하고 답할 때에는 관련된 사건이나 자료 등 역사적 사실을 바탕으로 작성해 보아요.

진로 탐방 '기자', 그 직업이 알고 싶다!

Q: 기자는 어떤 일을 하나요?
새로운 소식이나 정보를 취재하여 일반인에게 제공할 기사를 작성하고 편집하는 일을 담당합니다.

Q: 기자는 어떤 능력이 필요한가요?
취재를 위해 유창한 말솜씨와 대화 능력, 기사 작성을 위한 작문 능력이 필요합니다. 또한 기자는 국민의 알 권리를 충족시키고 진실을 알릴 의무와 사회에 대한 날카로운 비판 의식이 요구됩니다.

대주제를 정리하는 종합 문제

01 자료와 관련된 사건의 결과로 옳은 것은?

> **제1조** 인간은 자유롭고 평등한 권리를 가지고 태어났다.
> **제2조** 모든 정치적 결사의 목적은 인간의 자연권을 보전하는데 있다.
> **제3조** 모든 주권의 원천은 본질적으로 국민에게 있다.
> –「인간과 시민의 권리선언」–

① 구제도의 모순이 강화되었다.
② 지주층인 젠트리가 성장하였다.
③ 입헌군주정의 전통이 확립되었다.
④ 미국이 영국으로부터 독립하였다.
⑤ 왕정이 폐지되고 공화정이 수립되었다.

02 자료와 같은 주장이 나타난 배경으로 옳은 것은?

> 지금까지 모든 사회의 역사는 계급 투쟁의 역사였다. …… 사회 전체는 점점 더 두 개의 직접적으로 대립하는 부르주아 계급과 프롤레타리아 계급으로 나뉘고 있다.
> – 마르크스·엥겔스,『공산당 선언』–

① 프랑스에서 혁명으로 왕이 처형되었다.
② 유럽에서 빈 체제가 국제 질서로 형성되었다.
③ 나폴레옹이 전쟁을 통해 혁명 이념을 전파시켰다.
④ 아이티에서 노예 출신의 흑인들이 혁명을 일으켰다.
⑤ 노동자들은 낮은 임금을 받으며 장시간 노동을 하였다.

03 (가)의 국가에 대한 설명으로 옳지 않은 것은?

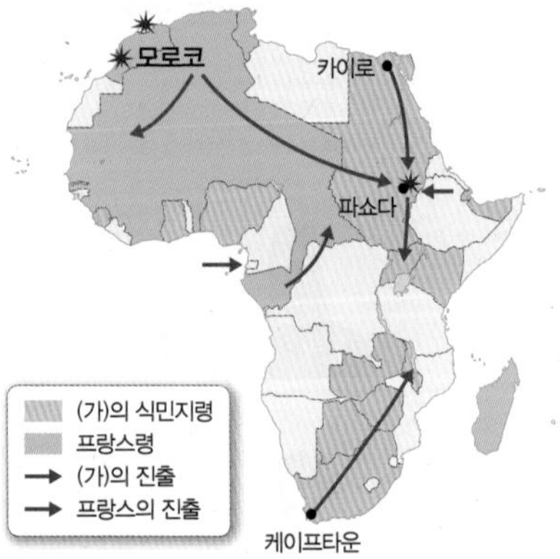

① 아프리카에서 종단 정책을 추진하였다.
② 오스트리아와 뉴질랜드를 자치령으로 삼았다.
③ 싱가포르, 말레이반도, 미얀마 등지로 세력을 넓혔다.
④ 뒤늦게 제국주의 대열에 합류하여 식민지가 적었다.
⑤ 프랑스를 인도에서 몰아내고 인도를 직접 지배하였다.

04 (가)가 쇠퇴한 이유로 옳은 것을 |보기|에서 모두 고른 것은?

|보기|
ㄱ. 제국 내 소수 민족이 독립하였다.
ㄴ. 영국, 러시아 등 서양 열강이 침략하였다.
ㄷ. 탄지마트 등 근대적 개혁의 성과가 미비하였다.
ㄹ. 아랍 민족주의를 표방하였으나 민족 통합에 실패하였다.

① ㄱ, ㄴ　② ㄱ, ㄹ　③ ㄴ, ㄷ
④ ㄱ, ㄴ, ㄷ　⑤ ㄴ, ㄷ, ㄹ

05 지도에 나타난 영국의 정책이 인도 사회에 미친 영향으로 옳은 것을 |보기|에서 고른 것은?

| 보기 |
ㄱ. 무굴 제국이 멸망하였다.
ㄴ. 전통적인 면직물 산업이 몰락하였다.
ㄷ. 인도 국민 회의를 중심으로 반영 운동이 일어났다.
ㄹ. 인도 내의 종교적 대립이 강화되는 계기가 되었다.

① ㄱ, ㄴ ② ㄱ, ㄷ ③ ㄴ, ㄷ
④ ㄴ, ㄹ ⑤ ㄷ, ㄹ

06 다음은 중국 국민 국가 건설 운동과 관련된 사건들이다. 이를 전개된 순서대로 나열한 것으로 옳은 것은?

(가) 청을 도와 서양을 물리치자고 주장하면서 외세를 배척하였다.

(나) 토지의 균등한 분배, 남녀 평등 등을 주장한 농민들이 봉기하였다.

(다) 한인 출신의 고위 관료의 주도로 서양 군사 기술을 받아들여 부국 강병을 꾀하였다.

(라) 개혁적 성향의 지식인들이 서양의 의회 제도를 도입하여 입헌 정치를 이루고자 하였다.

① (가)-(나)-(다)-(라)
② (나)-(가)-(다)-(라)
③ (나)-(다)-(라)-(가)
④ (다)-(가)-(라)-(나)
⑤ (다)-(나)-(라)-(가)

서술형 문제

07 자료를 보고 위 기계의 이름과 위 기계의 발명이 산업 혁명에 미친 영향을 서술하시오.

이 기계의 기본 원리는 일정한 용기의 물을 가열하면 수증기가 발생하는 데 이로 인해 용기 속의 압력이 용기 바깥의 공기 압력보다 높아지게 되고 이렇게 생긴 압력차를 동력으로 이용하는 것이다.

08 자료를 보고 물음에 답하시오.

(1) 인도의 총독이 말하는 정책이 무엇인지 쓰시오.

(2) 해당 정책이 인도 국민 회의에 미친 영향과 의의를 서술하시오.

V 세계 대전과 사회 변동

이 대주제를 배우면 »

- 20세기 전반 국제 정치 및 경제 질서의 변화를 두 차례의 세계 대전을 중심으로 이해할 수 있어요.
- 두 차례의 세계 대전의 발발 배경과 전개 과정, 그 결과를 설명할 수 있어요.
- 참정권 운동으로 성별과 재산에 따른 참정권 제한이 철폐되고 노동자 권리가 보호되는 등 민주주의가 확산하는 과정을 알 수 있어요.

나의 학습 계획표

	이 대주제의 학습 주제
1 세계 대전과 국제 질서의 변화 교과서 180~193쪽	주제 1 제1차 세계 대전과 베르사유 체제
	주제 2 최초의 사회주의 혁명, 러시아 혁명
	주제 3 전후 아시아 · 아프리카의 민족 운동
	주제 4 세계를 강타한 대공황과 전체주의
	주제 5 다시 시작된 전쟁, 제2차 세계 대전
	시험을 대비하는 실전 문제
2 민주주의의 확산 교과서 194~197쪽	주제 6 확대되는 참정권
	주제 7 발전하는 민주주의
	시험을 대비하는 실전 문제
3 인권 회복과 평화 확산을 위한 노력 교과서 198~203쪽	주제 8 세계 대전으로 발생한 대량 학살과 인권 침해
	주제 9 세계 평화를 위한 노력
	시험을 대비하는 실전 문제
	대주제를 정리하는 종합 문제

두 차례 세계 대전으로 국제 질서에 어떤 변화가 발생하였을까요?

참정권 확대와 노동자 권리 보호로 민주주의는 어떻게 확산되었을까요?

세계 대전 전후에 전개된 평화를 위한 노력에는 무엇이 있었을까요?

대주제 표지 사진 해설 ▶ 오른쪽 사진은 피카소의 그림 「게르니카」로 에스파냐 내전 당시 에스파냐의 게르니카 마을이 폭격당하는 장면을 다룬 벽화로 전쟁의 비극적인 모습을 표현하고 있어요.
이를 통해 세계 대전에서 일어난 대량 학살과 인권 침해에 대해 알아보아요.

학습 계획일	학습일	나의 목표 달성도
월 일	월 일	☆☆☆☆☆
월 일	월 일	☆☆☆☆☆
월 일	월 일	☆☆☆☆☆
월 일	월 일	☆☆☆☆☆
월 일	월 일	☆☆☆☆☆
월 일	월 일	☆☆☆☆☆
월 일	월 일	☆☆☆☆☆
월 일	월 일	☆☆☆☆☆
월 일	월 일	☆☆☆☆☆
월 일	월 일	☆☆☆☆☆
월 일	월 일	☆☆☆☆☆
월 일	월 일	☆☆☆☆☆
월 일	월 일	☆☆☆☆☆

1 세계 대전과 국제 질서의 변화

학습 목표
제1차 세계 대전의 전개 과정과 전후 유럽 사회의 변화상을 설명할 수 있다.

주제 1 제1차 세계 대전과 베르사유 체제

1 제1차 세계 대전이 일어나다

(1) 동맹국과 협상국의 대립

① 제국주의 열강의 식민지 확대 경쟁: 3국 동맹(독일, 오스트리아, 이탈리아)과 3국 협상(영국, 프랑스, 러시아)의 대립

왜? 강한 자가 당연히 살아남고, 백인이 우월하다는 생각으로 다른 대륙과 인종을 침략하는 것은 정당하다고 주장하였어.

② 발칸반도: 다양한 민족과 종교로 인한 갈등(❶범슬라브주의 ↔ 범게르만주의)

(2) 제1차 세계 대전의 발발

① 오스트리아가 세르비아의 범슬라브주의를 견제하고자 보스니아 · 헤르체고비나 점령 → 세르비아의 불만이 커짐.

② ❷사라예보 사건 발생 → 오스트리아 · 헝가리 제국의 선전 포고 → 제1차 세계 대전(1914) 발발

2 연합국의 승리로 제1차 세계 대전이 끝을 맺다

(1) 전개: 독일군의 진격 → 전쟁의 장기화(참호전의 형태) → 독일의 ❸무제한 잠수함 작전으로 미국 참전 여론 고조

왜? 당시 기관총 등 무기가 발달하면서, 전투가 참호를 길게 파고 장시간 대치하는 형태로 바뀌었어.

왜? 독일 잠수함 공격으로 미국인 승객이 사망하였기 때문이야.

(2) 러시아 혁명: 러시아 사회주의 혁명, 독일과 강화 조약 체결 → 전쟁 이탈

(3) 특징: 참호전, 총력전, 신식 무기의 등장(탱크, 기관총, 독가스, 잠수함 등) → 대량 살상, 대규모 재산 피해

(4) 종전: 동맹국의 항복 → 연합국 승리로 전쟁 종료(1918)

3 전후 새로운 세계 질서가 형성되다

(1) 파리 강화 회의(1919): 승전국들이 윌슨의 14개조 원칙(❹민족 자결 주의 포함)에 따라 전후 처리 논의

(2) 「베르사유 조약」: 승전국과 독일 사이 체결 → 베르사유 체제 성립(독일에 대한 철저한 응징) → 전쟁의 책임으로 모든 식민지 포기, 막대한 배상금 부담

왜? 승전국 위주의 새로운 국제 질서가 등장하였어.

4 전후 다양한 변화의 움직임이 일어나다

(1) 국가 변동: 옛 제국의 붕괴와 동유럽의 여러 민족이 신생 국가 독립

(2) 국제 연맹 창설: 평화 유지, 협력 촉진을 목적으로 창설

(3) 민주주의 진전: 총력전의 결과로 전쟁에 참여한 노동자와 여성의 권리 확대, 민주주의 채택 국가 증가

(4) 미국의 위상 확대: 전쟁으로 최대 호황을 누리며 국제 사회에서 중요한 역할 담당

---

❶ 범슬라브주의와 범게르만주의
범슬라브주의는 슬라브 민족의 유대와 통일을 목표로 한 운동이며 범게르만주의는 독일 제국을 중심으로 전 게르만 민족의 단결과 그 생활권을 확대하여 세계 제패를 달성하려는 운동이었다.

❷ 사라예보 사건
1914년에 오스트리아 황태자 부부가 보스니아 사라예보를 방문하던 중 세르비아의 한 청년에게 암살된 사건으로 제1차 세계 대전의 도화선이 되었다.

❸ 무제한 잠수함 작전
독일이 영국 인근의 해역을 통과하는 선박을 잠수함으로 공격하여 격침시킨 작전이다.

❹ 민족 자결 주의
민족의식을 지닌 한 집단이 독자적인 국가를 형성하고 자신의 정부를 선택할 수 있다는 사상으로 전 세계 약소민족들에게 독립의 희망에 차게 되었다.

정답과 해설 28쪽

확인해 봐요

1 독일은 영국의 해상 봉쇄를 뚫기 위해 (   ) 작전을 펼쳤다.

2 제1차 세계 대전이 끝난 후 (   )을/를 개최하여 전후 처리를 논의하였다.

3 1차 세계 대전 이후 국제 사회는 평화 유지를 위해 (   )을/를 창설하였다.

교과서 활동 풀이

가자! 역사 속으로 교과서 180쪽

1914년 6월 28일, 오스트리아 · 헝가리 제국의 황태자 부부가 보스니아의 사라예보를 방문하던 중 세르비아계 청년에게 암살되는 사라예보 사건이 발생하였습니다.

이 사건은 유럽 사회에 어떤 영향을 미쳤을까요?

예시 답안 이 사건이 발단이 되어 제1차 세계 대전이 발발하였다.

활동 도우미
사라예보 사건은 세르비아 청년이 오스트리아 · 헝가리 제국 황태자 부부를 암살한 사건입니다. 사건을 당시 만연한 범슬라브주의와 범게르만주의와 관련하여 이해하고 그 영향을 생각해 보아요.

탐구 해봐요 **제1차 세계 대전의 전개(1914~1918)** 교과서 181쪽

1 루시타니아호 침몰이 제1차 세계 대전의 전개에 미친 영향을 써 보자.

예시 답안 독일의 무제한 잠수함작전으로 침몰한 상선에서 미국인 사상자가 발생하면서 미국의 참전여론이 고조되었고 결국 미국은 연합국의 일원으로 참전하였다.

2 제1차 세계 대전의 전개 과정을 나타낸 퍼즐 조각 ㉠~㉧을 시간 순서에 맞게 배열해 보자.

㉠ 3국 동맹 결성 / ㉡ 독일의 무제한 잠수함 작전 / ㉢ 3국 협상 결성 / ㉣ 사라예보 사건 / ㉤ 미국의 참전 / ㉥ 오스트리아·헝가리, 독일 항복 / ㉦ 루시타니아호 침몰 / ㉧ 독일의 서부 전선 진격

예시 답안 ㉠-㉢-㉣-㉧-㉡-㉦-㉤-㉥

활동 도우미
지도와 사건을 통해 제1차 세계 대전의 전개 과정과 특징을 이해해 보아요.

Q 독일은 왜 「베르사유 조약」에 불만이 컸을까? 교과서 182쪽

예시 답안 「베르사유 조약」으로 독일은 영토가 축소되고 식민지를 상실하였으며, 군대 보유가 제한되고 막대한 배상금을 물어야 했다. 독일은 그 조치가 가혹하다고 생각하였다.

활동 도우미
베르사유 조약의 내용의 핵심을 파악하여 독일 내에 어떤 분위기가 고조되었는지 알아보아요.

스스로 확인해요

❶ 제1차 세계 대전의 발단이 된 사건은 무제한 잠수함 작전이다. (×)

❷ 제1차 세계 대전 이후 승전국 위주의 국제 질서를 가리켜 베 르 사 유 체제라고 한다.

역량 키우기 **역사 탐구** **1차 세계 대전의 달라진 전쟁 양상과 그 참상** 교과서 183쪽

생각하고 탐구하기

1 제1차 세계 대전의 특징은 무엇인지 정리해 보자.

예시 답안 제1차 세계 대전은 총력전이었으며, 참호전으로 장기화되었고, 신무기를 사용하였다.

2 제1차 세계 대전으로 발생한 엄청난 피해의 원인을 생각해 보자.

예시 답안 과학기술 발달로 대량 살상이 가능한 신무기가 사용된 전쟁으로 인명피해가 컸으며 참호에서 대치하는 형태로 전쟁이 장기화되면서 피해가 늘어났다.

활동 도우미
지도와 사건은 제1차 세계 대전의 전개 과정과 특징을 보여줍니다. 독일의 무제한 잠수함 작전이 미국 참전으로 연결되었다는 점, 영국과 프랑스군이 마른 전투에서 독일의 침공을 저지하면서 전쟁이 장기화하였다는 점 등을 확인할 수 있어요.

이 주제의 핵심

이 주제에서는 제1차 세계 대전이 일어나게 된 배경과 전개 과정, 그 결과를 살펴보았어요. 여기에서는 제1차 세계 대전의 발발 배경이 되는 사라예보 사건과 전쟁에 참여한 동맹국 · 협상국을 비교하여 파악하세요. 그리고 기존의 전쟁과는 다른 1차 세계 대전의 특징을 전쟁의 양상과 연결지어 알아두고 종전 후 성립한 베르사유 체제의 성격을 기억하세요.

학습 목표
러시아 혁명의 전개 과정과 그 결과 및 영향을 설명할 수 있다.

주제 2 최초의 사회주의 혁명, 러시아 혁명

1 러시아에서 개혁의 움직임이 싹트다

(1) 19세기 러시아의 상황

① 19세기: 차르가 통치하는 전제 정치 체제, 농노제 사회

② 19세기 후반: 산업화 진행되면서 노동자 계급 성장, 사회주의 사상 유입

(2) 러시아 혁명 전의 상황

① [1]피의 일요일 사건(1905): 러·일 전쟁에 불리 → 상트페테르부르크에서 개혁을 요구하는 시위 전개 → 정부의 무력 진압으로 사상자 발생

② 차르의 전제 정치: 의회 개설 및 시민 권리 보장은 없이 전제 정치 지속

왜? 차르 정부가 의회 개설 및 시민 권리 보장을 약속하였으나, 이후 별다른 성과가 없었어.

2 러시아에서 사회주의 혁명이 일어나다

(1) 2월 혁명

① 혁명전 상황: 1차 세계 대전 참전으로 물가가 상승하고 국민 생활이 곤란해짐.

② 2월 혁명(1917): 전쟁이 장기화하자 전쟁 중지와 전체 정치 타도 요구하는 시위 발생, 소비에트(평의회) 결성하여 혁명 → 차르 퇴위, 임시 정부 수립

(2) 10월 혁명

① 배경: 임시 정부가 개혁 추진하지 못하자 국민들의 불만 고조

② 레닌이 이끄는 [2]볼셰비키가 무장 봉기 → 임시 정부 붕괴, [3]소비에트 정부 수립

3 세계 최초로 사회주의 연방국가, 소련이 수립되다

(1) 소비에트 사회주의 공화국(소련) 수립

① 사회주의 정책: 독일과 강화 조약 체결 → 주요 시설 국유화

② 신경제 정책(NEP): 제헌 의회 해산, 일당 독재 체제 강화 → 신경제 정책 도입

(2) 러시아 혁명의 영향

① 최초의 사회주의 국가 수립

② 코민테른 결성: 유럽의 노동 운동과 아시아·아프리카의 반제국주의 민족운동 지원

③ 레닌 사후: 스탈린, 정권 장악 → 중공업 중심의 산업화 농업 집단화 추진 → 독재 체제 강화

❶ 피의 일요일 사건
상트페테르부르크에서 벌어진 평화적인 시위에 대한 무자비한 발포로 1천여명이 사망한 사건이다. 이 사건을 계기로 차르 체제를 타도하려는 혁명의 기운이 전국적으로 확산되었다.

❷ 볼셰비키
러시아 사회 민주 노동당에서 레닌을 지지한 세력을 말한다.

❸ 소비에트
'대표자 회의'라는 뜻으로, 입법과 행정 기능을 수행한다.

핵심 자료 혁명 중 레닌이 발표한 강령

제 1 항 | …… 제국주의 전쟁에 단호히 반대하고 즉각 평화를 실현해야 한다.
제 4 항 | …… 소비에트의 권력을 확대해야 한다.
제 5 항 | …… 의회제 공화국에 반대하고 소비에트 공화국을 수립해야 한다.
제 9 항 | …… 생산과 분배를 소비에트가 통제해야 한다.

「4월 테제」

핵심
다음 연설은 어떤 영향을 가져왔을까?

레닌의 '사회주의 혁명'을 강조한 대중 연설 이후 발표한 것으로 이 강령은 이후 당의 방침이 되어 1917년 10월 혁명에 영향을 주었다.

정답과 해설 28쪽

확인해 봐요

1 레닌이 이끄는 볼셰비키가 무장 봉기하여 소비에트 정부를 수립하는 (2월, 10월) 혁명이 일어났다.

2 소비에트 정부는 (사회주의 경제, 시장 경제)을/를 부분적으로 도입한 신경제 정책을 펼쳤다.

3 레닌은 혁명 전파를 위해 (코민테른, 국제 연맹)을/를 결성하였다.

교과서 184~185쪽

교과서 활동 풀이

가자! 역사 속으로

교과서 184쪽

1920년 러시아에서 사용된 홍보 포스터입니다. 여기에는 레닌이 차르, 귀족, 자본가 등을 지구상에서 빗자루로 쓸어버리는 모습이 그려져 있습니다.

✔ 포스터에 담긴 의미는 무엇일까요?

예시 답안 레닌이 빗자루로 차르, 귀족, 자본가를 청소하고 반대로 이들에 의해 억압 · 수탈 당하던 노동자와 농민들이 주인이 되는 사회를 건설한다는 의지를 표현한 것이다.

활동 도우미

포스터 상단의 빗자루 질을 하는 인물은 레닌이에요. 레닌이 빗자루로 쓸고 있는 대상은 누구이며, 이들을 타도 대상으로 삼았던 사상을 알아보아요.

교과서 도표 자료 러시아 혁명의 전개

교과서 184쪽

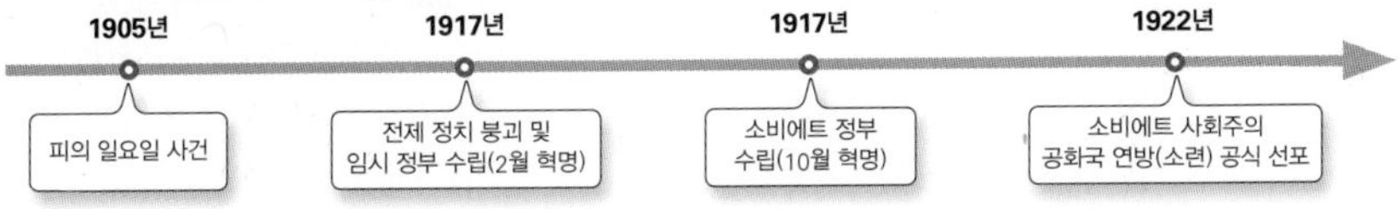

피의 일요일 사건은 러 · 일 전쟁으로 혼란스러운 사회 분위기 속에서 시민의 기본적인 정치 · 경제적 권리를 차르에게 청원하는 시위를 정부가 무자비하게 진압한 사건이다. 이후 레닌이 이끄는 볼셰비키가 프롤레타리아 독재를 표방하는 혁명 정권을 수립하는 10월 혁명이 일어났다. 10월 혁명은 무산자 계급의 정당이 정권을 획득한 최초의 사례가 되었다.

활동 도우미

피의 일요일 사건을 통해 당시 러시아 민중들의 상황과 불만을 이해하고 이후 러시아 혁명으로 연결되는 과정을 파악해 보아요. 이는 소비에트 정권이 추구한 체제와 관련이 있어요.

탐구 해 봐요 러시아 혁명과 그 영향

교과서 185쪽

자료 1 레닌의 연설 내용

> 2월 혁명으로 수립된 공화국은 우리의 공화국이 아닙니다. <u>이 정부가 수행하고 있는 전쟁</u>은 우리의 전쟁이 아닙니다. 우리에게는 …… 노동자, 농민, 소비에트 이외에 그 어떤 정부도 필요 없습니다. 우리에게 필요한 것은 '프롤레타리아(무산 계층) 독재' 뿐입니다. 자유주의, 민주주의, 부르주아적인 것들을 일절 거부할 것입니다.
>
> – 레닌의 상트페테르부르크 연설, 1917. –

자료 2 러시아 혁명의 영향

활동 도우미

제시된 레닌의 연설을 통해 사회주의 국가의 특징을 살펴보아요. 또한 지도를 통해 러시아 혁명이 세계 각국에 어떤 영향을 미쳤는지 알아보아요.

1 자료 1에서 밑줄 친 전쟁이 무엇인지 써 보자.

예시 답안 제1차 세계 대전

2 자료 2를 참고하여 20세기 러시아 혁명이 세계에 끼친 영향에 관하여 토의해 보자.

예시 답안 나의 생각: 러시아 혁명의 영향으로 세계 각국에 공산당이 결성되는 계기가 되었다.
친구들의 생각: 아시아 · 아프리카의 반제국주의적 민족 운동이 성장하였다.

스스로 확인해요

❶ 피의 일요일 사건의 배경이 된 전쟁은 제1차 세계 대전이다. (×)
❷ 러시아 혁명 이후 레닌은 코민테른을/를 결성하여 사회주의 혁명을 세계에 전파하였다.

이 주제의 핵심

이 주제에서는 최초의 사회주의 혁명이 일어난 러시아 혁명에 대해 배웠어요.
여기에서는 러시아 혁명이 일어나기 전 러시아 사회 상황을 아는 것이 필요합니다. 그래야 러시아혁명과 소비에트 정부가 지향하는 바를 연결할 수 있을 거에요. 러시아 혁명으로 코민테른이 조직되면서 노동 운동, 공산당 결성, 반제국주의적 민족 운동 등이 성장하는 등 세계 각국에 끼친 영향도 기억해야 합니다.

학습 목표
전후 아시아 · 아프리카에서 일어난 민족 운동에 관해 설명할 수 있다.

주제 3 전후 아시아 · 아프리카의 민족 운동

1 중국에서 민족운동이 일어나다

(1) 신문화 운동의 전개: 새로운 사회 건설을 목표로 청년층이 주도
무엇을? 잡지 『신청년』을 중심으로 유교적이고 봉건적인 제도와 문화를 비판하는 운동이었어.

(2) 5 · 4운동

① 배경: 1915년 일본이 자국의 권익을 위한 21개조를 중국에 강요, 파리 강화 회의에서 산둥 이권을 일본에 양도 결정
무엇을? 파리 강화 회의에서 일본이 산둥반도의 독일 이권을 계승하기로 하였어.

② 전개: 일본의 21개조 요구에 저항하며 베이징 대학생들이 시위 주도

(3) 국민당과 공산당의 합작과 분열

① 제1차 국 · 공 합작: 5 · 4 운동으로 민족주의 확대 → 국민당과 공산당이 합작(군벌과 제국주의 타도)

② 국 · 공 합작의 결렬: 장제스가 ❶북벌 도중 공산당 추방 → 중국 통일 완성(1928) → 마오쩌둥이 이끄는 공산당의 저항이 계속됨.

2 서아시아 · 아프리카와 인도에서 민족운동이 일어나다

(1) 튀르키예 공화국 수립

① 오스만 제국이 제1차 세계 대전 패한 후 무스타파 케말에 의해 수립

② 근대화 추진: 정치와 종교의 분리, 문자 개혁, 민족 산업 육성

(2) 이란: ❷리자 샤의 지도로 팔레비 왕조 수립

(3) 이집트: 와프트당 중심으로 민족운동을 전개 → 독립(1922)

(4) 인도의 민족운동

① 간디: ❸비폭력 · 불복종 운동 전개

② 네루: 인도의 완전한 독립 요구 → 영국의 식민 지배에 무력 저항

❶ 북벌
중국 국민당이 군벌을 타도하여 분열된 중국을 통일하려는 '국민혁명'을 말한다.

❷ 리자 샤
이란의 완전한 독립과 근대화를 지향하여 모든 분야에 걸쳐 개혁을 단행한 인물이며 이란의 산업 발전을 가져오는 성과가 있다.

❸ 비폭력 · 불복종 운동
정치적 목적의 폭력을 사용하지 않으면서 싸워 자유와 평화를 얻어내려는 운동을 말한다.

핵심 자료 5 · 4 운동

지금 일본은 국제 평화 회의에서 칭다오를 삼키고 산둥에서의 모든 권리를 관리하는 데 성공하기 일보 직전에 와 있다. …… 산둥을 잃는 것은 중국이 망한다는 것이다. …… 중국의 영토는 정복될지언정 넘겨줄 수는 없다. 중국 국민은 죽을지언정 머리를 숙일 수는 없다. 동포여 일어나라!
-전체 학생 톈안먼 선언(1919)-

핵심
5 · 4 운동은 왜 일어났을까?

전체 학생 톈안먼 선언은 일본의 21개조 요구에 반발하여 일어난 5 · 4 운동의 선언문이다. 5 · 4 운동은 일본이 산둥반도를 차지하자 베이징 대학생들이 시위를 주도하면서 전국적으로 확산되었다.

정답과 해설 28쪽

확인해 봐요

1 일본의 21개조 요구에 항의하며 베이징 대학생들을 중심으로 5 · 4운동이 일어났다. (○, ×)

2 이란은 무스타파 케말의 지도로 팔레비 왕조를 수립하였다. (○, ×)

3 인도의 간디와 네루는 비폭력 · 불복종 운동을 전개하였다. (○, ×)

교과서 활동 풀이

가자! 역사 속으로 ⊘교과서 186쪽

영국 정부의 소금세 신설에 반대하던 간디는 "우리가 직접 소금을 만들어 영국에 세금을 바치지 맙시다."라고 외치며, 전통 염전이 있는 바닷가 마을을 향해 이동하였습니다. 이를 소금 행진이라고 합니다.

간디가 소금 행진을 벌인 까닭은 무엇일까요?

예시 답안 영국의 소금세 신설에 저항하며 소금행진을 벌였다. 간디는 이와 같은 비폭력 · 불복종 운동을 전개하며 제국주의에 대해 저항하였다.

자료 해설

간디가 영국에 소금에 대한 세금을 바치지 말자는 행진을 벌이고 있다. 생필품인 소금에 세금을 물리자 간디는 행진을 하였고 이를 계기로 인도 전국에서 영국에 대한 불복종 운동이 일어났다.

교과서 사진 자료 **문자 개혁을 설명하는 무스타파 케말** ⊘교과서 187쪽

무스타파 케말은 튀르키예의 근대적 개혁을 위하여 법률에 정해진 국교 조항을 폐지하고, 이슬람교도와 비이슬람교 간의 차별을 금지하였다. 또한 여성에게 남성과 동등한 권리와 의미를 부여하는 등 낡은 제도를 근대화하였으며, '튀르키예의 아버지'로 불리운다.

활동 도우미

무스타파 케말에 의해 정책이 튀르키예에서 추진된 근대화가 무엇인지 알아보아요.

탐구 해 봐요 **전후 민족 운동을 이끈 사람들** ⊘교과서 187쪽

1 본문을 참고하여 위 인물들의 공통점을 써 보자.

예시 답안 제국주의 침략에 맞선 민족운동을 이끌었던 각국의 지도자들이다.

2 위 인물들의 업적을 검색한 후 인물을 소개하는 카드를 만들어 보자.

인물 카드

무스타파 케말

업적 또는 한계
정치와 종교의 분리, 문자 개혁, 민족 산업 육성 등 튀르키예 공화국의 근대화를 추진하였다.

인물 카드

네루

업적 또는 한계
인도의 완전한 독립을 요구하며 영국의 식민 지배에 무력으로 저항하였다.

활동 도우미

전후 각국의 민족 운동을 이끈 지도자들을 조사하여 인물 카드를 만들면서 각국의 민족 운동의 특징과 핵심을 함께 파악해 보아요.

스스로 확인해요

❶ 튀르키예 공화국을 수립한 무스타파 케말은 근대화를 추진하였다. (○)

❷ 인도의 간 디은/는 비폭력·불복종 운동을 전개하였다.

이 주제의 핵심

이 주제는 1차 세계 대전 이후 아시아 · 아프리카 지역에서 전개된 민족 운동입니다.
중국에서 전개된 여러 민족 운동의 전개과정을 파악하고 각국의 민족 운동을 이끈 주요 인물과 특징도 알아야 합니다. 특히 무스타파 케말, 간디는 꼭 기억해 주세요.

1 세계 대전과 국제 질서의 변화

학습 목표
대공황의 원인을 알고, 대공황의 여파로 전체주의가 등장하였음을 설명할 수 있다.

주제 4 세계를 강타한 대공황과 전체주의

1 미국에서 대공황이 시작되다

(1) 배경: 과잉 생산으로 재고 증가 → 기업은 생산 줄이고 인력 감축 → 실업자 증가 → 소비 위축

(2) ❶대공황 발생(1929): 미국의 주가 폭락 → 기업과 은행 줄줄이 도산 → 실업자 급증 → 대공황 발생(전 세계로 확산, 극심한 혼란 발생)

2 세계 각국이 대공황을 극복하기 위해 대책을 마련하다

(1) 미국의 뉴딜 정책

① 루스벨트 대통령이 국가가 경제에 적극 개입하는 뉴딜 정책을 추진

② 공공사업으로 일자리 창출, 노동자의 권리 보호 정책 마련, 사회 보장 제도 시행

③ 결과: 대중의 구매력이 늘어나면서 경제 회복

(2) 영국과 프랑스: 식민지를 이용하여 시장을 확보하는 ❷블록 경제 실시

(3) 독일, 이탈리아, 일본: 식민지가 적고 사회 · 경제적 기반 취약 → 다른 나라 침략

3 전체주의가 등장하다

(1) 전체주의: 개인을 획일적으로 전체에 예속하려는 체제

(2) 이탈리아

① 무솔리니가 파시즘을 제시하며 ❸'로마 진군'을 통해 총리 취임

② 파시즘 세력이 일당 독재 체제 구축, 에티오피아 침공

(3) 독일

① 히틀러와 나치즘 부상, 베르사유 체제를 거부하고 총리 취임

② 일당 독재 체제 구축, 오스트리아 병합

(4) 일본

① 군부가 부상하며 군국주의 추진

② 만주 사변을 일으켜 만주국 수립, 중 · 일 전쟁 발발

❶ 대공황
1929년 미국에서 시작되어 전 세계에 지속한 경기침체로, 시장의 수요와 공급의 불균형으로 발생하였다.

❷ 블록 경제
유럽 제국주의 국가들이 본국과 식민지를 하나의 블록으로 묶어 과잉 생산된 본국 상품을 식민지에 떠넘겨 공황의 피해를 해소하려는 의도로 만들었던 경제 체제를 말한다.

❸ 로마 진군
무솔리니는 전체주의적이고 국수주의적인 파시스트당을 결성하였으며 파시스트 내각 수립을 주장하며 군대와 경찰의 묵인 아래 로마로 진군하여 정권을 장악하였다.

핵심 자료 대공황과 뉴딜 정책

…… 화폐 가치는 기상천외한 수준으로 추락하였습니다. 수천 가구가 수년 동안 저축한 돈이 모두 사라졌습니다. 더욱 중요한 것은 실업자 대다수가 심각한 생존 문제에 처해 있으며, 그에 못지않게 많은 사람이 보잘것없는 임금으로 고통받고 있다는 것입니다. -루스벨트 대통령의 취임 연설, 1933.-

핵심 뉴딜 정책의 목표와 그 성과는 무엇인가요?

뉴딜 정책은 자료에 나와있듯이 대공황으로 빈궁한 국민들을 구제할 목적으로 추진되었다. 공공사업으로 일자리를 창출하고 다양한 사회 보장 제도를 도입하여 실업 문제를 해결하고 소비를 촉진시켰다.

정답과 해설 28쪽

확인해 봐요

1 1929년 미국의 주가가 폭락하고 기업과 은행이 도산하면서 (실업자, 일자리)이/가 급증하였다.

2 영국과 프랑스는 (뉴딜 정책, 블록 경제)을/를 통해 대공황을 극복하고자 하였다.

3 이탈리아에는 (무솔리니, 히틀러)이/가 등장하여 파시즘을 제시하고 정권을 잡았다.

교과서 활동 풀이

가자! 역사 속으로

교과서 188쪽

1930년대 뉴욕에서 흔히 볼 수 있었던 장면입니다. 직장을 잃은 사람들이 일자리를 구하기 위해 직접 쓴 구인 광고를 목에 건 채로 거리를 헤매고 있습니다.

이 사람들은 왜 일자리를 잃었을까요?

예시 답안 1929년에 미국에서 주식이 폭락하면서 경제 대공황이 시작되었고 기업과 은행이 도산하자 실업자가 급증하였다.

활동 도우미

1930년대 미국에서 사람들이 왜 일자리를 잃었을지 생각해보고 당시 경제 생활이 어떠했을지 추측해 보아요.

교과서 사진 자료 테네시강 유역 개발 공사

교과서 188쪽

루스벨트 대통령 시기 대공황을 극복하기 위한 공공사업이 실시되었는데 대표적인 것이 테네시강 유역 개발 공사이다. 이 공사는 테네시강 유역에 홍수 조절과 전기 생산을 위한 개발을 하는 것으로 이를 통해 일자리를 창출할 수 있었다.

활동 도우미

테네시강 유역 개발 공사와 같은 대규모 공공사업을 통해 얻을 수 있었던 경제적 효과를 일자리 창출과 관련하여 생각해 보아요.

탐구 해 봐요 전체주의 국가의 특징

교과서 189쪽

자료 1 이탈리아의 파시즘

국가를 떠나서는 인간과 영혼의 가치도 존재하지 않는다. 어떤 단체도 국가를 떠나서는 존재하지 않으며, 국가가 국민을 창조한다. …… 오직 전쟁만이 인간의 힘을 최고조에 이르게 하고 이에 직면할 용기를 가진 국민에게 고귀함을 부여한다.

– 무솔리니, 「파시즘 독트린」 –

자료 2 독일의 나치즘

민족주의 국가는 인종을 모든 생활의 중심에 두어야 한다. 우리 국가 사회주의자는 …… 독일 국민에 상응하는 영토를 이 지상에서 확보하는 것을 고수해야 할 것이다.

– 히틀러, 「나의 투쟁」 –

1 자료 1 과 자료 2 에 공통으로 나타나는 핵심 단어를 찾아 써 보자.

예시 답안 국가, 국민

2 위 핵심 단어를 바탕으로 전체주의 국가의 특징을 설명해 보자.

예시 답안 전체주의 국가는 전체주의를 통치원리로 삼는 국가로서, 국가와 전체의 이익을 최고의 가치로 여기고 개인은 전체의 발전을 위해 존재하는 것으로 간주한다.

자료 해설

이탈리아의 무솔리니는 파시스트당을 결성하여 정권을 장악한 후 국가 지상 주의에 입각하여 대외 팽창 정책을 실시하였다. 독일의 히틀러는 게르만족의 우월성을 강조하고 유대인 배격을 주장하였으며 국민 생활을 철저히 통제하였다.

스스로 확인해요

❶ 미국 대통령 루스벨트는 대공황을 극복하기 위한 방안으로 뉴딜 정책을 추진하였다. (○)

❷ 시민의 자유를 제한하고 개인을 전체에 예속하려는 체제를 전체주의(이)라고 한다.

이 주제의 핵심

이 주제에서는 대공황과 이후 세계 각국의 대책에 대해 배웠어요.
이 주제를 통해 1929년 발생한 세계 경제 대공황의 원인과 각국의 공황 극복 방안을 정리할 수 있어야 해요.
특히 식민지가 적고 사회 · 경제적 기반이 약했던 이탈리아, 독일, 일본에서 전체주의적 경향이 나타났음을 기억해 두어요.

학습 목표
제2차 세계 대전의 전개 과정과 전후 처리 노력을 설명할 수 있다.

주제 5 다시 시작된 전쟁, 제2차 세계 대전

1 제2차 세계 대전이 일어나다

(1) 제2차 세계 대전의 배경

① 독일의 나치즘, 이탈리아 파시즘, 일본의 군국주의 부상 → 대외 팽창 야심 표출

② 에스파냐 내전(1936): 프랑코가 이끄는 군부 반란으로 발생 → 독일 · 이탈리아(프랑코 지원)와 국제 의용군의 갈등 → 국제전 양상으로 전개

③ 파시즘의 결속: 베를린 · 로마 추축 형성(독 · 이), ❶방공 협정(독 · 이 · 일) 체결

(2) 제2차 세계 대전 발발: 독일, ❷독 · 소 불가침 조약 체결 후 폴란드 침공 → 영국과 프랑스 독일에 선전 포고하며 전쟁 발발(1939)

2 제2차 세계 대전이 전개되다

(1) 독일: 프랑스 침공, 파리 점령 괴뢰 정부 수립, 독 · 소 불가침 조약 파기, 소련 침공

(2) 일본: 중국과의 전쟁 장기화 → 전쟁 물자 확보를 위해 동남아시아 침공 → 미국의 견제 → 하와이 진주만 공격(태평양 전쟁(1941))

(3) 전쟁 구도: 연합국(미, 영, 소 등)과 추축국(독, 이, 일 등) 대립 → 전 세계로 확대

3 제2차 세계 대전이 종결되다

(1) 독일: 스탈린그라드 전투에서 추위와 소련군 저항으로 패배, 연합군의 노르망디 상륙 작전 성공, 소련의 베를린 포위 공격 → 독일의 무조건 항복(1945. 5.)

(2) 일본: 태평양에서 미국에 패배, 히로시마와 나가사키에 원폭 투하 → 일본의 무조건 항복(1945. 8.) → 제2차 세계 대전, 연합국의 승리로 종전

4 전쟁이 많은 상처를 남기다

(1) 인명 피해: 5,000만 명에 이르는 사망자 발생, 폭격기에 의한 무차별 공습과 인종 학살로 많은 민간인 희생

(2) 물적 피해: 전쟁의 무대가 된 지역의 산업 시설과 주거 시설 대부분 파괴

5 전후 처리를 위해 국제사회가 노력하다

(1) ❸「대서양 헌장」(1941. 8.): 전후 평화 수립의 원칙 천명

(2) 전후 처리 논의: 카이로 · 얄타 · 포츠담 회담

① 카이로 회담(1943. 11.): 미 · 영 · 중 참가, 일본 문제 처리 · 한국 독립 문제 합의

② 얄타 회담(1945. 2.): 전후 독일 문제 처리와 소련의 참전 결정

③ 포츠담 회담(1945. 7.~ 8.): 미 · 영 · 소 참가, 독일을 비롯한 유럽의 전후 문제 논의

(3) 국제 연합(UN) 창설: 평화 유지를 위한 국제기구

---

❶ 방공 협정
독일 · 일본 · 이탈리아가 소련을 중심으로 한 코민테른에 대항하기 위해 맺은 협정을 말한다.

❷ 독 · 소 불가침 조약
독일과 소련이 제2차 세계 대전 직전에 체결한 조약(1939)으로 독일이 소련의 저항 없이 서부전선에서 프랑스 · 영국군과의 전쟁에 전념할 수 있었다. 이 조약은 독일이 1941년 선전 포고 없이 소련을 공격하면서 파기되었다.

❸ 대서양 헌장
미국의 루스벨트 대통령과 영국 처칠 수상이 전후 더 공정하고 안정된 세계 질서를 추구한다는 원칙을 선언한 문서이다.

정답과 해설 28쪽

확인해 봐요

1 독일, 이탈리아, 일본은 방공 협정을 체결하며 결속을 강화하였다. (○, ×)

2 일본이 하와이 진주만을 공격하면서 태평양 전쟁이 발발하였다. (○, ×)

3 제2차 세계 대전 도중 연합국 지도자들은 베르사유 조약을 체결하였다. (○, ×)

교과서 활동 풀이

가자! 역사 속으로

교과서 190쪽

1930년대 공산주의를 막는다는 명분 아래 독일 · 이탈리아 · 일본은 방공 협정을 맺은 후 동맹을 결성하였습니다.

독 · 이 · 일의 결속은 어떤 결과를 초래하였을까요?

예시 답안 독일, 이탈리아에 의해 유럽에서 시작된 세계 대전에 일본이 참여함으로써 아시아 · 태평양 전쟁으로까지 확산되었다.

활동 도우미
독일, 이탈리아, 일본의 국가적 공통점이 무엇인지 파악하고 그들의 군사동맹이 어떤 결과를 가져왔는지 생각해 보아요.

Q 독일의 전세를 기울게 한 사건들은 무엇일까?

교과서 191쪽

예시 답안 스탈린그라드 전투에서 소련군에 패하고, 연합군의 노르망디 상륙 작전이 성공적으로 진행되면서 독일의 전세가 기울게 되었다.

활동 도우미
제2차 세계 대전에서 중요한 전투와 전환점이 되는 사건들을 사진으로 제시한 것이므로 그 의미와 사건의 순서를 확인해 보아요.

탐구 해봐요 제2차 세계 대전의 전개(1939~1945)

교과서 192쪽

1 지도를 참고하여 중요하다고 생각하는 사건을 넣어 연표를 완성해 보자.

1939년	(1941)년	(1942)년	(1943)년	(1944)년	1945년
제2차 세계 대전 발발	일본의 진주만 공격	스탈린그라드 전투	이탈리아 항복	노르망디 상륙 작전	제2차 세계 대전 종결

2 위 연표를 바탕으로 다음 양식을 채워, 제2차 세계 대전을 다루는 기사를 완성해 보자.

제목 소련, 스탈린그라드 전투에서 승리하다

1941년 스탈린그라드를 놓고 독일과 소련이 싸운 이 전투에서 소련이 승리하였다 이 전투는 독 · 소 전쟁의 승패를 결정지었으며 제2차 세계 대전의 중요한 전환점이 되었다.

제목 히로시마와 나가사키, 원폭이 투하되다

1945년 8월 6일 히로시마에, 8월 9일 나가사키에 원자폭탄이 투하되어 순식간에 시가지가 잿더미로 변하였으며 엄청난 인명피해가 발생하였다.

활동 도우미
지도를 통해 제2차 세계 대전의 전개 과정과 주요 사건을 확인해 보아요. 독일, 일본을 중심으로 파악하며 주요 전투 및 전환점이 되는 사건을 기억해 보아요.

스스로 확인해요

❶ 독일이 영국과 프랑스에 선전 포고를 하면서 제2차 세계 대전이 발발하였다. (×)
❷ 제2차 세계 대전 중에 연합국의 지도자들은 「대 서 양 헌장」으로 평화 수립의 원칙을 천명하였다.

이 주제의 핵심

이 주제를 통해 제2차 세계 대전의 배경과 전체적인 전개 과정을 파악하는 것이 중요합니다.
또한 전후 처리를 위한 국제 사회의 노력에 대해서도 알아 보아요.

시험을 대비하는 실전 문제

기초를 튼튼하게 확인 문제

01 서로 관련 있는 내용끼리 연결하시오.

㉠ 러시아 혁명 • · • ⓐ 코민테른
㉡ 제1차 세계 대전 • · • ⓑ 국제 연맹
㉢ 제2차 세계 대전 • · • ⓒ 국제 연합

02 아래 설명이 맞으면 ○, 틀리면 ×로 표시하시오.

(1) 독일의 무제한 잠수함 작전으로 영국이 협상국 측에 참전하였다. ( )
(2) 이집트는 무스타파 케말을 중심으로 근대화 개혁을 추진하였다. ( )
(3) 독일의 나치즘 세력은 시민의 자유를 제한하고 일당 독재를 구축하였다. ( )
(4) 연합군의 노르망디 상륙작전이 성공하면서 전세가 연합국 측으로 기울었다. ( )

03 |보기|의 러시아 혁명 전개 과정을 순서대로 나열하시오.

| 보기 |
ㄱ. 2월 혁명 ㄴ. 10월 혁명
ㄷ. 소련 수립 ㄹ. 피의 일요일 사건

---

04 빈칸에 알맞은 말을 쓰시오.

(1) 1914년 오스트리아 · 헝가리 제국 황태자 부부가 암살당하는 ( ) 사건은 1차 세계 대전으로 연결되었다.
(2) 미국은 대공황을 극복하기 위해 ( ) 정책을 추진하였다.
(3) 인도에서는 ( )을/를 중심으로 한 비폭력 · 불복종 운동이 전개되었다.

내신을 탄탄하게 내신 문제

01 지도에 나타난 두 세력의 대립이 배경이 되어 일어난 사건에 대한 설명으로 옳지 않은 것은?

① 전후 처리를 위해 파리 강화 회의가 개최되었다.
② 무솔리니는 로마 진군을 통해 정권을 장악하였다.
③ 독일의 무제한 잠수함 작전으로 미국이 참전하였다.
④ 오스트리아 · 헝가리 제국 등 옛 제국들이 붕괴되었다.
⑤ 범슬라브주의와 범게르만주의의 대립이 원인이었다.

02 다음 조약에 대한 설명으로 옳은 것은?

> **제45조** 독일은 자르 지방에 있는 탄광 지대의 소유권과 독점 채굴권을 프랑스에 넘겨준다.
> **제119조** 독일은 국외 식민지에 관한 모든 권리와 소유권을 연합국과 그 협력국에 넘겨준다.
> **제235조** 독일은 …… 200억 마르크 금화에 해당하는 액수를 배상해야 한다.

① 제2차 세계 대전 종료 후 체결되었다.
② 국제 연합의 성립과 함께 체결되었다.
③ 독일이 소련과 체결한 불가침 조약이다.
④ 카이로 회담에서 결정된 원칙을 바탕으로 하였다.
⑤ 이에 따라 성립한 체제를 베르사유 체제라고 한다.

정답과 해설 28쪽

03 밑줄 친 '전쟁'의 결과로 옳은 것은?

2월 혁명으로 수립된 공화국은 우리의 공화국이 아닙니다. 이 정부가 수행하고 있는 전쟁은 우리의 전쟁이 아닙니다. …… 우리에게 필요한 것은 '프롤레타리아(무산 계급) 독재'뿐입니다.

-레닌의 상트페테르부르크 연설, 1917-

① 일본이 미군정의 지배를 받게 되었다.
② 독일이 새로운 강대국으로 등장하였다.
③ 세계 평화를 위해 국제 연합을 창설하였다.
④ 노동자, 여성 등의 사회 참여가 확대되었다.
⑤ 에스파냐에서 군부 반란으로 내전이 일어났다.

04 (가)에 들어갈 사실로 옳은 것은?

피의 일요일 사건
↓
2월 혁명
↓
(가)
↓
소비에트 사회주의 공화국 연방 수립

① 스탈린 체제가 성립하였다.
② 독·소 불가침 조약을 체결하였다.
③ 차르의 전제 정치와 농노제가 유지되었다.
④ 레닌이 이끄는 볼셰비키가 무장 봉기하였다.
⑤ 스탈린그라드 전투에서 독일군에 승리하였다.

05 (가)에 들어갈 사건으로 옳은 것은?

http://www.OOOO.co.kr

묻고 답하기

질문 (가) 에 대해 설명해 주세요.

답변 1915년 일본이 중국에 21개조를 강요하고, 파리 강화 회의에서 산둥 이권이 일본에 양도되자, 베이징 학생들이 대규모 항의 시위를 벌인 것입니다.

① 5·4 운동
② 신문화 운동
③ 1차 국·공 합작
④ 피의 일요일 사건
⑤ 비폭력·불복종 운동

06 교사의 질문에 대한 학생들의 답변으로 옳은 것을 |보기|에서 고른 것은?

|보기|
ㄱ. 튀르키예: 무스타파 케말에 의해 근대화가 추진되었다.
ㄴ. 이집트: 와프트당 중심으로 민족 운동이 전개되었다.
ㄷ. 이란: 국민당과 공산당이 군벌 타도를 위해 합작하였다.
ㄹ. 인도: 만주 사변을 일으키는 등 팽창 정책을 추진하였다.

① ㄱ, ㄴ
② ㄱ, ㄷ
③ ㄴ, ㄷ
④ ㄴ, ㄹ
⑤ ㄷ, ㄹ

07 다음과 같은 문제를 극복하기 위한 각국의 대처로 옳은 것을 |보기|에서 고른 것은?

역사 탐구 계획서

주제: 1929, 세계를 덮친 대공황
1. 원인: 과잉 생산으로 재고 증가 → 실업자 증가
2. 전개: 미국 주가 폭락 → 기업, 은행 도산 → 실업 증가 → 전세계로 공황 확대
3. 노력: (가)

|보기|
ㄱ. 영국: 블록 경제 체제를 만들었다.
ㄴ. 일본: 사회 보장 제도를 시행하였다.
ㄷ. 미국: 공공 사업으로 일자리를 창출하였다.
ㄹ. 프랑스: 무력으로 다른 나라를 침략하였다.

① ㄱ, ㄴ ② ㄱ, ㄷ ③ ㄴ, ㄷ
④ ㄴ, ㄹ ⑤ ㄷ, ㄹ

08 (가)에 해당하는 인물로 옳은 것은?

인물 카드

(가)

▶인물 소개
베르사유 체제를 거부하고 대중의 지지를 받아 독일의 총리로 취임하였다. 그는 게르만 민족의 우월성을 강조하였으며 일당 독재 체제를 확립하였다.

① 네루 ② 히틀러
③ 마오쩌둥 ④ 무솔리니
⑤ 무스타파 케말

09 제2차 세계 대전의 전개 과정에서 있었던 사건들이다. (가)~(라)를 순서대로 나열한 것으로 옳은 것은?

|보기|
(가) 스탈린그라드 전투
(나) 독·이·일 방공 협정 체결
(다) 일본, 히로시마와 나가사키에 원자 폭탄 투하
(라) 태평양 전쟁 발발

① (가)-(나)-(다)-(라)
② (가)-(다)-(라)-(나)
③ (나)-(가)-(라)-(다)
④ (나)-(라)-(가)-(다)
⑤ (라)-(가)-(다)-(나)

10 (가) 회담에 대한 설명으로 옳은 것은?

전후 처리를 위한 국제 사회의 노력
대서양 헌장(1941)
↓
(가) 회담(1943)
↓
얄타·포츠담 회담(1945)

① 오스트리아·헝가리 제국이 해체되었다.
② 독일에게 엄청난 액수의 배상금을 요구하였다.
③ 윌슨이 발표한 14개조 평화 원칙을 논의하였다.
④ 미국과 영국이 전후 평화 수립 원칙을 확인하였다.
⑤ 일본 문제 처리와 한국의 독립 문제를 합의하였다.

만점에 도전하는 심화 문제

01 (가), (나) 사이의 시기에 있었던 사실로 옳은 것은?

> (가) 독일의 무제한 잠수함 작전으로 영국 상선 루시타니아호가 침몰하면서 미국인 사상자가 발생하였다. 이 사건으로 미국의 참전 여론이 고조되었다.
> (나) 승전국들은 베르사유 조약을 맺었다. 이 조약으로 독일은 식민지를 상실하고 막대한 배상금을 물어야 했다. 이로써 승전국 위주의 새로운 국제 질서가 등장하였다.

① 국제 연합을 창설하였다.
② 사라예보 사건이 발생하였다.
③ 파리 강화 회의가 개최되었다.
④ 일본은 중·일 전쟁을 일으켰다.
⑤ 미국은 뉴딜 정책을 실시하였다.

02 밑줄 친 '나라'에 대한 설명으로 옳은 것은?

> 오스만 제국은 제1차 세계 대전에서 패배한 후 영토는 분할되었다. 이러한 배경에서 무스타파 케말이 새로운 <u>나라</u>를 수립하였다.

① 피의 일요일 사건이 발생하였다.
② 테네시강 유역 개발 공사를 실시하였다.
③ 정치와 종교를 분리하는 개혁을 실시하였다.
④ 청년층을 중심으로 신문화 운동이 전개되었다.
⑤ 제2차 세계 대전에서 영국과 소련에 점령당하였다.

03 (가)~(마) 시기에 있었던 사실로 옳은 것은?

(가)	(나)	(다)	(라)	(마)

러시아 혁명 / 베르사유 조약 체결 / 대공황 발생 / 일본의 진주만 공격

① (가): 신경제 정책(NEP)를 실시하였다.
② (나): 독·소 불가침 조약이 체결되었다.
③ (다): 국제 연합이 창설되었다.
④ (라): 3국 방공 협정을 체결하였다.
⑤ (마): 에스파냐 내전이 일어났다.

04 (가)에 대한 설명으로 옳은 것은?

> 역사 요점 정리 노트
>
> 주제: 미국의 (가)
> 1. 초대형 댐 건설로 인력 고용
> 2. 최저 임금제와 최고 노동 시간 규정
> 3. 교량, 도로 등 대규모 건설 노동자 고용
> 4. 농민에게 보조금 지급

① 국가가 경제에 소극적으로 개입하였다.
② 대중의 구매력 증가로 경제가 점차 회복되었다.
③ 공장을 국유화하는 급진적인 통제 경제 체제이다.
④ 식민지와 본국을 연결하는 블록 경제를 추구하였다.
⑤ 중공업 중심의 산업화와 농업 집단화를 추진하였다.

2 민주주의의 확산

학습 목표
여성 참정권운동과 민주주의의 확산 과정을 설명할 수 있다.

주제 6 확대되는 참정권

1 재산에 따른 투표권 제한이 폐지되다

(1) 참정권

① 투표권을 비롯해 정치에 참여할 수 있는 시민의 권리
② 오랫동안 재산 소유 정도에 따라 범위가 제한되어 가난한 평민에게 부여되지 않음.

(2) 선거법 개정의 과정

① 영국
- 1832년 선거법 개정: 중간 계급에 투표권 부여
- 차티스트 운동: 노동자들의 참정권 획득 운동 → 노동자 계급도 투표권 획득

② 프랑스 2월 혁명(1848): 재산에 따른 투표권 제한이 폐지되고 ❶보통 선거 도입
③ 한계: 남성의 투표권만 인정되고 여성의 투표권은 배제

2 여성 참정권 운동이 전개되다

(1) 18세기 전반까지의 상황: 미국 혁명, 프랑스 혁명 등에 여성이 적극적으로 참여, 여성의 권리를 주장 → 참정권 획득하지 못함.
(2) 18세기 후반: ❷울스턴크래프트 등 여성 운동가 등장
(3) 19세기 후반: 팽크허스트, 포셋 등이 여성 단체를 결성하여 영국에서 여성 참정권 운동 전개 왜? 여성의 참정권이 생겨야 여성들의 사회·경제적 권리가 확대될 수있기 때문이야.
(4) 여성 참정권 인정: 뉴질랜드(1893)에서 처음 인정, 이후 여러 나라에 확대

3 보통 선거가 확대되다

(1) 1차 세계 대전과 참정권 확대

① 제1차 세계 대전이 총력전으로 전개 → 모든 국민의 참여가 중요
② 여성과 노동자, 농민의 사회 참여 증가 → 여성 참정권 도입과 보통 선거 확대

(2) 보통 선거의 확대

① 영국: 21세 이상 남성과 30세 이상 여성에게 투표권 부여(1918) → 21세 이상 여성에게도 투표권 확대(1928)
② 미국(1920), 프랑스(1944)에서도 여성에 투표권 부여
③ 결과: 보통 선거 확대 → 민주주의 확산 왜? 여성 참정권이 확대되면서 모든 국민들이 동등한 선거권을 가지고 정치에 참여할 수 있었기 때문이지.

4 민주주의가 전체주의와 대결하며 더욱 확산되다

(1) 민주주의의 위기: 이탈리아 파시스트당, 독일의 나치당(일당 독재 체제 구축, 선거를 악용하거나 미실시)
(2) 민주주의 세계와 전체주의 세력의 대결 무엇을? 전체주의 세력과의 대결을 통해 민주주의 세계가 발전할 수 있었어.

① 영국: 정당 정치의 안정적 유지
② 프랑스: 파시즘 반대 세력이 연합하여 선거 승리

❶ **보통 선거**
선거인의 자격에 제한을 두지 않고 일정한 나이에 이른 모든 국민에게 평등한 선거권이 주어지는 선거를 말한다.

❷ **울스턴크래프트**
18세기 영국에서 여성의 평등 운동을 이끌었으며 여성의 권리를 처음으로 이론화하는 등 근대 페미니즘의 선구자로 불린다. 울스턴 크래프트가 쓴 「여성의 권리 옹호」는 여성의 자각을 호소하고 있다.

정답과 해설 29쪽

확인해 봐요

1 영국 노동자들은 참정권 획득을 위해 (차티스트, 비폭력 · 불복종) 운동을 전개하였다.
2 여성 참정권은 1893년 (뉴질랜드, 영국)에서 최초로 인정되었다.
3 민주주의는 이탈리아, 독일에서 (전체주의, 사회주의) 체제의 등장으로 위기에 빠졌다.

교과서 활동 풀이

가자! 역사 속으로

교과서 194쪽

그림 속 두 사람은 배를 타고 저 멀리 의사당을 향해 가고 있습니다. 남성은 '투표권'이라 새긴 돛을 달고 여유롭게 항해하는 반면, 여성은 투표권이 없는 불리한 상황에서 직접 노를 저어 가고 있습니다.

여성이 참정권을 갖기까지 어떤 과정을 겪었을까요?

예시 답안 여성 혁명가들은 미국 혁명과 프랑스 혁명에 적극 참여하였고 여성 참정권 운동을 펼쳤다. 또한 제1차 세계 대전 중 여성의 참여가 증가하면서 참정권을 획득할 수 있었다.

활동 도우미

여성 참정권 운동 포스터를 보고 여성 참정권 운동의 전개의 어려움을 파악해 보아요.

교과서 도표 자료 세계 각국의 투표권 부여 시기

교과서 195쪽

	남성	여성
프랑스	1848년	1944년
영국	1918년	1928년
미국	1870년	1920년
독일	1870년	1919년
이탈리아	1912년	1945년
일본	1925년	1945년
한국	1948년	1948년

◀ - 브리티니커 백과, 2018. -

제1차 세계 대전 시기 이전부터 오랜 기간 여성들은 참정권 획득 운동을 펼쳤다. 그럼에도 불구하고 1차 세계 대전의 총력전 전개로 여성들이 사회 참여가 늘어나게 되었다. 이를 계기로 대부분 국가에서 1차 세계 대전 이후 여성 참정권이 인정되었다.

활동 도우미

자료는 세계 각국의 보통선거가 실시된 시기를 표기한 것이에요. 이를 통해 대부분의 국가는 제1차 세계 대전 이후 여성 참정권이 인정되었음을 알아 보아요.

탐구 해봐요 여성 참정권 운동

교과서 195쪽

달리는 국왕의 말에 뛰어든 에밀리 데이비슨

여성 참정권 운동은 '여성 사회 정치 연합'이 결성되면서 더욱 적극적인 행동으로 나타났다. 이 단체의 회원이었던 영국의 에밀리 데이비슨은 1913년 런던에서 열린 경마 대회에서 달리는 국왕의 말 앞으로 뛰어들며 "여성에게 투표권을!"이라고 외쳤다. 이 일로 그녀가 사망했지만, 언론은 왕의 말이 다쳤다는 기사를 내보냈다. 이에 분노한 전국의 여성 참정권 운동가들은 항의 운동을 펼쳤고, 여성 참정권 운동은 더욱 활발해졌다.

1 **당시 여성들은 왜 참정권을 얻고자 노력하였는지 생각해 보자.**

예시 답안 참정권을 바탕으로 여성들의 사회 · 경제적 권리를 신장시킬 수 있기 때문이다.

2 **여성 참정권 운동이 민주주의 확산에 어떤 영향을 미쳤는지 설명해 보자.**

예시 답안 여성참정권이 확대되면서 비로소 일정 연령 이상의 모든 국민에게 동등한 선거권을 부여하는 보통 선거를 완성할 수 있었다.

활동 도우미

여성 참정권을 요구하며 활동하였던 여성 운동가들의 활동을 알고 민주주의 확대를 위해 많은 사람이 노력했음을 알아보아요.

스스로 확인해요

❶ 프랑스에서는 제1차 세계 대전을 계기로 보통 선거가 도입되었다. (×)

❷ 정치에 참여할 수 있는 시민의 권리를 일컫는 [참][정][권]은/는 점차 확대되었다.

이 주제의 핵심

이 주제에서는 여성 참정권 획득 운동의 전개 과정과 그 영향에 대해 배웠어요.

여기에서는 여성 참정권 확대 과정과 여성 참정권 운동을 전개한 활동 인물을 알아야 해요. 또한 여성의 참정권이 나타나면서 보통 선거가 확대되고 민주주의가 확대되었음을 연관지어 이해하도록 합시다.

학습 목표
노동자들의 권리가 변천한 과정을 설명할 수 있다.

주제 7 발전하는 민주주의

1 노동자의 권리를 인식하다

(1) 산업혁명 초기: 저임금, 열악한 작업 환경, 장시간의 고된 노동(아동과 여성 포함)

(2) 산업화 성과 확산 이후

① 노동자들의 노동 조건에 대한 인식이 생기면서 노동자의 삶이 개선

② 영국의 공장법 제정: 아동과 여성 노동을 제한하는 등 노동자의 권리 보호, 노동 조합 결성

2 노동자의 권리 보호가 본격화되다

(1) 8시간 노동제 요구: 1886년 미국에서 노동자들이 8시간 노동 요구하며 총 파업

(2) ❶국제 노동 기구(ILO) 설립: 1일 8시간, 1주 48시간 노동을 국제 표준으로 확립

(3) 노동 기본권 보장: 노동자의 단결권과 단체 교섭권, 단체 행동권 등 ❷노동 기본권 보장 → 노사 관계 안정, 이후 경제 성장의 토대

3 복지 국가이념이 등장하다

(1) 민주주의의 발전: 참정권 확대, 사회권에 대한 인식 형성

(2) 사회권의 확대

① 19세기 후반 독일 비스마르크: 사회 보험과 연금 등 사회 보장 제도 도입

② 20세기: 스웨덴 사회 민주당과 영국 노동당의 부상, 노동자의 권리와 사회 보장제도 옹호

③ ❸「베버리지 보고서」: 사회 보장 제도를 통한 복지 국가 이념 제시

④「세계 인권 선언」(1948): 국제 연합(UN)에서 채택, 인권의 개념에 사회권 포함

❶ 국제 노동 기구(ILO)
제1차 세계 대전 이후 창설되었으며 각국의 노동 관련 입법 수준을 높여 노동 조건과 생활 수준을 개선하는 역할을 해오고 있다. 현재 전 세계 150여 개국이 가입해있다.

❷ 노동 기본권
노동자의 생존권 확보를 위한 기본권으로 노동 3권을 그 내용으로 한다. 단결권은 노동자의 노동 조합 설립권이며 단체 교섭권은 노동 환경과 관련하여 사용자와 교섭할 수 있는 권리, 단체 행동권은 노동자가 주장을 관철하기 위해 동맹 파업과 같은 쟁의 행위를 할 수 있는 권리를 말한다.

❸ 베버리지 보고서
영국에서 베버리지를 위원장으로 하여 제출한 사회 보장 문제에 관한 조사 보고서를 말한다. 이 보고서는 국가가 전 생애에 걸쳐 국민의 건강과 생활에 대해 책임을 진다는 내용을 담고 있다.

핵심 자료 세계 인권 선언과 베버리지 보고서

자료 1 「세계 인권 선언」 제25조 1항

모든 사람은 의식주, 의료, 사회복지를 포함하여 자신과 가족의 건강과 안녕에 적합한 생활수준을 누릴 권리를 있다. 실업, 질병, 장애, 배우자의 사망, 노령 또는 기타 어쩔 수 없는 상황으로 생계 곤란을 당한 경우에는 사회 보장을 요구할 권리가 있다.

자료 2 「베버리지 보고서」

영국의 경제학자 베버리지가 작성한 이 보고서는 유럽과 미국의 복지정책에 큰 영향을 끼쳤다. '요람에서 무덤까지' 복지 서비스를 제공하는 계획을 권고하였는데 여기에는 가족 수당, 출산 보조금, 연금, 실업 수당, 무상 의료 등이 포함되었다.

핵심

자료에서 알 수 있는 사회권의 의미는 무엇일까요?

현대 복지 국가에서 널리 인정 받는 권리인 사회권은 인간다운 생활을 할 권리를 말하며 이 두 자료를 통해 전국민 차원으로 사회권이 확대되었음을 알 수 있다. 두 자료에서는 사회권을 보장하고 복지를 증진시키기 위해서 국가와 사회의 역할을 강조하고 있다.

정답과 해설 29쪽

확인해 봐요

1 1919년 (   )은/는 1일 8시간, 1주 48시간 노동을 국제 표준으로 확립하였다.

2 19세기 독일에서는 사회 안정을 위해 사회 보험과 연금 등 (   ) 제도를 도입하였다.

3 「베버리지 보고서」는 사회 보장 제도를 통한 (   ) 국가 이념을 제시하였다.

교과서 활동 풀이

가자! 역사 속으로

교과서 196쪽

1886년 5월 1일 토요일, 미국 노동자들은 8시간 노동 등을 주장하며 집회를 열었습니다. 집회는 파업으로 이어졌고, 정부의 과잉 대응으로 격분한 노동자들은 시카고 헤이마켓 광장에서 다시 집회를 열었습니다.

헤이마켓 광장에서 벌어진 집회 장면

✔ 미국 노동자들은 무엇을 개선하기 위해 파업을 하였을까요?

예시 답안 장시간 고된 노동을 하던 노동자들은 1일 8시간 노동제를 요구하며 파업하였다.

활동 도우미

1886년 5월 1일 미국 시카고에서 일어난 파업의 요구사항이 무엇인지 알고 이후 역사에 끼친 영향과 노동 조건 개선 모습에 대해 알아보아요.

교과서 사진 자료 탄광에서 일하는 아동들

교과서 196쪽

문: 일이 많을 때 소녀들은 몇 시에 작업장에 갔습니까?
답: 새벽 3시에 가서 밤 10시나 10시 반에 끝났습니다.
문: 이런 노동으로 아이들 중 누군가가 사고를 당한적이 있습니까?
답: 예, 제 큰딸의 집게손가락이 톱니바퀴에 걸려 (기계에) 빨려 들어갔습니다.
문: 이런 가혹한 노동 조건이 학대 행위를 낳았나요?
답: 예. 너무나도 피곤했기 때문에 채찍을 자주 썼습니다. – 이영효, 『사료로 읽는 서양사4』–

활동 도우미

영국 공장들의 노동 조건을 조사한 새들러 위원회 보고서(1832)를 통해 당시 노동자들의 가혹한 노동과 생활의 어려움을 확인할 수 있어요. 이는 공장법 개정 등을 이끌어냈으며 점진적으로 노동 조건의 개선을 가져왔어요.

탐구 해 봐요 사회권의 확대

교과서 197쪽

자료1 「베르사유 조약」(1919)의 내용

수많은 사람에게 불의 · 고난 · 궁핍을 주는 노동 조건이 존재한다. …… 일당 또는 주당 최장 노동 시간의 설정을 포함한 노동 시간의 규정, 노동력의 공급 조절, 실업의 예방, 적정 생활 임금의 지급, 직업상 발생하는 질병 · 질환 및 상해로부터의 근로자 보호, 아동 · 청소년 및 여성의 보호 …… 시급히 개선되는 것이 요구된다. …… 이 조약의 목표를 달성하기 위해 ㉠ 상설 기구를 설립한다.
국제 노동 기구(ILO)

자료2 「베버리지 보고서」(1942)의 내용

영국의 경제학자 베버리지가 작성한 이 보고서는 유럽과 미국의 ㉡사회 보장 정책에 큰 영향을 끼쳤다. 보고서에서는 전후 재건 과정에서 반드시 처리해야 할 다섯 가지 사회악으로 궁핍, 질병, 무지, 나태, 불결을 지적하며, 국민 보험 체제를 통해 '요람에서 무덤까지' ㉡사회 보장 서비스를 제공하는 계획을 권고했다. 여기에는 가족 수당과 출산 보조금, 연금, 실업 수당, 무상 의료 등이 모든 국민에게 보편적으로 제공된다는 내용이 포함되었다.

1 자료1의 ㉠에 해당하는 국제기구의 명칭과 자료2의 ㉡에 공통으로 들어갈 말을 각각 써 보자.

2 자료1, 자료2를 통해 발전하게 된 사회권 의미를 정리해 보자.

예시 답안 국제 노동 기구의 성립으로 노동 시간이나 단결권 등 노동자의 권리가 보장되었다면, 베버리지 보고서를 통해 노동자만이 아닌 전국민적 차원으로 인간다운 생활을 할 권리인 사회권이 확대되었다.

자료 해설

「베르사유 조약」은 제1차 세계 대전 종료 후 체결된 것이며 이 조약의 제13편에는 노동에 관한 일반 원칙이 게재되었다. 이 조약에 근거를 두고 국제 노동 기구(ILO)가 설립되었다. 한편 「베버리지 보고서」는 궁핍의 해소를 목표로 하는 사회 보장 개념이 제시되었다.

스스로 확인해요

❶ 영국에서는 아동과 여성의 노동을 제한하는 등 노동자 권리를 보호하는 내용이 담긴 공장법을 제정하였다. (○)
❷ 현대 복지 국가에서 널리 인정받는 권리로서 인간다운 생활을 할 권리를 [사][회][권](이)라 한다.

이 주제의 핵심

이 주제에서는 노동자의 권리 확대, 복지 국가의 이념에 대해 배웠어요.
여기에서는 노동자의 권리가 확대되는 과정을 알아두도록 합시다. 또한 「세계 인권 선언」에서 나타나는 사회권 개념과 「베버리지 보고서」에서 제시되는 복지 국가 이념을 체크하여 기억해 둡시다.

시험을 대비하는 실전 문제

기초를 튼튼하게 확인 문제

01 서로 관련 있는 내용끼리 연결하시오.

㉠ 공장법 • • ⓐ 1일 8시간 노동
㉡ 차티스트 운동 • • ⓑ 노동자의 참정권
㉢ 국제 노동 기구(ILO) • • ⓒ 아동과 여성 노동 제한

02 아래 설명이 맞으면 ○, 틀리면 ×로 표시하시오.

(1) 독일의 비스마르크는 사회 보장 제도를 도입했다. ( )
(2) 세계 인권선언은 인권의 개념에 사회권을 포함하였다. ( )
(3) 여성 참정권은 프랑스에서 최초로 인정되었다. ( )
(4) 제1차 세계 대전은 여성 참정권 확대에 영향을 끼쳤다. ( )

03 |보기|의 영국 선거법 개정 과정을 순서대로 나열하시오.

|보기|
ㄱ. 차티스트 운동
ㄴ. 중간 계급에 투표권 부여
ㄷ. 노동자 계급에 투표권 부여
ㄹ. 30세 이상 여성에 투표권 부여

04 빈칸에 알맞은 말을 쓰시오.

(1) 19세기 후반 영국에서 (　　　)와/과 포셋 등이 단체를 결성하여 여성 참정권 운동을 전개하였다.
(2) 1886년 5월 1일 미국 노동자들이 (　　　)을/를 요구하면서 총파업을 벌였다.
(3) (　　　)은/는 사회 보장 제도를 통한 복지 국가 이념을 제시하였다.

내신을 탄탄하게 내신 문제

01 (가)에 해당하는 인물로 옳은 것은?

이달의 인물

이름: (가)
소개: 1913년 런던에서 열린 경마 대회에서 달리는 국왕의 말 앞으로 뛰어들며 "여성에게 투표권"을 이라고 외쳤다.
영향: 여성 참정권 운동의 확대 계기 마련

① 포셋 ② 팽크허스트
③ 비스마르크 ④ 울스턴크래프트
⑤ 에밀리 데이비슨

02 영국의 참정권 확대 과정에서 (가)에 들어갈 내용으로 옳은 것은?

제1차 세계 대전에 모든 국민이 참여
↓
(가)
↓
21세 이상 여성에게 투표권 부여

① 차티스트 운동이 전개되었다.
② 노동자 계급에게 투표권이 주어졌다.
③ 30세 이상 여성에게 투표권이 주어졌다.
④ 재산 소유 정도에 따라 참정권이 제한되었다.
⑤ 파시즘 반대 세력이 연합하여 선거에 승리하였다.

03 (가)에 들어갈 내용으로 옳은 것은?

http://www.OOOO.co.kr

묻고 답하기

질문 헤이마켓 사건에 대해 알려주세요.

답변 • 헤이마켓 사건은 [(가)] 등을 요구하는 파업 노동자들의 행진이 진행되던 중 사상자가 발생한 사건입니다.

• 이 사건은 오늘날 국제 노동절(매년 5월 1일)의 유래가 되었어요.

① 사회권 보장
② 여성 투표권 부여
③ 8시간 노동제 실시
④ 사회 보장 제도 도입
⑤ 복지 국가 정책 실시

04 다음에서 설명하는 조직으로 옳은 것은?

역사 통합 검색

http://www.OOOO.co.kr

백과사전 검색

검색결과

1919년 베르사유 조약을 바탕으로 설립된 조직이며 1일 8시간, 1주 48시간 노동을 국제표준으로 확립하였다. 이후 각국의 노동관련 입법 수준을 높여 노동조건과 생활수준을 개선하는 역할을 해오고 있다. 현재 전세계 150여 개국이 가입해있다.

① 코민테른
② 국제 연맹
③ 국제 연합(UN)
④ 국제 노동 기구(ILO)
⑤ 여성 사회 정치 연합

05 (가)에 해당하는 내용으로 옳은 것을 |보기|에서 모두 고른 것은?

국제 노동 기구(ILO)가 설립되어 1일 8시간, 1주 48시간 노동을 국제 표준으로 확립하였다. 나아가 각국 정부는 (가) 노동자의 기본권을 보장함으로써 노사 관계를 안정시키고자 하였다.

|보기|

ㄱ. 사회권
ㄴ. 단결권
ㄷ. 단체 교섭권
ㄹ. 단체 행동권

① ㄱ, ㄴ
② ㄷ, ㄹ
③ ㄱ, ㄷ, ㄹ
④ ㄴ, ㄷ, ㄹ
⑤ ㄱ, ㄴ, ㄷ, ㄹ

06 (가)에 들어갈 내용으로 옳은 것은?

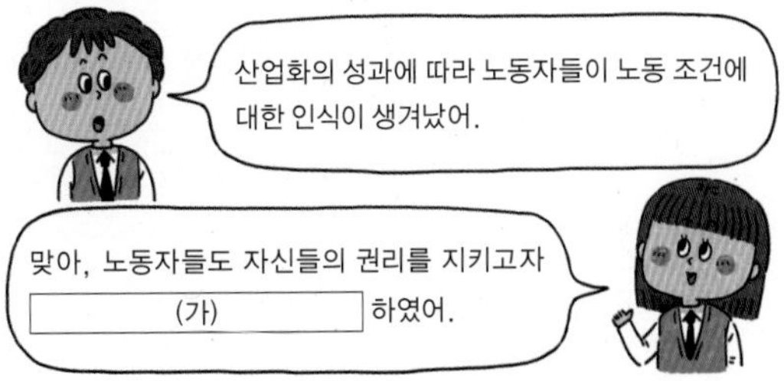

① 노동 조합을 결성
② 신문화 운동을 전개
③ 일당 독재 체제를 구축
④ 「세계 인권 선언」을 발표
⑤ 공격적 팽창 정책을 추진

07 (가)에 들어갈 개념으로 가장 적절한 것은?

> 세계 인권 선언은 아래 25조 1항과 같이 인권의 개념에 (가) 이/가 포함되었다.
>
> 「세계 인권 선언 제25조 1항」
>
> 모든 사람은 의식주, 의료, 사회 복지를 포함하여 자신과 가족의 건강과 안녕에 적합한 생활 수준을 누릴 권리를 있다. 실업, 질병, 장애, 배우자의 사망, 노령 또는 기타 어쩔 수 없는 상황으로 생계 곤란을 당한 경우에는 사회 보장을 요구할 권리가 있다.

① 사회권 ② 투표권 ③ 노동권
④ 교육권 ⑤ 단체 행동권

08 다음 검색 결과로 옳은 것을 |보기|에서 고른 것은?

> 역사 통합 검색
> http://www.○○○○.co.kr
> 백과사전 | 사회 보장 제도 | 검색
>
> 검색결과
>
> • 정의: 사회 구성원이 생활의 곤궁에 처할 경우 삶의 질 향상을 위해 공공의 재원으로 그 최저 생활을 보장해 주는 제도
> • 각국의 사회 보장 제도 도입
>
> |보기|
> ㄱ. 이탈리아 파시스트당이 가장 우선시한 정책이다.
> ㄴ. 영국의 노동당이 노동자의 권리와 함께 옹호하였다.
> ㄷ. 독일의 비스마르크가 사회 안정을 위해 도입하였다.
> ㄹ. 뉴질랜드에서 처음 인정된 후 많은 나라에 서서히 확대되었다.

① ㄱ, ㄴ ② ㄱ, ㄷ ③ ㄴ, ㄷ
④ ㄴ, ㄹ ⑤ ㄷ, ㄹ

[09~10] 다음 대화를 읽고 물음에 답하시오.

> 너, 영국에서 작성된 「베버리지 보고서」에 대해 알고 있니? (오후 5:04)
>
> 응, 이 보고서는 국민 보험 체제를 통해 '요람에서 무덤까지'의 (가) 서비스를 제공하는 계획를 권고하였어. (오후 5:07)
>
> 맞아. 여기에는 가족 수당, 출산 보조금, 무상 의료 등이 모든 국민에게 보편적으로 제공된다는 내용이 포함되어 있어. (오후 5:10)
>
> 이후, 「베버리지 보고서」는 유럽과 미국의 (가) 정책에 큰 영향을 끼쳤어. (오후 5:12)

09 (가)에 들어갈 말로 옳은 것은?

① 복지 ② 군사
③ 뉴딜 ④ 전체 주의
⑤ 보통 선거

10 (가)에 들어갈 내용으로 가장 적절한 것은?

> 수행 평가 계획서
>
> ○학년 ○반 ○모둠
>
> ■ 주제: 「베버리지 보고서」 이후 나타난 복지 정책
> ■ 방법: 인터넷 검색, 문헌 조사
> ■ 내용
> \- (가)
> \- 우리나라의 복지 정책 조사하기

① 공장법의 제정 과정 검색하기
② 헤이마켓 집회의 목적 알아보기
③ 국제 노동 기구의 설립 과정 알아보기
④ 비스마스크가 도입한 사회 보장 제도 검색하기
⑤ 국제 연합이 채택한 「세계 인권 선언」 내용 조사하기

만점에 도전하는 심화 문제

01 (가)에 들어갈 내용으로 옳은 것은?

> 제1차 세계 대전이 총력전으로 전개되면서 모든 국민의 참여가 중요해졌다. 후방에서 산업에 동원되었던 여성과 노동자, 농민의 사회참여가 더욱 늘어났다. 이는
> (가)

① 전쟁 방지를 위해 국제 연합을 창설하였다.
② 타 민족과 인종에 대한 폭력이 횡행하였다.
③ 일본군 '위안부'로 여성들을 강제 동원하였다.
④ 여성 참정권 도입과 보통 선거 확대로 이어졌다.
⑤ 인도주의에 반하는 행위에 대한 책임을 추궁하였다.

02 다음 인물들이 전개한 운동의 결과로 가장 적절한 것은?

> 학술 대회 안내
>
> 우리 학회는 여성 참정권 운동 105주년을 맞이하여 여성 참정권 운동의 역사적 의미를 조명하는 학술 대회를 개최하고자 합니다.
>
> ■ **발표 주제**
> - 18세기 후반 울스턴 크래프트의 활동
> - 에밀리 데이비슨이 달리는 국왕의 말에 뛰어든 이유
> - 단체를 결성한 팽크허스트, 포셋
>
> ■ **일시:** 202△년 □□월 □□일
> ■ **장소:** □□대학교 대강당

① 노동자의 노동 기본권이 보장되었다.
② 독일에 사회 보험과 연금 제도가 도입되었다.
③ 뉴질랜드에서 여성 참정권이 처음 인정되었다.
④ 노동자의 권리를 보호하는 공장법을 제정하였다.
⑤ 파시즘 반대 세력이 연대하여 선거에 참가하였다.

중요
03 (가)에 대한 설명으로 옳은 것은?

> 일당 또는 주당 최장 노동 시간의 설정을 포함한 노동 시간의 규정, 노동력의 공급 조절, 실업의 예방, 적정 생활임금의 지급, 직업상 발생하는 질병 · 질환 및 상해로부터의 근로자 보호, 아동 · 청소년 및 여성의 보호……시급히 개선되는 것이 요구된다. ……이 조약의 목표를 달성하기 위해 (가) 상설 기구를 설립한다.
> – 베르사유조약(1919) 중 –

① 유럽 통합을 지향하였다.
② 비폭력 · 불복종 운동을 전개하였다.
③ 제1차 세계 대전 발발로 폐지되었다.
④ 국제 사회주의 운동 조직으로 만들어졌다.
⑤ 1일 8시간 노동을 국제 표준으로 확립하였다.

04 다음 자료가 나온 이후의 상황으로 옳은 것을 |보기|에서 고른 것은?

> 문: 일이 많을 때 소녀들은 몇 시에 작업장에 갔습니까?
> 답: 새벽 3시에 가서 밤10시나 10시 반에 끝났습니다.
> 문: 이 시기에 아이들은 네 시간 이상 잠을 못잤나요?
> 답: 예. 그 이상 자지 못했습니다.
> 문: 이런 가혹한 노동 조건이 학대 행위를 낳았나요?
> 답: 예. 너무나도 피곤했기 때문에 채찍을 자주 썼습니다.

> | 보기 |
> ㄱ. 제임스 와트가 증기 기관을 개량하였다.
> ㄴ. 방직기가 개발되어 면직물이 대량 생산되었다.
> ㄷ. 노동자들의 노동 조건에 대한 인식이 생겨났다.
> ㄹ. 공장법이 제정되어 노동자의 권리를 보호하였다.

① ㄱ, ㄴ ② ㄱ, ㄷ ③ ㄴ, ㄷ
④ ㄴ, ㄹ ⑤ ㄷ, ㄹ

3 인권 회복과 평화 확산을 위한 노력

학습 목표
세계 대전으로 발생한 대량 학살과 인권 침해 사례를 제시할 수 있다.

주제 8 세계 대전으로 발생한 대량 학살과 인권 침해

1 대량 학살과 인권 침해에 대해 반성하다

(1) 20세기의 양면성

① 배경: 과학 기술과 산업 발전으로 물질적 풍요, 민주주의 확대
② 전체주의 등장: 파시즘과 나치즘, 군국주의 등 전체주의 체제 등장
③ 극단적 민족주의와 인종주의 유행: 다른 민족과 인종에 대한 폭력을 정당화

(2) 학살과 인권 침해에 대한 반성

① ❶전범 재판: 전후에 대량 학살과 인권 유린에 대한 책임을 물음
② 국가, 시민 차원에서도 과거 청산과 민주주의 회복을 위한 반성

2 홀로코스트, 전쟁의 상처를 돌이켜 보다

(1) 의미: 20세기 독일 나치즘이 벌인 유대인 학살

(2) 나치즘의 유대인 학살

① 배경: 독일의 고통을 유대인 탓으로 돌리는 인종주의 확산
② 유대인 차별법 제정 → 게토 격리 무엇을? 나치는 점령 지역 곳곳에 유대인을 처형할 때까지 게토에 가두어 두었어.
- ❷아우슈비츠 수용소 등의 수용소로 이송하여 체계적 학살
- 400~600만 명 유대인 희생

(3) 다른 지역의 홀로코스트

① 소련 ❸스탈린 체제: 대량 학살, 인권 침해 자행
② 유럽뿐만 아니라 동아시아 세계에서도 자행

3 난징 대학살, 책임 회피와 논란은 계속되다

(1) 난징 대학살

① 전개: 1937년 중 · 일 전쟁 시기 일본군이 난징 점령하면서 저지른 대규모 범죄
② 결과: 수십만 명에 이르는 전쟁 포로 살해, 난징성의 1/3 파괴

(2) 오늘날 일본 정부 입장: 피해자 수에 대해 모호한 입장, 일부 학자는 대학살 부정 → 역사 분쟁의 원인이 되고 있음.

4 일본군 '위안부', 미해결 과제로 남다

(1) 일본군 '위안부': 일본 정부가 제2차 세계 대전 시기 강제로 동원하여 위안소에 배치한 아시아 각지의 여성

(2) 전개

① 1990년대 이후 각국 피해자들의 사과와 배상 요구가 이어지고 있음.
② 일본 정부는 군대와 정부의 책임을 회피 → 보상으로 문제를 해결하고자 함.
③ 외교 분쟁의 화두이자 세계적 관심의 대상

---

❶ 전범 재판
전범은 전쟁 범죄의 행위자를 말하며, 제2차 세계 대전 이후 뉘른베르크 및 도쿄 재판에서 평화에 반하는 범죄(침략 전쟁의 계획, 실행), 인도에 반하는 범죄(민간인에 대한 비인도적 행위, 정치적 · 인종적 · 종교적 이유에 따른 박해)의 개념이 적용되어 전범이 처벌받았다.

❷ 아우슈비츠 수용소
모두 유럽 유대인들의 멸종을 위한 방책으로 건설된 수용소이다. 젊은 유대인 남녀는 강제 노동 수용소로 보내졌고, 노약자 및 어린이들은 살해되었다. 허약해진 사람들을 주기적으로 선별해 제거하였고 일부는 의학 실험 대상으로 삼았다.

❸ 스탈린 체제
소련 공산당 서기장 스탈린이 당과 군부, 지식인, 농민, 소수 민족 등 사회의 모든 영역에 걸쳐 대규모 숙청을 전개하였다.

정답과 해설 31쪽

확인해 봐요

1 나치즘은 유대인을 수용소로 이송하여 대량 학살하였다. (○, ×)

2 난징 대학살은 중 · 일 전쟁 시기 일본군이 저지른 대규모 전쟁 범죄이다. (○, ×)

3 일본 정부는 일본군 '위안부'에 대한 정부의 책임을 인정하고 있다. (○, ×)

교과서 활동 풀이

가자! 역사 속으로

교과서 198쪽

사진은 유대인 수용소 내부의 모습입니다. 제2차 세계 대전 기간에 나치는 유대인을 강제 수용하고 대량으로 학살하였습니다.

세계 대전 시기, 대량 학살과 인권 침해는 왜 일어났을까요?

예시 답안 독일의 나치즘은 독일인의 고통을 유대인의 탓으로 돌리며 인종주의를 내세웠고 이러한 극단적인 경향은 대량 학살과 인권침해로 나타났다.

활동 도우미

유대인 수용소 내부의 비참하고 끔찍한 모습을 보고 왜 이러한 일이 발생하였는지를 알아 보아요. 이후 다시는 이런 일이 일어나지 않게 하는 방안을 생각해 보아요.

탐구 해 봐요 홀로코스트 전범, 아이히만의 죄

교과서 199쪽

칼 아돌프 아이히만은 제2차 세계 대전 당시 유대인 박해의 실무를 책임진 홀로코스트의 전범이다. 그는 독일 나치당의 친위대 대장으로 일하며 수백만 명의 유대인을 죽음으로 몰아넣었다. 아이히만은 법정 최후 진술에서 "저는 잘못이 없습니다. 저는 오직 공직자로서 당시 독일의 법과 정부의 명령에 따랐을 뿐입니다."라고 말했다. 이에 검사는 "의심하지 않은 죄, 생각하지 않은 죄, 행동하지 않은 죄 …… 그것이 피고의 진짜 죄이다."라며 사형을 구형하였다.

한편 당시 재판을 참관한 정치 철학자 한나 아렌트는 이렇게 말했다. "자기 생각 없이 남의 생각대로 산 것과 타인의 고통에 무관심한 것은 가장 큰 죄이다."

전범 재판 당시 아이히만의 모습 ▶

활동 도우미

아이히만의 법정 최후 진술과 검사의 구형 내용을 읽고 아이히만의 죄는 무엇이며 더불어 그 행위에 내재되어 있는 관료주의의 문제점도 파악해 보아요.

1 밑줄 친 검사의 구형이 의미하는 바를 써 보자.

예시 답안 부당한 명령을 의심하지 않은 점, 수많은 사람을 학살하면서도 명령을 수행했을 뿐이라며 죄의식을 갖지 않는 점이 유죄라고 본 것이다.

2 자료를 참고하여 아이히만에 대한 판결을 내려 보자.

예시 답안 수많은 사람들을 학살하는 행위에 문제의식을 가지지 않고 명령에 따른 것뿐이라고 합리화하며 죄의식을 갖지 않는 것은 인류에 반하는 죄라고 본다.

스스로 확인해요

❶ 일본군은 난징 대학살로 수십만 명에 이르는 중국인과 전쟁 포로를 살해하였다. (○)

❷ 제2차 세계 대전 시기에 일본 정부는 아시아 각지 여성들을 일 본 군 위 안 부(으)로 동원하였다.

역량 키우기 역사 탐방 유물과 유적으로 보는 대량 학살과 인권 침해의 흔적들

교과서 200~201쪽

생각하고 써 보기

나는 가상으로 방문해 본 장소 중 난징 대학살 희생자 기념관 이/가 제일 인상 깊었어.

왜냐하면 예시 답안 그동안 잘 알지 못했던 난징 대학살의 희생자들에 대한 기록들을 통해 희생자들이 겪었을 고통에 대해 생각해 볼 수 있는 계기가 되었기 때문이야.

이 주제의 핵심

이 주제에서는 구체적인 인물과 사건을 통해 대량 학살과 인권 침해 사례를 알아봅시다.
또한 대량 학살과 인권 침해의 참혹함을 확인하고 이와 관련된 역사 논쟁에 대해서도 파악해 봅시다.

3 인권 회복과 평화 확산을 위한 노력

학습 목표
전후에 전개된 세계 평화를 위한 노력을 설명할 수 있다.

주제 9 세계 평화를 위한 노력

1 새로운 국제기구로 국제 연합이 탄생하다

(1) 국제 연맹 창설

① 특징: 제1차 세계 대전 이후 국제 사회 협력, 평화와 안전 유지를 위해 창설

② 한계: 미국의 불참과 침략 행위를 막을 군사력 부재, 주요 국가들이 ❶군비 축소 회의 열고 부전 조약에 참여하였으나 제2차 세계 대전 발발

(2) 국제 연합(UN) 창설

① 목적: 제2차 세계 대전 후 평화 유지와 전쟁 방지 위해 창설

② 특징: 강대국 대부분 참여, 군사적 강제력과 무력의 제재 수단 보유

③ 역할: 분쟁 조정 개입, 세계 여러 나라의 협력과 활동 지위 · 관리

2 전후 세계 평화를 위해 다방면에서 노력하다

(1) 전범 재판

① 목적: 평화와 ❷인도주의에 반하는 행위에 대한 책임 추궁

② 전개: 제2차 세계 대전 이후 뉘른베르크, 도쿄에서 재판

③ 뉘른베르크 재판: 고위급 전범(예외없이 수배 및 재판), 생체 실험 처벌

④ 도쿄 재판: 천황 등 고위급 전범 대부분 면책, 생체 실험 처벌(감형 및 면책)

(2) 유럽의 노력: 평화 유지와 경제 재건을 위해 유럽 통합 추진, ❸독일 · 프랑스 공동의 역사 교과서 제작 등 과거사 반성 노력

(3) 동아시아의 노력: 과거사에 대한 사죄와 보상, 평화와 인권, 협력 체제 수립을 위한 노력 전개 어떻게? 한·중·일 청소년 역사 체험 캠프, 한·중·일 공동 역사 교과서 집필 노력 등이 있어.

❶ 군비 축소 회의
제1차 세계 대전 뒤, 세계 평화를 위하여 각 나라의 협력으로 군사적 목적을 위해 갖춘 모든 장비나 시설을 제한하고, 축소하고자 연 회의를 말한다.

❷ 인도주의
사람의 평등한 인격과 그 존엄성을 제일 중요하게 여겨서, 인류애를 바탕으로 인종, 민족, 국적, 종교 등의 차이를 초월한 인류 전체의 행복을 이상으로 한다.

❸ 독일 프랑스 공동 역사 교과서
2006년 독일과 프랑스 청소년들의 요청으로 독일 프랑스 공동 역사교과서가 만들어졌다. 같은 사건에 대한 다른 인식을 드러내 두 나라의 역사 갈등과 쟁점들을 확인하고 공동의 역사 인식을 형성할 수 있는 기반을 마련하고자 제작되었다.

핵심 자료 전범재판

자료 1 뉘른베르크 재판
독일 뉘른베르크에서 전승국 주도로 열린 국제 군사 재판이다. 나치의 핵심 인물과 기관의 전쟁범죄를 규명 하면서 나치의 만행이 만천하에 드러났으며, '인도에 반한 죄'라는 개념이 새로운 국제법으로 발전하였다.

자료 2 도쿄 재판
일본 도쿄에서 열린 국제 군사 재판이다. 일본의 전쟁 책임을 철저히 추궁하지 않는 방향으로 흘렀으며 전쟁의 최고 책임자인 히로히토 천황에 대해서는 전쟁 책임을 묻지 않았다. 오직 육군에게만 전쟁 책임을 물었을 뿐이다.

핵심 제2차 세계 대전의 전범 재판은 어떤 차이점이 있었을까요?

독일의 전쟁범죄 책임은 뉘른베르크 재판에서, 일본의 전쟁 범죄 책임은 도쿄 재판에서 논의되었다. 뉘른베르크 재판은 '인도에 반한 죄'라는 개념을 적용한 재판이었다. 한편 도쿄재판은 전쟁 책임이 철저히 추궁되지 못하였고 이는 이후 동아시아의 역사 갈등의 배경으로 작용하고 있다.

정답과 해설 31쪽

확인해 봐요

1 1차 세계 대전 이후 국제 평화를 위해 (국제 연맹, 국제 연합(UN))을/를 창설하였다.

2 제2차 세계 대전 이후 독일의 전쟁 책임을 묻는 (뉘른베르크, 도쿄) 재판이 열렸다.

3 유럽은 전후 평화 유지와 경제 재건을 위해 유럽 (통합, 분화)을/를 추진하였다.

교과서 활동 풀이

가자! 역사 속으로

교과서 202쪽

국제 연합(UN) 창설 기념 포스터입니다. 제2차 세계 대전의 참상을 겪은 세계는 평화를 위한 새로운 국제기구로 국제 연합(UN)을 창설하였습니다.

국제 연합(UN)은 전후 세계 평화를 위해 어떠한 노력을 기울였을까요?

예시 답안 국제 연합(UN)은 국제 분쟁 발생 시 무력으로 제재하기 위해 국제 연합군(유엔군)을 창설하였으며 분쟁 지역에 평화 유지군(PKO)을 파견하는 등의 노력을 하고 있다.

자료 해설

애블리의 작품 「국제 연합 나무」(1947)이다. 세계 여러 국가들을 나뭇잎으로 표현하고 있으며 하나의 나무가 되어 대지에 깊이 뿌리박고 잘 자라기를 기원하는 의미가 담겨있는 포스터이다.

탐구 해봐요 전범 재판과 두 나라의 태도

교과서 203쪽

활동 도우미

제2차 세계 대전 이후 독일과 일본에서 이루어진 전범 재판의 모습을 살펴보고, 전후 전쟁 범죄에 대한 두 나라의 태도를 비교해 보아요.

자료 1 같은 전범 재판, 다른 판결

뉘른베르크 재판

독일의 뉘른베르크에서는 주요 나치 전범을 처벌하기 위한 국제 군사 재판이 두 차례 열렸다. 여기서 24명이 기소되어 괴링 등 12명이 사형, 헤스 등 3명이 종신형을 선고받았다. 이 재판으로 나치당의 만행이 백일하에 드러났다.

뉘른베르크 재판에 기소된 전범들

잔인한 생체 실험으로 사형에 처해진 카를 브란트

도쿄 재판

일본의 도쿄에서 열린 재판에서는 도조 히데키 등 7명이 사형을, 아라키 사다오 등이 종신형을 선고받았다. 그러나 이 재판은 전쟁의 핵심 책임자인 히로히토 천황을 제외한 채 진행되었다. '731부대'가 벌인 생체 실험도 처벌받지 않았다.

천황 대신 전쟁 책임자로 지목된 도조 히데키

생체 실험을 하고도 재판을 면제받은 '731부대'의 이시이 시로

자료 2 전후 두 나라의 태도

무릎을 꿇고 사죄하는 독일 총리 1970년 12월 폴란드를 방문한 브란트 서독 총리는 유대인 위령탑을 찾아 무릎을 꿇고 사죄하였다.

야스쿠니 신사를 방문한 일본 총리 일본 총리와 정치인들은 세계 대전 참전자를 안치한 야스쿠니 신사에 참배를 하였다.

1 뉘른베르크 재판과 도쿄 재판을 비교한 도표의 빈칸을 채워 보자.

뉘른베르크 재판	구분	도쿄 재판
고위급 전범은 예외 없이 수배 및 재판	재판의 대상	㉠ 천 황 등 고위급 전범 대부분이 면책
나치 생체 실험의 충격으로 국제적인 실험 연구 윤리인 「뉘른베르크 강령」 제정	생체 실험의 처벌	사법 거래로 생체 실험 자료를 미국에 건네고 감형 및 ㉡ 면 책

2 위 자료를 바탕으로 전후 두 나라의 태도가 다르게 나타난 까닭을 생각해 보자.

예시 답안 독일과 달리 일본이 도쿄 재판을 할 당시 냉전에 돌입한 세계 분위기에 의해 전쟁 책임이 철저히 추궁되지 못했다. 특히 미국의 일본 점령 정책이 냉전체제의 성립을 계기로 수정되면서 일본은 철저한 전쟁 책임을 지지 않았고 면책되었다.

스스로 확인해요

❶ 제2차 세계 대전 직후 만들어진 국제 연합(UN)은 국제 연맹과 달리 군사적 강제력을 갖추었다. (○)

❷ 제2차 세계 대전 이후 뉘른베르크와 도쿄에서는 전쟁의 책임을 추궁하는 전 범 재 판 이/가 열렸다.

이 주제의 핵심

이 주제에서는 국제 연맹과 국제 연합(UN)의 특징을 비교하여 공부하는 것이 필요합니다. 더불어 뉘른베르크 재판과 도쿄 재판의 내용 차이도 비교해 알아두는 것이 중요합니다. 평화를 위한 다방면의 노력을 알아보고 한계점과 향후 평화 확산을 위해 계속되어야 할 방안에 대해서도 생각해 봅시다.

시험을 대비하는 실전 문제

기초를 튼튼하게 확인 문제

01 **서로 관련 있는 내용끼리 연결하시오.**

㉠ 홀로코스트 •	• ⓐ 중 · 일 전쟁
㉡ 난징 대학살 •	• ⓑ 평화의 소녀상
㉢ 일본군 '위안부' •	• ⓒ 아우슈비츠 수용소

02 **아래 설명이 맞으면 ○, 틀리면 ×로 표시하시오.**

(1) 전체주의 체제가 등장하여 민주주의가 더욱 발전하였다. (　　)

(2) 제2차 세계 대전 이후 대량 학살과 인권 유린의 책임을 묻는 전범 재판이 열렸다. (　　)

(3) 제1차 · 제2차 세계 대전 시기에 대량 학살은 유럽 지역에서만 발생하였다. (　　)

(4) 전후 유럽은 평화 유지를 위해 유럽 통합을 지향하였다. (　　)

03 **|보기|의 사건을 전개된 순서대로 나열하시오.**

| 보기 |

ㄱ. 도쿄 재판　　ㄴ. 난징 대학살

ㄷ. 국제 연맹 창설　　ㄹ. 국제 연합(UN) 창설

04 **빈칸에 알맞은 말을 쓰시오.**

(1) 제1차 세계 대전 이후 주요 국가는 (　　　) 조약에 참여하였으나 제2차 세계 대전이 발생하였다.

(2) 일본의 정치인들이 제2차 세계 대전 전범이 모셔져있는 (　　　) 신사를 참배한 것이 문제가 되고 있다.

(3) 독일의 나치즘이 벌인 유대인 학살을 (　　　) (이)라고 한다.

내신을 탄탄하게 내신 문제

01 **밑줄 친 '대량 학살'과 '인권 유린'의 사례로 옳은 것을 |보기|에서 모두 고른 것은?**

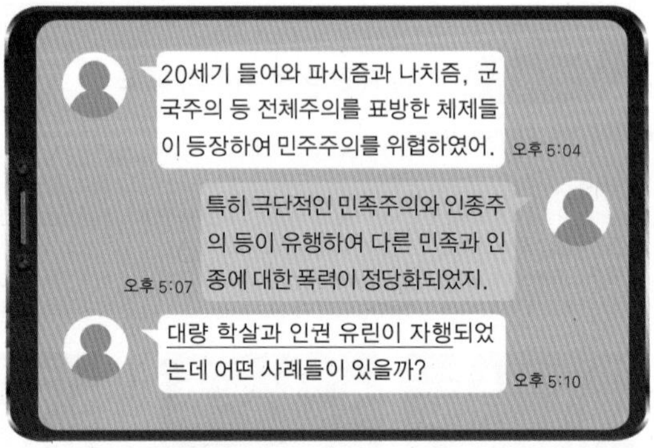

| 보기 |

ㄱ. 난징 대학살　　ㄴ. 피의 일요일 사건

ㄷ. 나치즘의 유대인 학살　　ㄹ. 일본군 '위안부' 강제 동원

① ㄱ, ㄴ　　② ㄷ, ㄹ

③ ㄱ, ㄷ, ㄹ　　④ ㄴ, ㄷ, ㄹ

⑤ ㄱ, ㄴ, ㄷ, ㄹ

02 **(가)에 들어갈 내용으로 옳지 않은 것은?**

20세기에 들어와 과학기술과 산업이 고도로 발전하면서 인류는 물질적인 풍요를 누렸다. 또한 참정권이 확대되고 사회권이 인정되면서 민주주의가 확산되는 모습을 보였다.

그러나 이와 동시에 (가)

① 대량 학살과 인권 유린이 나타났다.

② 극단적인 민족주의와 인종주의가 유행하였다.

③ 공장법을 제정하여 아동 노동 시간을 제한하였다.

④ 일본이 난징의 민간인과 전쟁 포로를 살해하였다.

⑤ 전체주의 체제들이 등장하여 민주주의를 위협하였다.

정답과 해설 31쪽

03 다음 자료에 대한 설명으로 옳은 것을 |보기|에서 모두 고른 것은?

▲ 일본은 제2차 세계 대전 시기에 아시아 각지 여성들을 (가) (으)로 동원하였다.

| 보기 |
ㄱ. 주로 일본의 식민지 지역의 여성들이 동원되었다.
ㄴ. 일본 정부는 군대와 정부의 책임을 인정하지 않고 있다.
ㄷ. 한 · 일 양국 정부가 피해자들이 동의하는 합의를 이루었다.
ㄹ. 1990년대 이후 피해자들이 사과와 배상을 요구하고 있다.

① ㄱ, ㄴ ② ㄷ, ㄹ ③ ㄱ, ㄴ, ㄹ
④ ㄴ, ㄷ, ㄹ ⑤ ㄱ, ㄴ, ㄷ, ㄹ

04 다음 질문의 답변으로 옳은 것을 |보기|에서 고른 것은?

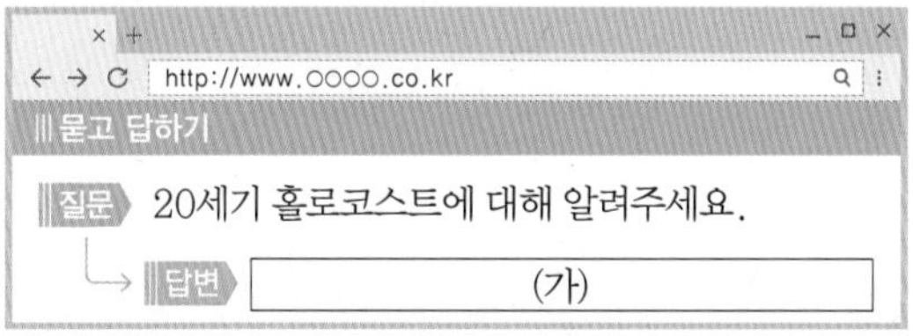

| 보기 |
ㄱ. 소련의 스탈린 체제는 대량 학살을 자행하였다.
ㄴ. 유대인을 아우슈비츠 수용소로 이송하여 학살하였다.
ㄷ. 독일군이 스탈린그라드 전투에서 소련군에 패배하였다.
ㄹ. 독일의 무제한 잠수함 작전으로 영국 상선이 침몰하였다.

① ㄱ, ㄴ ② ㄱ, ㄷ ③ ㄴ, ㄷ
④ ㄴ, ㄹ ⑤ ㄷ, ㄹ

05 (가)에 들어갈 사건으로 옳은 것을 |보기|에서 고른 것은?

| 보기 |
ㄱ. 메이지 유신 ㄴ. 난징 대학살
ㄷ. 일본군 '위안부' ㄹ. 여성 참정권 운동 탄압

① ㄱ, ㄴ ② ㄱ, ㄷ ③ ㄴ, ㄷ
④ ㄴ, ㄹ ⑤ ㄷ, ㄹ

06 교사의 질문에 대한 학생의 대답으로 옳지 않은 것은?

① 「대서양 헌장」을 발표하였어요.
② 유럽인들은 유럽 통합을 추진하였어요.
③ 전범 재판을 열어 전쟁 책임을 추궁하였어요.
④ 전쟁 방지를 위해 국제 연합(UN)을 창설하였어요.
⑤ 유럽인들은 공동 역사 교과서를 제작하기도 하였어요.

신유형
07 (가), (나)에 대한 설명으로 옳은 것은?

제1차 세계 대전 이후 국제 사회의 협력을 이끌어 내며 평화와 안전을 위해 (가) 을/를 창설하였다. 제2차 세계 대전 이후 국제 사회는 전쟁 방지와 평화를 위해 (나) 을/를 창설하였다.

① (가): 대서양 헌장을 발표하였다.
② (가): 강대국 대부분이 참여하였다.
③ (나): 제창국인 미국이 불참하였다.
④ (나): 군사적 강제력을 가지고 있다.
⑤ (나): 유럽 통합을 위해 조직되었다.

08 다음 재판에 대한 설명으로 옳은 것은?

다음 장면은 제2차 세계 대전 이후 도쿄에서 열린 전범 재판의 모습입니다. 이 재판에서는 평화와 인도주의에 반하는 행위에 대한 책임을 물었습니다.

① 고위급 전범은 예외 없이 재판을 받았다.
② 전쟁의 핵심 책임자인 천황은 제외되었다.
③ 나치의 만행이 만천하에 드러나게 되었다.
④ 국제적인 실험연구 윤리 강령이 제정되었다.
⑤ 총리가 희생자 위령탑에서 무릎 꿇고 사죄하였다.

09 다음 자료와 관련된 사실로 옳지 않은 것은?

민족주의 국가는 인종을 모든 생활의 중심에 두어야 한다. 우리 국가 사회주의자는 …… 독일 국민에 상응하는 영토를 이 지상에서 확보하는 것을 고수해야 할 것이다.
– 히틀러, 『나의 투쟁』 –

① 일당 독재 체제를 구축하였다.
② 유대인들을 게토에 격리하였다.
③ 난징성의 3분의 1을 파괴하였다.
④ 독일의 고통을 유대인 탓으로 돌렸다.
⑤ 폴란드를 침공하여 제2차 세계 대전이 일어났다.

10 다음에서 설명하고 있는 조직으로 옳은 것은?

국제 평화를 위협하는 분쟁이 일어났을 경우 분쟁 조정에 개입할 수 있고, 군사력을 사용하여 강제 조치를 할 수 있다. 또한 각종 보조 기구와 전문 기구에서는 경제 · 사회 · 문화 등의 분야에서 세계 여러 나라의 협력과 활동을 지휘 및 관리한다.

① 와프드당
② 3국 동맹
③ 국제 연맹
④ 국제 연합(UN)
⑤ 국제 노동 기구(ILO)

정답과 해설 31~32쪽

만점에 도전하는 심화 문제

신유형

01 (가) 사건에 대한 설명으로 옳은 것을 |보기|에서 고른 것은?

답사 계획서

- 주제: (가) 사건 조사
- 장소: 독일 아우슈비츠 수용소
- 진행: 전시실의 유물 탐방
- 대표 유물

▲ 희생자들의 신발

▲ 화장터

▲ 수감자들이 입었던 옷

| 보기 |
ㄱ. 중 · 일 전쟁 시기 일본군에게 난징이 점령되었다.
ㄴ. 독일의 나치가 유대인과 폴란드인이 학살하였다.
ㄷ. 극단적인 민족주의와 인종주의에 의해 일어났다.
ㄹ. 아시아 여성들이 일본군 '위안부'로 강제 동원되었다.

① ㄱ, ㄴ ② ㄱ, ㄷ ③ ㄴ, ㄷ
④ ㄴ, ㄹ ⑤ ㄷ, ㄹ

02 (가)에 대한 설명으로 옳은 것은?

오늘날 일본 정부는 1937년에 있었던 (가) 의 피해자 수에 대해 모호한 입장을 취하고 있으며 일부 일본 학자들은 이 사건이 일어난 것을 부정하고 있다. 이로 인한 논란은 동아시아 역사 분쟁의 심각한 원인이 되고 있다.

① 아시아 여성들에게 성노예 생활을 강요하였다.
② 소련의 스탈린 체제에서 있었던 인권 침해 사례이다.
③ 유대인을 차별하는 법을 만들고 게토에 격리하였다.
④ 아우슈비츠 수용소에서 체계적인 학살을 자행하였다.
⑤ 중 · 일 전쟁 시기 일본군이 난징 사람들을 학살하였다.

중요

03 ⓐ~ⓓ에 들어갈 내용으로 옳은 것을 |보기|에서 고른 것은?

■ 제2차 세계 대전 이후 전범 재판 비교

항목	뉘른베르크 재판	도쿄 재판
재판의 대상	고위급 전범은 예외없이 수배 및 재판 회부	ⓐ
인체 실험 처벌	ⓑ	ⓒ
재판 후 과거사 반성	국가 지도자 차원의 지속적인 사과와 반성	ⓓ

| 보기 |
ㄱ. ⓐ: 천황 등 고위급 전범 대부분 면책
ㄴ. ⓑ: 생체 실험 자료를 미국에 주고 감형 받음
ㄷ. ⓒ: 국제적인 실험 연구 윤리 강령 제정
ㄹ. ⓓ: 야스쿠니 신사를 참배하는 등 전쟁 책임 회피

① ㄱ, ㄴ ② ㄱ, ㄷ ③ ㄱ, ㄹ
④ ㄴ, ㄷ ⑤ ㄷ, ㄹ

04 (가)에 대한 설명으로 옳은 것은?

우리 (가) 의 인민들은 우리 생애에 두 번씩이나 말할 수 없는 슬픔을 인류에게 가져온 전쟁의 불행에서 다음 세대를 구하고 …… 더 많은 자유 속에서 사회적 진보의 생활 수준의 향상을 촉진할 것을 결의하였다.
- (가) (1945) -

① 베르사유 체제의 반발로 체결되었다.
② 1차 세계 대전이 종료된 후 창설되었다.
③ 군사적 강제력과 무력 제재 수단이 있다.
④ 제창국인 미국이 불참하여 영향력이 약하였다.
⑤ 군비 축소 회의를 열고 부전 조약 참가를 유도하였다.

V 대주제 마무리 풀이

교과서 204~205쪽

V 대주제 마무리

핵심 쏙쏙 내용 정리

아래의 빈칸을 완성하여 배운 내용을 정리해 보자.

스스로 점검해요

나의 성취 수준을 스스로 점검하고, 부족한 부분은 본문을 다시 확인해 보자.

1 20세기 전반 국제 정치 및 경제 질서의 변화를 두 차례의 세계 대전을 중심으로 이해한다.
상 중 하
180~193쪽

2 20세기 여성의 참정권 운동을 비롯하여 민주주의가 확산되는 과정을 구체적인 사건과 인물을 중심으로 이해한다.
상 중 하
194~197쪽

3 세계 대전 과정에서 일어난 대량 학살과 인권 침해 등의 사례를 탐구하고 평화를 유지하기 위한 노력에 대해 알아본다.
상 중 하
198~203쪽

1 세계 대전과 국제 질서의 변화

제1차 세계 대전	러시아 혁명	전후 민족 운동
• ① ( ) 사건 → 동맹국과 협상국 간의 전쟁으로 확대 → 독일의 무제한 잠수함 작전 → 미국 참전 → 독일 항복 • 전후 국제 질서의 변화: 베르사유 체제 성립, 민주주의 확산(공화정 탄생, 보통 선거)	• 2월 혁명: 제정 붕괴 → 임시 정부 수립 • ② ( ): 소비에트 정부 수립	• 중국: ③ ( ), 제1차 국·공 합작 • 서아시아: 튀르키예 공화국 수립, 팔레비 왕조의 성립 • 인도: 간디의 비폭력·불복종 운동, 네루의 무력 저항

대공황과 전체주의	제2차 세계 대전
• 대공황: 미국 주식 시장 폭락 → 전 세계에 영향 • 전체주의: 이탈리아 파시즘, 독일 ④ ( ), 일본 군국주의	독·소 불가침 조약 → 독일의 폴란드 침공 → 독일의 소련 공격 → 일본의 진주만 공격 → 이탈리아 항복 → ⑤ ( ) 상륙 작전 → 독일 항복 → 히로시마에 원자 폭탄 투하 → 일본 항복

2 민주주의의 확산

확대되는 참정권	발전하는 민주주의
• 선거법 개정 → ⑥ ( ) 도입 및 확대 • 여성 참정권 운동: 제1차 세계 대전 이후 여성 참정권이 세계 각국으로 확대	• 노동자 권리의 확대: 공장법 제정, 국제 노동 기구(ILO) 설립 • 사회권의 발전

3 인권 회복과 평화 확산을 위한 노력

대량 학살과 인권 침해	세계 평화를 위한 노력
• ⑦ ( ): 독일 나치즘의 유대인 학살 사건 • 난징 대학살: 중국 난징에서 일본군이 일으킨 전쟁 범죄 • 일본군 '위안부': 제2차 세계 대전 시기 동원되어 '위안소'에 배치된 여성 피해자	• 국제기구 창설: 제1차 세계 대전 → 국제 연맹 창설 → 제2차 세계 대전 발발 → 군사적 강제력을 갖춘 ⑧ ( ) 창설 • 다방면의 노력: 전범 재판, 유럽 통합 운동, 공동의 역사 교과서 제작 등

204

고대 국가의 정책 구호 만들기 | 역사 문항 완성하기 | 동서 문물 교류 안내 책자 만들기 | 역사 풍자화 분석하기 | 카드 뉴스로 표현하기

역사 이야기 만들기

역량 쏙쏙 수행 과제

사진은 다양한 사건 현장을 기록하는 매체로, 중요한 역사 자료 중 하나이다. 아래 사진들에 담긴 역사적 사건을 파악하고, 사건 내용이 잘 드러나는 역사 이야기를 만들어 보자.

활동 방법 ▶

1 사진과 관련 있는 역사적 사건이 무엇인지 파악한다.
2 사건과 관련하여 이야기의 주인공이 어떤 상황에 처했을지 상상해 본다.
3 주인공의 시점에서 관련 사건이 잘 드러나도록 이야기를 작성한다.
4 작성한 이야기를 짝과 바꾸어 보고, 당시 상황에 대하여 이야기를 나눈다.

예시 ▶

역사적 사건: 대공황

1929년, 나는 열세 살 어린아이였어. 언젠가부터 아버지께서는 회사에 가지 않고 근심 어린 얼굴로 집안을 서성거리셨지. 그러던 어느 날, 우연히 거리에서 아버지를 만났어. 아버지 목에는 '직업을 구한다.' 라는 내용의 커다란 구직 광고가 걸려 있었지. 거리에서 직접 직업을 구하고 계셨던 거야.

역사적 사건:

1916년, 나는 런던 근교에서 두 아이의 엄마로 살던 평범한 가정주부였어. 그러던 어느 날, 남편은 제1차 세계 대전에 참전하였고 나 역시 런던의 군수 공장에서 일하게 되었어. 왜냐하면

역사적 사건:

1938년, 유대인인 나는 나치의 박해를 피해 네덜란드로 도망치려 하였지만 비밀경찰에게 들키고 말았어. 이후에 우리 가족은 결국 아우슈비츠 수용소로 보내졌지. 수용소에서는

도움말 어려우면 183쪽과 200쪽을 참고해 보자.

스스로 평가해요

- ☐ **사실 이해** | 사진과 관련된 역사적 사건을 정확히 이해하였나요?
- ☐ **판단력** | 이야기의 내용이 역사적 사건을 잘 반영하였나요?
- ☐ **표현력** | 이야기의 흐름과 표현 방식이 적절한가요?

205

해결 열쇠 대주제에서 학습한 내용들을 복습하면서 빈칸에 알맞은 답을 채워 보아요.

핵심 쏙쏙 내용 정리

정답 ① 사라예보 ② 10월 혁명 ③ 5 · 4 운동 ④ 나치즘 ⑤ 노르망디 ⑥ 보통 선거 ⑦ 홀로코스트 ⑧ 국제 연합(UN)

역량 쏙쏙 수행 과제

활동 소개 ▶

'역사 이야기 만들기'를 통해 두 차례의 세계 대전과 대공항이라는 시대의 역사가 그시대 사람들과 어떻게 연결되는지 파악해 보자. 당시 시대 모습을 상상해봄으써 당시 사람들의 생생한 삶의 이야기를 구성해 보자.

활동 방법 ▶

1단계 예시를 통해 사진을 통해 알아볼 수 있는 상황을 찾고 알맞은 제목을 달아보아요.

2단계 위의 사진의 화자가 되어 이야기를 상상해 보아요. 이때 화자는 사진 속 인물일 수도 있고 사진 밖의 인물일수도 있어요.

3단계 1, 2단계 활동을 바탕으로 이야기를 구성해 보아요. 실제 사건에 대한 지식과 추론이 논리적으로 제시되어야 해요.

사진 분석하고 역사 이야기 만들기 활동 도우미

- 사진을 분석하기 위해서는 먼저 사진 속에 나타난 사건에 대한 조사가 필요합니다. 또한 사진 속 인물과 배경 등이 뜻하는 것을 파악하고 이를 정리해야합니다.
- 상상력에 근거한 허구가 아니라 실제 사건에 대한 지식과 이해를 바탕으로 이야기가 전개될 수 있도록 해야하며 역사적 맥락을 생각하여 이야기 속 인물들의 표정이나 대사를 상상하여 넣어주면 좀 더 다른 사람들이 이야기에 대해 쉽게 이해할 수 있습니다.

예시 답안 사진 1– • 역사적 사건: 제1차 세계 대전의 총력전
제1차 세계 대전에서 승리를 거두기 위해서는 모든 사람의 참여가 요구되었어. 각국의 국민들은 유례를 찾아볼 수 없을 정도로 깊이 전쟁에 관여하게 되었지. 그럼에도 수많은 물품, 특히 식료품이 부족하여 사람들은 기근에 시달렸어.

교과서 206~207쪽

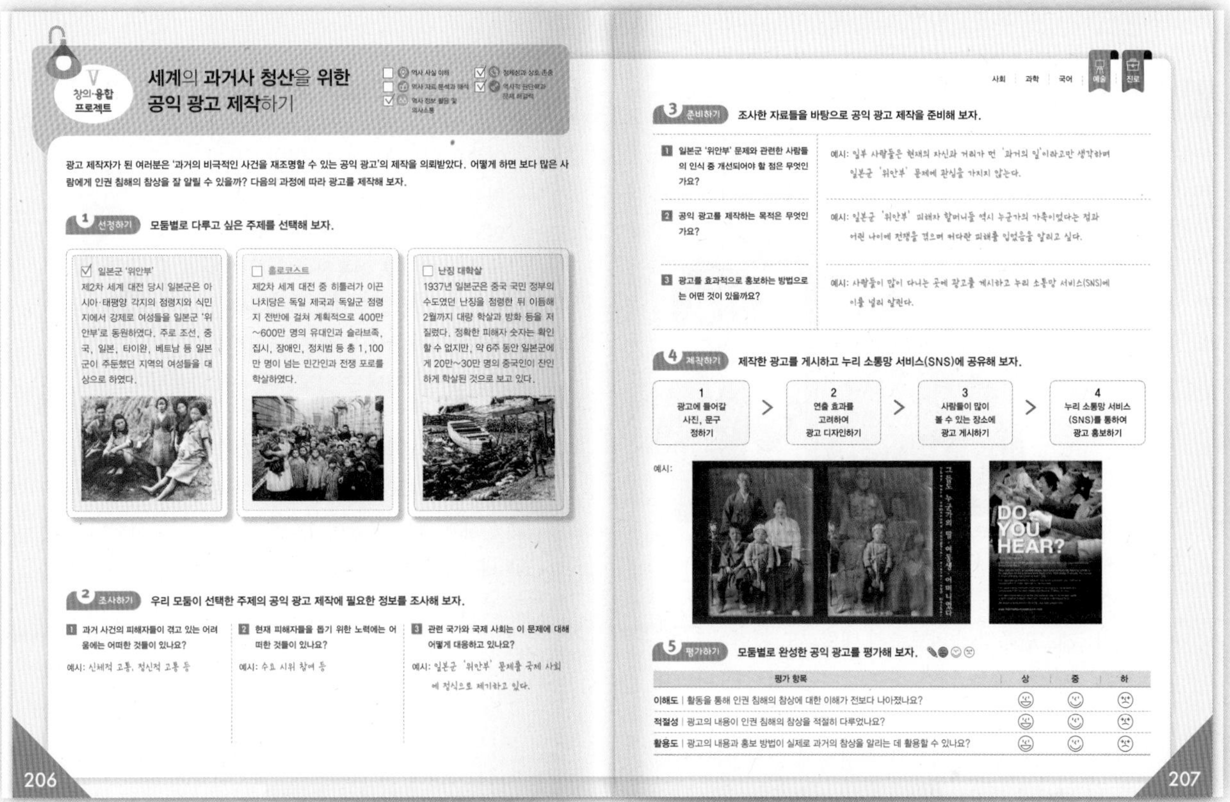

창의·융합 프로젝트

세계의 과거사 청산을 위한 공익 광고 제작하기

☐ 역사 사실 이해 ☐ 역사 자료 분석과 해석 ☑ 역사 정보 활용 및 의사소통 ☑ 정체성과 상호 존중 ☑ 역사적 판단력과 문제 해결력

광고 제작자가 된 여러분은 '과거의 비극적인 사건을 재조명할 수 있는 공익 광고'의 제작을 의뢰받았다. 어떻게 하면 보다 많은 사람에게 인권 침해의 참상을 잘 알릴 수 있을까? 다음의 과정에 따라 광고를 제작해 보자.

1 선정하기 모둠별로 다루고 싶은 주제를 선택해 보자.

☑ 일본군 '위안부'
제2차 세계 대전 당시 일본군은 아시아·태평양 각지의 점령지와 식민지에서 강제로 여성들을 일본군 '위안부'로 동원하였다. 주로 조선, 중국, 일본, 타이완, 베트남 등 일본군이 주둔했던 지역의 여성들을 대상으로 하였다.

☐ 홀로코스트
제2차 세계 대전 중 히틀러가 이끈 나치당은 독일 제국과 독일군 점령지 전반에 걸쳐 계획적으로 400만~600만 명의 유대인과 슬라브족, 집시, 장애인, 정치범 등 총 1,100만 명이 넘는 민간인과 전쟁 포로를 학살하였다.

☐ 난징 대학살
1937년 일본군은 중국 국민 정부의 수도였던 난징을 점령한 뒤 이듬해 2월까지 대량 학살과 방화 등을 저질렀다. 정확한 피해자 숫자는 확인할 수 없지만, 약 6주 동안 일본군에게 20만~30만 명의 중국인이 잔인하게 학살된 것으로 보고 있다.

2 조사하기 우리 모둠이 선택한 주제의 공익 광고 제작에 필요한 정보를 조사해 보자.

1 과거 사건의 피해자들이 겪고 있는 어려움에는 어떠한 것들이 있나요?
예시: 신체적 고통, 정신적 고통 등

2 현재 피해자들을 돕기 위한 노력에는 어떠한 것들이 있나요?
예시: 수요 시위 참여 등

3 관련 국가와 국제 사회는 이 문제에 대해 어떻게 대응하고 있나요?
예시: 일본군 '위안부' 문제를 국제 사회에 정식으로 제기하고 있다.

206

사회 | 과학 | 국어 | 예술 | 진로

3 준비하기 조사한 자료들을 바탕으로 공익 광고 제작을 준비해 보자.

1 일본군 '위안부' 문제와 관련한 사람들의 인식 중 개선되어야 할 점은 무엇인가요?
예시: 일부 사람들은 현재의 자신과 거리가 먼 '과거의 일'이라고만 생각하며 일본군 '위안부' 문제에 관심을 가지지 않는다.

2 공익 광고를 제작하는 목적은 무엇인가요?
예시: 일본군 '위안부' 피해자 할머니들 역시 누군가의 가족이었다는 점과 어린 나이에 전쟁을 겪으며 커다란 피해를 입었음을 알리고 싶다.

3 광고를 효과적으로 홍보하는 방법으로는 어떤 것이 있을까요?
예시: 사람들이 많이 다니는 곳에 광고를 게시하고 누리 소통망 서비스(SNS)에 이를 널리 알린다.

4 제작하기 제작한 광고를 게시하고 누리 소통망 서비스(SNS)에 공유해 보자.

1 광고에 들어갈 사진, 문구 정하기 > 2 연출 효과를 고려하여 광고 디자인하기 > 3 사람들이 많이 볼 수 있는 장소에 광고 게시하기 > 4 누리 소통망 서비스(SNS)를 통하여 광고 홍보하기

예시:

5 평가하기 모둠별로 완성한 공익 광고를 평가해 보자.

평가 항목	상	중	하
이해도 | 활동을 통해 인권 침해의 참상에 대한 이해가 전보다 나아졌나요?	☺	☺	☹
적절성 | 광고의 내용이 인권 침해의 참상을 적절히 다루었나요?	☺	☺	☹
활용도 | 광고의 내용과 홍보 방법이 실제로 과거의 참상을 알리는 데 활용할 수 있나요?	☺	☺	☹

207

활동 예시 답안

1단계: 선정하기

- **우리 모둠이 고른 사건(주제):** 난징 대학살
- **선정 이유:** 현재 일본과 중국 사이의 핵심 쟁점이자 동아시아에 중요한 사건이기 때문에

2단계: 조사하기

질문: 난징 대학살 피해자를 돕기 위한 활동에는 무엇이 있나요?
답변: 난징 대학살 기념관 후원금 내기

3단계: 준비하기

질문: 난징 대학살과 관련된 사람들의 인식 중 개선되어야 할 점은 무엇인가요?
답변: 일부 사람들이 이 문제를 '과거의 일'로만 인식하며 자신과 거리가 멀다고 생각한다. 그래서 이 문제에 무관심한 사람들이 많다.
질문: 공익 광고를 제작하는 목적은 무엇인가요?
답변: 제2차 세계 대전 시기 일어난 대량 학살을 알리기 위해서
질문: 광고를 효과적으로 홍보하는 방법으로 무엇이 있을까요?
답변: 누리 소통망 서비스(SNS) 활용, 유튜브 제작

4단계: 제작하기

- **광고 제작하기:** 광고 문구와 구성, 연출에 대한 결정 및 실행
- **sns 등을 통하여 공익 광고 홍보하기**

활동 소개

일본군 '위안부', 홀로코스트, 난징 대학살과 같은 주제를 제시하고 그에 대한 조사를 바탕으로 공익 광고를 제작, 공유함으로써 과거의 비극적인 사건을 재조명하고 관심을 고취시켜 세계 평화로 나아가는 시민으로 성장하도록 하는 활동입니다.

활동 도우미

공익 광고를 준비, 제작할 때 세계 대전 중에 일어난 인권 침해의 참상을 이해하고 인권 회복과 평화 확산을 위한 노력이 필요하다는 공감대가 형성되어야 해요. 누리 소통망 서비스(SNS)나 참여 이벤트 등 창의적으로 공익광고를 홍보, 공유할 수 있는 방법에 대해서도 고민해 보아요.

진로 탐방 **'광고 제작자', 그 직업이 알고 싶다!**

Q: 광고 제작자는 어떤 일을 하나요?
영상 광고에 관한 전반적인 업무에 관여하는 사람으로 즉 광고 기획 단계에서부터 제작 진행을 하는 담당합니다.

Q: 광고 제작자는 어떤 능력이 필요한가요?
어떤 상황에서 상황 · 사물을 유심히 보는 관찰력과 의미를 부여하는 습관이 필요합니다. 이러한 습관이 곧 광고의 아이디어로 표현될 수 있기 때문입니다. 또한 영화, 패션, 드라마 등 최신 트랜드에 뒤처지면 안 됩니다.

대주제를 정리하는 종합 문제

01 **다음 자료를 보고 나눈 대화 내용으로 옳지 않은 것은?**

① 누리: 사라예보 사건이 발생하게 된 배경이야.
② 다희: 발칸 반도를 '유럽의 화약고'로 표현하였어.
③ 민지: 게르만족과 슬라브족의 대립과도 관련이 깊어.
④ 상훈: 제2차 세계 대전 직전의 유럽 정서를 나타내고 있어.
⑤ 인용: 민족, 종교, 역사가 복잡하게 얽혀있는 상황을 잘 드러낸 풍자화야.

02 **다음 지도와 같은 국제 질서가 성립된 시기의 상황으로 옳은 것은?**

① 독일이 폴란드를 침공하였다.
② 일본이 하와이 진주만을 공격하였다.
③ 오스트리아·헝가리 제국이 해체되었다.
④ 독일의 무제한 잠수함 작전이 전개되었다.
⑤ 히로시마와 나가사키에 원자 폭탄이 투하되었다.

03 **다음 연설을 한 인물에 대한 설명으로 옳은 것은?**

> 영국은 인도인을 재판도 없이 감옥에 가두려고 하고 있습니다. 우리 인도인은 이를 저지해야 합니다. 영국은 자치를 허용한다는 약속을 어기고 우리 인도인의 민족운동을 탄압하고 있어요. 인도의 완전한 자치를 이루어낼 수 있도록 우리가 나섭시다.

간디

① 비폭력·불복종 운동을 전개하였다.
② 군벌을 타도하는 북벌을 추진하였다.
③ 볼셰비키를 이끌며 10월 혁명을 성공시켰다.
④ 새 사회 건설을 위한 신문화 운동을 전개하였다.
⑤ 복지 국가 이념을 제시하는 보고서를 작성하였다.

04 **(가)에 들어갈 탐구 활동으로 가장 적절한 것은?**

> 탐구 활동 계획서
>
> • 탐구 주제: 노동자의 권리 보호 과정
> • 탐구 활동:
> – 1모둠: 영국의 공장법 조사하기
> – 2모둠: 헤이마켓 전개 과정 알아보기
> – 3모둠: (가)

① 포츠담 회담의 내용 파악하기
② 전체주의 등장 배경 알아보기
③「베버리지 보고서」 이념 알아보기
④ 노동 기본권의 내용과 목적 조사하기
⑤ 에밀리 데이비슨 운동가에 대해 조사하기

난이도	상●●●	중●●●	하●●●
정답률	50% 미만	50~70%	70% 이상

정답과 해설 32~33쪽

05 (가)~(마) 시기에 대한 설명으로 옳은 것은?

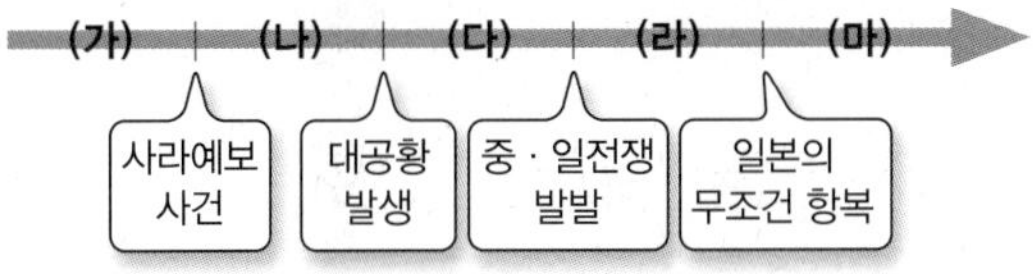

① (가): 미국은 뉴딜 정책을 실시하였다.
② (나): 승전국 위주의 베르사유 체제가 등장하였다.
③ (다): 평화 유지를 위한 국제 연맹이 창설되었다.
④ (라): 소비에트 사회주의 공화국 연방이 수립되었다.
⑤ (마): 무스타파 케말이 튀르키예 공화국을 수립하였다.

06 (가)에 대한 설명으로 옳은 것을 |보기|에서 고른 것은?

|보기|
ㄱ. 전범에 대한 특별법이 존재하지 않는다.
ㄴ. 천황도 예외없이 고위급 전범 재판을 받았다.
ㄷ. 제2차 세계 대전 이후 인도주의에 반하는 책임을 추궁하고자 열렸다.
ㄹ. 생체 실험의 충격으로 실험 연구 윤리인 「뉘른 베르크 강령」이 제정되었다.

① ㄱ, ㄴ ② ㄱ, ㄷ ③ ㄴ, ㄷ
④ ㄴ, ㄹ ⑤ ㄷ, ㄹ

서술형 문제

07 (가)에 들어갈 특징 세 가지를 쓰시오.

역사 탐구 보고서

주제: 제1차 세계 대전의 달라진 전쟁 양상
1. 주제 선정 동기: 제1차 세계 대전은 인적·물적 측면에서 기존의 전쟁과는 비교할 수 없을 정도로 큰 피해를 남겼다. 기존의 전쟁과 어떤 점에서 달라졌는지를 알고 제1차 세계 대전의 특징을 밝히고자 한다.
2. 제1차 세계 대전이 기존의 전쟁과 다른 점
(가)

08 자료를 보고 물음에 답하시오.

제1차 세계 대전 이후 미국 경제는 비약적으로 성장하였다. 그러나 생산은 크게 늘었지만 소비가 이를 따라가지 못하여 창고에는 재고가 쌓여 갔다. 이러한 가운데 미국 뉴욕의 증권 시장에서 주식 가격이 폭락하였고 이후 수많은 은행과 공장이 도산하고 실업자가 급증하였다. 미국의 경제 위기는 전 세계적으로 확산되었다.

(1) 미국에서 시작된 위와 같은 현상을 일컬어 무엇이라 하는지 쓰시오.

(2) 위와 같은 상황을 타개하고자 미국의 루스벨트 대통령이 취한 정책과 그 내용을 서술하시오.

현대 세계의 전개와 과제

이 대주제를 배우면 »

- 냉전 체제의 형성과 변화 과정을 말할 수 있어요.
- 세계화와 지역화의 전개 과정과 이로 인한 경제적 · 문화적 변화를 설명할 수 있어요.
- 세계 각 지역에서 전개된 탈권위주의 운동과 대중문화의 발달을 모습을 탐구할 수 있어요.
- 현대 세계가 당면한 다양한 문제들의 역사적 원인을 파악할 수 있어요.

나의 학습 계획표

대주제 표지 사진 해설 ▶ 오른쪽 사진은 독일에 있는 '무너진 베를린 장벽에서 환호하는 시민들'의 모습이에요. 이를 통해 세계 대전 이후 베를린 장벽이 설치된 배경과 냉전 시기의 갈등을 추측해 보고, 베를린 장벽의 붕괴와 함께 탈냉전이 가져온 변화를 생각해 보아요.

학습 계획일	학습일	나의 목표 달성도
월 일	월 일	☆ ☆ ☆ ☆ ☆
월 일	월 일	☆ ☆ ☆ ☆ ☆
월 일	월 일	☆ ☆ ☆ ☆ ☆
월 일	월 일	☆ ☆ ☆ ☆ ☆
월 일	월 일	☆ ☆ ☆ ☆ ☆
월 일	월 일	☆ ☆ ☆ ☆ ☆
월 일	월 일	☆ ☆ ☆ ☆ ☆
월 일	월 일	☆ ☆ ☆ ☆ ☆
월 일	월 일	☆ ☆ ☆ ☆ ☆
월 일	월 일	☆ ☆ ☆ ☆ ☆
월 일	월 일	☆ ☆ ☆ ☆ ☆
월 일	월 일	☆ ☆ ☆ ☆ ☆
월 일	월 일	☆ ☆ ☆ ☆ ☆

1 냉전 체제와 제3 세계의 형성

학습 목표
냉전 체제의 대결 구도와 냉전 시기 비서구 지역에서 전개된 열전의 과정을 이해한다.

주제 1 냉전 체제의 성립

1 미국과 소련을 중심으로 냉전 체제가 형성되다

(1) 배경

① 2차 세계 대전 이후 미국과 소련의 대립 심화

② 공산주의 정권의 등장(동유럽 각국) 및 공산주의 세력의 부상(그리스와 튀르키예 등)

(2) 전개: 자본주의 진영과 공산주의 진영의 대립

자본주의 진영	• 미국의 트루먼 독트린 · [1]마셜 계획 발표 • 북대서양 조약 기구(NATO) 창설
공산주의 진영	• 소련을 중심으로 동유럽 각국에 공산 정권 수립 • 공산당 정보국(코민포름)과 경제 상호 원조 회의([2]코메콘) 조직 • 바르샤바 조약 기구(WTO) 조직

왜? 미국 대통령 트루먼은 공산주의 세력의 확대를 막으려고 자본주의 진영 국가에게 군사적 경제적 원조를 제공하겠다고 했어.

(3) 결과: 냉전 체제(미국 중심의 자본주의 진영과 소련 중심의 공산주의 진영 간의 대립) 형성

(4) 영향: 소련의 [3]베를린 봉쇄(1948) → 베를린 장벽 건설(1961)

2 냉전이 열전으로 확산되다

(1) 배경: 미국과 소련은 정면 충돌은 일어나지 않음. → 비서구 지역에서 열전 발생

무엇을? 냉전과 달리 본격적으로 무력을 사용하며 충돌하는 맹렬한 전쟁을 말해.

(2) 주요 분쟁

① 중국: 공산당이 국민당과의 내전에서 승리 → 중화 인민 공화국 수립(1949)

② 대한민국: 북한의 남침으로 6 · 25 전쟁 발발(1950)

③ 쿠바: 쿠바 미사일 기지 설치 문제로 미 · 소 대립(1962)

④ 베트남: 북베트남(공산당)과 남베트남의 대립으로 [4]베트남 전쟁 발발(1964)

❶ 마셜 계획
미국의 국무 장관인 마셜의 제안에 따라 실시된 유럽 경제 부흥을 위한 원조 계획을 말한다.

❷ 코메콘
유럽의 경제 부흥 지원을 위한 미국의 마셜 계획에 대항하기 위해 1949년에 소련 주도로 창설된 공산권 국가들의 경제 협력 기구이다.

❸ 베를린 봉쇄
소련이 서독에서 서베를린으로 가는 육상 · 수상 통로를 봉쇄하자 미국은 비행기로 물자를 수송하여 이에 맞섰다. 이후 동독은 서베를린을 둘러싸는 장벽을 설치하였다.

❹ 베트남 전쟁

핵심 자료 트루먼 독트린

그리스가 소수 무장 세력의 지배 아래 들어가면, 그 이웃인 튀르키예에 대한 영향은 즉각적이며 매우 심각할 것입니다. …… 이와 같은 중차대한 시점에서 우리가 그리스와 튀르키예에 원조를 하지 못한다면, 그 영향은 동서양을 막론하고 매우 광범위할 것입니다. 우리는 즉각적이고도 단호한 조치를 취해야만 합니다. 따라서 저는 1949년 6월 30일까지 그리스와 튀르키예에 4억 달러에 달하는 원조를 제공할 수 있도록 의회가 승인하기를 요청합니다.

-트루먼 대통령의 의회 연설, 1947-

핵심
미국 대통령 트루먼이 위와 같은 연설을 한 까닭은 무엇일까?

제2차 세계 대전이 끝난 후 동유럽 여러 나라에 공산주의 정권이 들어서면서 소련의 영향력이 점차 커지고, 그리스와 튀르키예에서 공산주의 세력이 강하게 부상하였다. 이에 미국은 1947년에 트루먼 독트린을 통해 공산주의 세력의 위협에 빠진 그리스와 튀르키예에 적극 개입해서 경제 · 군사적으로 지원하겠다는 계획을 발표하였다. 곧이어 서유럽 경제 재건을 위한 기금을 제공하는 마셜 계획을 발표하였다.

정답과 해설 33쪽

확인해 봐요

1 (   )은/는 자본주의 진영과 공산주의 진영이 대립한 것을 의미한다.

2 (   )은/는 공산주의 세력을 막기 위해 자본주의 진영에 경제적 원조를 하겠다고 하였다.

3 (   )에서는 미사일 설치 문제를 두고 미국과 소련이 대립하였다.

교과서 활동 풀이

가자! 역사 속으로

교과서 210쪽

제2차 세계 대전 후 세계는 미국을 중심으로 한 자본주의 진영과 소련을 중심으로 한 공산주의 진영으로 나뉘어 긴장 상태가 지속되었습니다. 이러한 상태를 '냉전'이라고 합니다.

✔ 미국과 소련을 중심으로 한 대립 관계를 왜 냉전이라고 불렀을까요?

예시 답안 직접적인 무력 충돌은 없었으나, 정치 · 외교 · 경제적으로 대립 관계가 지속되어 차가운 전쟁이라는 뜻으로 냉전이라고 하였다.

자료 해설

왼쪽은 미국, 오른쪽은 소련을 나타냅니다. 당시 미국과 소련은 핵무기, 미사일 개발 등을 통해 서로 경쟁하였지만, 직접적인 무력 충돌을 하지는 않았지요.

탐구 해봐요 냉전과 열전

교과서 211쪽

베를린 봉쇄 소련이 베를린을 봉쇄하자 미국, 영국 등 연합국은 서베를린 주민들에게 물자를 비행기로 실어 날랐다.

활동 도우미

지도를 통해 자본주의 진영과 공산주의 진영에는 어떤 국가들이 있는지 살펴보세요. 그리고 냉전의 곳곳에서 열전이 일어났던 나라들과 사례들을 알아보세요.

가 중국의 공산화(1949)

국민당과 공산당의 내전에서 마오쩌둥이 이끈 공산당이 승리하면서 중화 인민 공화국을 수립하였다. 이때 패배한 국민당은 타이완으로 밀려났다.

나 6·25 전쟁 발발(1950)

대한민국에서는 북한의 남침으로 6·25 전쟁이 발발하였다. 6·25 전쟁은 유엔군과 중국군이 참전하면서 국제전의 양상을 띠었다.

다 쿠바 미사일 위기(1962)

미국과 소련의 핵무기와 미사일 경쟁이 심화되던 중 1962년 소련이 쿠바에 미사일 기지를 설치하였다. 이에 양국은 핵전쟁 발발 직전 상황까지 치달았다.

라 베트남 전쟁 발발(1964)

공산당이 지배하는 북베트남과 미국의 지원을 받은 남베트남 사이에 발생한 전쟁이다. 북베트남에 남베트남이 항복하며 끝났다.

1 (가)~(라) 사건이 발생한 국가를 지도에서 찾아보고, 빈칸에 국명을 써 보자.

2 제시된 자료를 바탕으로 제2차 세계 대전 이후 나타나 대립 구도에 관해 서술해 보자.

예시 답안 미국을 중심으로 한 자본주의 진영과 소련을 중심으로 한 공산주의 진영이 대립하였다.

스스로 확인해요

❶ 미국은 공산주의 세력의 확산을 막고자 트루먼 독트린을 발표하였다. (○)

❷ 제2차 세계 대전 이후 세계는 자본주의 진영과 공산주의 진영으로 나뉘어 대립하는 냉전 체제가 형성되었다.

이 주제의 핵심

이 주제에서는 냉전 체제와 열전에 대해 배웠어요.
여기에서는 냉전 체제가 형성된 배경과 전개 과정, 비서구 지역에서 발생했던 열전의 사례들을 꼭 기억해 두세요!

1 냉전 체제와 제3 세계의 형성

학습 목표
2차 세계 대전 이후 아시아와 아프리카의 변화를 이해하고 제3세계가 무엇인지 설명할 수 있다.

주제 2 아시아 · 아프리카의 독립과 제3 세계의 형성

1 제2차 세계 대전 이후 아시아·아프리카 각국이 독립하다

(1) 배경: 아시아 · 아프리카 민족 운동 전개 → 제2차 세계 대전 이후 독립

(2) 전후 아시아 세계의 변화
① 인도: 영국으로부터 독립(1947) → 인도(힌두교)와 파키스탄(이슬람교)으로 분리
② 동남아시아: 필리핀, 미얀마, 인도네시아 등의 독립

(3) 전후 아프리카 세계의 변화
① 아프리카 가나의 독립(1957)
② [1]'아프리카의 해': 1960년 17개국 국가들이 독립을 달성
③ 알제리: 프랑스의 식민지 → 민족 해방 전선 결성, 독립 전쟁 → 독립(1962)

2 비동맹 노선을 채택한 제3 세계가 등장하다

배경	아시아 · 아프리카의 신생 독립국 → 반제국주의, 비동맹 노선 추구 누구? 대부분 식민 지배를 경험한 국가들이고, 자본주의·공산주의 어느 진영에도 가담하지 않은 국가들을 가리켜.
전개	• 중국의 저우언라이와 인도의 네루의 「평화 5원칙」 채택(1954) • 아시아 · 아프리카 회의(1955): 인도네시아의 반둥에서 아시아 · 아프리카 29개 회원국 참가하여 평화 「10원칙 발표」(국제 분쟁의 평화적 해결과 상호 존중의 원칙 제시)
영향	미국과 소련 중심의 냉전 체제 완화와 [2]다극화에 기여

❶ '아프리카의 해'
1960년을 말하며, 제2차 세계 대전 이후 많은 신흥 독립 국가가 탄생한 것을 말한다. 이 해에 소말리아, 모리타니, 차드, 니제르, 말리 연방, 코트디부아르, 나이지리아, 카메룬, 콩고 민주 공화국, 가봉 등이 독립을 달성하였다.

❷ 다극화
3개 이상의 강한 국가들이 중심이 되어 형성한 국제 구조를 뜻한다. 미국 중심의 자본주의 진영과 소련 중심의 공산주의 진영으로 대립하였던 양극화에 대비되는 말로 쓰인다.

핵심 자료 아시아 · 아프리카 여러 나라의 독립

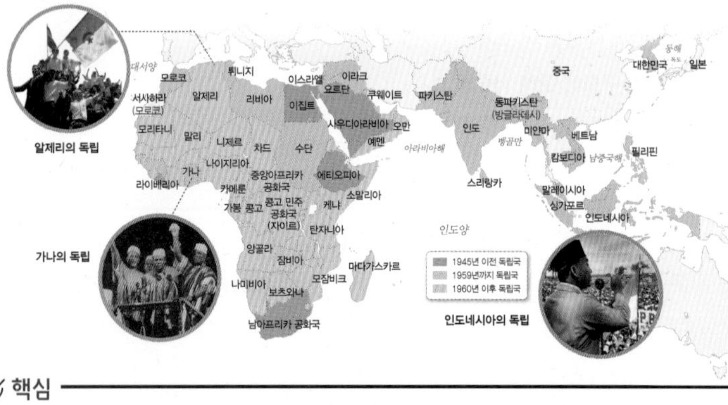

✓ 핵심

제3 세계에 속한 나라들의 공통점은 무엇일까?

제3 세계에 속한 국가들은 대부분 제2차 세계 대전 이후 독립한 신생국들이다. 이들은 제국주의 열강의 식민 지배를 받은 공통점을 가지고 있다.

정답과 해설 33쪽

확인해 봐요

1 제2차 세계 대전 후 아시아 · 아프리카 신생 독립국들은 반식민주의를 내세우며 (　　　) 을/를 형성하였다.

2 네루와 저우언라이는 1954년 콜롬보에서 (　　　)을/를 제시하였다.

3 1955년 (　　　)에 참석한 아시아 · 아프리카의 대표들은 「평화 10원칙」을 발표하였다.

교과서 활동 풀이

가자! 역사 속으로

교과서 212쪽

전후 아시아 · 아프리카의 신생 독립국은 자본주의 진영(제1 세계)과 공산주의 진영(제2 세계) 어느 편에도 가담하지 않겠다며 제3 세계를 형성하였습니다.

제3 세계는 왜 등장하였을까요?

예시 답안 2차 세계 대전 이후 냉전이 과열된 가운데, 자본주의 진영와 공산주의 진영 그 어디에도 가담하지 않고 상호 존중 및 평화 공존을 위해 제3 세계가 등장하였다.

자료 해설

1961년 유고슬라비아 베오그라드에서 열린 제1차 비동맹 국가 정상 회의에서, 이집트의 나세르와 인도의 네루, 유고슬라비아의 티토 등 25개국 정상이 참여하여 비동맹 운동을 결성하였다.

교과서 사진 자료 중국의 저우언라이와 인도의 네루

교과서 213쪽

1954년 6월 인도의 델리에서 중화 인민 공화국의 총리 저우언라이와 인도의 수상 네루가 '평화 5원칙'을 합의하였다. 당시 중국과 인도는 어렵게 쟁취한 독립을 미국과 소련에 맞서 지켜내는 것이 중요한 과제였다. 특히 중국은 타이완의 국민당 정부를 후원하는 미국의 정책으로, 인도는 파키스탄과의 분리로 어려움을 겪고 있었다. 이런 상황에서 저우언라이와 네루는 이념을 초월하여 인류 평화를 위해 협력할 것을 세계에 호소하였다.

중국의 저우언라이(좌)와 인도의 네루(우)

활동 도우미

중국의 총리인 저우언라이와 인도의 수상 네루가 만나서 「평화 5원칙」에 합의한 이유가 무엇일지 생각해 보아요.

탐구 해봐요 아시아 · 아프리카 회의의 「평화 10원칙」

교과서 213쪽

「평화 10원칙」(1955)

1. 기본적 인권 및 유엔 헌장의 목적과 원칙을 존중한다.
2. 모든 국가의 주권과 영토 보존을 존중한다.
3. 모든 인종과 국가의 평등을 인정한다.
4. 다른 나라의 내정에 간섭하지 않는다.
8. 국제 분쟁은 유엔 헌장에 따른 화해, 중재, 조정 등의 평화적 수단에 의해 해결한다.
9. 상호 이익과 협력을 촉진한다.

아시아·아프리카 회의 장면(1955)

1 빈칸을 채우고, 아시아 · 아프리카 회의에서 채택한 원칙의 기본 방향을 적어 보자.

예시 답안 각국 간의 상호 존중과 평화적인 분쟁 해결, 비동맹주의를 기본 원칙으로 제시하였다.

2 아시아와 아프리카의 여러 국가들이 「평화 10원칙」을 채택한 이유를 생각해 보자.

예시 답안 미국과 소련 중심의 세계 질서를 거부하고, 신생 독립국의 발언권과 지위를 높이기 위해서이다.

활동 도우미

반둥에서 아시아 · 아프리카의 나라들이 모여서 회의를 한 이유가 무엇인지 살펴보고, 「평화 10원칙」의 내용을 알아보아요.

스스로 확인해요

❶ 전후 아프리카 대륙에서 17개국이 독립한 1960년을 '아프리카의 해'라고 한다. (○)

❷ 아시아와 아프리카의 신생 독립국은 냉전 체제의 양 진영 모두와 동맹하지 않는 비동맹 노선을/를 채택하였다.

이 주제의 핵심

이 주제에서는 제2차 세계 대전 이후 아시아 · 아프리카의 독립 과정과 제3 세계에 대해 배웠어요. 여기에서는 아시아와 아프리카의 신생 독립국들이 제3 세계를 추구하며 비동맹 노선을 채택한 이유를 파악하는 것이 중요합니다. 더불어 아시아 · 아프리카 회의의 「평화 10원칙」의 내용이 무엇인지도 알아두세요.

시험을 대비하는 실전 문제

기초를 튼튼하게 확인 문제

01 서로 관련 있는 내용끼리 연결하시오.

㉠ 독일 • • ⓐ 국 · 공 내전
㉡ 중국 • • ⓑ 베를린 봉쇄
㉢ 쿠바 • • ⓒ 미사일 위기

02 아래 설명이 맞으면 ○, 틀리면 ×로 표시하시오.

(1) 제2차 세계 대전 이후 자본주의 진영과 공산주의 진영이 대립하는 냉전 체제가 형성되었다. ( )
(2) 소련은 마셜 계획을 발표하여 유럽 경제 재건을 위한 원조를 하였다. ( )
(3) 베트남에서는 공산당이 지배하는 남베트남과 미국의 지원을 받은 북베트남 사이에 전쟁이 발생하였다. ( )
(4) 소련이 베를린을 봉쇄하자, 미국, 영국 등 서방 국가들은 비행기로 서베를린 주민들에게 물자를 공급하였다. ( )

03 |보기|의 사건들을 순서대로 나열하시오.

| 보기 |
ㄱ. 아프리카의 해　　ㄴ. 6 · 25 전쟁 발발
ㄷ. 트루먼 독트린　　ㄹ. 베트남 전쟁 발발

04 빈칸에 알맞은 말을 쓰시오.

(1) 아프리카에서는 1960년 한 해에 17개국이 독립하여, 이 해를 ( )(이)라고 부른다.
(2) 아시아와 아프리카의 신생 독립국 중 자본주의 진영과 공산주의 진영 사이에서 어느 쪽에도 속하지 않은 ( )이/가 등장하였다.
(3) 인도네시아 반둥에서 열린 아시아 · 아프리카 회의에서 ( )을/를 채택하였다.

내신을 탄탄하게 내신 문제

01 (가)에 대한 설명으로 옳은 것은?

① 미국은 트루먼 독트린을 발표하였다.
② 자본주의 진영은 소련을 중심으로 하였다.
③ 공산주의 진영은 미국을 중심으로 하였다.
④ 소련은 마셜 계획을 발표하여 유럽에 경제 원조를 하였다.
⑤ 북대서양 조약 기구(NATO)를 결성하여 경제 상호 원조를 약속하였다.

중요
02 다음 시기에 발생한 일로 옳지 않은 것은?

미국 중심의 자본주의 진영과 소련 중심의 공산주의 진영이 대립하는 냉전 체제가 형성되었다. 그러나 비서구 지역에서는 열전으로 확산되기도 하였다.

▲ 쿠바 미사일 위기(1962)

① 베트남 전쟁이 발발하였다.
② 독일에 베를린 장벽이 설치되었다.
③ 우리나라에서 6 · 25 전쟁이 일어났다.
④ 마오쩌둥이 중화 인민 공화국을 수립하였다.
⑤ 노르망디 상륙 작전으로 연합군이 프랑스를 해방시켰다.

정답과 해설 33~34쪽

신유형

03 **다음은 냉전 체제 시기 양대 강국 사이의 대립을 정리한 역사 요점 정리 노트이다. (가), (나)에 들어갈 말로 옳은 것은?**

역사 요점 정리

• 냉전 체제 시기 양대 강국 사이의 대립

구분	주도국	군사 기구
자본주의 진영	(가)	북대서양 조약 기구
공산주의 진영	소련	(나)

(가) (나)
① 중국 코메콘
② 미국 마셜 계획
③ 중국 마셜 계획
④ 미국 바르샤바 조약 기구
⑤ 일본 바르샤바 조약 기구

04 **(가)에 들어갈 내용으로 가장 적절한 것은?**

주제: (가)
내용
– 중국의 공산화
– 6 · 25 전쟁의 발발
– 쿠바 미사일 위기
– 베트남 전쟁 발발

① 세계화가 전개되다.
② 제3 세계가 등장하다.
③ 냉전 체제가 붕괴되다.
④ 냉전이 열전으로 확산되다.
⑤ 탈권위주의 운동이 전개되다.

05 **다음과 같은 전쟁이 일어나게 된 원인으로 옳은 것은?**

베트남 전쟁

1. 원인: (가)
2. 과정:
① 북베트남 공산 정권: 남베트남 공산주의세력 지원 → 베트남 통일 시도
② 미국: 위기를 느끼고 남베트남에 물자와 병력 지원
③ 북베트남과 남베트남의 대립
3. 결과: 미국 철수, 남베트남 정부 붕괴 → 남북 통일(1975)

① 국민당과 공산당의 내전
② 기독교와 이슬람교의 대립
③ 전체주의 국가들의 침략 전쟁
④ 제국주의 국가들 간의 식민지 쟁탈전
⑤ 자본주의 진영과 공산주의 진영의 대립

06 **지도에 나타난 시기에 아시아 · 아프리카의 상황으로 옳은 것을 모두 고른 것은?**

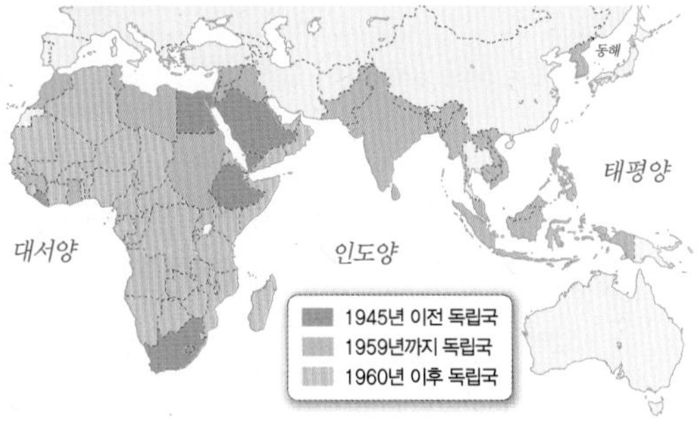

① 베트남은 동서로 분단되었다.
② 아프리카는 1960년에 17개국이 독립하였다.
③ 알제리는 프랑스의 지배를 벗어나지 못하였다.
④ 필리핀, 미얀마는 영국의 지배를 계속 받았다.
⑤ 인도는 종교적 대립으로 인도와 파키스탄이 분리되었다.

07 (가)에 대한 설명으로 옳지 <u>않은</u> 것은?

① 비동맹주의를 표방하였다.
② 미국과 소련이 주도하였다.
③ 국제 분쟁의 평화적인 해결을 주장하였다.
④ 주로 아시아와 아프리카의 신생 독립국이 포함되었다.
⑤ 이집트의 나세르, 인도의 네루, 유고의 티토가 주창하였다.

중요

08 다음 서술형 평가의 답안에 들어갈 내용으로 옳은 것은?

서술형 평가

|**보기**|의 사건이 세계사에 끼친 영향을 서술하시오.

|**보기**|
제3 세계 등장, 「평화 10원칙 채택」, 비동맹 노선 채택

답안|

① 냉전이 완화되기 시작하였다.
② 아시아와 아프리카가 분열되었다.
③ 중국과 소련간의 분쟁이 심화되었다.
④ 미국과 소련 사이의 도발이 계속되었다.
⑤ 대한민국에서 남북 간의 이념 갈등이 심해졌다.

09 다음과 같은 원칙이 제시되었던 회의로 옳은 것은?

역사 통합 검색
http://www.OOOO.co.kr
백과사전 (가) 검색

| 검색결과

이 회의 이후 다음과 같은 원칙이 제시되었다.

「평화 10원칙」

1. 기본적 인권과 국제 연합 헌장 존중
2. 영토와 주권 존중
3. 인종과 국가 간의 평등
4. 내정 불간섭
8. 국제 분쟁의 평화적 해결
10. 정의와 국제 의무의 존중

① 카이로 회담　② 콜롬보 회의
③ 포츠담 회담　④ 베오그라드 회의
⑤ 아시아 · 아프리카 회의

10 |보기|의 사건을 순서대로 나열한 것으로 옳은 것은?

| **보기** |

① ㄱ－ㄴ－ㄷ－ㄹ　② ㄱ－ㄷ－ㄴ－ㄹ
③ ㄴ－ㄷ－ㄹ－ㄱ　④ ㄴ－ㄹ－ㄱ－ㄷ
⑤ ㄷ－ㄴ－ㄱ－ㄹ

정답과 해설 33~35쪽

만점에 도전하는 심화 문제

신유형
01 (가)에 들어갈 내용으로 옳은 것은?

> 역사 탐구 보고서
>
> * 탐구 주제: (가)
> * 탐구 내용: 트루먼 독트린, 마셜계획, 코민포름, 코메콘, 베를린 봉쇄, 북대서양 조약 기구

① 냉전의 완화
② 제3 세계의 등장
③ 국제연합의 창설
④ 냉전 체제의 성립
⑤ 제2차 세계대전의 발발

중요
02 다음 연설과 관련된 사실로 옳지 <u>않은</u> 것은?

> 그리스가 소수 무장 세력의 지배 아래 들어가면, 그 이웃인 튀르키예에 대한 영향은 즉각적이며 매우 심각할 것입니다. …… 이와 같은 중차대한 시점에서 우리가 그리스와 튀르키예에 원조를 하지 못한다면, 그 영향은 동서양을 막론하고 매우 광범위할 것입니다. 우리는 즉각적이고도 단호한 조치를 취해야만 합니다. 따라서 저는 1949년 6월 30일까지 그리스와 튀르키예에 4억 달러에 달하는 원조를 제공할 수 있도록 의회가 승인하기를 요청합니다.

① 트루먼의 의회 연설의 일부이다.
② 이 연설 이후 미국은 마셜 계획을 발표하였다.
③ 그리스와 튀르키예에서 공산주의 세력이 부상하였다.
④ 바르샤바 조약 기구(WTO)를 조직하여 대응하고자 하였다.
⑤ 이 연설 이후 미국과 소련이 대립하는 냉전 체제가 형성되었다.

03 다음은 인도의 독립과 분열 과정에 관한 글이다. (가)~(다)에 들어갈 말로 옳은 것은?

> 인도의 민족 운동 과정에서 나타난 가장 큰 문제는 힌두교를 믿는 (가) 와 이슬람교를 믿는 (나) 사이의 심각한 종교적 갈등이었다. 결국 영국은 1947년 8월에 파키스탄과 인도를 각기 분리하여 독립시켰다. 독립한 파키스탄은 인도를 사이에 두고 동파키스탄과 서파키스탄으로 나뉘어 있었는데, 동파키스탄은 독립 투쟁을 벌여 1971년에 (다) (으)로 독립하였다.

	(가)	(나)	(다)
①	인도	파키스탄	방글라데시
②	인도	방글라데시	파키스탄
③	파키스탄	인도	방글라데시
④	파키스탄	방글라데시	인도
⑤	방글라데시	인도	파키스탄

신유형
04 다음 원칙을 알아보기 위한 탐구 활동으로 가장 적절한 것은?

> 「평화 10원칙」
>
> 1. 기본적 인권과 국제 연합 헌장 존중
> 2. 영토와 주권 존중
> 3. 인종과 국가 간의 평등
> 4. 내정 불간섭
> 8. 국제 분쟁의 평화적 해결
> 10. 정의와 국제 의무의 존중

① 마셜 계획의 발표 배경을 살펴본다.
② 베트남 전쟁의 결과에 대해 조사한다.
③ 베를린 장벽 붕괴의 결과를 파악한다.
④ 쿠바 미사일 위기가 일어난 원인을 살펴본다.
⑤ 아시아 · 아프리카 회의의 결정 사항을 조사한다.

2 세계화와 경제 통합

학습 목표
냉전의 완화와 사회주의의 붕괴 과정을 설명할 수 있다.

주제 3 냉전의 완화와 해체

1 냉전 체제가 변화하다

(1) 냉전 체제의 변화

① [1]닉슨 독트린(1969): 아시아에 대한 미국의 직접적 군사 개입 축소, 아시아 각국의 협력 강조

② 미국의 변화: 베트남에서 철수, 중국과의 관계 개선

③ 서독의 동독 승인

(2) 다극 체제

① 아시아 · 아프리카에서 제3 세계의 등장(양극 체제 → 다극 체제)

② 소련과 중국의 사회주의 노선 분쟁, 유고슬라비아의 독자 노선 천명

③ 프랑스 북대서양 조약 기구(NATO) 탈퇴, 서독과 일본이 경제 대국으로 발돋움

2 냉전 체제가 붕괴되다

(1) 소련의 해체

① 배경: 1970년대 이후 공산당 일당 독재 체제 · 통제 경제 체제 강화 → 소수에게 권력 집중, 경제 정체

② 전개

고르바초프의 개혁	• [2]개혁(페레스트로이카)와 개방(글라스토스트) 표방 왜? 침체되어 가는 소련 사회에 활기를 불어 넣기 위해 개혁과 개방 정책을 추구하였어. • 일당 독재 완화, 시장 경제 도입 • 목적: 사회주의 체제 개선
소련의 해체	• 소련을 이루던 각 공화국의 독립 선포 • 소련 해체(1991) → 독립 국가 연합(CIS) 출범

(2) 동유럽 사회주의 정권의 붕괴

① 배경: 개혁의 요구 분출

② 전개

- 헝가리, 폴란드, 체코슬로바키아: 정치적 민주화 달성, 시장 경제 체제 이행 → 냉전 체제 붕괴
- 독일 통일(1990): 동독의 민주화와 통일 요구 → 베를린 장벽 붕괴(1989) → 독일 통일(서독에 의한 흡수 통일)

3 중국, 개혁·개방 정책을 추진하다

(1) [3]문화 대혁명: 급진적인 사회주의 경제 정책 추진 실패 → 문화 대혁명 → 사회 혼란

무엇을? 마오쩌둥의 사상을 강조하고 중국의 전통문화와 자본주의를 부정하는 운동이야.

왜? 수많은 정치인과 지식인이 탄압당하였기 때문이야.

(2) 덩샤오핑의 개혁: 개혁 · 개방 정책 추진(실리주의)

(3) 톈안먼 사건(1989): 개혁 · 개방 추진 과정에서 부정부패 발생 → 학생 및 지식인들이 부정부패 추방 요구 시위 → 무력 진압

---

❶ 닉슨 독트린
미국 대통령 닉슨은 1969년 7월 괌에서 앞으로는 베트남 전쟁과 같은 군사적 개입은 자제하고, 아시아 각국의 방어를 간접적으로만 지원하겠다고 선언했다.

❷ 개혁(페레스트로이카) · 개방(글라스토스트)
1985년 소련의 새 지도자가 된 고르바초프가 정치의 민주화를 추진하고 시장 경제 원리를 도입하여 소련으로 사회주의 체제를 변화시키려 한 정책을 말한다.

❸ 문화 대혁명
마오쩌둥의 사상을 강조하고 중국의 전통문화와 자본주의를 부정하는 운동으로, 1966년부터 10년 동안 전개되었다. 이때 수많은 정치인과 지식인이 탄압받았다.

정답과 해설 35쪽

확인해 봐요

1 닉슨 독트린 발표 이후 냉전 체제가 시작되었다. (○, ×)

2 소련이 해체된 후 11개 공화국이 독립 국가 연합(CIS)를 결성하였다. (○, ×)

3 문화 대혁명으로 중국은 개혁 · 개방 정책에 성공하였다. (○, ×)

교과서 활동 풀이

가자! 역사 속으로

교과서 214쪽

1972년 미국 대통령 닉슨과 중국 주석 마오쩌둥은 탁구를 매개로 해서 만났습니다. 이 만남은 냉전 체제에 새로운 역사를 쓴 뜻깊은 사건으로 '핑퐁 외교'라고 불립니다.

✔ 핑퐁 외교를 계기로 냉전 체제에는 어떤 변화가 나타났을까요?

예시 답안 미국과 중국의 관계가 개선되면서 냉전의 긴장감이 완화되는 분위기가 조성되었다.

활동 도우미

탁구와 같은 스포츠를 매개로 해서 적대적인 관계를 개선한 사례인 핑퐁 외교에 대해 알아보고, 이후 냉전 체제가 어떻게 변화하였는지 파악해 보아요.

Q 닉슨 독트린 이후 냉전 체제에는 어떠한 변화가 나타났을까?

교과서 214쪽

"
- 미국은 앞으로 베트남 전쟁과 같은 군사적 개입을 피한다.
- 미국은 강대국의 핵 위협을 제외하고는 내란이나 침략에 대하여 아시아 각국이 스스로 협력하여 그에 대처하기를 바란다.
"

중국을 방문한 닉슨 대통령(1972)

예시 답안 닉슨 독트린 이후 미국은 베트남에서 군대를 철수시키고 중국과 수교를 하는 등 긴장 완화를 위해 노력하였다.

활동 도우미

닉슨 독트린의 내용을 파악하고 이로 인해 냉전 체제에 나타난 변화를 생각해 보아요.

교과서 지도 자료 소련의 해체와 동유럽의 변화

교과서 215쪽

소련은 고르바초프의 개혁 개방 정책으로 소련의 각 독립국들이 독립을 선포하여 소련이 해체되었다. 동유럽에서도 개혁의 요구로 정치적 민주화가 나타났으며 냉전 체제가 붕괴되었다.

활동 도우미

소련의 해체 원인을 알아보고 소련의 해체로 동유럽에 어떤 변화가 있었는지 파악해 보아요.

교과서 사진 자료 톈안먼 사건

교과서 215쪽

마오쩌둥 사후 실권을 장악한 덩샤오핑은 이른바 '흑묘백묘론'을 내세우며 성장을 위한 적극적인 개혁을 추진하였다. 중국의 동남 해안에 경제 특구를 설치하고 외국의 자본과 기술을 끌어들였다. 기업의 이윤 추구와 사유 재산을 인정하는 등 자본주의적 경제 요소를 수용하였다. 이후 중국 경제는 급속한 성장을 보였다. 그러나 부의 편중과 빈부 격차 그리고 공산당과 정부 기관의 부정과 부패도 늘어났다. 이러한 사회 현실에 대한 비판이 제기되고, 민주화 요구가 터져 나왔다. 1989년 5월 톈안먼 광장에 모인 수천 명의 시위대는 민주적인 정치 개혁을 요구하면서 대규모 시위 운동을 벌였다.

활동 도우미

톈안먼 광장에 시민들이 모인 까닭이 무엇이며, 시민들이 요구한 내용이 무엇일지 알아보아요.

스스로 확인해요

❶ 아시아 각국의 협력을 강조한 닉슨 독트린으로 냉전 체제가 공고화하였다. (×)

❷ 소련의 고르바초프은/는 사회주의 체제 개선을 위해 시장 경제를 도입하고 일당 독재를 완화하였다.

이 주제의 핵심

냉전이 완화된 계기가 되는 내용들을 하나하나 알아두는 것이 중요합니다.
특히 닉슨 독트린으로 냉전이 완화되기 시작하여, 소련이 해체되면서 동유럽에 나타난 변화, 중국이 개혁 개방을 하게 되는 과정을 살펴 봅시다.

2 세계화와 경제 통합

학습 목표
세계화가 가져온 경제와 문화 변화를 설명할 수 있다.

주제 4 세계화가 불러온 경제 · 문화의 변화

1 세계화가 전개되다

(1) 세계화

① 의미: 상품과 서비스, 자본, 노동 등이 국경을 넘어 자유롭게 이동
② ❶신자유주의 경제 체제 대두: 자유 시장과 규제 완화를 강조 → 세계화 가속화
③ ❷세계 무역 기구(WTO) 출범(1995): 국제 무역 분쟁 조정, 관세 인하 요구 → 자유무역 촉진

(2) 지역화

① 의미: 지역 단위로 국가 간 협력을 강화 → 지역별 경제 협력체 형성
② 사례: 유럽 연합(EU), 동남아시아 국가 연합(ASEAN), 아시아 · 태평양 경제 협력체(APEC), 라틴 아메리카 통합기구(ALADI) 등

2 세계화로 경제·문화의 변화가 일어나다

경제적 변화	• 자본과 노동의 국제적 이동 → 세계 시장의 통합이 가속화 • 자본이 빠져나간 국가: 일자리 부족 • 노동 유입 국가: 외국인 노동자 이주에 따른 문제 발생
문화적 변화	• 세계적인 교류 증가 → 각국의 문화 융합, 다양한 문화 발전 • 특정 문화 확산 → 문화 획일화, 문화 소멸 현상 발생 • 각국의 문화 차이 → 문화 갈등 증대

❶ **신자유주의 경제 체제**
신자유주의 경제 체제는 자유 시장과 규제 완화를 강조하는 체제로, 정부의 역할을 줄이고자 하였다. 또한 사회 복지 예산도 줄이고, 공공 서비스를 제공하는 공공 기관들을 민영화하는 등 자유 시장 경제를 강조하고 있다.

❷ **세계 무역 기구(WTO)**
세계 무역 기구는 자유 무역을 토대로 국가 간 경제 분쟁에 대한 판결과 강제 집행, 국가 간 분쟁이나 마찰을 조정하는 역할을 한다. 특히 다자간 무역 체제의 효율성을 높이고, 산업 무역의 세계화와 함께 국경 없는 무한 경쟁 시대로 돌입하는 새로운 국제 무역 환경 기반을 조성하였다.

핵심 자료 유럽 연합의 탄생

1. 역내에 장벽이 없는 영역을 창조하고 경제 및 사회의 일체성을 강화하고 궁극적으로는 단일 통화를 포함하여 경제 통화 연합을 달성할 것.
2. 최종적으로 공동 방위 정책을 형성하는 것을 포함하여 공동 대외 정책 · 안전 보장 정책을 특별히 시행함으로써 국제 무대에서 스스로의 정체성을 주장할 것.

－「마스트리흐트 조약」, 1993. －

핵심
유럽 연합이 탄생한 목적은 무엇일까?

제2차 세계 대전이 발발한 유럽은 경제적인 패권을 미국과 소련에 넘겨주게 되었다. 그러자 유럽은 유럽 내 단일 시장을 구축하고 단일 통화를 실현하여 유럽의 경제 · 사회 발전을 촉진하고자 하였다. 이에 유럽 석탄 · 철강 공동체(ECSC)를 시작으로 유럽 경제 공동체(EEC), 유럽 공동체(EC)를 거쳐 유럽 연합(EU)를 만들었으며 유럽 시민권이 도입되고 유럽 공동 화폐인 '유로'가 통용되어 유럽의 경제 통합이 크게 진척되었다. 그러나 최근 그리스와 에스파냐 등의 일부 회원국의 재정 위기와 영국의 유럽 연합 탈퇴로 인해 유럽 연합의 미래를 우려 섞인 시각으로 보는 사람들도 늘고 있다.

정답과 해설 35쪽

확인해 봐요

1 신자유주의 경제 체제에서는 (정부/시장)의 역할을 강조하였다.
2 (세계화/지역화)은/는 상품, 서비스, 자본, 노동 등이 국경을 넘어 자유롭게 이동하는 것을 의미한다.
3 (유럽 연합(EU)/세계 무역 기구(WTO))은/는 유럽의 경제 · 사회 발전을 위해 결성되었다.

교과서 활동 풀이

가자! 역사 속으로

교과서 216쪽

우리가 즐겨 입는 청바지는 세계 각국의 합작품입니다. 영국에서 디자인하고, 베낭에서 만든 옷감을 이탈리아에서 염색하고, 튀니지에서 바느질을 하는 등의 과정을 거쳐 제작합니다.

청바지가 여러 나라의 협업으로 만들어지게 된 배경은 무엇일까요?

예시 답안 세계화가 촉진되면서 자본과 노동, 정보 등이 국경을 넘어 자유롭게 이동하게 되었기 때문이다.

자료 해설

청바지가 여러 나라에서 디자인, 부자재 생산, 바느질 등이 분업을 통해 만들어지는 것을 보여주는 그림이다. 세계화 시대에 상품과 서비스뿐만 아니라 자본과 노동이 활발하게 이동하고 있음을 알 수 있다.

교과서 지도 자료 지역별 경제 협력체

교과서 216쪽

냉전 체제가 무너지고 자본주의가 확산되면서 국가 간 상호 협력을 통한 경제적 이익 추구가 중요한 과제로 나타났다. 이로 인해 공동의 경제 이익을 추구하는 다양한 경제 협력체가 형성되고 있다. 경제 협력체는 지역 국가 간 교역량이 늘어나고 정치적 안정을 도모하는 긍정적인 영향도 있으나 소외된 지역은 경제가 나빠지는 부정적 영향도 나타난다.

탐구 해봐요 세계화가 전 세계에 미친 영향

교과서 217쪽

1 자료1 ~ 자료3 을 보고 세계화 현상이 세계 여러 지역에 어떤 변화를 가져왔는지 설명해 보자.

예시 답안 다국적 기업으로 자본과 노동의 국제적 이동이 활발해졌지만, 이로 인해 국가간 및 지역간 경제 격차 및 이주 노동자의 인권 문제등이 발생하기도 하였다. 또 세계화로 문화의 전파와 융합이 이루어져, 다양한 문화를 누릴 수 있게 되었다.

2 세계화 현상의 긍정적 영향과 부정적 영향을 토의해 보자.

다국적 기업, 문화 융합, 문화 획일화, 문화 갈등 검색

예시 답안 • 긍정적 영향: 경제와 문화의 영역이 확대되고, 경제적 효율성과 생산성이 향상되었으며, 폭넓은 문화 선택이 가능해졌다.
• 부정적 영향: 경쟁이 과열되어 국가 간의 경제 갈등이나 환경 문제가 발생했으며, 이주민의 인권 문제가 발생하기도 하였다. 또한 서구 문화의 확산으로 문화가 획일화되는 측면이 있다.

활동 도우미

제시된 자료를 보고 세계화 현상이 미친 영향이 무엇일지 생각해보고, 세계화로 인한 긍정적인 측면과 부정적인 측면을 토의해 보아요.

스스로 확인해요

❶ 1970년대 후반 등장한 신자유주의 경제 체제는 정부의 역할을 중시하는 새로운 경제 정책이다. (×)
❷ 전 세계적으로 상품과 서비스, 자본, 노동 등이 국경을 넘어서 자유롭게 이동하는 세 계 화 이/가 전개되고 있다.

이 주제의 핵심

이 주제에서는 세계화와 지역화, 이로 인해 나타난 경제 · 문화적 변화에 대해 배웠어요. 상품과 서비스, 자본, 노동 등이 국경을 넘어 자유롭게 이동하는 세계화의 의미를 정확히 이해하는 것이 중요합니다. 세계화로 인해 세계 시장의 통합이 가속화 되었으며, 다양한 문화를 누릴 수 있게 되는 등 세계적으로 경제 · 문화의 변화가 일어나고 있음을 함께 알아 두세요.

시험을 대비하는 실전 문제

기초를 튼튼하게 확인 문제

01 서로 관련 있는 내용끼리 연결하시오.

㉠ 미국 •   • ⓐ 닉슨 독트린
㉡ 중국 •   • ⓑ 문화 대혁명
㉢ 소련 •   • ⓒ 독립 국가 연합 출범

02 아래 설명이 맞으면 ○, 틀리면 ×로 표시하시오.

(1) 닉슨 독트린 이후 미국과 소련의 이념 대립이 심화되었다. ( )
(2) 신자유주의 경제 체지가 대두하면서 세계화 · 지역화가 가속화되었다. ( )
(3) 세계화의 영향으로 외국인 노동자의 인권 문제가 대두되었다. ( )
(4) 자본주의가 전세계에 확산되면서 경제에 있어서 정부의 역할이 강화되었다. ( )

03 |보기|의 사건들을 발생한 순서대로 나열해 보시오.

| 보기 |
ㄱ. 미국과 중국의 수교   ㄴ. 독일의 통일
ㄷ. 덩샤오핑의 개혁 · 개방정책   ㄹ. 소련의 해체

04 빈칸에 알맞은 말을 쓰시오.

(1) 닉슨 대통령은 핑퐁 외교를 통해 ( )와/과 수교를 하였다.
(2) ( )은/는 소련의 영향력이 감소된 상황에서 1990년 통일을 이루었다.
(3) 소련의 지도자 ( )은/는 개혁 · 개방 정책을 추진하여 정치의 민주화를 추진하고 시장 경제 원리를 도입하려 하였다.

내신을 탄탄하게 내신 문제

중요
01 1960년대 이후 미국과 소련의 영향력이 점차 약화된 배경으로 옳지 않은 것은?

① 제3 세계가 등장하였다.
② 닉슨 독트린이 발표되었다.
③ 소련과 중국 사이에 이념 논쟁이 발생하였다.
④ 프랑스가 북대서양 조약 기구(NATO)를 탈퇴하였다.
⑤ 미국과 소련 사이에 핵무기와 미사일 위기가 발생하였다.

02 (가)에 들어갈 내용으로 옳은 것은?

탐구 주제: (가)

▶ 모둠별 탐구 활동
• 1모둠: 서독의 동독 승인
• 2모둠: 미국 대통령 닉슨의 중국 방문
• 3모둠: 소련과 중국의 사회주의 이념 논쟁
• 4모둠: 유고슬라비아와 프랑스의 독자 노선

① 중국의 공산화
② 냉전 체제의 완화
③ 미국과 소련의 대립
④ 자본주의 세계의 확대
⑤ 사회주의 정권의 붕괴

03 (가)에 들어갈 인물로 옳은 것은?

역사 카드

소련에 자본주의 시장 경제 원리를 도입한 (가)

1985년에 권력을 잡은 그는 이후 공산주의 경제 체제의 비효율성을 개선하기 위해 개혁(페레스트로이카)과 개방(글라스노스트) 정책을 추진하였다.

① 옐친 ② 푸틴 ③ 스탈린
④ 후르시쵸프 ⑤ 고르바쵸프

04 (가)에 들어갈 내용으로 적절한 것은?

이 도시는 과거 장벽에 의해 동서로 나뉘어졌다. …… 1989년 11월 9일 통행 자유화 정책이 발표되면서 장벽은 무너지게 되었고 이후 (가)

① 「평화 10원칙」이 채택되었다.
② 바르샤바 조약 기구가 창설되었다.
③ 고르바초프가 개혁 · 개방 정책을 선언하였다.
④ 소련이 해체되고 독립 국가 연합(CIS)이 출범하였다.
⑤ 동독이 독일 연방에 가입하여 통일이 이루어지게 되었다.

05 다음에서 설명하는 사건을 일컫는 말은?

① 국 · 공 내전 ② 톈안먼 사건
③ 문화 대혁명 ④ 글라스노스트
⑤ 페레스트로이카

신유형

06 다음 사진의 사건들을 발생한 순서대로 나열한 것으로 옳은 것은?

ㄱ. 문화 대혁명

ㄴ. 톈안먼 사건

ㄷ. 덩샤오핑의 개혁 · 개방 정책

ㄹ. 중화 인민 공화국 수립

① ㄱ－ㄴ－ㄷ－ㄹ ② ㄱ－ㄷ－ㄹ－ㄴ
③ ㄴ－ㄷ－ㄹ－ㄱ ④ ㄹ－ㄱ－ㄷ－ㄴ
⑤ ㄴ－ㄷ－ㄹ－ㄱ

중요
07 다음 질문에 대한 답변으로 옳지 않은 것은?

http://www.OOOO.co.kr

묻고 답하기 세계사 질의 응답

질문 냉전 체제가 무너지면서 세계 경제에 나타난 변화에 대해 알려주세요.

답변
① 세계 무역 기구(WTO)가 설립되었다.
② 자본, 노동 등이 국경을 넘어 자유롭게 이동하였다.
③ 지역 단위로 국가 간 협력을 강화하는 움직임이 나타났다.
④ 자유 시장과 규제 완화를 강조하는 신자유주의 경제 체제가 대두하였다.
⑤ 전쟁으로 파괴된 유럽 경제의 재건을 위해 미국이 대대적인 원조를 하였다.

08 (가)에 들어갈 조직으로 옳은 것은?

역사 통합 검색

http://www.OOOO.co.kr

백과사전 (가) 검색

검색결과

유럽 주요 국가들이 네덜란드의 마스트리흐트에 모여 경제 · 화폐 동맹과 공동 외교 · 안보 정책 등에 합의하여 1993년에 창립한 조직이다.

① 유럽연합(EU)
② 세계 무역 기구(WTO)
③ 동남 아시아 국가 연합(ASEAN)
④ 라틴 아메리카 통합 기구(ALADI)
⑤ 아시아 · 태평양 경제 협력체(APEC)

09 다음과 같은 현상이 발생하게 된 원인으로 옳은 것은?

역사 요점 정리

– 원인: (가)

– 나타나게 된 현상

▲ 다국적 기업

▲ 문화의 전파

① 세계화의 전개
② 냉전 체제의 형성
③ 「평화 10원칙」 채택
④ 유럽 연합(EU)의 결성
⑤ 아프리카 국가들의 독립

10 밑줄 친 '오늘날 세계에 나타난 현상'으로 옳은 것을 |보기|에서 고른 것은?

|보기|
ㄱ. 다양한 문화의 전파로 문화 갈등이 해결되었다.
ㄴ. 개발 도상국과 선진국 간의 빈부 격차가 심해졌다.
ㄷ. 이념 갈등으로 지구 곳곳에서 열전이 발생하고 있다.
ㄹ. 냉전 체제의 붕괴 후 자본주의 경제 질서가 확대되었다.

① ㄱ, ㄴ ② ㄱ, ㄷ ③ ㄴ, ㄷ
④ ㄴ, ㄹ ⑤ ㄷ, ㄹ

만점에 도전하는 심화 문제

신유형

01 다음 선언문 이후 일어난 일로 옳지 않은 것은?

① 중국이 공산화되었다.
② 미국과 중국의 관계가 개선되었다.
③ 국제 질서가 다극 체제로 바뀌어 갔다.
④ 미국은 베트남에서 군대를 철수하였다.
⑤ 냉전이 완화되는 분위기가 조성되었다.

신유형

02 선생님의 질문에 대한 학생의 답변으로 옳은 것은?

선생님 : "이 지도는 소련이 해체되고 독립 국가 연합(CIS)이 출범한 것을 표현한 지도입니다. 이런 상황이 발생하게 된 배경은 무엇일까요?"

① 아프리카의 해가 나타났습니다.
② 트루먼 독트린이 발표되었습니다.
③ 동유럽 국가들이 민주화를 요구하였습니다.
④ 덩샤오핑이 개혁·개방 정책을 추진하였습니다.
⑤ 고르바초프가 개혁·개방 정책을 추진하였습니다.

중요

03 다음 대화를 보고 질문의 답변으로 옳지 않은 것은?

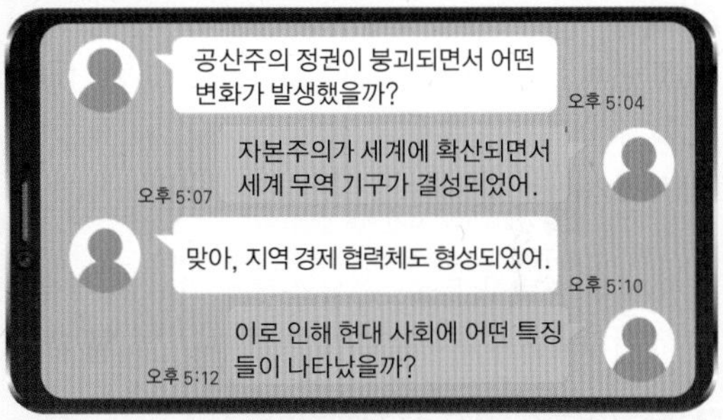

① 보호 무역 정책이 강화되었다.
② 신자유주의 경제 체제가 대두하였다.
③ 자본주의 경제 질서가 전 세계로 확대되었다.
④ 개발 도상국과 선진국 사이에 빈부 격차 문제가 발생하였다.
⑤ 노동자의 유입으로 외국인 노동자의 인권 문제가 발생하였다.

04 다음 지도와 같은 경제 질서에 대한 내용으로 옳은 것을 |보기|에서 고른 것은?

| 보기 |
ㄱ. 지역 공동체　　ㄴ. 경제 협력체
ㄷ. 제3 세계 국가 연합　　ㄹ. 사회주의 국가 연합

① ㄱ, ㄴ　② ㄱ, ㄷ　③ ㄱ, ㄹ
④ ㄴ, ㄷ　⑤ ㄴ, ㄹ

3 탈권위주의 운동과 대중문화의 발달

학습 목표
청년 문화와 탈권위주의 운동이 무엇인지 이해한다.

주제 5 청년 문화의 형성과 탈권위주의 운동

1 청년 문화가 형성되다

(1) 배경

① 전후 경제 성장: 교육에 대한 투자 강화, 대학 교육 확대
② 대중 매체의 발전

(2) 내용: 대중문화 소비

왜? 제2차 세계 대전 이후 성장한 젊은 세대들은 정치 이념, 전쟁 등을 반대하였어. 또한 기성세대의 권위주의에 저항하고 문화를 형성하고 탈권위주의 운동을 전개하였지.

① 자유 분방한 문화, 규율과 통제 거부 (예: 장발과 청바지, 팝송(로큰롤) 등)
② 기성세대에 반하는 문화 형성 (예: ❶히피 문화)

2 탈권위주의 운동이 전개되다

배경	• 권위주의적 정치 문화에 저항, 청년들의 자유분방한 문화 형성
전개	• 68운동: 대학생들이 대학 개혁과 민주화 주장하며 대규모 시위(프랑스) • 노동자들의 대규모 파업(임금 인상 및 노동 조건 개선 요구) • 미국: 베트남 전쟁 반대, 인종 차별 반대 운동, 성별에 따른 불평등 반대 운동 전개 • 유럽 전역, 미국, 멕시코, 일본 등지로 확산

3 사회 운동이 확산되다

(1) 배경

① 탈권위주의의 결과: 대학 개혁 및 노동 조건 개선
② 권위적인 문화 완화, 양성평등

(2) 영향

① 사회 운동의 전개: ❷민권 운동, 여성 운동, ❸반전 운동, 환경 운동 등 다양한 분야의 사회 운동이 전개
② 사회 운동의 확산: 좌우 이념 대립의 정치 문화 쇠퇴, 노동 운동 중심 → 다양한 분야로 사회 운동 확산

❶ 히피
1960년대부터 미국을 중심으로 일어난 탈사회적인 행동을 하는 사람들을 일컫는 말이다.

❷ 민권
민권은 국민의 권리를 의미하는 것으로, 특히 정치에 참여할 수 있는 권리인 참정권을 뜻한다.

❸ 반전 운동
전쟁에 반대하고 평화를 지키고자 하는 운동을 의미한다.

정답과 해설 36쪽

확인해 봐요

1 청년들은 기성세대의 권위주의적인 문화에 저항하였다. (○, ×)

2 68운동 이후 좌우 이념 대립의 문화가 더욱 강화되었다. (○, ×)

3 최근에는 노동 운동 중심이었던 사회 운동이 다양한 분야로 확산되었다. (○, ×)

핵심 자료 탈권위주의 운동이 미친 영향

자료 1 (가) 검은 장갑 퍼포먼스, '1968년 올림픽 흑인 인권 시위'

멕시코시티 올림픽 육상 남자 200m 결승에서 1, 3위로 들어온 미국의 흑인 선수들이 흑인 차별에 반대하는 의미로 검은 장갑을 낀 손을 치켜들었다. 그 옆에 있던 오스트레일리아의 백인 선수는 이에 동참하는 배지를 달았다.

자료 2 (나) 레이첼 카슨, 『침묵의 봄』

…… 역사상 처음으로 모든 인간은 태아 때부터 죽을 때까지 위험한 화학 물질과 접촉하게 되었다. …… 12년 전에 살포된 화학 물질이 지금까지 토양에 남아 있거나 물고기, 새, 파충류, 그리고 가축과 야생 동물 등 거의 모든 생명체의 몸에 싸이게 되었다.

핵심

(가)와 (나)와 같은 행동과 주장이 나오게 된 이유는 무엇일까? 또 어떤 영향을 미쳤을까?

(가) 미국 내 흑인 차별에 반대하는 의미로 검은 장갑을 낀 손을 들었고, 이후 흑인 차별을 금지하는 법을 제정하는 데 영향을 미쳤다.
(나)는 화학 물질이 인간과 자연에 얼마나 유해한지를 고발한 책으로 환경오염의 심각성을 알리는 데 기여하였다.

교과서 활동 풀이

가자! 역사 속으로

교과서 218쪽

1968년 5월 프랑스 파리에서는 "금지하는 것을 금지한다."라는 구호를 외치며 대학생들이 사회 운동을 벌였습니다.

대학생들이 주장하고자 한 것은 무엇일까요?

예시 답안 기성세대의 권위주의와 억압에 저항하며, 자유와 해방을 주장하였다.

활동 도우미

자료를 통해 1968년 당시 프랑스 대학생들이 68운동을 통해 주장한 내용이 무엇일지 상상해 보아요.

교과서 사진 자료 히피 문화와 우리나라 청년 문화의 등장

교과서 218쪽

1960~70년대 미국 청년층 사이에서는 전쟁과 물질주의를 비판하고 탈사회적 행동을 하는 히피 문화가 유행하였다. 기존의 관념, 제도, 가치관 등을 부정하고 탈사회적, 반사회적으로 행동하는 것이 특징이다. 히피 문화는 우리나라에도 영향을 미쳐 박정희 정부의 군부 독재 체제에 저항하는 문화로 자리 잡았다. 남성들은 장발로, 여성들은 미니스커트로 각종 규제와 억압에서 벗어나려고 하거나, 청바지를 입고 통기타 반주에 민중가요를 부르며 기성세대의 문화에 저항하기도 하였다.

활동 도우미

히피 문화가 나타난 배경과 그 특징이 무엇인지 알아보고, 우리나라의 청년 문화에 어떤 영향을 주었는지 생각해 보아요.

Q 1960년대 이후 전개된 사회 운동에서 공통으로 나타나는 특징은 무엇일까?

교과서 219쪽

민권 운동

미국에서는 1950년대부터 흑인 차별을 반대하는 민권 운동이 전개되었다. 이는 1963년에 20만 이상이 모인 워싱턴 행진으로 이어졌으며, 결국 인종 차별을 불법화하는 「민권법」이 제정되었다. 더 나아가 「투표권법」이 제정되어 흑인의 투표권이 보장되는 등 과거 억압받던 사람들의 처우가 법적으로 개선되는 성과를 얻었다.

◀ 마틴 루서 킹

1960년대 민권 운동을 위한 대중적인 시위를 조직하였다.

여성 운동

68 운동을 전후하여 여성들도 이전보다 더 광범위하고 치열하게 자기 목소리를 내기 시작하였다. 여성들은 남성과 여성의 '다름'을 강조하고, 신체에 대한 자기 결정권과 남녀의 평등한 권리를 주장하였다. 1968년 다겐햄 포드 자동차 공장에서는 여성들이 동일 노동을 하는 남성들과 동일한 임금 지급을 요구하여 동일 임금을 받는 성과를 이루기도 하였다.

◀ 1968년 파업에 참여한 여성 노동자들

반전 운동

미국 내 청년들은 정부의 베트남 전쟁 개입에 대한 비판의 목소리를 높였다. 청년들은 '이 전쟁이 과연 누구를 위한 것인가?'라는 물음을 던지며 반전 운동을 펼쳤다. 1967년에는 워싱턴 반전 행렬이 길게 이어졌다. 이러한 반전 요구는 독일, 프랑스 등지로 퍼져 나갔다.

미국 내 반전 운동 ▶

환경 운동

탈권위주의 운동은 기존의 산업 문명에 대한 반성으로 연결되어 환경 운동이 확산되기 시작하였다. 이들은 원자력 발전소 건설을 반대하는 반핵 운동을 전개하였다. 이후 유럽 각국에 환경 정당인 녹색당이 만들어졌고 의회에도 진출해서 활동하고 있다.

◀ 반핵 운동의 상징

활동 도우미

1960년대 이후 세계 각 지역에서 전개된 다양한 운동들의 사례를 살펴보며, 당시 사회 운동에서 나타나는 특징이 무엇인지 생각해 보아요.

예시 답안 1960년대 이후 전개된 사회 운동은 기성 사회의 권위주의와 억압적인 문화에서 벗어나고자 하였으며, 주류 사회에 저항하거나 소수의 자유, 평화 등을 확대하고자 노력하였다.

스스로 확인해요

❶ 새로운 세대의 청년들은 보수적인 기성세대와 권위주의적 정치 문화에 저항하였다. (○)

❷ 탈권위주의 운동의 흐름 속에서 민권 운동, 여성 운동, 반전 운동, 환경 운동 등 사회 운동이 전개되었다.

이 주제의 핵심

이 주제에서는 2차 세계 대전 이후 청년 문화가 형성된 배경을 살펴보고, 이후 탈권위주의 운동이 전개된 과정을 살펴보았어요. 여기에서는 청년 문화의 배경과 특징, 탈권위주의로 인해 나타난 결과에 대해 알아 두세요!

3 탈권위주의 운동과 대중문화의 발달

학습 목표
대중문화의 발달로 탈권위주의 문화가 확산되었음을 이해한다.

주제 6 대중문화의 발전

1 대중 사회가 대중문화로 발달하다

(1) 배경: [1]대중 매체의 확산, 대중의 영향력 확대 → 대중 사회의 발달

(2) 특징

누구? 교육이 크게 확대되고 경제력이 향상되면서 일반 대중들의 수준이 향상되고 영향력이 확대되어, 대중문화를 향유할 수 있는 계층이 성장하였어.

탈권위주의의 문화 확산	• 새로운 장르의 등장 : 팝송([2]로큰롤), 영화, 드라마, [3]팝 아트 등 • 저항 운동을 상징하는 인물과 노래 등장
문화의 획일화	• 전통문화 약화, 물질적 가치 중요시 • 미국 문화의 전 세계 확산 → 획일화

2 대중 소비 사회가 나타나다

(1) 새로운 소비 주체의 등장: 청년, 여성, 노동자 등 새로운 계층의 영향력 확대

(2) 자본주의적 소비 영역 확대: 소비자의 욕구를 자극하는 상품 개발, 광고 제작

핵심 자료 팝 아트

팝아트는 파퓰러 아트(Popular Art, 대중 예술)를 줄인 말로, 1960년대 뉴욕을 중심으로 일어난 미술의 한 경향을 가리킨다. 기존의 '예술적'인 것에 반대하며, 상업적이고, 소모적이고 대중적인 예술을 추구하며, 기존 예술의 생각을 뒤바꾸었다. 신문의 만화, 상업디자인, 영화의 스틸, TV 등 다양한 이미지를 주제로 삼고 있다.

리히텐슈타인의 「우는 여인」

도발적인 우는 여인의 표정이 인상적인 이 작품은 인쇄할 때 생긴 망점을 두드러지게 표현하여, 현대 인쇄 기술이 '눈속임'이라는 것을 풍자하기도 하였다.

올덴버그 「떨어지는 콘」

독일 쾰른의 한 쇼핑센터에 설치한 작품이다. 팝아트 예술가 올덴버그는 원래 있어야 할 곳을 벗어난 대규모의 물건들을 설치하여 신선함과 재미를 선사하였다.

핵심

위와 같은 팝아트가 유행하게 된 이유는 무엇일까?

대중문화가 발달하고, 기성세대에 저항하는 문화가 형성되면서, 미술에서도 기존 예술에 반발하며 대중적인 예술을 추구하는 팝아트라는 장르가 형성되었다.

---

❶ 대중
지위, 계급, 직업, 학력, 재산 등의 사회적 속성을 초월한 불특정 다수의 사람들로 이루어진 집합체를 의미한다.

❷ 로큰롤
1950년대 중반부터 미국에서 일어나 세계적으로 대중 음악의 한 주류를 이룬 연주스타일과 리듬의 명칭이다.

❸ 팝 아트
전통적 예술개념을 타파한 미술 운동으로 리히텐슈타인, 앤디 워홀 등이 대표적이다.

정답과 해설 36쪽

확인해 봐요

1 대중 매체의 확산으로 전통문화의 가치가 중요시 되었다. (○, ×)

2 대중문화가 발달하면서 문화가 획일화 되었다. (○, ×)

3 탈권위주의의 문화가 확산되면서 기존의 권위에 저항하는 문화가 나타났다. (○, ×)

교과서 활동 풀이

가자! 역사 속으로 ✓ **이러한 대중문화가 발달하게 된 배경은 무엇일까요?** 교과서 220쪽

오른쪽 작품은 미국 팝 아트의 거장 앤디 워홀의 「메릴린 먼로」입니다. 앤디 워홀은 대중문화 요소를 대량으로 복제하는 팝 아트라는 새로운 장르를 개척하였습니다.

예시 답안 대중 매체의 확산과 대중의 경제력 향상 및 영향력이 확대되어 대중이 문화를 소비하는 대중문화가 발달하였다.

자료 해설

앤디 워홀은 1960년대 미국을 중심으로 일어난 팝아트의 선구자로, 대중적 이미지를 작품의 소재로 등장시켜 대중에게 큰 인기를 끌었다.

스스로 확인해요

❶ 대중 매체가 확산되면서 대중문화가 발달하였다. (○)

❷ 대중 사회가 발전하면서 다수 대중이 일상적으로 누리는 대 중 문 화이/가 발달하였다.

역량 키우기 역사 탐구 **대중문화와 탈권위주의 운동의 확산** 교과서 221쪽

제2차 세계 대전 이후 지속된 경제 호황과 대중 매체의 등장은 대중문화의 발달을 가져왔다. 대중문화의 전개 과정을 보고, 대중문화가 탈권위주의 운동에 끼친 영향을 파악해 보자.

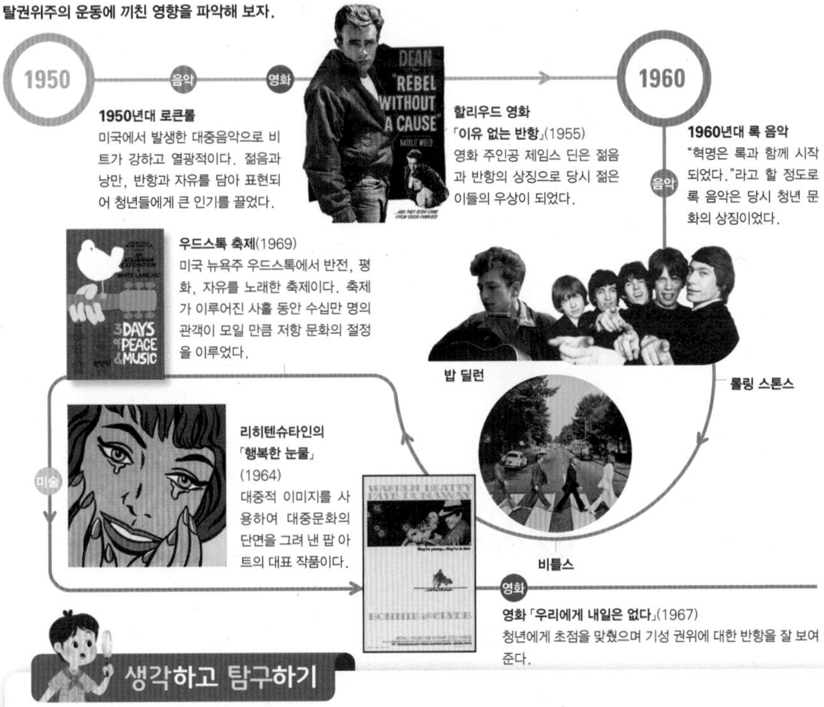

자료 해설

이유없는 반항', '우리에게 내일은 없다' 등의 영화는 기성 사회에 대한 불만과 청년들의 저항정신을 잘 보여 주고 있다. 또한 롤링 스톤스, 비틀스 등은 록 음악을 통해 자유를 찬미하고 억압으로부터의 해방을 노래하였으며, 새로운 미술 경향인 팝 아트는 대중적인 소재를 미술 작품으로 등장시켰다.

생각하고 탐구하기

1 각 장르에서 공통으로 나타난 대중문화의 특징을 적어 보자.

예시 답안 기성 사회의 권위주의적 문화를 비판하고 저항하는 특징을 가지고 있다.

2 제시된 자료를 토대로 대중문화가 탈권위주의 운동의 확산과 어떤 연관이 있는지 설명해 보자.

예시 답안 탈권위주의 및 사회 운동으로 기존의 권위에 저항하는 문화가 형성되었고, 대중 매체의 발달로 이러한 문화가 퍼지면서 탈권위주의 운동도 확산되었다.

이 주제의 핵심

이 주제에서는 대중문화의 특징과 대중 소비 사회에 대해 배웠어요. 대중 매체의 확산과 대중의 경제력 향상 등으로 인해 대중문화가 발달했음을 이해하고, 대중문화의 발달로 탈권위적인 문화가 더욱 확산될 수 있었음을 이해하는 것이 중요합니다.

시험을 대비하는 실전 문제

기초를 튼튼하게 확인 문제

01 서로 관련 있는 내용끼리 연결하시오.

㉠ 반전 운동 • • ⓐ 반핵 운동
㉡ 민권 운동 • • ⓑ 베트남 전쟁 반대
㉢ 환경 운동 • • ⓒ 검은 장갑 퍼포먼스

02 아래 설명이 맞으면 ○, 틀리면 ×로 표시하시오.

(1) 제2차 세계 대전이 끝나고 세계 경제가 어려워지면서, 청년들은 실업 문제에 반발하며 청년 문화를 형성하였다. ( )

(2) 탈권위주의 운동은 기성세대의 권위주의적인 문화에 반발하였다. ( )

(3) 대중문화가 발달로 전통문화에 대한 가치가 상승하여 전통문화가 발달하였다. ( )

(4) 대중문화의 흐름 속에서 기업들이 상품 광고를 제작하며 소비 영역이 크게 확대되었다. ( )

03 대중 매체의 발달 과정을 순서대로 나열하시오.

| 보기 |
ㄱ. 스마트폰의 보급
ㄴ. 개인용 컴퓨터(PC) 보급
ㄷ. 텔레비전의 보급
ㄹ. 누리 소통망 서비스(SNS) 발달

04 빈칸에 알맞은 말을 쓰시오.

(1) 1968년 5월 프랑스에서 대학생들이 대학 개혁과 민주화를 주장하며 벌였던 대규모 시위를 ( )(이)라고 한다.

(2) 미국 내 청년들은 정부의 베트남 전쟁 개입에 대해 비판하면 ( )을 전개하였다.

(3) 미국의 앤디 워홀은 대중문화 요소를 대량으로 복제하는 ( )(이)라는 새로운 장르를 개척하였다.

내신을 탄탄하게 내신 문제

01 1960~70년대에 나타난 문화 현상에 대한 설명으로 옳지 않은 것은?

① 보수적이고 전통적인 문화가 유행하였다.
② 청년들이 자유 분방한 청년 문화를 형성하였다.
③ 대중이 일상적으로 누리는 대중문화가 발달하였다.
④ 장발과 청바지 등으로 대표되는 히피 문화가 유행하였다.
⑤ 기성세대의 권위적인 문화에 반발하는 탈권위주의의 운동이 전개되었다.

02 (가)에 들어갈 용어로 옳은 것은?

역사 용어 해설

(가)

1960~70년대 미국 청년 층 사이에는 전쟁과 물질주의를 비판하고 탈사회적 행동을 하는 문화가 유행하였다. 젊은이들은 짧은 머리를 강요하는 군대를 거부하는 표현으로 장발을 하였고, 사회적 지위의 차이가 드러나지 않는 청바지를 즐겨 입었다.

① 대중문화 ② 소비 문화
③ 전통문화 ④ 히피 문화
⑤ 클래식 문화

03 다음 자료와 관련된 운동에 대한 설명으로 옳지 않은 것은?

▲ 마틴 루서 킹의 연설 모습

▲ 반핵 운동의 상징

① 68 운동의 영향을 받았다.
② 유럽 전역과 미국, 멕시코, 일본 등지로 확산되었다.
③ 이념적 대립과 노동 문제를 해결하기 위한 운동이다.
④ 미국에서는 베트남 전쟁에 대한 반대 운동으로 나타났다.
⑤ 대학이 개혁되고 노동 조건이 개선되는 데 영향을 미쳤다.

신유형
04 다음 기사가 발생한 원인으로 옳은 것은?

오늘의 역사
제○○호 ○○○○년 ○○월 ○○일

멕시코시티 올림픽 육상 남자 200m 결승에서 1, 3위로 들어온 미국의 흑인 선수들이 검은 장갑을 낀 손을 치켜들었다. 그 옆에 있던 오스트레일리아의 백인 선수는 이에 동참하는 배지를 달았다.

① 미국 내 흑인 차별 심화
② 여성과 남성의 임금 격차 심화
③ 원자력 발전소 건설 반대 운동 격화
④ 베트남 전쟁 개입에 대한 반대 심화
⑤ 대중문화의 발달로 인한 전통문화의 쇠퇴

중요
05 (가)에 들어갈 내용으로 옳은 것은?

역사 요점 정리
- 발생 원인: (가)
- 주요 사건
  - 에스파냐: 프랑코 독재 정권 반대 시위
  - 미국: 베트남 전쟁 참전 거부 시위
  - 체코슬로바키아: 자유와 민주주의 시위
  - 파키스탄, 대한민국: 군사 독재 대항 운동

① 탈권위주의 운동의 영향을 받았다.
② 식민지 쟁탈전의 결과 발생하였다.
③ 좌우 이념 대립의 피해가 발생하였다.
④ 인종 차별 반대 운동에서 시작되었다.
⑤ 산업 문명에 대한 반성을 추구하였다.

중요
06 다음 자료와 같은 문화가 발달한 배경으로 옳은 것을 |보기|에서 고른 것은?

▲ 1960년대 록음악 스타 롤링 스톤스

▲ 리히텐슈타인의 「행복한 눈물」

|보기|
ㄱ. 대중 매체의 발달
ㄴ. 대중의 경제력 향상
ㄷ. 좌우 이념 대립의 심화
ㄹ. 독점적 자본주의의 발달

① ㄱ, ㄴ ② ㄱ, ㄷ ③ ㄱ, ㄹ
④ ㄴ, ㄷ ⑤ ㄴ, ㄹ

신유형

07 다음 자료에서 알 수 있는 대중문화의 특징으로 옳은 것은?

▲ 제임스 딘 '이유없는 반항'

▲ '우리에게 내일은 없다'

▲ 록 음악의 유행

① 전쟁에 반대하고 있다.
② 소비 욕구를 자극하였다.
③ 기성세대의 권위에 저항하였다.
④ 일부 부유층들이 향유하던 문화이다.
⑤ 유럽 중심 문화가 전 세계를 지배하였다.

08 대중문화에 대한 설명으로 옳지 않은 것은?

① 대중 매체가 확산되면서 대중이 쉽게 정보에 접근할 수 있게 되었다.
② 미국 문화가 전 세계에 확산되면서 문화의 획일화 현상이 나타났다.
③ 기성 사회에 대한 저항 운동을 상징하는 인물과 노래가 유행하였다.
④ 물질적 가치를 경시하고, 정신적 가치를 중시하는 경향이 확산되었다.
⑤ 대중의 요구와 발언권이 커져 대중 사회가 발전하면서 대중문화가 발달하였다.

09 퀴즈의 정답으로 옳은 것은?

① 록　② 팝송　③ 로큰롤
④ 클래식　⑤ 팝 아트

10 대중문화와 탈권위주의의 관계에 대한 설명으로 옳은 것을 |보기|에서 고른 것은?

| 보기 |
ㄱ. 탈권위주의 운동의 저항 정신이 대중문화에도 표현되었다.
ㄴ. 대중 매체가 발전하면서 탈권위주의 운동이 더욱 확산하였다.
ㄷ. 탈권위주의 운동이 전개되면서 대중문화의 발전이 늦어졌다.
ㄹ. 대중이 문화를 향유하기 시작하면서, 기성세대의 권위주의적인 경향이 더욱 강화되었다.

① ㄱ, ㄴ　② ㄱ, ㄷ　③ ㄱ, ㄹ
④ ㄴ, ㄷ　⑤ ㄴ, ㄹ

정답과 해설 36~37쪽

만점에 도전하는 심화 문제

신유형

01 밑줄 친 '대학생들'이 주장하고자 한 내용으로 옳지 않은 것은?

1968년 5월 프랑스 파리에서는 "금지하는 것을 금지한다"라는 구호를 외치며 대학생들이 사회 운동을 벌였습니다.

① 민주화를 요구하였다.
② 대학 개혁을 요구하였다.
③ 노동 조건의 개선을 요구하였다.
④ 히피 문화의 확산을 막고자 하였다.
⑤ 기성 시대의 권위주의적 문화에 반대하였다.

02 밑줄 친 '청년 문화'의 형성 원인으로 옳지 않은 것은?

① 경제 상황이 좋아졌다.
② 대중 매체가 발달하였다.
③ 대학 교육이 확대되었다.
④ 인구가 폭발적으로 증가하였다.
⑤ 국제기구가 분쟁을 해결하기 위해 노력하였다.

중요

03 1950~70년대에 유행했던 대중문화에 대한 설명으로 옳지 않은 것은?

① 기성 권위에 반항하는 내용의 영화가 인기를 끌었다.
② 제임스 딘은 젊음과 반항의 상징으로 당시 젊은이들의 우상이 되었다.
③ 로큰롤 음악이 반항과 자유를 담아 표현되어 청년들에게 큰 인기를 끌었다.
④ 피카소는 대중문화의 단면을 그려 낸 팝 아트라는 장르를 개척하였다.
⑤ 비틀스, 롤링 스톤스, 밥 딜런과 같은 아티스트들이 인기를 끌었다.

04 (가)에 들어갈 내용으로 옳은 것은?

역사 다큐멘터리 제작 계획서

1. 주제 : (가)
2. 촬영 일정 : 202○년 ○월 ○일
3. 촬영 내용
   1부 – 히피 문화와 청년 문화의 등장
   2부 – 로큰롤, 록, 팝 아트로 보는 저항 운동

① 미국과 멕시코의 분쟁
② 탈권위주의 운동의 전개
③ 옛 유고슬라비아 내전 개입
④ 미국과 소련 중심의 냉전 형성
⑤ 난민 문제에 대한 청년들의 입장

현대 세계의 문제 해결을 위한 노력

학습 목표
현대 세계에서 나타나는 분쟁의 원인과 양상을 파악할 수 있다.

주제 7 현대 세계의 당면 문제

1 세계 곳곳에서 분쟁이 발생하다

(1) 원인: 인종, 종교, 자원, 영토 등의 다양한 원인으로 갈등 발생

(2) 내용 왜? 냉전 체제가 완화되었으나, 국가 간 군비 경쟁과 대량 살상 무기 사용으로 많은 전쟁이 나타나고 있어.

① 인종 분쟁: 동유럽의 유고슬라비아 지역 민족 분쟁, 르완다 후투족–투치족 갈등
② 종교 분쟁: 파키스탄 이슬람교도와 인도 힌도교도 간의 ❶카슈미르 분쟁
③ 영토 분쟁: 중국과 일본 간 ❷센카쿠 열도(댜오위다오) 영유권 분쟁
④ 전쟁, 테러: 대량 살상 무기 사용

2 난민 문제로 갈등이 발생하다

(1) 난민: 인종, 종교 또는 정치적 · 사상적 차이로 인한 박해나 분쟁 등을 피해 다른 지역으로 탈출하는 사람들
(2) 주요 발생 지역: 분쟁이 잦은 아프리카와 서아시아 지역
(3) 난민 수용 문제: 국가 간, 국가 내 주민들 간의 갈등 발생

3 현대 사회에 다양한 문제가 발생하다

빈곤 문제	• 국가 간 빈부 격차 심화: 신자유주의 경제 체제의 우세, 세계화의 가속화 • ❸남북문제, 기아 문제 발생
질병 문제	• 빈곤 현상으로 인한 영양 부족과 면역력 약화 • 신종 전염병 발생: 현대 밀집된 도시 환경과 대규모 가축 사육 등
환경 문제	• 원인: 급속한 산업화, 도시화 → 화석 연료 사용 급증, 지구 온난화 등 • 해수면 상승 → 동식물의 서식 환경 변화, 생태계 파괴 • 가뭄, 홍수, 한파, 폭염, 미세먼지 등으로 인한 피해 급증

❶ 카슈미르
인도와 중국, 파키스탄 경계 지역에 위치한 곳으로 주민의 다수가 이슬람교도이다. 카슈미르 주민의 대부분이 파키스탄에 편입되기를 바랐으나, 인도로 편입되면서 분쟁이 시작되었다.

❷ 센카쿠 열도(댜오위다오)
일본 오키나와 서남쪽, 동중국해상에 위치한 8개 무인도이다. 현재 일본이 실효 지배하고 있으며, 일본, 중국, 대만이 영유권을 주장하고 있다.

❸ 남북문제
선진국과 후진국 간의 경제 격차를 일컫는 말로, 주로 북반구에 위치한 선진 공업국과 적도 부근 ~ 남반구에 위치한 개발 도상국 사이의 경제 수준의 격차를 가리키는 용어이다.

핵심 자료 분쟁이 나타난 역사적 배경

자료 1 팔레스타인 분쟁
팔레스타인 지역에서는 1948년 이스라엘이 건국되면서 유대인과 아랍인 사이의 갈등이 심화되었다. 현재까지도 무력 충돌이 계속 이어지고 있다.

자료 2 시리아 내전
시리아에서는 민주주의와 자유의 보장을 요구하는 내전이 시작되었다. 현재 이슬람 종파 간의 갈등과 여러 국가의 개입으로 복잡하게 전개되고 있다.

핵심 위에 제시한 분쟁이 나타난 역사적 배경은 무엇일까?

• 팔레스타인 분쟁: 팔레스타인 지역에 유대인 국가인 이스라엘을 건국한 이후 이스라엘과 이슬람 아랍계 국가 간의 민족, 종교, 영토 갈등, 무력 충돌로 인한 피해가 발생하였다.
• 시리아 내전: 민주화와 정치 개혁을 두고 정부군과 반군 사이의 정치적 갈등, 이슬람 수니파와 시아파 간 종파 갈등으로 내전이 발생하였다.

정답과 해설 38쪽

확인해 봐요

1 (　　　) 지역에서는 유대인과 아랍인 사이의 갈등이 심하다.
2 인종, 종교 등의 차이로 발생하는 박해나 분쟁으로 (　　　)이 발생하여 주변 지역 국가에서 이들을 수용하는 문제로 갈등하고 있다.
3 냉전 체제가 해체된 이후에도 대량 (　　　)의 위협이 발생하고 있다.

교과서 활동 풀이

가자! 역사 속으로

교과서 222쪽

1992년 보스니아 헤르체고비나 공화국이 옛 유고슬라비아 연방에서 독립을 선언하면서 보스니아 내전이 발발하였습니다. 이 내전으로 수많은 인명이 학살되었습니다.

스레브레니차 대학살 기념 묘지(보스니아)

현대 세계의 분쟁들은 어떤 이유로 발생할까요?

예시 답안 인종, 종교, 자원, 영토 등을 둘러싼 갈등이 심화되어 발생한다.

활동 도우미 자료를 통해 보스니아 내전으로 인한 피해를 확인해보고, 이를 바탕으로 현대 세계의 분쟁이 발생하는 이유를 추측해 보아요..

탐구 해 봐요 난민 수용을 둘러싼 갈등

교과서 223쪽

1 난민 수용에 대한 찬성과 반대 입장을 각각 정리해 보자.

예시 답안 찬성 입장: 난민 수용으로 인한 노동력 공급 등은 침체된 독일 경제에 활기를 불어 넣을 것이다. 인도주의적 입장에서 난민을 수용해야 한다.
반대 입장: 난민 유입으로 독일의 실업난이 심해질 것이다. 문화 갈등으로 인한 사회 문제가 발생할 수 있다.

2 난민 수용 문제를 둘러싼 갈등을 해결하기 위한 방안을 친구들과 토의해 보자.

예시 답안 난민 수용 문제에 대한 찬성 반대 입장을 충분히 검토하여 우려가 되는 부분에 대한 보완 정책을 마련하고, 반대 입장을 가진 사람들과 대화와 타협을 통해 난민을 수용할 수 있는 방안을 마련해 본다.

활동 도우미 자료의 내용을 통해 난민 수용에 대한 찬반 입장을 정리해 보고, 난민 문제를 둘러싼 나의 입장과 해결 방안에 대해 토의해 보아요.

스스로 확인해요

❶ 냉전 체제가 해체된 후에는 대량 살상 무기의 위협이 사라졌다. (×)
❷ 세계 곳곳에서 발생한 분쟁으로 삶의 터전을 잃고 다른 지역으로 탈출하는 수많은 난 민이/가 발생하고 있다.

역량 키우기 역사 탐구 지도로 보는 현대 세계의 당면 문제

교과서 225쪽

활동 도우미 자료에 나타난 현대 세계의 당면 문제를 알아보고 역사적 배경에 대해 조사해 보아요.

생각하고 탐구하기

1 제시된 자료에 나타난 현대 세계의 당면 문제를 이야기해 보자.

예시 답안 민족과 종교의 차이로 인한 분쟁, 무력 충돌, 사막화로 인한 환경 문제, 난민 문제 등이 나타난다.

2 ①~④ 지역에서 나타난 문제의 역사적 배경을 조사해 보자.

① 옛 유고슬라비아 내전: 예시 답안 다양한 언어, 종교, 민족으로 구성되어 각 민족의 분리 · 독립 문제를 둘러싼 갈등
② 팔레스타인 분쟁: 예시 답안 팔레스타인 지역에 유대인 국가인 이스라엘을 건국한 이스라엘과 이슬람 아랍계 국가간의 민족 · 종교 · 영토 갈등, 무력 충돌로 인한 피해
③ 시리아 내전: 예시 답안 민주화 정치 개혁을 두고 정부군과 반군 사이의 정치적 갈등, 이슬람 수니파와 시아파 간 종교 갈등
④ 다르푸르 분쟁: 예시 답안 지속하는 가뭄과 사막화로 인한 북쪽 아랍계 유목민의 남부 아프리카계 농부 거주 지역 침범, 종교와 민족 · 자원 갈등

이 주제의 핵심

이 주제에서는 현대 세계에서 발생하는 다양한 문제에 대해 배웠어요.
현대 세계에서 발생하는 문제의 원인과 역사적 배경을 파악하고, 현대 세계에 발생한 다양한 문제(국제 분쟁, 난민 수용 문제, 빈곤과 질병, 환경 문제 등)에 대해 실제 사례를 통해 파악해 봅시다.

4 현대 세계의 문제 해결을 위한 노력

학습 목표
현대 세계의 문제 해결을 위한 국제 사회의 노력을 말할 수 있다.

주제 8 문제 해결을 위한 국제 사회의 노력

1 현대 세계의 문제를 해결하기 위한 국제 사회의 노력

(1) 국제 사회의노력: 현대 세계의 다양한 문제를 해결하고 인류가 공존하기 위해 당사국뿐만 아니라 세계 각국의 노력

왜? 현대 사회의 문제는 한 국가의 구성원에만 영향을 미치는 것이 아니라, 전 세계에 크게 영향을 미치고 있기 때문에 당사국만이 아니라 세계 각국이 힘을 합쳐서 문제 해결을 위한 노력을 해야 해.

(2) 분쟁 해결 노력: 국제기구 구성, ❶평화 유지군(PKO) 파견

(3) 대량 살상 무기 축소 노력: ❷핵 확산 금지 조약(NPT) 체결, 반전 평화 운동

(4) 빈곤 · 질병 퇴치 노력: 국제 개발 협력, ❸공적 개발 원조(ODA), 긴급 구호 활동

(5) 환경 문제 해결 노력: 지속 가능한 발전 모색 → 국제 협약, 비정부 기구의 활동

❶ 평화 유지군(PKO)
국제분쟁을 평화적으로 해결하고 항구적 평화체제를 정착시키기 위한 유엔의 군사활동을 의미한다.

❷ 핵 확산 금지 조약(NPT)
비핵보유국이 새로 핵무기를 보유하는 것과 보유국이 비보유국에 핵무기를 대여하는 것을 동시에 금지하는 조약이다.

❸ 공적 개발 원조(ODA)
선진국에서 개발도상국이나 국제기관에 하는 원조를 의미한다.

핵심 자료 국제 사회의 노력

자료 1 분쟁 해결 노력

「국제 연합(UN) 헌장」 제1조

국제 연합의 목적은 다음과 같다.

1. 국제 평화와 안전을 유지한다. 이를 위하여 평화에 대한 위협을 방지 및 제거하고, 침략 행위와 평화를 파괴하는 행위를 진압하기 위하여 효과적인 집단적 조치를 취하다.
3. 경제적, 사회적, 문화적 또는 인도적 성격의 국제 문제를 해결한다. 또한 인종, 성별, 언어, 종교에 따른 차별 없이 모든 사람의 인권 및 기본적 자유를 존중한다. 이를 위하여 국제적 협력을 달성한다.

자료 2 환경 문제 해결 노력

「교토 의정서」(1997)

1997년 일본 교토에서 채택된 교토 의정서에 따르면 선진국의 이산화 탄소 배출량을 평균 5.2% 줄이기로 합의하였다. 선진국들의 배출량 거래를 인정하거나 다른 나라에서 달성한 온실가스 감축 실적도 인정하고, 온실가스 배출량을 줄이지 않는 국가에 대해서는 관세 장벽을 적용한다는 내용을 포함하고 있다.

「파리 협정」(2015)

2015년 프랑스 파리에서 채택된 파리 협정에 의하면 선진국과 개발 도상국 모든 나라가 온실가스 감축 의무를 지도록 하여 195개 당사국 모두에게 구속력을 가지도록 하였다. 파리 협정은 온실가스 감축뿐 아니라 모든 당사국이 기후 변화에 대한 국가 적응 계획을 수립하여 이행하도록 하고 있다.

핵심
오늘날 국제 사회는 현대 사회가 당면한 문제를 어떻게 해결하고자 노력하고 있을까?

세계화가 심화하고 있는 현대 사회에서 발생하는 많은 문제를 해결하기 위해서는 많은 국가의 협력이 있어야 한다. 이러한 협력 시스템을 위해 국제기구가 만들어지고 있다. 국제 연합은 국제 평화와 안전 유지에 대한 주요한 활동을 전개하고 있으며, 국가 간 우호와 협력을 증진하기 위해 사회적 · 문화적 · 인도적 차원의 교류를 위한 활동을 하고 있다. 또한 산업화의 진전으로 화석 연료 사용이 급증하고 지구 온난화로 인해 생태계가 파괴되면서 나타난 이상 기후 현상으로 전 세계가 고통을 받고 있음을 국제적으로 인식하고 있다. 이를 해결하기 위해 교토 의정서, 파리 협정 등을 통해 전 세계가 온실 가스 감축을 위해 노력하고, 기후 변화에 대처할 수 있도록 해결 방안을 모색하고 있다.

정답과 해설 38쪽

확인해 봐요

1 오늘날 현대 사회가 당면한 문제를 해결하기 위해서는 해당 국가만 노력하면 된다. (○, ×)

2 핵 확산 금지 조약, 반전 평화 운동은 대량 살상 무기를 축소하기 위한 운동에 포함된다. (○, ×)

3 교토 의정서와 파리 협정은 난민 문제를 해결하기 위해 체결되었다. (○, ×)

교과서 활동 풀이

가자! 역사 속으로 교과서 226쪽

2017년 노벨 평화상은 '핵무기 폐기 국제 운동'이 수상하였습니다. 이 단체가 국제 연합(UN)의 핵무기 금지 조약을 이끌어 내는 데 기여한 공로를 인정한 것입니다. 사진은 수상 후 기자 회견 모습입니다.

현대 세계의 문제를 해결하기 위해 국제 사회는 어떤 노력을 기울이고 있을까요?

예시 답안 분쟁 해결을 위한 노력, 핵무기 등 대량 살상 무기 축소 노력, 빈곤, 질병 퇴치 노력, 환경 문제 해결을 위한 노력을 하고 있다.

활동 도우미
현대 세계의 문제를 해결하기 위해 국제 사회가 어떤 노력을 하고 있는지 찾아 보아요.

탐구 해봐요 현대 세계의 당면 과제와 해결 노력

교과서 227쪽

가 인도와 파키스탄의 군사 충돌 촉발

인도 카슈미르 지역에서 카슈미르 무장 단체의 자살 폭탄 테러가 발생하자 인도와 파키스탄의 군사 충돌이 촉발되었다. 양국이 전투기를 격추하고 공습을 주고받으며 갈등이 고조되고 있다. -「연합뉴스」, 2019. 2. 27. -

나 고래 뱃속에서 나온 플라스틱 쓰레기

인도네시아 해안에서 죽은 채 발견된 고래 뱃속에서 약 6kg의 플라스틱 쓰레기가 나왔다. 국제 연합(UN)은 매년 약 1천만 톤의 플라스틱 쓰레기로 해양 생물이 회복할 수 없는 피해에 당면하였다고 하였다. -「연합뉴스」, 2018. 11. 21. -

다 예멘의 심각한 영양실조로 고통받는 어린이

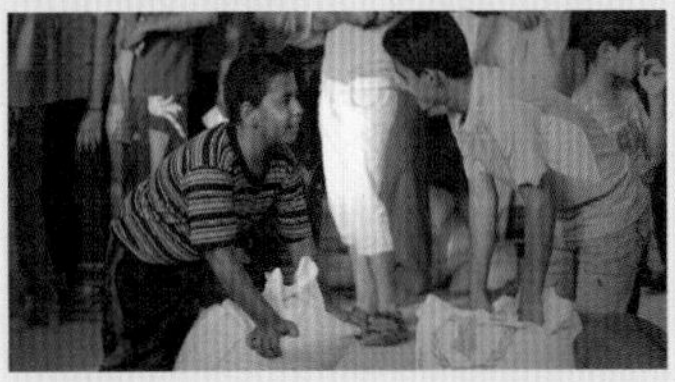

세계 식량 계획(WFP)은 예멘에서 심각한 영양실조로 고통받는 어린이가 약 200만 명이며, 이 중 36만 명은 당장 원조를 받지 못하면 생명을 잃을 수 있다며 국제 사회에 인도적 지원을 요청하였다. -「한국방송공사」, 2019. 2. 14. -

라 콩고 민주 공화국에서 '에볼라' 사망자 급증

국제 비정부 기구 세이브 더 칠드런에 따르면 콩고 민주 공화국에 에볼라 바이러스의 유행이 가속화하면서 지난해 첫 발병 이후 사망한 어린이가 97명에 달하며 총 505명의 사망자가 발생하였다. -「헤럴드경제」, 2019. 2. 11. -

활동 도우미
자료를 통해 현대 세계의 여러 문제를 파악하고, 이를 해결하기 위한 국제 사회의 노력을 토의해 보아요.

1 (가)~(라) 기사에 나타난 현대 세계가 당면한 문제가 각각 무엇인지 이야기해 보자.

예시 답안 (가) 영토, 종교 분쟁, (나) 환경 문제, (다) 빈곤 문제, (라) 질병 문제

2 현대 세계의 당면 문제 중 가장 시급하다고 생각하는 문제를 선택하여 해결 방안을 토의해 보자.

예시 답안 (나) 환경 문제: 유엔 환경 계획(UNEP), 유엔 기후 변화 협약(UNFCCC) 등 환경 관련 국제기구를 통해 플라스틱 배출에 관한 협약을 맺고, 플라스틱으로 인한 해양 오염의 문제점을 알리는 노력을 한다.

스스로 확인해요

❶ 현대 세계의 당면 문제를 해결하기 위해 당사국뿐만 아니라 인류의 공동 노력이 필요하다. (○)

❷ 세계 각국은 환경 문제의 해결을 위해 지속 가능한 발전을 모색하고 있다.

이 주제의 핵심

이 주제에서는 현대 세계의 문제를 해결하기 위한 노력에 대해 배웠어요.
여기에서는 현대 사회의 문제별로 해결하기 위한국제 사회의 노력을 각 사례별로 파악해 봅시다.

시험을 대비하는 실전 문제

기초를 튼튼하게 확인 문제

01 서로 관련 있는 내용끼리 연결하시오.

㉠ 인종 분쟁 •   • ⓐ 르완다 내전
㉡ 종교 분쟁 •   • ⓑ 카슈미르 분쟁
㉢ 영토 분쟁 •   • ⓒ 댜오위다오 분쟁

02 아래 설명이 맞으면 ○, 틀리면 ×로 표시하시오.

(1) 난민 수용을 반대하는 사람들은 실업난, 문화 갈등 등이 일어날 것을 우려하고 있다. ( )
(2) 팔레스타인 지역에서는 1948년 사우디아라비아가 건국되면서 유대인과 아랍인 사이의 갈등이 심화되었다. ( )
(3) NPT는 핵 확산 금지 조약을 의미하며, 핵 보유국의 증가와 핵 개발을 통제하고 있다. ( )

03 |보기|의 분쟁 중 '종교'와 관련이 있는 것을 고르시오.

| 보기 |
ㄱ. 카슈미르 분쟁   ㄴ. 르완다 분쟁
ㄷ. 센카쿠 열도 문제   ㄹ. 미얀마 로힝야족 난민 문제

04 빈칸에 알맞은 말을 쓰시오.

(1) 인종, 종교상의 차이로 발생하는 박해나 분쟁 등을 피해 다른 지역으로 탈출하는 사람들을 ( )(이)라고 한다.
(2) 산업화로 인해 화석 연료의 사용이 급증하고 삼림 파괴가 심해지면서 ( ) 현상이 발생하여, 생태계가 변화하고 있다.
(3) ( )은/는 평화 유지군(PKO)를 파견하여 분쟁 지역의 평화와 질서를 유지하고 사회 안정에 이바지 하고 있다.

내신을 탄탄하게 내신 문제

중요

01 다음 자료와 같이 현대 세계가 당면한 문제를 |보기|에서 고른 것은?

'에볼라' 사망자 급증하다.

콩고 민주 공화국에서 콩고 민주 공화국에 에볼라 바이러스의 유행이 가속화하면서 지난해 첫 발병 이후 사망한 어린이가 97명에 달하며 총 505명의 사망자가 발생하였다.

| 보기 |
ㄱ. 미국과 소련의 냉전
ㄴ. 제국주의 국가 간의 대립
ㄷ. 미얀마 로힝야족 난민 문제
ㄹ. 지구 온난화로 인한 동식물 서식지 파괴 문제

① ㄱ, ㄴ ② ㄱ, ㄷ ③ ㄴ, ㄷ
④ ㄴ, ㄹ ⑤ ㄷ, ㄹ

02 다음 글에서 설명하는 문제로 가장 적절한 것은?

인도 카슈미르 지역에서는 이슬람교도가 다수를 차지하는 북서부 카슈미르 지역이 인도에 강제로 편입되는 과정에서 파키스탄의 이슬람교도와 인도의 힌두교도 간에 분쟁이 나타났으며, 최근에도 무력 충돌이 발생하고 있다.

① 인종 분쟁 ② 영토 분쟁 ③ 환경 문제
④ 기아 문제 ⑤ 질병 문제

정답과 해설 38쪽

[03~04] 다음 자료를 보고 물음에 답하시오.

학술 대회 안내

우리 학회는 최근 발생한 독일 난민 수용 문제의 원인과 전개 과정에 대해 알아보는 자리를 마련하였습니다.
많은 관심과 참여를 부탁드립니다.

■ 발표 주제
(1) 독일의 난민 수용 찬 · 반 정책
(2) 독일의 난민 수용 찬 · 반 집회, 왜 발생하였는가?
– 집중 토론, 난민 수용 찬성: (가)
난민 수용 반대: (나)

03 위 자료의 해당 분쟁에 대한 설명으로 옳지 않은 것은?

① 중동 및 아프리카 지역에서만 발생하고 있다.
② 주로 인접 국가나 유럽, 미국 등지로 이동한다.
③ 난민 수용 문제를 둘러싸고 갈등이 커지고 있다.
④ 박해나 분쟁을 피해 다른 지역으로 탈출하는 사람을 난민이라고 한다.
⑤ 최근 세계 여러 지역에서 억압과 학살이 자행되면서 난민의 수가 증가하고 있다.

중요
04 (가)에 대한 입장을 |보기|에서 고른 것은?

|보기|
ㄱ. 일자리를 잃을 수 있다.
ㄴ. 문화 갈등이 생길 수 있다.
ㄷ. 노동력 부족 문제를 해결할 수 있다.
ㄹ. 난민을 돕는 것은 인도적인 차원에서 이루어져야 한다.

① ㄱ, ㄴ ② ㄱ, ㄹ ③ ㄴ, ㄷ
④ ㄴ, ㄹ ⑤ ㄷ, ㄹ

05 다음과 같은 질병이 발생하게 된 이유로 옳은 것은?

제○○호 세계사 신문 ○○○○년 ○○월 ○○일

아프리카 돼지열병 국내 첫 발생

농림축산식품부는 □□□에서 아프리카 돼지 열병이 국내 처음으로 발생하였다고 밝혔다. 아프리카 돼지 열병은 본래 아프리카에서 시작된 열병이었으나 작년부터 중국과 동남아를 중심으로 급속히 번져왔다. 이 질병은 사람에게는 전염되지 않지만 돼지에게는 최대 치사율이 100%에 이르는 치명적인 질병이다.

① 화석 연료의 사용 급증과 삼림 파괴
② 종교 및 이념 대립으로 인한 분쟁 심화
③ 밀집된 도시 환경과 대규모 가축 사육장
④ 북반구와 남반구 사이의 경제적 격차 심화
⑤ 기아와 빈곤으로 인한 영양 부족과 면역력 약화

06 각 분쟁에 대한 설명으로 옳지 않은 것은?

① 댜오위다오 분쟁: 일본과 러시아 간에 영토와 바다를 둘러싼 갈등이 발생하였다.
② 다르푸르 분쟁: 수단에서 이슬람 아랍계와 아프리카계 간에 갈등이 심해지며 일어났다.
③ 팔레스타인 분쟁: 팔레스타인 지역에 이스라엘이 건국되면서 유대인과 아랍인이 대립하였다.
④ 옛 유고슬라비아 내전: 복잡한 민족과 종교, 언어를 배경으로 한 유고슬라비아의 여러 민족이 독립하려고 하자 발생하였다.
⑤ 시리아 내전: 민주주의와 자유를 보장하는 사람들이 늘어나면서 내전이 발생하였고, 여기에 종파 간의 갈등과 여러 국가의 개입을 복잡하게 전개되고 있다.

신유형

07 다음 자료를 바탕으로 피아니스트가 주장하고자 했던 내용으로 옳은 것은?

① 에너지원이 고갈되고 있다.
② 미세먼지 문제 해결이 시급하다.
③ 가축 사육 환경을 개선해야 한다.
④ 지구 온난화 문제를 해결해야 한다.
⑤ 각종 질병으로 극심한 인명 피해가 발생하고 있다.

08 현대 사회의 문제를 해결하기 위한 노력으로 옳지 <u>않은</u> 것은?

① 평화 유지군(PKO)은 분쟁 지역의 사회 안정을 위해 노력하고 있다.
② 핵 확산 금지조약(NPT)의 체결로 핵 보유국의 증가를 억제하고 있다.
③ 각국 정부는 빈곤 퇴치를 위해 공적 개발 원조(ODA)를 제공하고 있다.
④ 세계 식량 계획(WFP)는 영양 실조로 고통 받는 어린이를 위해 노력하고 있다.
⑤ 교토 의정서, 파리 협정 등은 종교 및 민족 분쟁으로 어려움을 겪고 있는 나라를 돕기 위한 협약이다.

09 교사에 질문에 대한 학생의 답변으로 옳은 것은?

▲ 태평양에 형성된 쓰레기 섬

> 교사: 이러한 문제를 해결하기 위한 방안으로는 어떤 것들이 있을까요?

① 반전 평화 운동에 참여해요.
② 핵 확산 금지 조약에 가입해요.
③ 평화 유지군(PKO)을 파견해요.
④ 공적 개발 원조(ODA)를 제공해요.
⑤ 지속 가능한 발전 방향을 모색해요.

10 현대 세계의 당면 문제 해결에 대한 내용으로 옳은 것을 을 |보기|에서 고른 것은?

|보기|
ㄱ. 당사국만의 노력으로 해결할 수 있다.
ㄴ. 특정 국가의 국민에게만 영향을 미친다.
ㄷ. 국제기구 차원에서 문제 해결을 위해 노력하고 있다.
ㄹ. 국가 간 이익을 둘러싼 갈등에서 비롯되어 무력 충돌이 발생하기도 한다.

① ㄱ, ㄴ ② ㄱ, ㄹ ③ ㄴ, ㄷ
④ ㄴ, ㄹ ⑤ ㄷ, ㄹ

정답과 해설 38~39쪽

만점에 도전하는 심화 문제

신유형

01 (가), (나) 학생의 주장에 대한 설명으로 옳지 않은 것은?

① (가) 학생은 인도주의적인 관점에서 주장하고 있다.
② (가) 학생은 경제적으로 어려워질 수 있음을 지적하고 있다.
③ (나) 학생은 문화 갈등의 측면을 고려하고 있다.
④ (나) 학생은 경제 및 문화적인 관점에서 주장하고 있다.
⑤ (가), (나) 학생은 난민 수용과 관련하여 토론하고 있다.

02 (가)에 해당하는 내용으로 옳은 것은?

제○○호 세계사 신문 ○○○○년 ○○월 ○○일

2017년 노벨 평화상 수상

이 기관은 국제 연합(UN)의 (가) 을 이끌어내는데 기여하여 노벨 평화상을 수상하였습니다.

ican international campaign to abolish nuclear weapons

① 반전 평화 운동 ② 평화 유지군 파견
③ 핵 확산 금지 조약 ④ 국제 개발 협력 운동
⑤ 지구 온난화 해결 노력

[03~04] 지도를 보고 물음에 답하시오.

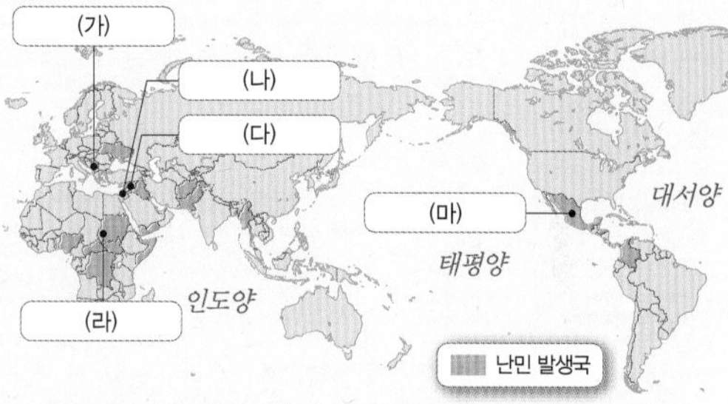

03 다음에서 설명하는 문제와 관련이 깊은 지역을 (가)~(마)에서 고른 것은?

> 시리아에서는 민주주의와 자유의 보장을 요구하는 내전이 시작되었다. 현재 이슬람 종파 간의 갈등과 여러 국가의 개입으로 복잡하게 전개되고 있으며, 많은 난민이 발생하고 있다.

① (가) ② (나) ③ (다) ④ (라) ⑤ (마)

04 위 지도에 나타난 문제를 해결하기 위한 노력으로 가장 적절한 것은?

① 핵 확산 금지 조약을 체결하여 핵 개발을 통제한다.
② 플라스틱 사용 감축을 위해 국제 사회가 함께 노력한다.
③ 전 세계 어린이들의 생명과 건강을 위해 기금을 마련한다.
④ 온실 가스를 감축하고 지구 온난화를 해결하기 위해 노력한다.
⑤ 평화 유지군(PKO)을 파견하여 분쟁 지역의 평화와 질서를 유지한다.

Ⅵ 대주제 마무리 풀이

교과서 228~229쪽

Ⅵ 대주제 **마무리**

핵심 쏙쏙 내용 정리

아래의 빈칸을 완성하여 배운 내용을 정리해 보자.

스스로 점검해요

나의 성취 수준을 스스로 점검하고, 부족한 부분은 본문을 다시 확인해 보자.

1 냉전 체제의 형성과 변화를 이해하고, 20세기에 아시아와 아프리카 등에서 탄생한 새로운 국가들의 사례를 제시할 수 있다.
상 중 하
210~213쪽

2 탈냉전과 세계화가 가져온 경제와 문화 변화를 설명할 수 있다.
상 중 하
214~217쪽

3 20세기 후반의 탈권위주의 운동과 대중문화의 발달을 구체적인 사건들과 인물들을 사례로 탐구할 수 있다.
상 중 하
218~221쪽

4 오늘날 인류가 해결해야 할 문제를 사례를 중심으로 탐구하고 해결 방안을 토의할 수 있다.
상 중 하
222~227쪽

1 냉전 체제와 제3 세계의 형성

냉전의 형성	열전의 확산	제3 세계의 형성
• 구도: 미국 중심의 ① ( ) 진영(북대서양 조약 기구)과 소련 중심의 공산주의 진영(바르샤바 조약 기구)	• 배경: 냉전의 대결 구도 확산 • 전개: 6·25 전쟁, 베트남 전쟁 등	• 등장: 아시아·아프리카 신생 • 지역 단위 국가 간 경제 협력 강화 • 전개: 아시아·아프리카 회의에서 ② ( ) 발표

2 세계화와 경제 통합

냉전의 완화	냉전의 해체	세계화의 영향
• ③ ( ): 미국의 아시아에 대한 외교 정책 • 제3 세계의 등장 → 다극 체제로 변화	• 고르바초프의 개혁·개방 정책 → 사회주의 정권 붕괴 • 독일의 베를린 장벽 붕괴 • 중국의 개혁·개방 정책 추진	• 신자유주의 경제 체제 형성 • 지역 단위로 경제 협력 강화 • ④ ( )에 따른 경제적, 문화적 변화 발생

3 탈권위주의 운동과 대중문화의 발달

탈권위주의 운동 전개	탈권위주의 운동의 영향	대중문화의 발달
• 원인: 인구 증가, 경제 성장, 청년 문화의 형성 • 전개: 대학 개혁, 민주화 요구 → 프랑스 ⑤ ( )	• ⑥ ( ) 확산: 민권 운동, 여성 운동, 반핵 운동, 환경 운동 등 • 권위적인 문화 완화	• 대중 매체의 발달 → 대중 사회 발전, 대중문화의 확산 • 문제점: 물질적 가치 중시, 문화 획일화 현상

4 현대 세계의 문제 해결을 위한 노력

현대 세계의 당면 문제	문제 해결을 위한 국제 사회의 노력
• 분쟁의 발생: 민족, 종교, 자원 등을 둘러싸고 발생, 대량 살상 무기 개발, ⑦ ( ) 발생 • 빈곤과 질병 확산 • 환경 문제 발생	• 분쟁 해결 노력: 국제기구의 활동, ⑧ ( ) • 빈곤과 질병 퇴치 노력: 국제 개발 협력 등 • 환경 문제 해결 노력: 지속 가능한 발전을 위한 노력

228

고대 국가의 정책 구호 만들기 | 역사 문항 완성하기 | 동서 문물 교류 안내 책자 만들기 | 역사 풍자화 분석하기 | 역사 이야기 만들기

카드 뉴스로 표현하기

역량 쏙쏙 수행 과제

세계화로 사회·경제·문화 등 다양한 분야에서 변화가 일어나고 있다. 오늘날 세계 각지에서 일어나는 변화를 조사하고, 이를 바탕으로 카드 뉴스를 제작해 보자.

활동 방법 ▶

1 세계화로 인한 변화 사례를 조사한다.
2 변화의 원인, 전개 과정, 결과 등을 정리한다.
3 조사한 내용을 카드 뉴스로 구성한다.
4 짝과 카드 뉴스를 서로 바꾸어 비교하고, 각자 조사한 내용에 대해 이야기를 나눈다.

세계화로 인한 변화들

❶ **다국적 기업** 생산비를 줄이고 시장을 개척하기 위해 다른 나라에 공장을 건설한 다국적 기업
❷ **문화 획일화** 여러 나라에서 동시에 개봉하는 할리우드 영화
❸ **자유 무역** 대규모로 재배되어 전 세계에 팔리는 아보카도
❹ **문화 융합** 이집트의 문화를 고려하여 난으로 고기와 야채를 감싸고 요거트 소스를 넣은 햄버거

예시 ▶ 자유 무역

아보카도가 환경을 파괴한다고요?

세계화와 자유 무역으로 인한 변화를 슈퍼 푸드인 '아보카도'를 통해 알아볼까요?

그러나 최근 멕시코에서 아보카도를 더 생산하려고 농지 개간이 활발해지면서 삼림이 파괴되고 있습니다. 또한 아보카도 농사에 필요한 많은 양의 물은 가뭄의 원인이 되기도 합니다.

내가 고른 변화:

스스로 평가해요

☐ **사실 이해** | 세계화로 인한 변화 내용을 잘 정리하였나요?
☐ **자료 해석** | 조사 내용을 카드 뉴스로 분명하게 제시하였나요?
☐ **정보 활용** | 카드 뉴스의 표현 방식이 적절한가요?

229

해결 열쇠 | 대주제에서 학습한 내용들을 복습하면서 빈칸에 알맞은 답을 채워 보아요.

핵심 쏙쏙 내용 정리

정답 ① 자본주의 ② 평화 10원칙 ③ 닉슨 독트린 ④ 세계화 ⑤ 68 운동 ⑥ 사회 운동 ⑦ 난민 ⑧ 반전 평화 운동

역량 쏙쏙 수행 과제

활동 소개 ▶

세계화로 인해 정치, 경제, 사회, 문화의 다양한 분야에서 많은 변화가 일어났다. 오늘날 세계 각지에서 어떤 일이 일어나고 있는지를 조사하여, 뉴스 형식으로 제작하여 발표해 봅시다.

활동 방법 ▶

1단계 세계화의 영향으로 인한 사회, 경제, 문화 등의 변화 사례 중 한 가지를 선택하여 조사해 보아요.

2단계 조사한 내용을 원인, 전개 과정, 결과 등으로 정리해요.

3단계 변화를 잘 나타낼 수 있는 이미지와 글로 카드 뉴스 제작해 보아요.

4단계 제작한 카드 뉴스를 친구들 앞에서 발표해 보아요.

카드 뉴스 제작하기 활동 도우미

• 카드 뉴스는 제작시 가독성에 유의하여 핵심 정보만 간결하게 제시하고 이미자화 시키는 것이 좋습니다.

예시 답안 문화 융합

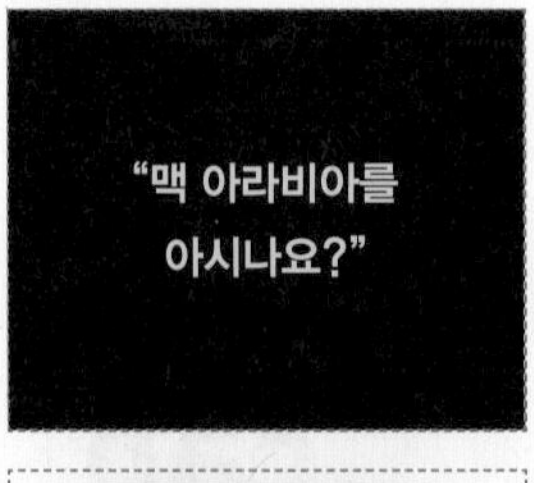

○○○○는 거대한 패스트푸드 체인점으로 전 세계로 진출하였습니다.

○○○○은 그동안 각 국의 입맛에 맞는 햄버거를 만들어 현지 사람들에게 많은 사랑을 받아왔습니다.

맥아라비아도 이집트 문화를 고려하여 난으로 고기와 야채를 감싸고 요거트 소르를 만든 햄버거입니다.

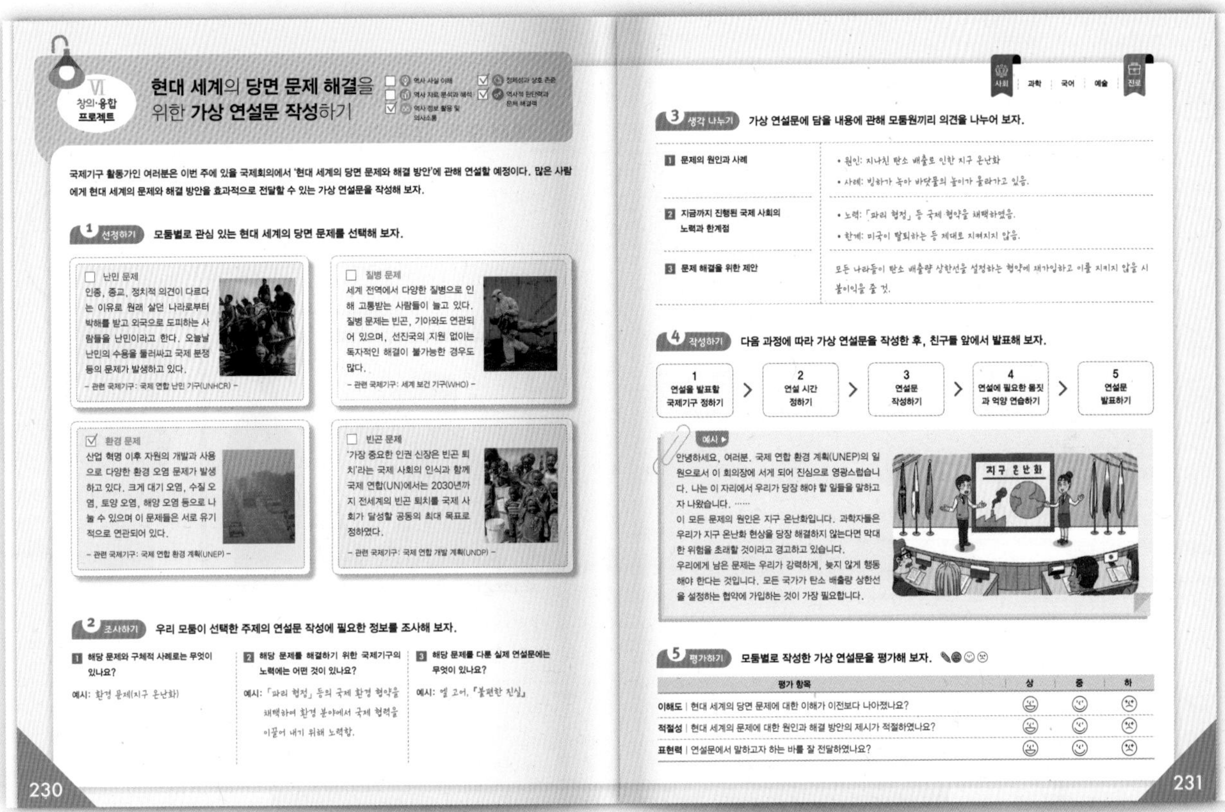

Ⅵ 창의·융합 프로젝트

현대 세계의 당면 문제 해결을 위한 가상 연설문 작성하기

□ 역사 사실 이해 □ 역사 자료 분석과 해석 ☑ 역사 정보 활용 및 의사소통 ☑ 정체성과 상호 존중 ☑ 역사적 판단력과 문제 해결력

국제기구 활동가인 여러분은 이번 주에 있을 국제회의에서 '현대 세계의 당면 문제와 해결 방안'에 관해 연설할 예정이다. 많은 사람에게 현대 세계의 문제와 해결 방안을 효과적으로 전달할 수 있는 가상 연설문을 작성해 보자.

1 선정하기 모둠별로 관심 있는 현대 세계의 당면 문제를 선택해 보자.

□ 난민 문제
인종, 종교, 정치적 의견이 다르다는 이유로 원래 살던 나라로부터 박해를 받고 외국으로 도피하는 사람들을 난민이라고 한다. 오늘날 난민의 수용을 둘러싸고 국제 분쟁 등의 문제가 발생하고 있다.
– 관련 국제기구: 국제 연합 난민 기구(UNHCR) –

□ 질병 문제
세계 전역에서 다양한 질병으로 인해 고통받는 사람들이 늘고 있다. 질병 문제는 빈곤, 기아와도 연관되어 있으며, 선진국의 지원 없이는 독자적인 해결이 불가능한 경우도 많다.
– 관련 국제기구: 세계 보건 기구(WHO) –

☑ 환경 문제
산업 혁명 이후 자원의 개발과 사용으로 다양한 환경 오염 문제가 발생하고 있다. 크게 대기 오염, 수질 오염, 토양 오염, 해양 오염 등으로 나눌 수 있으며 이 문제들은 서로 유기적으로 연관되어 있다.
– 관련 국제기구: 국제 연합 환경 계획(UNEP) –

□ 빈곤 문제
'가장 중요한 인권 신장은 빈곤 퇴치'라는 국제 사회의 인식과 함께 국제 연합(UN)에서는 2030년까지 전세계의 빈곤 퇴치를 국제 사회가 달성할 공동의 최대 목표로 정하였다.
– 관련 국제기구: 국제 연합 개발 계획(UNDP) –

2 조사하기 우리 모둠이 선택한 주제의 연설문 작성에 필요한 정보를 조사해 보자.

1 해당 문제와 구체적 사례로는 무엇이 있나요?
예시: 환경 문제(지구 온난화)

2 해당 문제를 해결하기 위한 국제기구의 노력에는 어떤 것이 있나요?
예시: 「파리 협정」 등의 국제 환경 협약을 채택하여 환경 분야에서 국제 협력을 이끌어 내기 위해 노력함.

3 해당 문제를 다룬 실제 연설문에는 무엇이 있나요?
예시: 엘 고어, 『불편한 진실』

230

사회 | 과학 | 국어 | 예술 | 진로

3 생각 나누기 가상 연설문에 담을 내용에 관해 모둠원끼리 의견을 나누어 보자.

1 문제의 원인과 사례	• 원인: 지나친 탄소 배출로 인한 지구 온난화 • 사례: 빙하가 녹아 바닷물의 높이가 올라가고 있음.
2 지금까지 진행된 국제 사회의 노력과 한계점	• 노력: 「파리 협정」 등 국제 협약을 채택하였음. • 한계: 미국이 탈퇴하는 등 제대로 지켜지지 않음.
3 문제 해결을 위한 제안	모든 나라들이 탄소 배출량 상한선을 설정하는 협약에 재가입하고 이를 지키지 않을 시 불이익을 줄 것.

4 작성하기 다음 과정에 따라 가상 연설문을 작성한 후, 친구들 앞에서 발표해 보자.

1 연설을 발표할 국제기구 정하기 > 2 연설 시간 정하기 > 3 연설문 작성하기 > 4 연설에 필요한 몸짓과 억양 연습하기 > 5 연설문 발표하기

예시 ▶
안녕하세요, 여러분. 국제 연합 환경 계획(UNEP)의 일원으로서 이 회의장에 서게 되어 진심으로 영광스럽습니다. 나는 이 자리에서 우리가 당장 해야 할 일들을 말하고자 나왔습니다. ……
이 모든 문제의 원인은 지구 온난화입니다. 과학자들은 우리가 지구 온난화 현상을 당장 해결하지 않는다면 막대한 위험을 초래할 것이라고 경고하고 있습니다.
우리에게 남은 문제는 우리가 강력하게, 늦지 않게 행동해야 한다는 것입니다. 모든 국가가 탄소 배출량 상한선을 설정하는 협약에 가입하는 것이 가장 필요합니다.

5 평가하기 모둠별로 작성한 가상 연설문을 평가해 보자.

평가 항목	상	중	하
이해도 | 현대 세계의 당면 문제에 대한 이해가 이전보다 나아졌나요?			
적절성 | 현대 세계의 문제에 대한 원인과 해결 방안의 제시가 적절하였나요?			
표현력 | 연설문에서 말하고자 하는 바를 잘 전달하였나요?			

231

활동 예시 답안

1단계: 선정하기

난민 문제: 최근 우리 나라에서도 예멘 난민 문제로 크게 이슈가 되어 난민 문제에 대해 관심이 생겨 선정하였음.

2단계: 조사하기

1. **구체적 사례:** 시리아 난민, 예멘 난민 문제
2. **국제기구 노력:** 국제 연합(UN) 의 유엔 난민기구는 전 세계 난민 보호를 위해 활동하고 있다.
3. **연설문:** 안젤리나 졸리의 UN 연설

3단계: 생각 나누기

1. **문제의 원인:** 종교, 민족, 부족 간의 갈등 등으로 수많은 난민 발생/ 사례: 시리아 난민, 예멘 난민, 팔레스타인 난민 등
2. **국제 사회의 노력과 한계:** 주변 인접 국가나 유럽, 미국 등에서 난민을 수요하고 있으나, 국가 간 국가 내의 주민들이 이를 둘러싸고 갈등을 일으키고 있음.
3. **해결을 위한 제안:** 난민을 수용하는 것은 인류애적인 차원의 문제로 발생할 수 있는 문제점을 해결할 대안 마련이 요구됨.

4단계: 작성하기

여러분, 세계 곳곳에서는 여러 가지 이유로 난민이 발생하여 세계를 떠돌고 있습니다. 이들 난민들은 …….

활동 소개

이 활동은 학생들이 현대 사회의 문제를 해결할 수 있는 연설문을 작성해 봄으로써 문제 해결을 위한 노력을 고민해볼 수 있도록 하는 활동입니다.

활동 도우미

실제로 영향력 있는 유명인들이 UN 등의 국제기구에서 연설했던 연설문을 찾아보고, 연설문이 어떤 형식과 표현을 갖추고 있는지를 파악해 보아요. 예) 방탄 소년단의 유니세프 연설

진로 탐방 'UN 직원', 그 직업이 알고 싶다!

Q: UN 직원은 어떤 일을 하나요?
UN은 크게 평화 유지 활동, 군비 축소 활동, 국제 협력 활동 등의 분야에서 전문가로 활동하게 됩니다.

Q: UN 직원이 되려면 어떤 노력을 해야 하나요?
영어에 능통해야 합니다. 그리고 해당 분야에 대한 실무적인 지식이 있어야 하므로, 관련 학과(사회 복지, 정치학, 행정학, 외교학 등)에 진학하는 것이 좋습니다. 그리고 세계사, 시사, 전쟁사, 역사, 지리, 종교, 문화 등의 각 분야에 다양한 지식을 가지고 있는 것이 좋습니다.

Q: UN 직원이 되면 어느 정도의 급여와 복지 혜택을 받을 수 있나요?
급여는 직책에 따라 다릅니다. 전 세계에 산하 기구들이 존재하고 있어 자주 주거지를 옮겨야 합니다.

대주제를 정리하는 종합 문제

01 다음 사건이 일어난 시기로 옳은 것은?

제○○호 세계사 신문 ○○○○년 ○○월 ○○일

쿠바에 공격용 미사일 기지가 건설 중인 것으로 밝혀지다

쿠바에 미사일 기지가 건설 중인 것으로 확인되자 미국 케네디 대통령은 쿠바로 이동 중인 모든 공격용 무기를 수송하는 선박은 봉쇄될 것이라고 밝혔다. 또한 쿠바에서 발사된 핵미사일 서반구의 특정 국가를 타격하면 소련이 미국을 공격하는 행위로 간주하고 소련에 전면적인 보복 공격을 초래할 것이라고 선언하였다.

트루먼 독트린	(가)	베를린 봉쇄	(나)	6·25 전쟁	(다)	닉슨 독트린	(라)	독일 통일	(마)	소련 해체

① (가) ② (나) ③ (다) ④ (라) ⑤ (마)

02 다음 회의가 개최된 배경으로 옳은 것은?

1. 기본적 인권 및 유엔 헌장의 목적과 원칙을 존중한다.
2. 모든 국가의 주권과 영토 보존을 존중한다.
3. 모든 인종과 국가의 평등을 인정한다.
4. 다른 나라의 내정에 간섭하지 않는다.
8. 국제 분쟁은 유엔 헌장에 따른 화해, 중재, 조정 등의 평화적 수단에 의해 해결한다.
9. 상호 이익과 협력을 촉진한다.

-「평화 10원칙」-

① 팔레스타인 지역의 분쟁이 심화되었다.
② 동유럽 사회주의권 국가들이 붕괴되었다.
③ 신생 독립국들이 비동맹 노선을 표방하였다.
④ 연합국이 모여 전후 처리 문제를 논의하였다.
⑤ 여성에게 참정권이 부여되고 민주주의가 확대되었다.

03 교사의 질문에 대한 학생의 답변으로 옳은 것을 |보기|에서 모두 고른 것은?

|보기|
ㄱ. 닉슨 독트린
ㄴ. 트루먼 독트린
ㅁ. 중국과 소련의 노선 분쟁
ㄷ. 유고 슬라비아의 독자 노선
ㄹ. 프랑스의 북대서양 조약 기구(NATO) 탈퇴

① ㄱ, ㄴ ② ㄱ, ㄴ, ㄷ
③ ㄱ, ㄴ, ㄷ, ㄹ ④ ㄱ, ㄷ, ㄹ, ㅁ
⑤ ㄱ, ㄴ, ㄷ, ㄹ, ㅁ

04 다음과 같은 정책에 대한 내용으로 옳은 것은?

1970년대 두 차례에 걸친 석유 위기를 겪으며 세계 경제는 자본주의 체제의 변혁을 꾀하였고, 정부의 역할을 줄이고 시장을 중시하였다. 또한 여러 가지 규제를 없애고, 사회 복지 예산을 줄였으며, 공공기관을 민영화하는 정책들이 발표되었다.

▲ 영국의 대처 총리

① 중국의 전통문화와 자본주의를 부정하였다.
② 서유럽 각국의 경제를 재건하기 위해 발표되었다.
③ 정부의 규제 철폐와 사회 비용을 줄이고자 하였다.
④ 실업자 해소를 위해 대규모 공공 사업을 추진하였다.
⑤ 개혁 · 개방을 시행하여 여러 경제 특구를 설치하였다.

난이도	상●●●	중●●○	하●○○
정답률	50% 미만	50~70%	70% 이상

정답과 해설 39쪽

05 다음과 같은 운동이 일어나게 된 배경으로 옳은 것은?

●○○

- 미국 내 청년들은 정부의 베트남 전쟁 개입에 대한 비판의 목소리를 높이며, 반전 운동을 펼쳤다.
- 미국에서는 흑인 차별에 반대하는 민권 운동이 전개되었다.

① 세계화가 진행되었다.
② 제 3세계가 형성되었다.
③ 냉전 체제가 형성되었다.
④ 탈권위주의 운동이 전개되었다.
⑤ 세계 각 지역에서 분쟁이 발생하였다.

06 다음은 현대 사회가 당면한 문제를 보여준다. 이러한 문제를 해결하기 위한 노력으로 옳은 것을 |보기|에서 고른 것은?

●●○

세계에서 네 번째로 큰 호수였던 아랄해가 인간의 무분별한 자원 사용으로 사막으로 변하였다.

|보기|
ㄱ. 각 분쟁 지역에 개입하여 국가적 이익을 도모한다.
ㄴ. 지속 가능한 발전을 모색하며, 환경 문제에 관심을 가진다.
ㄷ. 국제 개발 협력에 참여하여 개발 도상국의 빈곤 퇴치를 위해 노력한다.
ㄹ. 난민으로 인한 경제, 사회적 문제 발생을 막기 위해 난민 수용을 거부한다.

① ㄱ, ㄴ ② ㄱ, ㄹ ③ ㄴ, ㄷ
④ ㄴ, ㄹ ⑤ ㄷ, ㄹ

서술형 문제

07 다음 사회 운동으로 나타난 사회 변화 두 가지를 서술하시오.

- 아니라고 말하기! 그것이 생각하는 것이다.
- 금지하는 것을 금지하라!

08 자료를 보고 물음에 답하시오.

(가) 오늘날 전 세계의 거의 모든 나라는 두 가지 생활 방식 중 하나를 선택해야 합니다. …… 나는 모든 민족이 자유로운 상황에서 운명을 스스로 결정할 수 있도록 우리가 도와야 한다고 믿습니다. 그래서 무엇보다 재정적인 지원을 염두에 두고 있습니다.
(나) • 미국은 앞으로 베트남 전쟁과 같은 군사적 개입을 피한다.
• 미국은 강대국의 핵 위협을 제외하고는 내란이나 침략에 대하여 아시아 각국이 스스로 협력하여 그에 대처하기를 바란다.

(1) (가)와 (나)의 독트린을 발표한 미국의 대통령 이름을 각각 쓰시오.

(2) (가)와 (나)의 발표가 냉전에 미친 영향을 각각 서술하시오.

MEMO

이 책의 정답은 QR 코드로 확인할 수 있어요~!

2015 개정 교육과정

금성 자습서

공자랑 놀자!

스스로 학습 강화 시리즈

중학 역사① 자습서

정답과 해설

금성출판사

스스로 학습 강화 시리즈

금자랑 놀자!

중학 **역사①** 자습서

정답과 해설

금성출판사

정답과 해설

I 문명의 발생과 고대 세계의 형성

프롤로그

확인해 봐요

프롤로그 **역사의 의미와 역사 학습의 목적** 8쪽

1 ○ **2** X **3** ○

1 세계의 선사 문화와 고대 문명

확인해 봐요

주제 1 **인류의 출현과 선사 문화** 10쪽

1 X **2** ○ **3** X

주제 2 **큰 강 유역에서 발생한 문명** 12쪽

1 청동 **2** 문자 **3** 문명

주제 3 **메소포타미아와 이집트에서 발생한 문명** 14쪽

1 쐐기 문자 **2** 함무라비왕 **3** 피라미드

주제 4 **중국과 인도에서 발생한 문명** 16쪽

1 X **2** ○ **3** ○

시험을 대비하는 실전 문제

| 기초를 튼튼하게 **확인 문제** | 18쪽

01 ㉠-ⓐ, ㉡-ⓒ, ㉢-ⓑ **02** (1) ○, (2) X, (3) ○, (4) X
03 ㄹ-ㄴ-ㄱ-ㄷ **04** (1) 사료, (2) 토기, (3) 카스트제

| 내신을 탄탄하게 **내신 문제** | 18~20쪽

01 ⑤ **02** ④ **03** ⑤ **04** ⑤ **05** ③ **06** ② **07** ② **08** ③
09 ④ **10** ①

01 과거에 관한 기록을 사료라 하는데, 사료의 종류에는 책, 문서, 일기, 비문, 그림, 사진 등의 기록물과 무기, 토기 등 유물이 있다. 또한 고분, 집터, 궁궐 등 사람들이 남긴 흔적이 있는 일정한 공간으로 유적도 있다.
⑤ 사람들이 살아가며 사용했던 물건들은 유물이다.

02 현재 인류의 조상, 약 20만 년 전에 등장 등의 특징을 통해 (가)가 호모 사피엔스임을 알 수 있다. 호모 사피엔스는 아프리카에서 출현하여 아시아, 유럽은 물론 아메리카 대륙까지 이동하여 다양한 환경에 적응하며 살았다.

오답 확인 ① 약 40만 년 전 인류로 현재 인류와 비슷한 뇌 용량을 가졌고, 호모 사피엔스와 공존하다가 2만 8천 년 전에 멸종하였다.
② 150만~200만 년 전 인류로 오스트랄로피테쿠스와 호모 에렉투스 사이에 출현한 것으로 간주된다.
③ 약 180만 년 전 인류로 허리를 완전히 펴고 걸었으며, 불과 간단한 언어를 사용하였다.
⑤ 약 390만 년 전 아프리카에서 등장한 최초의 인류로 두발로 서서 걷고 간단한 도구를 사용하였다.

03 제시된 도구들은 모두 돌을 깨뜨리거나 떼어서 만든 뗀석기로 이러한 도구를 사용하며 생활하였던 시기를 구석기 시대라 한다.

오답 확인 ㄱ, ㄴ 신석기 시대의 생활 모습에 대한 설명이다. 신석기 시대에 제작된 대표적인 토기로 채색 토기와 빗살무늬 토기 등이 있다. 또한 신석기 시대에는 조, 기장 등의 곡식을 기르고 개, 돼지, 소, 양 등의 가축을 기르기 시작하였다.

04 학생들의 대답에서 '식량 생산'과 '정착 생활'을 통해 신석기 시대에 변화된 인류의 삶에 대한 질문임을 파악할 수 있다. 즉 인류는 신석기 시대에 농경과 목축을 시작하면서 스스로 식량을 생산하게 되었으며, 한곳에 머물러 살 수 있게 되었다. 정착 생활로 움집을 짓고 토기를 만들어 식량을 저장하고 음식을 조리하게 되었다. 또한 농사에 영향을 주는 자연에 관심을 갖고 이를 숭배하였다.

05 청동기 시대에는 큰 강 유역에서 농사를 지었으며 청동 무기를 사용하여 정복 전쟁이 전개되었다. 또한 도시에서 교역이 이루어졌으며, 강물이 넘치는 것을 막기 위해 관개 시설을 만들었다. 청동의 원료가 귀하였고, 단단하지 못하였기 때문에 주로 무기나 의례용 도구를 만드는 데 이용되었다.

오답 확인 ③ 농기구, 생활 도구 등은 여전히 석기로 만들었다.

06 기후가 따뜻하고 농사짓는 데 유리한 큰 강 유역에 모여 살던 사람들에 의해 고대 문명이 발생하였다. 이들은 청동으로 무기를 만들어 정복 전쟁을 전개하면서 도시 국가를 형성하였다. 국가에는 지배층과 피지배층의 계급이 발생하였고, 통치와 교역 활동에 필요한 문자도 사용하게 되었다. 문자의 발명으로 인류는 점차 수준 높은 문명을 이루게 되었다.

오답 확인 ㄴ. 고대 문명 발생지에서는 청동을 공통으로 사용하였다.
ㄹ. 고대 문명 발생지는 공통적으로 큰 강 유역에서 발생하였다.

[07~08] 지도는 고대 문명의 발상지 위치로 ㉠ 에게 문명, ㉡ 이집트 문명, ㉢ 메소포타미아 문명, ㉣ 인도 문명, ㉤ 중국 문명이다.

07 ㉡ 이집트 문명에서는 왕을 살아 있는 신으로 추대하여 파라오라고 불렀으며, 왕이 죽으면 시신을 미라로 만들어 거대한 피라미드에 안치하였다.

오답 확인 ① 봉건제는 ㉤ 중국 문명, ③ 카스트제는 ㉣ 인도 문명, ④ 신정 정치는 ㉤ 중국 문명, ⑤ 복수주의는 ㉢ 메소포타미아 문명에 해당하는 내용이다.

08 자료는 눈을 멀게 하면 그의 눈을 멀게 한다는 복수주의의 내용과 신분 사회의 모습 등을 통해 『함무라비 법전』임을 알 수 있다. 이와 같은 법전을 만들어 사회 질서를 바로 잡았던 지역은 메소포타미아 지역으로 ㉢에 해당한다.

09 사진은 메소포타미아 문명 지역의 대부분을 통일하였던 바빌로니아 왕국의 함무라비왕이 만든 법전이다. 또한 학생의 유물 설명을 통해서도 함무라비 법전임을 알 수 있다. 메소포타미아 문명에서는 현세의 행복을 빌기 위해 거대한 신전 지구라트를 만들었다.

오답 확인 ① 갑골문은 중국 문명에서 사용하던 것이다.
② 파라오는 이집트 왕의 호칭이다.
③, ⑤ 인도 문명과 관련이 있다.

10 중국 '상'에서 사용되었으며 점을 쳐서 신의 뜻을 추측하였다는 설명을 통해 (가)가 갑골문임을 알 수 있다. 갑골문은 거북의 배나 짐승의 뼈에 새겨 넣었으며 오늘날 중국 한자의 기원이 되었다.

오답 확인 ② 메소포타미아의 쐐기 문자, ③ 인도의 하라파 문자, ④ 이집트의 상형 문자이다.
⑤ 페니키아의 문자로 오늘날 알파벳의 기원이 되었다.

| 만점에 도전하는 **심화 문제** | 21쪽

01 ④ **02** ③ **03** ⑤ **04** ②

01 구석기 시대는 주로 사냥과 채집을 통해 식량을 얻었다. 따라서 구석기 시대 사람들은 주거지인 동굴에 사냥의 성공을 기원하는 벽화를 그렸다. 또한 사냥과 채집에서 많은 노동력이 필요하였기 때문에 다산과 풍요를 기원하면서 가슴, 배, 엉덩이 등의 신체 부위를 과장되게 표현한 여성의 모습을 예술품으로 만들었다.

02 신석기 시대에 농경 생활이 시작되면서 ㄴ과 같은 갈판과 갈돌을 이용하여 곡식의 껍질을 까거나 갈았으며, ㄷ과 같은 토기를 만들어 식량을 보관하였다.

오답 확인 ㄱ. 구석기 시대에 다양한 용도로 쓰인 도구이며, ㄹ. 돌과 짐승의 뼈를 이어 붙여 만든 낚시 도구이다.

03 사진은 이집트 파라오의 무덤인 피라미드와 수호신 스핑크스이다. 사자의 서는 죽은 자가 심판을 받는 장면을 묘사하여 내세에서 보호를 받도록 무덤에 넣어 준 이집트 문명의 유물이다.

오답 확인 ① 봉건제는 중국 주의 통치 체제, ② 메소포타미아 문명의 문자, ③ 메소포타미아 지역에 처음으로 등장한 민족, ④ 인도의 아리아인이 만든 종교이다.

04 지도의 영역과 모헨조다로라는 명칭을 통해 (가)가 인도 문명임을 알 수 있다. 인더스강 유역의 도시 문명에서 시작된 인도 문명은 주택을 주로 벽돌로 만들고 목욕장과 곡물 창고 같은 공공 시설을 세웠다. 또한 외적의 침입에 대비하기 위해 높은 성채와 도로망, 배수 시설을 갖춘 도시 문명이 형성되었다. 중앙아시아에서 유목 생활을 하던 아리아인이 이동해 오면서 갠지스강 유역까지 세력을 넓히게 되었다. 이때 아리아인들이 원주민을 지배하기 위해 카스트제라는 신분 제도를 만들어 엄격하게 지배하였으며, 『베다』라는 복잡한 종교 의식을 만들어 자신들의 권위를 높였다.
② 봉건제는 중국의 주에서 왕이 넓은 영토를 효과적으로 다스리기 위해 자신이 직접 통치하는 지역을 뺀 나머지 영토를 친족과 공을 세운 신하에게 나누어 다스린 제도이다.

2 고대 제국들의 특성과 주변 세계의 성장

확인해 봐요

1 아시리아 **2** 다리우스 1세 **3** 사산 왕조 페르시아

1 ○ **2** ○ **3** X

1 법가 **2** 군현제 **3** 태학

1 민주 정치 **2** 마케도니아 **3** 헬레니즘

1 공화정 **2** 옥타비아누스(아우구스투스) **3** 만민법

정답과 해설

시험을 대비하는 실전 문제

| 기초를 튼튼하게 **확인 문제** | 32쪽

01 ㉠-ⓑ, ㉡-ⓒ, ㉢-ⓐ **02** (1) ○, (2) X, (3) X, (4) ○
03 ㄱ-ㄷ-ㄹ-ㄴ **04** (1) 시황제, (2) 헬레니즘, (3) 크리스트교

| 내신을 탄탄하게 **내신 문제** | 32~34쪽

01 ② **02** ⑤ **03** ② **04** ⑤ **05** ③ **06** ⑤ **07** ③ **08** ① **09** ④
10 ④

01 주 마다 총독 파견, '왕의 길' 정비, '왕의 눈', '왕의 귀'를 통해 (가)가 다리우스 1세임을 알 수 있다. 아케메네스 왕조 페르시아의 왕 다리우스 1세는 중앙 집권 체제와 지방 통제를 강화하여 넓은 영토를 효율적으로 다스리고자 하였다.

오답 확인 ① 키루스왕은 아케메네스 왕조 페르시아의 왕으로 오늘날 이란 지역에서 서아시아 지역을 통일하였다.
③ 알렉산드로스는 마케도니아의 왕으로 그리스, 페르시아 지역을 통일한 제국을 건설하였다.
④ 옥타비아누스는 로마 제정을 성립시켰다.
⑤ 콘스탄티누스 대제는 로마에서 크리스트교를 공인하고, 수도를 콘스탄티노폴리스로 옮겼다.

02 주의 봉건제는 혈연 관계를 기반으로 제후를 임명하였는데, 세월이 흐르면서 혈연 관계는 느슨해지고 지역에 강력한 제후들이 국가를 세우며 분열하면서 지도와 같이 춘추 전국 시대가 전개되었다.

오답 확인 ① 춘추 전국 시대가 전개되면서 철기 문화의 보급이 확산되었다.

03 춘추 전국 시대의 제후들은 부유하고 강한 나라를 만들고자 하였다. 이때 다양한 사상가와 그들의 주장이 유행하였는데, 이를 제자백가라 한다. 후에 춘추 전국 시대를 통일한 진은 법가 사상만을 인정하였다.

오답 확인 ① 유가는 인과 예를 바탕으로 한 도덕 정치 주장, ③ 묵가는 차별 없는 사랑 주장, ④ 도가는 자연의 순리에 따른 삶 주장, ⑤ 농가는 농업 생산에 의한 자급자족을 주장하였다.

04 병마용 갱을 통해 유적지와 관계있는 인물이 진시황제임을 알 수 있다. 춘추 전국 시대를 통일한 진의 시황제는 나라마다 달랐던 문자, 화폐, 도량형뿐만 아니라 사상도 법가로 통일하였다. 그는 법가 이외의 책은 불사르고, 법가를 비판하는 학자들은 구덩이에 묻어버렸다. 또한 북방의 유목 민족인 흉노를 몰아내기 위해 장성들을 중축하거나 연결하여 만리장성을 쌓았다.

오답 확인 ㄱ. 한 무제 시기, ㄴ. 한 고조 시기에 일어난 일이다.

05 한의 문화는 이후 중국 사회에 큰 영향을 미쳤다. 특히 진 시기에 탄압을 받았던 유가 사상을 정치 이념이자 생활 규범으로 자리 잡아 유교로 발전시켰다. 이 과정에서 태학을 설치하고, 경전을 정리, 해석하는 과정에서 훈고학이 발전하였다. 또한 사마천의 『사기』 저술은 이후 중국 역사 저술의 모범이 되었으며, 채륜의 제지법 완성은 학문의 발전과 지식 보급에 크게 기여하였다.

③ 국가의 중요한 일을 점을 쳐서 결정한 것은 상 시기의 일로 이때 점 친 결과는 거북의 배나 짐승의 뼈에 갑골문으로 새겨 넣었다.

06 폴리스, 아폴로 신을 통해 (가)가 아크로폴리스임을 알 수 있다. 고대 그리스에서는 외적의 침략을 방어하기 쉬운 곳에 요새나 성을 쌓고 생활하며 폴리스를 형성하였다. 폴리스의 중심부에는 종교 생활과 군사 거점인 아크로폴리스가 있고, 그 밑에 광장과 시장 등이 있는 아고라가 있었다.

오답 확인 ① 아고라는 광장과 시장의 기능을 하였다.
② 로마 제국 곳곳에 물을 공급하기 위해 만들었다.
③ 로마 제국에서 통치 및 자문을 맡았던 기구이다.
④ 로마에 있던 원형 경기장으로 최대 5만 명을 수용할 수 있었다.

07 로마 제국은 광대한 영역을 다스리기 위해 실용적인 문화를 발전시켰는데, 가장 대표적인 분야가 법률과 건축 분야이다.
③ 파르테논 신전은 아테네 신을 모시는 그리스 신전이다.

오답 확인 ① 5만 명의 관중을 수용하였던 콜로세움, ② 로마 제국 초기 크리스트교들이 탄압을 피해 숨어 지내던 카타콤, ④ 로마인의 정치와 경제의 중심지 포룸로마눔, ⑤ 로마 제국 곳곳을 연결하던 아피우스 가도이다.

08 제시된 표는 집정관, 원로원, 민회를 통해 로마 공화정의 모습임을 알 수 있다. 지중해 무역을 주도하던 카르타고와 포에니 전쟁을 치러 승리한 로마는 지중해 세계를 장악하였다. 이후 로마의 귀족들은 전쟁 포로를 노예로 삼아 넓은 농장을 경영하게 되고, 이에 농민들이 토지를 잃고 몰락하게 되었다. 이후 공화정이 흔들리게 되었다.

오답 확인 ② 크리스트교 공인은 로마의 제정 시기에 나타났다.
③ 펠로폰네소스 전쟁은 그리스의 폴리스들 간의 전쟁이다.
④ 그라쿠스 형제는 농민들을 보호하기 위한 개혁을 시도하면서 공화정을 유지하고자 힘썼다.
⑤ 로마의 공화정 이후 제정 시기에 나타난 일이다.

09 사진은 라오콘 군상으로 라오콘과 그의 아들이 뱀에 감겨 고통스러워하는 모습을 사실적이고 역동적으로 표현한 헬레니즘 미술의 대표 작품이다. 헬레니즘 문화는 그리스 문화를 기반으로 페르시아 등 다른 문화 요소를 융합하였다.

10 도기 조각 사진, 추방, 투표를 통해 (가)가 그리스의 도시 국가 아테네임을 알 수 있다. 일찍이 민주 정치가 발달하여 페리클레스 시기에 전성기를 이루었다. 이 과정에서 독재의 위험이 따르는 인물을 도자기에 적어 투표하여 추방하는 도편 추방제를 실시하기도 하였다.

오답 확인 ① 군국주의 정책으로 다스린 것은 그리스의 폴리스 가운데 스파르타이다.
② 아테네에서는 여성, 노예, 외국인은 정치에 참여할 수 없었다.
③ 귀족들이 정치를 이끌어가다가 차츰 황제가 통치하게 된 것은 로마 제국이다.
⑤ 스파르타가 이끄는 펠로폰네소스 동맹과 아테네가 이끄는 델로스 동맹 간의 전쟁(펠로폰네소스 전쟁)에서는 펠로폰네소스 동맹이 승리를 거두었다.

만점에 도전하는 심화 문제 | 35쪽

01 ⑤ **02** ① **03** ① **04** ⑤

01 이 설명으로 신라의 봉수형 유리병은 사산 왕조 페르시아와 신라의 교류를 보여주며, (가)는 사산 왕조 페르시아 임을 알 수 있다. 사산 왕조 페르시아는 주변 지역과 활발히 교류하였는데, 공예 기술은 유럽, 이슬람과 동아시아 지역의 신라까지 전해졌다. 또한 선의 신에게 은혜를 입어 천국에 이른다고 믿는 조로아스터교는 사산 왕조 페르시아의 국교였다.

02 진시황제는 흉노를 몰아내고 만리장성을 축조하였고, 한 무제는 대월지와 동맹을 맺고 흉노를 막아내고자 장건을 서역에 파견하기도 하였다.

오답 확인 ② 한 무제의 통치에만 해당된다. 진시황제는 법가 사상만을 강조하고, 그 외의 사상 특히 유가를 철저히 탄압하였다.
③ 비단길 개척으로 나타난 결과이고, ④, ⑤ 위의 정책과 연관이 없다.

03 지도에 표시된 국가의 영역과 알렉산드리아 표시를 통해 그림에 해당하는 인물이 알렉산드로스임을 알 수 있다. 알렉산드로스 제국은 그리스에서 일어난 반란을 진압하고 동쪽의 인더스강 유역까지 정복하여 유럽 · 아시아 · 아프리카에 걸친 대제국을 세웠다. 그리스 문화를 기반으로 페르시아 등 다른 문화 요소를 융합하여 헬레니즘 문화를 형성하였다. 또한 정복지에 알렉산드리아라는 도시를 세웠다.

오답 확인 ① 다리우스 1세의 정책이다.

04 자료는 밀라노, 종교에 헌신할 자유를 통해 크리스트교를 공인한 밀라노 칙령임을 알 수 있다. 콘스탄티누스 대제는 밀라노 칙령을 발표하여 크리스트교를 공인(313)하였다. 그리고 스스로 크리스트교로 개종하였다. 또한 게르만족과 사상 왕조 페르시아의 잇따른 침입으로 어려움에 처하자 수도를 콘스탄티노폴리스로 옮겨 제국의 부흥을 시도하였다.

오답 확인 ① 로마의 제정은 기원전 1세기 경 옥타비아누스가 권력을 잡으면서 성립되었다.
② 포에니 전쟁은 기원전 3세기경에 끝났다.
③ 로마 제국은 4세기 말에 분리되었다.
④ 평민들의 정치 참여가 확대된 것은 기원전 6세기 공화정이 수립된 이후부터이다.

대주제를 정리하는 종합 문제 38~39쪽

01 ⑤ **02** ⑤ **03** ⑤ **04** ③ **05** ④ **06** ② **07~08** 해설 참조

01 제시된 토기를 통해 (가) 신석기 시대임을 파악할 수 있다. 토기는 농경과 목축을 시작한 뒤로 식량을 보관하거나 간단한 조리를 하는데 사용하였다. 또한 농사를 지으려면 한 곳에 정착 생활해야 하므로 움집을 짓고 마을을 이루었으며, 농사에 영향을 미치는 해, 달, 물 등 자연물을 숭배하게 되었다.

오답 확인 ⑤ 뗀석기는 구석기 시대에 사용하였던 도구이다.

02 갑골문은 중국 상(㉤ 중국 문명)에서 전쟁이나 농경 같은 국가의 중요한 일을 점을 쳐서 결정하고, 그 결과를 거북의 배나 짐승의 뼈에 새길 때 썼던 문자이다.

오답 확인 ① 피라미드는 ㉡이집트 문명, ② 크노소스 궁전은 ㉠에게 문명, ③ 모헨조다로 유적은 ㉣ 인도 문명, ④ 함무라비 법전은 ㉢ 메소포타미아 문명과 관련이 있다.

03 제시된 유적은 다리우스 1세의 전승 기념비이다. 다리우스 1세는 20개의 주에 총독을 파견하여 공물과 세금을 거두는 등 지방을 관리하게 하였다.

오답 확인 ① 다리우스 1세는 관리를 파견하였다.
② 아시리아 때 일이다.
③ 다리우스 1세는 지방에 대한 통제를 강화하였다.
④ 키루스왕의 정책이다.

04 한 무제는 유가 사상인 유교를 정치 이념으로 삼았으며, 영토 확장에 힘써 고조선을 공격하였다. 흉노를 공격하기 위해 서역에 있는 대월지와 동맹을 맺고자 장건을 서역에 파견하였다. 이시기 역사가 사마천은 『사기』를 저술하였다.

오답 확인 ㄴ. 황건적의 난은 한 말기에 일어난 일이며, ㄷ, ㄹ 만리장성 축조를 시작하고, 법가 사상을 강조한 것은 진시황제이다.

05 로마 제국은 도시 국가에서 출발하여 왕정을 실시하였다. (나) 공화정이 실시되면서 전쟁에 참가하여 공을 세웠던 평민들까지 정치에 참여하게 되었다. 그러나 (다) 포에니 전쟁 이후 귀족들의 대토지 소유가 늘면서 평민들의 정치 참여가 불안해져 (가) 제정이 성립되었다. 이후 (마) 크리스트교를 공인하며 성장하였으나, 게르만족과 사산 왕조 페르시아의 계속되는 침입과 상공업의 쇠퇴 등으로 (라) 동 · 서 로마로 분리하여 통치하게 되었다.

06 그라쿠스 형제는 포에니 전쟁 이후 나타난 사회 문제를 해결하기 위해 농민을 보고하고 자영 농민층을 육성하려는 개혁 정책을 펼쳤으나, 귀족들의 반대로 무산되었다.

오답 확인 ㄴ. 그라쿠스 형제는 신분제 폐지를 주장하지 않았다. ㄷ. 대농장 소유의 확대를 막고자 개혁을 펼쳤다.

07 예시 답안 초기에는 재산, 혈통 등에 따라 차별적으로 정치에 참여할 수 있도록 하였으나 페리클레스 시기에는 20세 이상의 시민은 남성은 모두 의결권을 갖게 되었다. 그러나 여성, 노예, 외국인은 정치에 참여할 수 없었던 한계를 지닌다.

채점 기준

상	참정권의 확대 과정과 한계를 모두 서술한 경우
중	참정권의 확대 과정과 한계 중 한 가지만 서술한 경우
하	참정권의 확대 과정과 한계 모두 서술하지 못한 경우

08 (1) 정답 제자백가

(2) 예시 답안 춘추 전국 시대의 제후들이 신분과 출신을 가리지 않고 인재를 등용하여 부유하고 강한 나라를 만들고자 하였기 때문이다.

채점 기준

상	춘추 전국 시대 제후들이 고른 인재 등용의 뜻을 가지고 있었고, 부국강병책을 찾고 있었음을 두 가지 모두 서술한 경우
중	춘추 전국 시대 제후들의 고른 인재 등용의 뜻과 부국강병책 찾기 중 한 가지만 서술한 경우
하	춘춘 전국 시대 제후들의 고른 인재 등용 뜻과 부국강병책 찾기 모두 서술하지 못한 경우

Ⅱ 세계 종교의 확산과 지역 문화의 형성

1 불교 및 힌두교 문화의 형성과 확산

확인해 봐요

주제 1 **불교를 일으킨 마우리아 왕조** 42쪽

1 브라만 **2** 아소카왕 **3** 동남아시아

주제 2 **대승 불교를 널리 알린 쿠샨 왕조** 44쪽

1 × **2** ○ **3** ×

주제 3 **힌두교 문화를 꽃피운 굽타 왕조** 46쪽

1 굽타 **2** 산스크리트어 **3**『마누 법전』

시험을 대비하는 실전 문제

기초를 튼튼하게 **확인 문제** 48쪽

01 ㉠-ⓐ, ㉡-ⓑ, ㉢-ⓒ **02** (1) ×, (2) ○, (3) ×, (4) ○
03 ㄹ-ㄴ-ㄷ-ㄱ **04** (1) 카스트제, (2) 상좌부 불교, (3) 간다라

내신을 탄탄하게 **내신 문제** 48~50쪽

01 ③ **02** ④ **03** ⑤ **04** ② **05** ② **06** ④ **07** ② **08** ④ **09** ③ **10** ②

01 수행, 부처, 석가모니의 모습을 통해 불교에 대한 설명임을 알 수 있다. 자비와 평등을 주장하는 불교는 무사와 평민 계층의 지지를 받았으며, 평등을 주장하였으므로 카스트제의 신분 차별을 부정하였다. 불교는 올바른 수행을 하면 누구나 부처가 될 수 있다고 하여 신분에 따른 차별이 적었다. 전쟁과 상업 발달은 무사와 평민 계층의 지위 상승을 가져와 이들이 브라만의 권위에 불만을 품게 되면서 불교가 탄생하는 계기가 되었다.
③ 불교는 브라만교와 브라만의 권위에 불만을 품고 있던 무사와 평민 계층의 지지를 받으며 퍼져 나갔다.

02 자료는 아소카왕의 석주와 산치 대탑으로 아소카왕이 불교의 가르침을 전파하기 위해 건립하였다. 마우리아 왕조 아소카왕은 불교에 바탕을 둔 법치를 추구하였으며, 성지를 순례하고 경전을 모아 불교 교리를 정리하게 하였다.

오답 확인 ㄱ. 찬드라굽타에 해당되는 내용이다.
ㄷ. 그의 노력으로 상좌부 불교가 실론과 동남 아시아로 전파되었다. 대승 불교는 쿠샨 왕조 카니슈카왕 때 발전하였다.

03 수행, 극락을 통해 (가)는 상좌부 불교, 함께, 극락을 통해 (나) 대승 불교임을 알 수 있다. 상좌부 불교는 동남아시아, 실론으로 전파되었으며, 대승 불교는 중앙 아시아, 중국으로 전파되었다.

오답 확인 ① (가)는 상좌부 불교이며, ② 마우리아 왕조 때 발전하였다.
③ 대중의 구제를 목적으로 한 종교는 대승 불교로 (나)에 해당한다.
④ 쿠샨 왕조 때 발전하였다.

04 헬레니즘의 영향을 받아 형성, 인간적, 개성적인 생김새를 통해 (가)는 간다라 불상임을 짐작할 수 있다.

오답 확인 ① 석굴암 본존불으로 (가)의 양식에 영향을 받아 제작되었다.
③ 아테나 여신상으로 (가)에 영향을 주었다.
④ 아소카왕의 돌기둥으로 (가)와 연관이 없다.
⑤ 중국의 룽먼 석굴로 (가)의 영향을 받아 제작되었다.

05 제시된 자료는 '부처님 발자국'이라는 초기 불교에서 부처를 표현한 상징물이다. 초기 불교에서는 부처의 모습을 직접 표현하는 것이 불경하다고 하여 불상을 만들지 않고 탑이나 보리수 등 다양한 상징으로만 부처를 표현하였다.

오답 확인 ㄴ. 힌두교의 대표적인 신으로는 브라흐마, 비슈누, 시바 등이 있다.
ㄷ. 아소카왕은 불교 포교를 위해 전국 각지에 사원과 돌기둥을 세웠다.

06 마우리아 왕조 때 발전하였으며, 개인의 해탈을 중시한 불교는 상좌부 불교이고, 대승 불교는 쿠샨 왕조 때 발전하였으며, 중생의 구제를 우선하였다.
④ 굽타 왕조 시기에는 브라만교를 바탕으로 한 민간 신앙과 불교 교리가 융합된 힌두교가 발전하였다.

07 자료는 『마누 법전』에 나오는 힌두교 각 카스트별 의무에 대한 내용이다. 힌두교에서는 카스트제에 따른 의무를 수행하는 것을 중시하였는데, 이것이 힌두교도의 생활 방식을 규정한 『마누 법전』에 제시되어 있다.

오답 확인 ① 중국 춘추 전국 시대 법가 사상이 담겨 있다.
③, ④ 인도 고유 신화를 산스크리트어로 정리한 대서사시이다.
⑤ 메소포타미아 문명의 대표적인 성문법으로 돌에 쐐기 문자로 새겨져 있다.

08 자료의 인도 고유 문화의 확립, 힌두교 형성을 통해 굽타 왕조 시기임을 알 수 있다. 굽타 왕조 시기에는 「마하바라타」, 「라마야나」 등 대서사시가 정리되는 등 인도 고전 문화가 확립되었다.

오답 확인 ① 중국 당대의 사실이다.
② 인도 무굴 제국의 유적이다.
③ 쿠샨 왕조의 사실이다.
⑤ 마우리아 왕조의 사실이다.

09 지도의 아잔타, 엘로라, 날란다 사원과 지도에 표시된 나라의 영역 등을 통해 인도의 굽타 왕조임을 알 수 있다. 굽타 왕조 시기에 인도의 고전 문화가 확립되어 힌두교가 발전하였으며, 산스크리트어를 공용어로 하여 「마하바라타」, 「라마야나」 등 대서사시가 정리되었다.
③ 간다라 지역에서 인도 문화와 헬레니즘 문화가 융합되어 간다라 불상이 탄생한 것은 쿠샨 왕조 시기인 1세기경이었다.

10 12세기에 건립된 앙코르 와트는 왕의 사후 세계를 위한 힌두교 사원이었으나 후에 상좌부 불교 사원으로 용도가 변경되었다.

오답 확인 ㄴ. 간다라 불상과 함께 인도에서 전파된 것은 대승 불교이다.
ㄹ. 크리스트교도들이 탄압을 피해 신앙 생활을 하고자 건립한 것은 로마 시대의 지하 묘지인 카타콤이다.

만점에 도전하는 심화 문제 | 51쪽

01 ② **02** ② **03** ④ **04** ③

01 자료에서 공통으로 보이는 유물은 아소카왕이 세운 돌기둥 윗부분의 사자상이다. 아소카왕은 경전을 정리하게 하였으며, 전국에 수많은 사원과 돌기둥을 세워 불교를 전파하였다.

오답 확인 ① 고타마 싯다르타에 대한 설명이다.
③ 아소카왕 때 발전한 불교는 개인의 구원을 중시하는 상좌부 불교였다.
④ 쿠샨 왕조의 카니슈카왕에 대한 내용이다.
⑤ 굽타 왕조의 왕에 대한 설명이다.

02 지도의 전파 지역을 통해 (가)는 대승 불교, (나)는 상좌부 불교임을 알 수 있다. 대승 불교는 중생 구제를 중시하고 간다라 불상과 함께 중앙아시아를 거쳐 중국, 한국, 일본으로 전파되었다. 상좌부 불교는 개인 해탈을 중시하였으며, 아소카왕의 노력으로 인도, 실론, 동남아시아로 전파되었다.

오답 확인 ① (나)에 대한 설명이다.
③ 굽타 왕조 시기의 일이다.
④ 카니슈카왕은 대승 불교 전파에 노력하였다.
⑤ 인도의 민족의식의 확립되면서 형성된 종교는 힌두교이다.

03 (가)는 간다라 불상, (나)는 중국의 룽먼 석굴 대불, (다)는 한국의

석굴암 본존불이다. 간다라 양식은 인도 문화와 헬레니즘 문화가 융합하였다. 간다라에서 처음으로 만들어진 불상은 중생 구제를 중시하는 대승 불교와 함께 중앙아시아를 거쳐 중국, 한국, 일본으로 전파되었다.
④ 불상 자체는 간다라 불상의 영향을 받았지만, 얼굴 모습은 각 나라 사람의 모습을 닮았다.

04 자료는 대서사시인 「라마야나」의 내용이다. 굽타 왕조 시기에는 대서사시인 「마하바라타」, 「라마야나」 등이 정리되는 등 인도 고전 문화가 확립되었다. 또한, 이 시기에는 힌두교가 형성되고 수학과 천문학 등 자연과학이 발달하여 이슬람 세계에 영향을 주었다.
③ 마우리아 왕조에 대한 내용이다.

2 동아시아 문화의 형성과 확산

확인해 봐요

주제 4 위진 남북조 시대의 전개 52쪽

1 화북 **2** 9품중정제 **3** 불교

주제 5 다시 통일을 이룬 수 · 당 시대 54쪽

1 X **2** ○ **3** ○

주제 6 한반도와 일본의 고대 국가 56쪽

1 야요이 **2** 나라 **3** 귀족

주제 7 동아시아 문화의 형성 58쪽

1 X **2** ○ **3** ○

시험을 대비하는 실전 문제

기초를 튼튼하게 확인 문제 | 60쪽

01 ㉠-ⓑ, ㉡-ⓒ, ㉢-ⓐ **02** (1) X, (2) ○, (3) X, (4) ○
03 ㄹ-ㄴ-ㄱ-ㄷ **04** (1) 북위, (2) 율령 체제, (3) 한자

내신을 탄탄하게 내신 문제 | 60~62쪽

01 ③ **02** ⑤ **03** ③ **04** ④ **05** ④ **06** ② **07** ④ **08** ② **09** ②
10 ④

01 자료의 제도는 (가) 균전제이고 이를 처음 실시한 나라는 북위이다. 북위는 한족의 문물과 풍습을 적극적으로 받아들였다.
오답 확인 ①, ⑤ 수, ② 동진, ④ 진(晉)에 해당하는 내용이다.

02 호족 세력을 견제하기 위하여 지방에서 등급별 추천으로 유능한 인재를 선발하여 관리로 채용하는 9품중정제를 실시하였다. 그러나 호족들이 서로 추천하면서 오히려 지방 호족 자제들이 중앙으로 진출하여 관직을 독차지하였다.
오답 확인 ① 북위에 나타난 토지 제도, ② 수대 이후 관리 선발 제도, ③ 북위 이래 실시되던 군사 제도, ④ 당의 중앙 정치 제도이다.

03 자료는 윈강 석굴의 대불로 북조에서 5~6세기에 걸쳐 만들어졌다. 위진 남북조 시대에는 북방 민족에게 밀린 한족이 강남(창장강 하류 지역)으로 이주하여 강남 개발을 시작하였다. 9품중정제로 관리를 선발했으며, 시에서는 도연명, 그림에서는 고개지, 서예에서는 왕희지가 대표적이었다. 한편 도가 철학을 바탕으로 신선 사상을 결합한 도교가 이때부터 본격적으로 발전하였다.
③ 당대의 사실이다.

04 자료는 대운하로 이는 수나라 때 건설하였다. 수는 과거제를 처음 실시하였고 북위 이래 실시되던 균전제와 부병제 등을 정비하였다. 대군을 동원하여 고구려를 침략하였으나 실패하면서 국력을 소모하였다.
오답 확인 ㄱ. 북위, ㄷ. 당대의 사실이다.

05 자료의 사건은 8세기 중반 당에서 일어난 안사의 난이다. 안사의 난 이후 균전제가 붕괴하고 조용조를 대신하여 양세법이, 부병제를 대신하여 모병제가 실시되었다.
오답 확인 ① 절도사의 권한은 강화되었다.
② 안사의 난 이전 내용에 해당한다.
③ 과거제가 폐지된 것은 청 말이다.
⑤ 안사의 난 이전에 시행한 부병제에 대한 설명이다.

06 개방적, 국제적, 당삼채를 통해 (가)가 당임을 알 수 있다. 당삼채는 백색, 녹색, 황색 유약을 써서 만든 도기로 낙타와 서역인의 모습에서 당 문화의 국제성을 알 수 있다. 당대에는 도교가 번영을 이루었으며 귀족 중심의 문화가 발달하였다. 또한 훈고학을 집대성한 『오경정의』가 완성되었고, 현장이 인도에서 직접 불경을 가져와 번역하였다.
② 한 시기에 발생한 일이다.

07 보기에 제시된 사건은 ㄱ. 당 말기, ㄴ. 수, ㄷ. 당 중기, ㄹ. 위진 남북조 시기, ㅁ. 당 전기에 발생하였다.

08 제시된 자료는 나라의 도다이사이다. 나라 시대(710~794)에는 당의 수도 장안을 모방한 헤이조쿄(나라)를 건설하여 수도를 옮겼다. 당에는 사절단인 견당사를 파견하여 당의 문물을 받아들였으

며 한반도의 신라와 발해와도 활발히 교류하였다. 또한 귀족 문화가 발달하였다.
② 당의 체제를 모방하여 천황 중심의 중앙집권 체제를 세운 다이카 개신은 나라 시대 직전인 아스카 시대(6세기 후반~710)의 사실이다.

09 자료는 헤이안 시대의 일본적인 특징이 나타난 귀족의 복식이다. 헤이안 시대에는 수도가 헤이안쿄(지금의 도쿄)였으며 일본의 독자적인 성격의 문화가 형성되었다.

10 자료의 동아시아 문화의 공통 요소로는 한자, 유교, 불교, 율령 체제 등을 들 수 있다.
④ 과거 제도는 한국과 중국에는 있었지만 일본에서는 시행되지 않았다.

| 만점에 도전하는 **심화 문제** | 63쪽

01 ④ **02** ④ **03** ① **04** ③

01 제시된 지도는 위진 남북조 시대이다. 위진 남북조 시대에는 혼란스러운 현실 정치 상황을 반영하듯 노장사상과 청담 사상이 유행하였다.
오답 확인 ①, ②, ⑤ 당, ③ 수에 해당하는 내용이다.

02 수도 장안, 지도의 명칭을 통해 (가)가 당임을 알 수 있다. 당의 수도 장안(시안)은 당시 세계 최대 규모의 계획 도시로 다양한 종교의 장이자 국제 문화 교류의 중심지였다. 당은 주변국과 조공 · 책봉 관계를 맺었으며 현장이 인도에서 가져온 불경을 보관하고자 대안탑을 만들었다.
오답 확인 ㄱ. 수, ㄷ. 위진 남북조 시기의 일이다.

03 도표를 통해 (가)는 나라 시대(710~794)임을 알 수 있다. 나라 시대에는 천황 주도로 대규모 사원인 도다이사가 세워졌고 견당사를 파견하여 당의 문물을 수용하였다.
오답 확인 ②, ④ 헤이안 시대, ③ 아스카 시대, ⑤ 야마토 정권이 수립된 4세기 무렵에 발생한 일이다.

04 자료는 동아시아 공통 문화 요소로서 당과 일본 나라 시대 수도의 구조도이다. 당의 율령은 주변 나라에 전파되어 왕권 강화와 중앙 집권 체제 정비에 기여하였다. 또한 동아시아 출신의 학자들이 당의 과거에 합격하기도 하였다. 당대에는 귀족 문화가 유행하여 시 등이 발달하였으며 이백과 두보 등이 활약하였다.
③ 북위의 화북 통일은 수 · 당 시대 이전인 위진 남북조 시대의 사실이다.

3 이슬람 문화의 형성과 확산

확인해 봐요

주제 8 **이슬람 제국의 형성과 확산** 64쪽
1 헤지라 **2** 칼리프 **3** 탈라스

주제 9 **이슬람 세계의 교류와 문화** 66쪽
1 ○ **2** ○ **3** X

시험을 대비하는 실전 문제

| 기초를 튼튼하게 **확인 문제** | 68쪽

01 ㉠-ⓐ, ㉡-ⓒ, ㉢-ⓑ **02** (1) X, (2) ○, (3) X, (4) ○
03 ㄷ-ㄹ-ㄴ-ㄱ **04** (1) 알라, (2) 몽골, (3) 영(0)

| 내신을 탄탄하게 **내신 문제** | 68~70쪽

01 ② **02** ④ **03** ⑤ **04** ① **05** ② **06** ④ **07** ⑤ **08** ④ **09** ② **10** ②

01 제시된 지도는 비잔티움 제국과 사산 왕조 페르시아의 갈등으로 동서 교역로가 막히자 아라비아 해 쪽으로 새로운 교역로가 나타나면서 메카와 메디나가 번성한 모습을 보여주고 있다. 이를 바탕으로 이슬람교가 성립하였다.
오답 확인 ①, ⑤ 이 지도를 통해서는 알 수 없다.
③ 대상이나 다우선을 이용한 상인들의 활동 내용이 지도에 나타나 있지 않다.
④ 무함마드 이후 정통 칼리프 시대 등이 나타나 있지 않다.

02 대화에서 혈통을 강조하는 내용으로 (가)는 시아파, 능력을 중시하는 (나)는 수나파임을 알 수 있다. 이슬람교의 종파 분쟁은 4대 칼리프로 선출된 알리가 암살된 이후 시작되었다. 알리와 그의 후손을 정통 후계자라고 주장한 이들은 시아파가 되었다. 반면에 알리의 후손이 아니더라도 능력과 자격을 갖춘 자라면 누구나 칼리프가 될 수 있다고 주장한 이들은 수니파로 발전하였다. 오늘날 이슬람교의 다수는 수니파가 차지하고 있다.
오답 확인 ① (가)는 혈통을 중시하므로 시아파의 주장이다.
② 우마이야 가문에서 칼리프를 세습하는 과정에서 수니파가 나타났다.
③ 오늘날 사우디아라비아가 수니파를 대표한다.
⑤ (나)는 수니파인데 설명은 시아파에 대한 내용이다.

03 카바 신전을 통해 (가)가 이슬람교임을 알 수 있다. 이슬람교는 경전인 『쿠란』을 중시하였으며, 신 앞에서 모든 인간은 평등하다고

주장하였다. 또한 우상 숭배를 금지하였기 때문에 아라베스크 무늬를 장식한 모스크 양식이 발달하였다.
⑤ 이슬람교는 피정복민들에게 개종을 강요하지 않았으며 대신 인두세를 부과하도록 하였다.

04 (가)는 아바스 왕조이다. 아바스 왕조는 이전 우마이야 왕조에서 아랍인을 우대하는 정책에서 벗어나 아랍어를 공용어로 하고 이슬람 법으로 나라를 다스렸다.

오답 확인 ㄷ. 정통 칼리프 시대에 일어났다.
ㄹ. 우마이야 왕조 때 일이다.

05 당, 아바스 왕조의 전투라는 설명으로 이 전투가 탈라스 전투임을 알 수있다. 탈라스 전투를 계기로 제지법이 이슬람 세계를 통해 서방으로 전파되었다. 또한 이 전투에서 아바스 왕조가 승리를 거두게 됨으로써 아바스 왕조가 동서 무역의 주도권을 장악하게 되었다.

오답 확인 ㄴ. 무함마드 시대의 일이다.
ㄹ. 우마이야 왕조 시대의 일이다.

06 이슬람교도의 다섯 가지 의무 중 제시된 것 이외의 두 가지는 ㄴ(단식), ㄹ(예배)이다.

오답 확인 ㄱ. 인두세는 이슬람교도가 아닌 사람에게 부과하는 세금이다.
ㄷ. 지하드는 원리나 신앙을 위해 벌이는 투쟁을 의미하게 되어 종종 '성전'으로 번역되는 것인데, 이슬람교도의 다섯 가지 의무에 들지는 않는다.

07 제시된 자료는 이슬람교의 경전인 『쿠란』이다. 『쿠란』에 규정된 율법이 이슬람 사회의 일상을 지배하였다. 돼지고기를 금하는 식생활, 일정한 시간마다 행하는 예배 의식 등은 모두 『쿠란』의 계율에 따른 것이다. 원칙적으로 번역이 금지되어 이슬람교가 전파되는 곳마다 『쿠란』과 함께 아랍어도 전파되어 이슬람 세계의 문화적 동질성 형성에 기여하였다.
⑤ 『쿠란』은 번역 과정에서 그 뜻이 왜곡될 것을 우려하여 원칙적으로 번역을 금지하였다.

08 이슬람 세력은 동서 교역의 중간 지대를 장악하고 자유로운 상업 활동을 보장하였다. 또한 새로운 정복지마다 도시를 건설하여 교역과 생산의 장소로 삼았다. 그들은 아시아 대륙에서는 주로 금속 공예품이나 향신료, 비단, 도자기 등을, 유럽과 아프리카에서는 모피, 황금, 노예 등을 거래하였다.
④ 바그다드는 아바스 왕조의 수도이며, 문항의 내용은 아바스 왕조에 대한 설명이다.

09 자료의 바그다드와 탈라스를 통해 아바스 왕조에 해당하는 역사 신문 제목을 작성하는 문제임을 알 수 있다. 아바스 왕조는 비아랍인도 군인이나 관료로 등용하고 세금 제도에서도 차별을 없애 인종을 초월한 범이슬람 제국으로 발전하였다.

오답 확인 ①, ③ 정통 칼리프 시대, ④ 우마이야 왕조, ⑤ 무함마드 시대의 일이다.

10 제시된 자료의 판서 내용을 통해 이슬람 문화에 대한 설명임을 알 수 있다. 이슬람 세계가 아라비아반도를 넘어 범이슬람 제국으로 발전하면서 이슬람 문화는 유럽 문화에 자극을 주어 르네상스가 일어나는 데 기여하였다. 또한 이슬람 문화는 중국의 제지법, 나침반, 화약 등을 유럽에 소개하는 등 동서 문화 교류에 공헌하였다.

오답 확인 ㄴ. 간다라 미술은 인도 문화와 헬레니즘 문화가 융합된 것으로 인도의 쿠샨 왕조 시기에 발달하였다.
ㄷ. 한자는 동아시아 문화권에서 공용 문자로 사용된 것으로 이슬람 문화와 연관이 없다.

만점에 도전하는 심화 문제 | 71쪽

01 ③ **02** ② **03** ④ **04** ⑤

01 밑줄 친 갈등은 제4대 칼리프가 살해되고 칼리프 선출을 둘러싸고 내분이 발생하면서 나타났다. 이후 무아위야가 우마이야 왕조를 개창하는 과정에서 수니파와 시아파로 분열되었다.

오답 확인 ① 아바스 왕조, ②, ④ 튀르크 왕조, ⑤ 무함마드 시대의 일이다.

02 칼리프가 정치 · 종교를 지배한 시기는 정통 칼리프 시대이며, 비아랍인에 대한 차별을 없앤 시기는 아바스 왕조로 (가)는 우마이야 왕조에 대한 내용을 고르는 문제이다. 우마이야 왕조는 우마이야 가문에서 칼리프를 세습하도록 하였으며 다마스쿠스를 수도로 정복 전쟁을 통해 이베리아반도까지 차지하였다.

오답 확인 ① 셀주크 튀르크, ③ 무함마드 시대, ④ 정통 칼리프 시대, ⑤ 아바스 왕조 시대에 셀주크 튀르크가 바그다드의 칼리프를 보호하여 술탄이라는 칭호와 정치적 실권을 위임받았다.

03 (가)에 들어갈 것은 아바스 왕조이다. 아바스 왕조는 아랍인을 우대하던 우마이야 왕조와는 달리 세금 납부와 관리 등용에서 비아랍인에 대한 차별을 폐지하였다.

오답 확인 ① 칼리프를 선출하였던 시기는 정통 칼리프 시대까지이다.
② 다마스쿠스는 우마이야 왕조 때 수도이다. 아바스 왕조 때의 수도는 바그다드이다.
③ 정통 칼리프 시대의 사실이다.
⑤ 무함마드 때 있었던 사실이다.

04 제시된 자료는 아라베스크 무늬이다. 이슬람교에서는 우상숭배를 금지하기 때문에 인물상이나 동물상의 제작이나 회화 등이 발달하지 않았다. 대신 기하학적 모양, 아라비아 문자 등을 활용한 아라베스크 무늬가 발달하였다.

오답 확인 ① 상좌부 불교의 건축물인 산치 대탑이다.
② 앙코르 왕조의 힌두교 사원인 앙코르 와트이다.
③ 북위의 원강 석굴 대불이다.
④ 일본 아스카 시대의 건축물, 호류사 오층 석탑이다.

4 크리스트교 문화의 형성과 확산

확인해 봐요

주제 10 서유럽 봉건 사회의 형성 72쪽

1 훈족 **2** 카롤루스 대제 **3** 봉신

주제 11 로마를 계승한 비잔티움 제국 74쪽

1 콘스탄티노폴리스 **2** 성상 숭배 **3** 모자이크

주제 12 서유럽을 하나로 묶은 크리스트교 76쪽

1 ○ **2** X **3** X

주제 13 서유럽과 이슬람 세력의 충돌, 십자군 전쟁 78쪽

1 셀주크 튀르크 **2** 교회의 대분열 **3** 흑사병

주제 14 새로운 문화의 기운, 르네상스와 종교 개혁 80쪽

1 ○ **2** X **3** ○

시험을 대비하는 실전 문제

| 기초를 튼튼하게 **확인 문제** | 82쪽

01 ㉠-ⓑ, ㉡-ⓒ, ㉢-ⓐ **02** (1) ○, (2) ○, (3) X, (4) ○
03 ㄷ-ㄹ-ㄴ-ㄱ **04** (1) 고딕, (2) 아비뇽 유수 (3) 베스트팔렌

| 내신을 탄탄하게 **내신 문제** | 82~84쪽

01 ② **02** ⑤ **03** ③ **04** ⑤ **05** ④ **06** ④ **07** ③ **08** ③ **09** ②
10 ②

01 게르만 왕국들은 대부분 오래 가지 못하였으나, 프랑크족은 원주지로부터 이동 거리가 짧아 적응이 쉬웠다. 또한 로마 가톨릭교로 개종하여 현지 주민과의 문화적 마찰을 피할 수 있었기에 오랫동안 왕국을 유지하였다.

오답 확인 ㄴ, ㄹ 비잔티움 제국의 내용이다.

02 중세 유럽 사회는 장원을 단위로 하는 자급자족적인 농업 중심의 사회였다. 장원을 지배하는 영주는 재판권, 장원 시설의 독점 및 강제 사용권을 가지고 있었으며, 장원에 소속된 대다수의 농민들은 영주에게 신분적으로 예속된 농노로서 생산에 종사하였다. 농노는 약간의 재산을 소유하고 결혼하여 가정을 이룰 수 있었다.
⑤ 농노는 거주 이전의 자유가 없었다.

03 6세기에 제시된 영역을 차지했던 나라(가)는 비잔티움 제국이다. 비잔티움 제국은 6세기 유스티니아누스 황제 때 전성기를 맞이하였다. 이때 로마법을 집대성한 『유스티니아누스 법전』을 편찬하였다. 비잔티움 제국은 황제가 군대와 관리를 직접 지배하는 중앙 집권 체제를 구축하였으며 15세기 오스만 제국에 멸망하였다.
③ 중세 서유럽의 봉건 제도에 대한 설명이다.

04 유럽의 크리스트교 세계는 성상 숭배 문제를 둘러싸고 갈등을 빚었다. 비잔티움 황제 레오 3세는 성상 파괴령을 발표하였지만 게르만족에게 포교하기 위해 성상이 필요했던 로마 교황은 이에 크게 반발하였다. 이후 동서 교회의 대립이 심화되었고, 결국 교회는 로마 가톨릭과 그리스 정교로 분열되었다.

오답 확인 ① 십자군 전쟁은 기독교와 이슬람의 갈등으로 이후에 발생하였다.
② 로마 교황의 지배로부터 영국이 독립한 사건이다.
③, ④ 중세 서유럽 기독교의 부패를 비판한 것으로 종교 개혁이 발생하였다.

05 제시된 자료는 카노사의 굴욕 사건에 대한 내용이다. 카노사의 굴욕은 세속 군주의 성직자 임명 문제를 놓고 교황과 신성로마제국의 황제 사이에서 일어났다. 교황이 황제를 파문하자 황제는 카노사에서 교황에게 용서를 구하였다.

오답 확인 ① 로마 가톨릭과 그리스 정교의 분열의 원인이다.
② 14세기 아비뇽 유수의 배경이다.
③ 수도원 운동이 일어난 배경이다.
⑤ 십자군 전쟁의 원인이다.

06 제시된 자료는 샤르트르 대성당으로 고딕 양식의 대표 건축물이다. 고딕 양식의 특징은 높은 첨탑과 스테인드글라스(색유리 그림)로 유럽 중세를 대표하는 건축 양식이다. 유럽 중세에 아리스토텔레스 철학이 소개된 이후 신앙과 이성의 조화를 강조한 스콜라 철학이 나타났다. 중세 초기에는 교회와 수도원이 학문의 중심이었으나 대학이 설립되면서 학문의 등불 역할을 하였다.
④ 둥근 돔과 화려한 모자이크는 비잔티움 양식의 특징이다.

07 자료는 십자군 전쟁을 호소하는 교황 우르바누스 2세의 연설문이다. 11세기 후반 셀주크 튀르크가 예루살렘을 점령하고 비잔티움 제국을 압박하자, 비잔티움 제국은 서유럽 크리스트교 세계에 도움을 청하였다. 이에 로마 교황이 이슬람 세력으로부터 예루살렘

을 되찾을 것을 호소하면서 십자군 전쟁이 시작되었다.

오답 확인 ①, ②, ④ 십자군 전쟁 이후 발생한 일이다.
⑤ 십자군 전쟁 이전 발생한 일이다.

08 지도는 십자군 전쟁의 전개를 나타낸 지도이다. 십자군 전쟁의 실패로 교황의 권위는 실추되었고, 제후와 기사 계급은 전쟁에 참여하는 과정에서 점차 몰락하였다. 또한 지중해를 무대로 한 동방 무역이 발달하여 북이탈리아의 도시들이 번영하였으며, 이슬람 문화 및 비잔티움 문화가 서유럽에 유입되었다.

오답 확인 ① 교황의 권위는 실추하였다.
② 아비뇽 유수 이후 교회의 대분열이 일어났다.
④ 상비군과 관료제를 통해 권력을 강화한 것은 국왕에 대한 설명이다.
⑤ 백년 전쟁과 장미 전쟁으로 귀족 세력이 약화되었다.

09 르네상스가 이탈리아에서 시작한 이유는 이탈리아가 옛 로마 제국의 중심지로 고전 문화의 전통이 강하게 남아 있고, 비잔티움 제국 멸망 이후 많은 학자들의 이주로 고전 문화 연구가 활발해졌기 때문이다. 또한 이탈리아 도시들이 지중해 무역을 통해 경제적으로 번영하였고, 지배층은 부와 권력을 과시하기 위해 문화에 투자하였다.

오답 확인 ㄴ. 북유럽 르네상스의 특징이다.
ㄷ. 루터 종교 개혁의 배경이다.

10 자료는 루터의 95개조 반박문이다. 루터는 신앙과 은총을 통해서만 구원받을 수 있고, 신앙의 유일한 근거는 『성경』이라고 주장하였다. 이러한 그의 주장은 인쇄술의 발달에 힘입어 유럽 각지로 빠르게 퍼져 나갔다.

오답 확인 ㄴ. 영국의 헨리 8세, ㄹ. 칼뱅과 관련된 내용이다.

만점에 도전하는 심화 문제 | 85쪽

01 ① **02** ③ **03** ③ **04** ③

01 장원의 농민은 대부분 영주의 지배를 받던 농노였다. 농노는 영주는 달리 약간의 재산을 소유하고 결혼하여 가정을 꾸릴 수 있었다. 졌다. 그러나 영주의 허락 없이는 장원을 떠날 수 없는 부자유한 존재였다.
① 서유럽 봉건제는 혈연으로 맺어지지 않았으며, 이는 주의 봉건제에 대한 내용이다.

02 자료의 이 나라는 비잔티움 제국이다. 비잔티움 제국은 이슬람 세력으로부터 크리스트교 세계를 보호하는 방파제 역할을 하였다.
② 유스티니아누스 황제와 시종들을 나타낸 모자이크화로서 비잔티움 제국의 유물이다.

오답 확인 ①, ⑤ 이슬람 문화의 유적으로 ① 카바 신전, ⑤ 이슬람 유적에서 나타나는 아라베스크 무늬이다.
③, ④ 고딕 양식의 서유럽 문화로 ③ 스테인드글라스(색유리), ④ 샤르트르 성당이다.

03 제시문은 교회의 타락을 비판한 에라스뮈스의 『우신예찬』이다. 에라스뮈스로 대표되는 알프스 이북의 르네상스는 현실 사회와 종교를 비판하는 개혁 성향이 강하였다. 에라스뮈스는 『우신예찬』에서 교회의 타락을 비판하였고, 토머스 모어는 『유토피아』에서 영국 사회의 현실을 비판하고 빈부 격차가 없는 이상 사회를 제시하였다.

오답 확인 ① 위 자료는 알프스 이북의 르네상스의 대표작이다.
② 30년 전쟁에 대한 내용으로 『우신예찬』은 이전에 출간되었다.
④ 루터, ⑤ 칼뱅의 종교 개혁과 관련된 내용이다.

04 제시된 지도는 종교 개혁이 확산하는 모습을 나타내고 있다. 종교 개혁 이후 신교와 구교의 분열과 대립이 심해져서 30년 전쟁과 같은 종교 전쟁이 일어났다. 한편 로마 가톨릭교회는 자체 개혁에 나서 신도들의 이탈을 막고자 했다. 금서 목록을 작성하고 종교 재판소를 설립하였다. 또한 예수회를 조직하여 아시아와 아메리카 등지로 선교 활동에 나섰다.
③ 알프스 이북의 르네상스에 대한 내용으로 종교 개혁 이전의 사실이다.

대주제를 정리하는 종합 문제 88~89쪽

01 ② **02** ① **03** ① **04** ④ **05** ⑤ **06** ② **07~08** 해설 참조

01 아소카왕 때 유행한 (가) 불교는 상좌부 불교이다. 상좌부 불교는 개인의 도덕적 수행과 해탈을 중시했으며, 실론과 동남아시아 각지로 전파되었다.

오답 확인 ㄴ, ㄹ 대승 불교에 대한 내용이다.

02 제시된 「라마야나」, 「마하바라타」와 같은 대서사시가 오늘날과 같은 형태로 정리된 시기는 굽타 왕조이다. 굽타 왕조 시기에는 인도의 고전 문화가 확립되었으며, 산스크리트어가 공용어로 사용되었다. 수학과 천문학도 발달하였는데 이는 이슬람 세계에 전해져 자연 과학의 발달에 큰 영향을 주었다.
① 간다라 불상이 등장한 것은 쿠샨 왕조 시기이다.

03 제시된 황제의 얼굴을 닮은 불상은 윈강 석굴의 대불로 황제는 북위 황제이다. 이 시기는 위진 남북조 시대로서 문벌 귀족이 사회적 지위와 경제적 여유를 바탕으로 다양한 귀족문화와 예술을 발달시켰다. 혼란스러운 정치 상황을 반영하여 노장사상과 청담 사상이 유행하였다.

오답 확인 ②, ③, ④ 당대의 사실이다. ⑤ 수대의 사실이다.

04 (가)는 우마이야 왕조 (나)는 아바스 왕조이다.

오답 확인 ① 아바스 왕조가 몽골에 의해 멸망하였다.
② 무함마드 시대에 대한 설명이며, ③ 정통 칼리프 시대, ⑤ 다마스쿠스는 우마이야 왕조의 수도이다.

05 제시된 자료는 유스티니아누스 황제를 모자이크로 제작한 것으로 비잔티움 제국 시기에 제작되었다. 비잔티움 제국은 이슬람 세력으로부터 서유럽 크리스트교 세계를 보호하는 방파제 역할을 하였으며, 동시에 이슬람 세계와 서유럽 세계를 잇는 문화적 가교 역할도 하였다.

오답 확인 ㄱ. 비잔티움 제국은 셀주크 튀르크의 공격으로 쇠퇴하였으나 15세기에 오스만 튀르크에게 멸망하였다.
ㄴ. 서유럽 교황에 대한 내용이다.

06 십자군 전쟁이 실패로 돌아가면서 전쟁에 참여한 유럽의 영주와 기사 세력은 타격을 입었고 전쟁을 호소한 교황의 권위는 추락하였다. 전쟁 이후 지중해를 중심으로 이슬람 세계와의 원거리 무역이 활발해지면서 도시가 발달하였다.

오답 확인 ㄴ, ㄹ 중세 서유럽에 대한 내용이다.

07 예시 답안 흑사병의 유행으로 인구가 크게 줄었는데, 그 결과 노동력이 부족해져서 임금이 상승하여 농민의 지위가 향상되었다.

채점 기준

상	보기 단어 모두를 활용하여 흑사병이 중세 유럽에 끼친 영향을 서술한 경우
중	보기 단어 하나와 흑사병이 중세 유럽에 끼친 영향을 서술한 경우
하	보기 단어 없이 흑사병이 중세 유럽에 끼친 영향만 서술한 경우

08 (1) 정답 『쿠란』
(2) 예시 답안 아랍어로 기록된 『쿠란』은 번역 과정에서 그 뜻이 왜곡될 것을 우려하여 원칙적으로 번역을 금지하였기 때문에 아랍어는 이슬람 문화권의 공통의 언어가 되었고, 이는 이슬람 세계의 문화적 동질성 형성에 기여하였다.

채점 기준

상	『쿠란』의 번역 금지 이유와 이로 인해 아랍어가 이슬람 문화권의 공통의 언어가 되었다는 것까지 서술한 경우
중	아랍어가 이슬람 문화권의 공통 언어가 된 이유를 서술한 경우
하	『쿠란』의 번역 금지 이유만 서술한 경우

Ⅲ 지역 세계의 교류와 변화

1 몽골 제국과 문화 교류

확인해 봐요

주제 1 **송의 성립과 북방 민족의 성장** 92쪽

1 문치주의 **2** 사대부 **3** 나침반

주제 2 **몽골 제국의 성립과 활발해진 동서 교류** 94쪽

1 테무친(칭기즈 칸) **2** 몽골 제일주의 **3** 역참

시험을 대비하는 실전 문제

기초를 튼튼하게 확인 문제 | 96쪽

01 ㉠-ⓑ, ㉡-ⓐ, ㉢-ⓒ **02** (1) ○, (2) X, (3) ○
03 ㄷ-ㄹ-ㄴ-ㄱ **04** (1) 왕안석, (2) 성리학, (3) 색목인

내신을 탄탄하게 내신 문제 | 96~98쪽

01 ② **02** ⑤ **03** ③ **04** ④ **05** ⑤ **06** ③ **07** ③ **08** ⑤ **09** ①
10 ④

01 당나라의 멸망, 5대 10국의 혼란 등이 절도사 때문이라고 생각한 조광윤은 절도사 세력을 억제하고 문신을 우대하는 문치주의를 내세웠다. 더불어 황제권을 강화하기 위해 관리들의 충성을 유도하는 전시 제도를 도입하였다.

오답 확인 ㄴ. 천호제를 도입하여 몽골 제국을 세운 인물은 칭기즈 칸이다.
ㄷ. 행성을 설치하고 다루가치를 파견한 국가는 원이다.

02 문치주의 정책으로 군사력이 약화된 송은 북방 민족의 잦은 침략에 시달렸다. 이에 송은 막대한 물자를 북방 민족에게 제공함으로써 평화를 유지하려고 노력하였다.

오답 확인 ① 경극은 청대에 유행하였으며, ② 송대에는 사대부가 새로운 사회 지도층으로 등장하였다.
③ 양명학은 명대에 서민들 사이에서 유행하였고, ④는 원대의 사실이다.

03 소농민과 소상인 보호, 신법 주도 등을 통해 그가 왕안석임을 알

수 있다. 문치주의 정책으로 인해 송의 군사력이 약화된 틈을 타 북방 민족이 세운 국가들이 송을 압박하였다. 송은 북방 민족에게 막대한 물자를 제공함으로써 위기를 극복하려 하였고, 송의 재정 적자는 계속 늘었다. 이러한 문제를 해결하기 위해 왕안석이 개혁(신법)을 주도하였지만 보수파 관료들과 대상인, 대지주층의 반대에 부딪쳐 실패하였다.

오답 확인 ①, ④, ⑤는 송대의 일이나 왕안석의 개혁과는 연관이 없다.
②는 몽골을 통일한 칭기즈 칸이 시행한 정책이다.

04 요는 거란 문자, 서하는 서하 문자, 금은 여진 문자를 사용하였다. 또한 요는 북면관제와 남면관제를 통해 유목민과 한족을 나누어 다스렸고, 금은 맹안 모극제와 주현제로 여진족과 한족을 나누어 다스렸다. 이처럼 북방 민족들은 독자적인 문자를 사용함으로써 고유의 전통을 지키는 동시에 유목민과 한족을 나누어 효율적으로 통치하였다.

오답 확인 ① 『사고전서』는 청 정부의 주도하에 편찬되었다.
② 성리학은 송대 유학자인 주희가 집대성하였다.
③ 정화의 원정은 명대 영락제 시기의 일이다.
⑤ 해상 교역이 활발해지자 송은 시박사를 설치하여 관세를 징수하고 대외 무역을 담당하게 하였다.

05 송대에는 과학 기술의 발달로 활판 인쇄술, 나침반, 화약 등이 발명되었다. 또한 조선술, 나침반을 이용한 항해술이 발달하면서 해상 교역이 활발하게 이루어졌다.

오답 확인 ① 송은 해상 교역이 활발하게 이루어졌으며, 명 · 청 대에 쇄국 정책이 시행되었다.
② 명 · 청대 아메리카와 일본의 은이 중국에 대량으로 들어오면서 은이 화폐로 사용되었으며, 세금도 은으로 거두었다.
③ 명 · 청대 강남 지방에서 수공업이 발전하면서 쌀 생산의 중심지가 창장강 중 · 상류 지역으로 바뀌었다.
④ 몽골 제국 시기의 경제 상황이다.

06 원대에는 동서를 잇는 수많은 역참들로 유라시아 세계를 관통하는 세계적인 교역망이 만들어졌고, 이를 통해 동서 교류가 활발하게 이루어졌다.

오답 확인 ① 송대 문치주의 정책의 결과 거란, 여진, 탕구트족 등의 북방 민족이 성장하였다.
② 원대에는 도시를 중심으로 잡극 등 서민 문화가 발전하였다.
④ 몽골 제국을 다녀간 사람들에는 카르피니, 마르코 폴로, 이븐 바투타 등이 유명하다.
⑤ 송 태조는 전시 제도를 도입하여 황제권을 강화하고자 하였다.

07 칭기즈 칸은 천호제를 도입하고 엄격한 법령을 통해 강력한 군주권을 확보하여 몽골 제국의 토대를 세웠다. 또한 몽골은 잘 훈련된 기마병을 활용한 정복 전쟁을 통해 대제국을 건설하였다.

오답 확인 ㄱ. 절도사는 당대에 변방을 지키기 위해 설치한 군정사령관이다. 송 태조가 절도사 세력을 약화시키고 문인을 우대하는 문치주의 정책을 추진하였다.
ㄹ. 팔기군은 만주족이 조직한 8개의 집단으로 군사와 행정을 겸하였다.

08 테무친은 13세기 초 몽골고원의 초원지대에 부족별로 흩어져 있던 여러 유목민을 통합하였으며, 이후 칭기즈 칸에 추대되었다.

오답 확인 ①, ②는 쿠빌라이(세조) 때의 일이다.
③ 송 태조 때의 일이다.
④ 청의 강희제 때의 일이다.

09 제시된 자료의 역참 제도를 통해 (가)왕조가 몽골 제국임을 알 수 있다. 몽골 제국은 효율적인 교통 · 통신 · 물자 교류를 위해 각 도로에 일정 거리마다 역참을 설치하여 운영하였다. 또한 각지에 행성을 설치하고 다루가치를 파견하여 행정과 군사 업무를 관할하게 하였다.

오답 확인 ② 청의 옹정제가 추진한 정책이다.
③ 명은 조공의 요구를 받아들인 국가에게만 무역을 허용하는 증명서(감합)를 발행하였다.
④ 에도 막부는 네덜란드에게만 나가사키의 데지마를 개방하였고, 이곳을 통해 서양의 학문과 기술을 도입하였다.
⑤ 송대에는 과학 기술의 발달로 활판 인쇄술이 발명되었으며, 이로 인해 인쇄하는 데 드는 시간과 비용이 크게 줄었다.

10 쿠빌라이, 홍건적의 반란을 통해 (가)가 원임을 알 수 있다. 원대에는 경제가 발달하고 교역이 활기를 띠면서 도시의 서민 문화가 발전하였는데, 특히 잡극이 크게 유행하였다.

오답 확인 ① 청대 문화의 특징이다.
② 우키요에는 에도 막부 시기에 발전한 조닌 문화에 속한다.
③ 포교를 위해 중국에 온 예수회 선교사 마테오 리치는 「곤여만국전도」를 제작하였고, 서광계와 함께 『기하원본』을 번역하기도 하였다.
⑤ 명대 후기에 서양 문화의 자극을 받아 편찬되었다.

만점에 도전하는 심화 문제 | 99쪽

01 ② **02** ③ **03** ③ **04** ④

01 송대에는 과학 기술이 발전하여 활판 인쇄술, 나침반, 화약 등이 발명되었다. 이러한 발명품과 과학기술은 이후 이슬람 세계를 거쳐 유럽 사회의 변화에 큰 영향을 끼쳤다.

오답 확인 ① 『기하원본』은 명대 마테오 리치가 유클리드의 『기하학 원론』을 번역한 것이다.
③ 잡극은 원대 악기 연주, 노래, 무용, 연기를 종합한 중국식 오페라이다.
④ 『사고전서』는 청대에 편찬되었다.

⑤ 후한에서는 채륜이 제지법을 개량하여 학문의 발전과 지식의 보급에 기여하였다.

02 그림은 송의 수도 카이펑의 청명절 풍경을 그린 「청명상하도」이다. 송대에는 과거제가 정착되면서 사대부가 문벌 귀족 대신 사회 지도층으로 등장하였으며, 경제가 발전하면서 엄청난 양의 동전과 지폐(교자)가 함께 사용되었다.

오답 확인 ㄱ. 몽골 제일주의를 내세워 대외 정복 전쟁 때 협력한 정도에 따라 각 민족을 차별적으로 대우한 것은 원 시기이다.
ㄹ. 『수호지』, 『삼국지연의』 등의 소설은 명대에 유행하였다.

03 쿠빌라이가 남송을 멸망시키고 중국을 완전히 정복한 시기는 1279년으로, 13세기 칭기즈 칸의 몽골 통일 ~ 홍건적의 반란 발발 사이인 (다)에 해당한다.

오답 확인 송 건국은 960년이며, 왕안석(1021~1086)은 송의 문치주의 정책으로 인한 문제를 해결하기 위해 개혁(신법)을 주도했지만 보수파 관료들의 반발로 실패하였다. 칭기즈 칸은 13세기 초 여러 유목민을 통합하여 몽골을 통일하였다. 홍건적의 난은 원나라 말기에 백련교도를 중심으로 일어난 농민 반란으로 명이 세워지는 계기가 되었다. 정화의 원정은 명의 영락제 시기에 이루어졌으며, 만주족이 후금을 건국한 것은 1616년이다.

04 원은 몽골 제일주의를 내세워 각 민족을 차별적으로 대우하였다. 그 중 일찍부터 몽골의 정복 전쟁에 필요한 정보와 물자를 제공한 서방계의 색목인을 우대하였으며, 금 지배하의 여진족, 거란족, 한족을 한인으로 분류하여 지배하였다.

오답 확인 ㄱ. 주로 하급관리의 역할을 수행한 것은 한인들이며, ㄷ. 색목인이 재정과 경제 분야의 일을 담당하였다.

2 동아시아 지역 질서의 변화

확인해 봐요

주제 3 **명의 발전과 동아시아 질서의 재편** 100쪽

1 ○ **2** X **3** ○

주제 4 **청의 발전과 동아시아 질서의 변화** 102쪽

1 청 **2** 건륭제 **3** 공행

주제 5 **명 · 청대의 경제와 문화** 104쪽

1 은 **2** 양명학 **3** 마테오 리치

주제 6 **일본 막부의 변화와 발전** 106쪽

1 X **2** ○ **3** ○

시험을 대비하는 실전 문제

기초를 튼튼하게 확인 문제 | 108쪽

01 ㉠-ⓑ, ㉡-ⓒ, ㉢-ⓐ **02** (1) ○, (2) ○, (3) X
03 ㄷ-ㄹ-ㄴ-ㄱ **04** (1) 이갑제, (2) 「곤여만국전도」, (3) 조닌 문화

내신을 탄탄하게 내신 문제 | 108~110쪽

01 ① **02** ③ **03** ⑤ **04** ② **05** ③ **06** ④ **07** ④ **08** ① **09** ①
10 ⑤

01 주원장, 금릉, 몽골 세력을 통해 (가)는 명임을 알 수 있다. 명은 스스로 세계의 중심이라는 중화사상을 바탕으로 조공 · 책봉 체제를 부활하여 동아시아 질서를 주도하려 하였다. 또한 조공하는 국가에 한해 무역을 허용하는 증명서(감합)를 발행하였다.

오답 확인 ㄴ. 송은 문치주의 정책으로 군사력이 약화되어 요, 서하, 금 등 북방 민족이 세운 국가들의 침략을 자주 받았다.
ㄹ. 청의 강희제는 시베리아에 진출한 러시아와 평등한 입장에서 네르친스크 조약을 체결함으로써 동북부 국경을 확정하였다.

02 명을 건설한 인물, (가)는 홍무제이다. 홍무제는 관리의 수탈을 막고 농촌 사회에 대한 지배를 확립하기 위해 농민이 직접 조세를 징수하고 치안 유지를 담당하는 이갑제를 도입하였다.

오답 확인 ① 송대의 정책이다.
② 청과 러시아 사이에 체결된 조약이다.
④ 일본 에도 막부 시기에 발전한 문화이다.
⑤ 청대의 군사 및 행정 조직에 대한 설명이다.

03 수도를 베이징으로 옮기고 자금성을 건설한 인물, (가)는 명의 3대 황제 영락제이다. 적극적인 대외 팽창 정책을 추진하여 몽골과 대월을 공격하고, 정화의 함대를 남해에 파견하여 국력을 과시하였다.

오답 확인 ① 명나라 후기 만력제 시기의 일이다.
② 청의 강희제 때 편찬하였다.
③ 송 태조 조광윤이 실시한 정책이다.
④ 청의 옹정제가 추진한 정책이다.

04 명 · 청 시대에는 강남을 중심으로 도시가 발전하면서 서민 문화가 활기를 띠었다. 베이징을 중심으로 경극이 대중오락으로 자리 잡았으며, 도서 출판도 크게 늘어 『수호지』, 『삼국지연의』 등의 소설이 유행하였다.

오답 확인 ① 몽테스키외는 대표적인 계몽사상가로 유럽에서 활동하였다.
③ 에도 시대에 발전한 조닌 문화에 대한 설명이다.
④ 당의 현장은 인도에서 경전과 불상을 가지고 돌아왔으며, 『대당서역기』라는 여행기를 남겼다. 한편 그가 가져온 불경을 보관하기

위해 대안탑(중국 시안)이 만들어졌다.
⑤ 카르피니는 교황의 서신을 가지고 1245년에서 1247년 사이에 몽골 제국에 다녀갔다. 그의 견문기는 몽골 제국을 유럽에 처음으로 알린 책이 되었다.

05 청은 강희제 때 타이완의 반청 세력을 제압하고, 러시아와 네르친스크 조약을 체결하여 국경을 확정하였다. 건륭제 때는 주변 지역에 대한 정복 활동을 통해 티베트, 신장, 몽골 등을 포함하는 거대한 제국을 완성하였다. ③ 군기처를 설치하여 황제 독재권을 강화한 것은 옹정제의 업적으로 (가)에 해당한다.

오답 확인 ① 청의 홍타이지(태종) 때 일어난 일로 네르친스크 조약 이전의 일이다.
② 위진 남북조 시대에는 혼란스러운 정치와 속세를 떠나 여유롭고 자유로운 삶을 추구한 청담 사상이 유행하였다.
④ 12세기 초에 세워진 금에 대한 설명이다.
⑤ 한대 이래의 훈고학을 집대성한 정통 해설서인 『오경정의』가 완성된 것은 당나라 때이다.

06 조선과 일본의 대화를 통해 동아시아 각국이 스스로 화이를 주장하고 있음을 파악할 수 있고, (가)가 청임을 알 수 있다. 청을 세운 만주족은 다수의 한족을 지배하기 위해 만한 병용제(일부 고위 관직에 만주족과 한족을 함께 임명)나 변발의 강요 등 회유책과 강경책을 함께 이용하였다.

오답 확인 ① 위진 남북조 시대 남조에서 시행한 관리 선발 정책이다.
② 한 무제는 흉노를 고립시키기 위해 장건을 서역에 파견하였는데, 이는 비단길을 개척하는 계기가 되었다.
③ 송 태조 조광윤이 시행한 제도이다.
⑤ 천호제와 우수한 기마병 등을 통해 대제국을 건설한 것은 몽골 제국이다.

07 「성세자생도」는 1759년 청의 궁정 화가가 그린 쑤저우의 모습으로 길이 1,240cm, 폭 36cm에 달한다. 당시 쑤저우는 교통이 편리하여 상품 생산과 물자 교류의 중심지로서 중요한 역할을 담당하였다.
④ 일본은 에도 막부 시기 크리스트교를 금지하고 쇄국 정책을 시행했지만 네덜란드인에게만 개방된 나가사키를 통해 조선술, 포술, 천문학, 의학 등 서양의 학문과 기술을 도입하였다.

08 가마쿠라 막부는 몽골 · 고려 연합군의 공격을 막아냈지만 재정 부담으로 쇠퇴하였고, 14세기 초 아시카가 다카우지가 교토에 무로마치 막부를 열었다. 이에 자료의 사건이 나타난 시기는 (가)이다.

09 에도 막부는 쇄국 정책으로 크리스트교를 금지하고 민간 무역을 통제하였지만 나가사키의 데지마를 통해 (가) 네덜란드로부터 조선술, 포술, 천문학, 의학 등 서양 학문과 기술(난학)을 받아들였다.

오답 확인 ② 포르투갈, ③ 중국(명), ④ 오스만 제국, ⑤ 일본(야마토 정권 시기)에 대한 탐구 활동이다.

10 우키요에를 통해 에도 막부 시대의 문화에 대해 묻는 문제임을 알 수 있다. 에도 막부 시대에는 경제 성장에 따라 인구가 증가하고 대도시가 발전하였다. 다이묘가 거주하는 성곽 밑에 형성된 조카마치를 중심으로 도시와 시장이 번영하였다. 이에 따라 경제적 여유를 얻은 조닌(상인)은 도시의 중산층으로 성장하였으며 가부키, 우키요에 등 조닌 문화를 발전시켰다.

오답 확인 ① 헤이조쿄를 수도로 했던 시기는 나라시대(710~794)이다.
② 미나모토노 요리토모는 가마쿠라 막부(1185~1333)를 세워 일본 최초로 무사 정권을 탄생시킨 인물이다.
③ 가나 문자가 만들어진 건 헤이안 시대(794~1185)이다.
④ 무로마치 막부(1336~ 1573) 시기의 일이다.

만점에 도전하는 심화 문제 | 111쪽

01 ② **02** ③ **03** ② **04** ③

01 (가)는 육유로 홍무제가 반포하였다. 명을 건국한 주원장, 즉 홍무제는 한족 왕조와 유교 이념을 부활하는 데 노력하였으며, 세금 제도를 정비하고 이갑제를 도입해 농촌 사회에 대한 지배력을 높였다. 또한 재상을 폐지하고 황제가 6부를 직접 관리하여 황제의 권력을 강화하였다.
② 정화 함대의 원정을 지원하여 국력을 과시하였으며, 중국 중심의 조공 질서를 확대한 황제는 영락제이다. 명의 3대 황제 영락제는 수도를 베이징으로 옮기고 자금성을 건설하였다.

02 (가)는 팔기군으로 후금을 세운 누르하치가 조직하였으며, 홍타이지 때에는 몽골족과 한족도 팔기에 편성하였다. 청대에는 왕실이 후원한 대규모 편찬사업이 전개되었고, 현실 정치에 거리를 둔 고증학이 발전하였다. 경극이 대중오락으로 자리 잡았고, 『홍루몽』 등의 소설이 유행하였다.

오답 확인 ㄱ. 오스만 제국은 비잔티움 문화를 계승하면서 튀르크 문화를 발전시켰는데, 이때 건축에서 비잔티움 양식을 도입한 모스크가 발달하였다.
ㄹ. 명대에는 왕수인이 개인적인 깨달음, 지식과 실천의 일치를 중시하는 양명학을 제창하였다. 양명학은 서민들 사이에 크게 유행하였다.

03 16~17세기에는 아메리카와 일본에서 은광이 개발되어 막대한 은이 생산되었다. 하지만 유럽 상인들이 중국의 비단 · 도자기 · 차 등을 수입하는 과정에서 상당한 양의 은이 중국에 유입되었다. 이에 중국에서는 은이 화폐로 사용되었고, 세금도 은으로 거두었다.

오답 확인 ① 청은 초기에 해금 정책을 취하다가 18세기 이후 교역항을 광저우로 제한하고 허가를 받은 공행에게만 외국 상인과의 교역을 허가하였다.
③, ④, ⑤ 신항로 개척 이후 유럽에 나타난 변화에 대한 설명이다.

04 전국 시대의 혼란을 끝낸 도요토미 히데요시가 사망한 이후 도쿠가와 이에야스가 권력을 장악하여 에도에 막부를 열었다.

오답 확인 ①, ② 에도 막부 시기의 일로 임진 왜란 발발 이후의 (나)에 해당한다.
④ (가)에 해당하는 내용으로 가마쿠라 막부 시기에 일어났으며 태풍의 영향으로 공격은 실패하였다.
⑤ (가), (나) 시기에 일본에서는 가마쿠라 막부 이후 쇼군이 실질적인 지배권을 행사하였으며, 천황은 상징적인 존재에 머물렀다.

3 서아시아와 북아프리카 지역 질서의 변화

확인해 봐요

주제 7 서아시아 지역 국가의 번영 112쪽

1 술탄 **2** 티무르 **3** 사파비 왕조

주제 8 오스만 제국의 성립과 발전 114쪽

1 메흐메트 2세 **2** 밀레트 **3** 모스크

주제 9 이슬람 세력의 확대와 인도 무굴 제국의 성립 116쪽

1 아크바르 황제 **2** 아우랑제브 황제 **3** 시크교

시험을 대비하는 실전 문제

기초를 튼튼하게 확인 문제 | 118쪽

01 ㉠-ⓐ, ㉡-ⓒ, ㉢-ⓑ **02** (1) ○, (2) X, (3) ○, (4) X
03 ㄱ-ㄴ-ㄷ **04** (1) 셀주크 튀르크, (2) 예니체리, (3) 타지마할

내신을 탄탄하게 내신 문제 | 118~120쪽

01 ⑤ **02** ① **03** ② **04** ③ **05** ③ **06** ⑤ **07** ④ **08** ① **09** ② **10** ①

01 지도의 예루살렘 점령, 영토 범위를 통해 (가)가 셀주크 튀르크임을 알 수 있다. 셀주크 튀르크는 아바스 왕조의 용병으로 활약하다가 10세기 중반 이슬람교로 개종하였다. 11세기에는 바그다드를 점령하고 칼리프를 보호한 결과 술탄의 칭호를 받았으며, 이후 비잔티움 제국을 위협하는 등 크리스트교 세력과 충돌하였다. 그 결과 유럽에서 파견한 십자군의 공격을 받았다.

오답 확인 ① 밀레트 제도는 오스만 제국 시기에 시행된 관용 정책이다.
② 힌두 · 이슬람 문화는 힌두교 문화와 이슬람 문화가 융합된 것으로 무굴 제국 시기에 발전하였다.
③ 19세기 중엽 오스만 제국의 술탄에 의해 지어진 궁전이다.
④ 오스만 제국의 메흐메트 2세 때의 일이다.

02 (가)는 사마르칸트를 수도로 1370년 티무르 왕조를 세운 티무르에 대한 설명이다. 티무르 왕조는 동서 교역로를 장악하고 중계 무역으로 번영을 누렸지만 결국 내분과 튀르크계 우즈베크인에게 멸망하였다.

오답 확인 ② 아바스 1세는 사파비 왕조의 국왕으로 관료제와 상비군을 통해 중앙 집권 국가를 수립하였다.
③ 메흐메트 2세는 오스만 제국의 술탄으로 비잔티움 제국을 멸망시키고 콘스탄티노폴리스의 이름을 이스탄불로 바꿔 수도로 삼았다.
④ 이스마일 1세는 사파비 왕조를 세운 인물로 페르시아 제국의 계승을 내세웠다.
⑤ 술레이만 1세는 아시아, 아프리카, 유럽에 걸친 영토를 확보하여 오스만 제국의 전성기를 이끈 술탄이다.

03 티무르 왕조 후, 이스마일 1세, 아바스 1세를 통해 (가)가 사파비 왕조임을 알 수 있다. 사파비 왕조는 동서를 잇는 중계 무역을 주도하고, 페르시아 비단과 양탄자를 유럽에 수출하였다. 또한 페르시아 문화를 바탕으로 오늘날의 이란 문화를 낳은 이란 · 이슬람 문화를 발전시켰다.

오답 확인 ㄴ. 명대에는 『수호지』, 청대에는 『홍루몽』 등의 소설이 유행하였다.
ㄹ. 시박사는 당대에 설치되어 명대까지 해상 무역에 관한 일을 담당했던 관청이다.

04 오스만 제국은 메흐메트 2세 때 비잔티움 제국을 멸망시켰으며, 이후 콘스탄티노폴리스를 이스탄불로 이름을 바꿔 수도로 삼았다.

오답 확인 ① 무굴 제국은 1526년 바부르가 델리 술탄 왕조를 무너뜨리고 세웠다.
② 사파비 왕조는 이스마일 1세가 1501년 페르시아 제국의 계승을 내세우며 세웠다.
④ 티무르 왕조는 몽골 제국의 부흥을 내세운 티무르가 1370년 사마르칸트를 수도로 하여 세웠다.
⑤ 셀주크 튀르크는 11세기 바그다드를 점령하며 술탄의 칭호를 받았지만 13세기 중엽 몽골의 침략을 받아 멸망하였다.

05 오스만 제국은 영토 내의 이교도들에게 이슬람교로 개종할 것을 강제하지 않았으며, 인두세만 내면 다른 종교도 인정하였다. 이에 지역마다 종교별 · 언어별 공동체를 만들고 자치를 누리도록(밀레트) 하였다.

오답 확인 ① 명의 영락제 시기의 일이다.
② 청의 건륭제 시기의 일이다.
④ 무굴 제국 아우랑제브 황제가 시행한 정책이다.
⑤ 17~18세기 유럽에서는 계몽사상이 발전하여 절대왕정을 비판하였으며, 이후 시민 혁명에도 영향을 주었다.

06 술탄 아흐메드 사원은 바로크 양식과 오스만 양식이 조화를 이루

는 웅장한 건축물이다. 기둥과 돔, 벽을 뒤덮고 있는 푸른 색상의 타일 때문에 '블루 모스크'라고도 불린다.

오답 확인 ① 상수시 궁전은 프로이센의 프리드리히 2세가 건설하였다.
② 베르사유 궁전은 프랑스의 루이 14세가 건설하였다.
③ 체헬소툰 궁전은 사파비 왕조의 아바스 2세가 건설하였다.
④ 엘에스코리알 궁전은 에스파냐의 펠리페 2세가 건설하였다.

07 톱카프 궁전은 15세기부터 19세기까지 (가) 오스만 제국의 술탄이 거주했던 궁전이다. 오스만 제국은 비잔티움 문화를 계승하면서 튀르크 문화를 발전시켜 동서 문화를 융합하였다. 미술에서는 아라베스크 무늬, 건축에서는 이슬람 사원(모스크), 문학에서는 궁정 문학이 발달하였다. 수준 높은 자연 과학과 커피 문화 등은 유럽에 전해졌다.

오답 확인 ㄱ. 힌두어와 페르시아어가 합쳐진 우르두어는 무굴 제국 시기 일상에서 사용되었다.
ㄷ. 유럽의 절대 왕정 시기 문화의 특징이다.

08 아크바르 황제는 관용 정책을 통해 무굴 제국의 번영을 이끌었다. 그는 힌두교도를 고위 관직에 임명하고, 힌두교도와 이슬람교도 사이의 결혼을 장려하였으며, 이교도들에게 거두었던 인두세를 폐지하였다.

오답 확인 ② 티무르 왕조를 세운 티무르, ③ 이교도에 대한 관용 정책을 포기한 아우랑제브 황제, ④ 무굴 제국 시기 문화의 특징인 힌두 · 이슬람 문화, ⑤ 사바피 왕조의 이스마일 1세에 대한 설명이다.

09 무굴 제국의 아우랑제브 황제는 이슬람 제일주의를 내세워 힌두교 사원을 파괴하고 비이슬람교도에 대한 인두세를 부활하였다.

오답 확인 ①, ⑤ 에스파냐에 대한 설명이다.
③ 프랑스의 루이 14세에 대한 설명이다.
④ 러시아의 표트르 대제에 대한 설명이다.

10 바부르가 세운 이슬람 제국은 무굴 제국이다. 무굴 제국 시기에는 힌두교(인도) 문화와 이슬람 문화가 융합된 힌두 · 이슬람 문화가 발전하였다. 일상에서는 우르두어가 사용되었고, 회화에서는 무굴 회화가 발달하였다. 건축에서는 타지마할이 대표적이며, 종교에서는 시크교가 발전하였다.

오답 확인 ㄷ. 화약, 나침반, 활판 인쇄술 등을 발명한 나라는 중국의 송이다.
ㄹ. 오스만 제국에서는 15세기 초부터 커피를 음료로 개발하여 마시기 시작했고, 긴 종교 의식에 쓰이기 시작하면서 확산되었다. 1554년에는 이스탄불에 최초의 커피하우스가 생겼으며, 17세기에는 커피 문화가 유럽으로 전해졌다.

만점에 도전하는 심화 문제 | 121쪽

01 ③ **02** ④ **03** ③ **04** ①

01 11세기 무렵 이슬람 세계의 새로운 지배자가 된 국가는 셀주크 튀르크이다. 셀주크 튀르크는 예루살렘을 점령하고 비잔티움 제국의 황제를 사로잡는 등 크리스트교 세계와 충돌하였다. 이로 인해 약 200년 동안 유럽에서 파견된 십자군의 공격을 받았다.

오답 확인 ① 사파비 왕조에 대한 설명이다.
② 톱카프 궁전, 술탄 아흐메드 사원(블루 모스크)은 오스만 제국의 대표적인 건축물이다.
④ 사마르칸트를 수도로 정한 티무르 왕조는 동서 교역로를 장악하고 중계 무역으로 번영을 누렸다.
⑤ 오스만 제국은 발칸반도의 크리스트교도 중 재능 있는 소년들을 선발하여 이슬람교로 개종시켰다. 이후 훈련과 교육을 통해 술탄의 친위 부대인 예니체리로 충당하였다.

02 오스만 제국은 국가의 안정을 위해 제국 내의 이교도들에게 이슬람교로 개종할 것을 강제하지 않았다. 인두세만 내면 다른 종교도 인정하였으며, 밀레트라는 종교 공동체의 자치권을 인정하였다.

오답 확인 ① 무굴 제국 아우랑제브 황제가 추진하였다.
② 무굴 제국 아크바르 황제가 추진하였다.
③ 황제 교황주의로 비잔티움 제국에서 나타났다.
⑤ 서유럽에서는 10세기 무렵 클뤼니 수도원을 중심으로 청빈과 복종 등 엄격한 계율을 강조하는 개혁 운동이 전개되었다.

03 밑줄 친 제국은 오스만 제국으로, 오스만 제국은 메흐메트 2세 때 비잔티움 제국을 멸망시키고 콘스탄티노폴리스의 이름을 이스탄불로 바꿔 수도로 삼았다. 술레이만 1세 때에는 유럽의 연합 함대를 격파하고 지중해 해상권을 장악하였으며, 아시아 · 아프리카 · 유럽에 걸친 대제국을 건설하였다.

오답 확인 ㄱ. 에도 시대의 역사적 사실이다.
ㄹ. 무굴 제국 시기 힌두 · 이슬람 문화가 발전하며 시크교가 창시되었다.

04 인물의 업적인 남부 지역을 제외한 전 인도 통일, 중앙 집권 체제 강화를 통해 ㅁㅁㅁㅁ이 아크바르임을 알 수 있다. 무굴 제국의 3대 황제인 아크바르는 힌두교도를 존중하여 관리와 군인으로 등용하고, 이교도에게 거두었던 인두세를 폐지하여 힌두교도의 환영을 받았다.

오답 확인 ② 에도 막부에서 시행한 정책이다.
③ 몽골 제국에 대한 설명이다.
④ 티무르 왕조에 대한 설명이다.
⑤ 명 홍무제의 업적이다.

4 신항로 개척과 유럽 지역 질서의 변화

확인해 봐요

주제 10 미지의 바다로 나서는 유럽인 122쪽

1 ○ **2** ○ **3** X

주제 11 신항로 개척의 영향 124쪽

1 삼각 무역 **2** 가격 혁명 **3** 감자

주제 12 절대 군주가 다스린 유럽 126쪽

1 시민 계급 **2** 바로크 **3** 엘리자베스 1세

시험을 대비하는 실전 문제

기초를 튼튼하게 확인 문제 | 128쪽

01 ㉠-ⓑ, ㉡-ⓒ, ㉢-ⓐ **02** (1) ○, (2) X, (3) ○
03 ㄹ-ㄷ-ㄴ-ㄱ **04** (1) 나침반, (2) 에스파냐 (3) 계몽사상

내신을 탄탄하게 내신 문제 | 128~130쪽

01 ③ **02** ① **03** ④ **04** ⑤ **05** ⑤ **06** ③ **07** ② **08** ③ **09** ②
10 ④

01 유럽인들은 향료, 비단, 도자기 등 값비싼 동양 산물의 원산지를 찾아 직접 교역하고, 크리스트교를 전파하기 위해 신항로 개척에 적극 나섰다.

오답 확인 ㄱ. 조공 · 책봉 체제는 중국을 중심으로 동아시아 지역에서 나타난 국제 질서이다.
ㄹ. 에스파냐와 포르투갈은 이베리아 반도의 이슬람 세력을 몰아내면서 중앙 집권 국가로 발전하였고, 그 결과 많은 돈과 인력이 드는 신항로 개척을 후원할 수 있었다.

02 콜럼버스는 아메리카의 서인도 제도에 도착하였으며, 바스쿠 다가마는 인도로 가는 항로를 개척하였다. 마젤란과 그 일행은 세계 일주에 성공하였는데, 마젤란은 도중에 필리핀에서 사망하였다.

03 신항로 개척 이후 에스파냐는 아메리카에서 사탕수수, 커피, 담배 등을 재배하는 플랜테이션 농장을 경영하거나 광산을 채굴하였다. 포르투갈은 인도양에 무역 거점을 세우고 향료 무역에 집중했다.

오답 확인 ㄱ. 신항로 개척 이후 유럽 경제의 무대는 지중해에서 대서양으로 바뀌었다.
ㄷ. 동인도 회사를 앞세워 인도에 진출한 후 식민지로 만든 국가는 영국이다.

04 신항로 개척 이후 유럽인들은 아스테카 제국과 잉카 제국을 멸망시키고, 원주민의 노동력을 이용해 플랜테이션 농장이나 광산을 경영하였다.

오답 확인 ① 십자군 전쟁 이후 교황의 권위가 추락하며 일어났다.
② 11세기 후반 셀주크 튀르크와 크리스트교 세계가 충돌하며 십자군 전쟁이 시작되었다.
③ 17~18세기 서유럽에서 전개되었다.
④ 10세기 무렵 교회의 세속화를 개혁하기 위한 운동이다.

05 유럽인들은 아메리카의 원주민 인구가 감소하자 노예선에 아프리카의 노예들을 책꽂이의 책처럼 실어 아메리카로 데려왔다.

오답 확인 ① 종교 개혁 이후 신교를 믿는 사람들이 박해를 피해 새로운 곳으로 이주한 것에 대한 설명이다.
②, ③, ④ 신항로 개척의 목적에 대한 설명이다.

06 신항로 개척 이후 유럽인의 가혹한 통치와 새로운 질병(천연두)의 확산, 그리고 아스테카 · 잉카 제국의 멸망 과정에서 수많은 원주민들이 목숨을 잃었다. 아메리카의 원주민 수가 급격히 감소하자 유럽인들은 아프리카의 흑인 노예를 들여와 사탕수수, 커피 등을 재배하게 하여 막대한 이익을 얻었다.

07 가격 혁명은 지대 수입으로 살아가던 지주층에게 큰 타격을 주었지만 신흥 상공업자의 지위는 이전보다 향상되었다.

오답 확인 ① 유럽 경제의 중심은 지중해에서 대서양으로 바뀌었다.
③ 가격 혁명으로 물가는 폭등하였다.
④, ⑤ 르네상스와 종교 개혁은 신항로 개척과 연관이 없다.

08 절대 왕정의 군주는 관료제와 상비군을 통해 왕권을 강화하였고, 그에 필요한 재정은 중상주의 정책을 통해 충당하였다. 또한 왕의 권력이 신에게서 나온 것이라는 왕권신수설을 주장하며 강력한 왕권을 사상적으로 뒷받침하였다.

오답 확인 ① 신항로 개척 이후 무역의 중심이 지중해에서 대서양으로 바뀌었다.
② 절대 왕정 시기 화려하고 웅장한 바로크 양식이 유행하였다.
④ 아메리카 대륙에서 채굴한 금 · 은이 유럽에 들어오면서 가격 혁명이 일어났으며, 이로 인해 상공업자의 지위가 향상되었다.
⑤ 신항로 개척 이후 주식회사의 등장, 각종 금융 제도 발전 등 자본주의 발전이 촉진되었다.

09 사진과 '태양왕', 프랑스의 절대 왕정을 이끌었다는 설명으로 루이 14세임을 알 수 있다. 루이 14세는 베르사유 궁전을 지어 왕실의 권위를 높이려 하였고, 재상 콜베르를 등용하여 중상주의 경제 정책을 적극 추진하였다.

오답 확인 ① 신성 로마 제국의 하인리히 4세에 대한 설명이고, ③ 영국의 엘리자베스 1세에 대한 설명이다.
④ 러시아의 표트르 대제에 대한 설명이고, ⑤ 교황 레오 10세에 대한 설명이다.

10 동유럽에 해당하는 프로이센의 프리드리히 2세와 러시아의 표트르 대제는 시민 계급보다는 봉건 귀족 세력에 의존해 절대 왕정을 이끌었다.

오답 확인 ㄱ, ㄷ 엘리자베스 1세와 루이 14세는 서유럽의 영국과 프랑스의 절대 왕정을 이끌었던 국왕이다.

만점에 도전하는 심화 문제 | 131쪽

01 ④ **02** ⑤ **03** ③ **04** ②

01 바르톨로메우 디아스가 희망봉으로 가는 항로를 개척한 것은 1488년이며, 마젤란과 그 일행의 항해는 1519~1522년 사이에 이루어졌다. 콜럼버스는 1492년 에스파냐의 지원을 받아 아메리카 서인도 제도에 도착하였다.

오답 확인 ① 뉴턴은 1687년 만유인력의 법칙이 담긴 『프린키피아』를 출간하였다.
② 피사로의 잉카 제국 정복은 1532년이며, ③ 베르사유 궁전은 루이 14세가 왕위에 있던 17~18세기에 계속 증축이 이루어졌다.
⑤ 엘리자베스 1세는 1588년 에스파냐의 무적 함대를 격파하였다.

02 (가)는 로크의 주장이고, (나)는 몽테스키외의 주장이다. 이들은 계몽사상을 주장한 사상가로 훗날 시민 혁명이 일어나는 데 영향을 끼쳤다.

오답 확인 ① 과학 혁명은 데카르트, 뉴턴 등의 활약에 힘입어 전개되었다.
② 만유인력의 법칙을 발견한 사람은 뉴턴이다.
③, ④ 몽테스키외는 절대 왕정을 반대하고 삼권분립을 주장하였다.

03 답변의 사탕수수, 전염병, 감자 등을 통해 신항로 개척으로 전파된 것에 대해 질문하였음을 알 수 있다. 신항로 개척으로 사람뿐만 아니라 농작물, 전염병 등도 전파되었다.

오답 확인 ① 미국의 독립은 18세기 후반에 전개되었다.
② 아메리카 고대 문명은 에스파냐 등 유럽인들에 의해 파괴되었다.
③ 유럽은 경제적 이유로 신항로 개척에 뛰어들었다.
④ 흑사병은 신항로 개척 이전의 일이다.

04 서유럽의 절대 왕정은 (다) 관료제와 (라) 상비군을 통해 왕권을 뒷받침하고, 이를 운영하기 위한 자금은 신흥 상공업자 등 (마) 시민 계급의 지원으로 충당하였다. 절대 군주는 (가) 왕의 권력이 신으로부터 부여받은 것이기 때문에 신하와 백성들은 왕에게 절대 복종해야 한다고 주장하였다.
② (나) 중상주의 경제 정책은 부강한 나라를 만들기 위해 수입을 제한하고 수출을 증대해야 한다고 믿는 경제 정책을 말한다.

대주제를 정리하는 종합 문제 134~135쪽

01 ③ **02** ④ **03** ② **04** ⑤ **05** ① **06** ① **07~08** 해설 참조

01 왕안석은 소농민과 소상인을 보호하여 안정적인 조세 자원을 마련하기 위해 신법을 주도하였으나 보수파의 반발로 실패하였다.

오답 확인 ① 명 홍무제가 시행한 정책이다.
② 명 영락제가 시행하였다.
④ 송대에는 국제 무역이 크게 발전하였다.
⑤ 청 강희제 때 러시아와 체결하였다.

02 몽골 제국 시기에 만들어진 세계적인 교통망을 통해 서방의 다양한 상인(이탈리아 출신의 마르코 폴로 등)과 여행객(모로코 출신의 이븐바투타 등)이 왕래하였다. 이들이 남긴 기록은 이후 유럽인들의 동양에 대한 호기심을 자극하였다.

오답 확인 카르피니는 로마의 교황이 몽골군의 유럽 침략을 막고 크리스트교를 전파하기 위해 파견한 선교사이다.

03 에도 막부는 다이묘를 통제하기 위해 가족은 에도에 머물게 하고, 다이묘는 주기적으로 영지와 에도에 교대로 머물게 하는 산킨코타이 제도를 시행하였다.

오답 확인 ① 나카사키의 데지마를 통해 네덜란드와 교류하였다.
③ 쇄국 정책을 시행하였다.
④ 쇼군이 실질적인 지배권을 행사하기 위해 천황의 정치 간섭을 금지하였다.
⑤ 몽골 · 고려 연합군은 가마쿠라 막부 때 침략해 왔다.

04 (가)는 오스만 제국의 예니체리, (나)는 오스만 제국의 밀레트 제도를 설명한 것이다. 오스만 제국은 메흐메트 2세 때 비잔티움 제국을 멸망시키고 콘트탄티노폴리스를 이스탄불로 바꿔 수도로 삼았다.

오답 확인 ① 명 때의 일이다.
② 에스파냐의 코르테스와 피사로가 각각 아스테카 제국, 잉카 제국을 정복하였다.
③ 영국의 엘리자베스 여왕 때의 일이고, ④ 무굴 제국의 아우랑제브 황제 때의 일이다.

05 무굴 제국 시기 종교에서는 힌두교와 이슬람교가 융합된 시크교가 발전하였다.

오답 확인 ② 17~18세기 유럽에서 전개되었다.
③ 경극은 청대 베이징을 중심으로 발전하였다.
④ 비잔티움 제국의 유스티니아누스 황제 때 건축되었다.
⑤ 에도 막부 시기 조닌 문화에 해당한다.

06 신항로 개척 이후 유럽인들에 의해 아스테카 제국, 잉카 제국이 멸망하였다. 이후 아메리카 원주민은 유럽인들의 가혹한 통치와 천연두와 같은 새로운 질병에 노출되어 다수가 목숨을 잃고 말았다.

오답 확인 ㄷ. 계몽사상은 시민 혁명에 영향을 끼쳤다.
ㄹ. 아메리카 원주민의 인구가 급감하면서 노동력을 보충하기 위해 이루어졌다.

07 **예시 답안** (가)의 구체적인 사례에는 만주족의 풍습인 변발과 그들의 의복을 강요한 것 등이 있으며, (나)의 구체적인 사례에는 일부 고위 관직에 만주족과 한족을 함께 임명한 것 등이 있다.

채점 기준

상	강경책과 회유책의 내용을 한 가지씩 서술한 경우
중	강경책과 회유책의 내용 중 한 가지만 서술한 경우
하	강경책과 회유책의 내용을 서술하지 못한 경우

08 (1) **정답** (가): 바르톨로메우 디아스, (나): 콜럼버스, (다): 바스쿠 다 가마, (라): 마젤란 일행

(2) **예시 답안** 유럽인들은 첫째 향료 · 비단 · 도자기 등 동양 산물에 대한 수요가 늘자 동양과 직접 교역하기 위해, 둘째 이슬람 세력을 몰아내고 크리스트교를 전파하기 위해 신항로 개척에 나섰다.

채점 기준

상	유럽인들이 신항로 개척에 나선 이유를 두 가지 모두 서술한 경우
중	유럽인들이 신항로 개척에 나선 이유를 한 가지만 서술한 경우
하	유럽인들이 신항로 개척에 나선 이유를 서술하지 못한 경우

Ⅳ 제국주의 침략과 국민 국가 건설 운동

1 유럽과 아메리카의 국민 국가 체제

확인해 봐요

주제 1 **입헌 군주정의 수립, 영국 혁명** 138쪽

1 공화정 **2** 명예혁명 **3**「권리 장전」

주제 2 **신대륙에서 들려오는 독립의 함성, 미국의 혁명** 140쪽

1 중상주의 **2** 조지 워싱턴 **3** 민주 공화제

주제 3 **프랑스 혁명, 구제도에서 국민 국가로** 142쪽

1 구제도 **2** 국민 의회 **3** 나폴레옹

주제 4 **빈 체제의 동요와 자유주의의 확산** 144쪽

1 빈 체제 **2** 입헌 군주정 **3**「인민헌장」

주제 5 **민족주의의 확산과 새로운 국민 국가의 등장** 146쪽

1 X **2** ○ **3** ○

주제 6 **미국과 라틴 아메리카의 발전** 148쪽

1 ○ **2** X **3** ○

시험을 대비하는 실전 문제

| 기초를 튼튼하게 **확인 문제** | 150쪽

01 ㉠-ⓑ, ㉡-ⓒ, ㉢-ⓐ **02** (1) X, (2) ○, (3) X, (4) X
03 ㄷ-ㄴ-ㄹ-ㄱ **04** (1) 청교도 혁명, (2) 삼부회, (3) 2월 혁명

| 내신을 탄탄하게 **내신 문제** | 150~152쪽

01 ② **02** ② **03** ④ **04** ③ **05** ③ **06** ④ **07** ⑤ **08** ③ **09** ①
10 ①

01 크롬웰이 이끄는 의회파는 찰스 1세를 처형함으로써 왕이 없는 정치 체제인 공화정을 수립하였다.

오답 확인 ①, ④, ⑤ 이전에 발생한 사건이며, ③ 명예혁명의 결

과이다.

02 가상 대화는 보스턴 차 사건 이후 나타낸 영국과 미국의 대륙 회의 장면이다. 이와 관련한 혁명은 미국 혁명이다.
② 프랑스 혁명은 미국 혁명의 영향을 받아 발생하였다.

03 프랑스 혁명의 원인이 된 구제도의 모순을 풍자하고 있는 그림이다. 혁명 이전의 프랑스 사회를 구제도라고 하는데, 구제도는 신분제를 바탕으로 유지되는 체제였다. 소수에 불과한 제1 신분인 성직자와 제2 신분인 귀족은 많은 토지와 고위 관직을 차지하면서 면세 특권을 누린 반면, 다수를 차지하는 제3 신분인 평민은 봉건적 의무와 무거운 세금을 부담하면서도 정치 참여는 제한되어 있었다.

오답 확인 ①, ②, ③, ⑤ 해당 그림과 연관이 없다.

04 선언문의 인간의 권리, 인간의 자유권, 국민 주권에 대한 내용을 통해 이 선언문은 프랑스 혁명 국민 의회 시기 발표된 「인간과 시민의 권리 선언」임을 알 수 있다. 국민 의회는 바스티유 감옥을 습격한 후 봉건제 폐지를 선포하고 헌법을 제정하였다. 이 시기는 ③ (다)에 해당한다.

05 프랑스 혁명은 ㄱ. 삼부회의 소집한 뒤 표결 방식을 둘러싼 대립으로 평민 대표가 ㄴ. 국민 의회를 결성하였다. 이후 왕이 국민 의회를 탄압하자 ㅁ. 바스티유 감옥을 습격하였고 ㄷ. 「인권 선언」을 발표하였다. 이후 왕권이 정지되면서 국민 공회가 구성되었으며, ㄹ. 혁명에 반대하는 사람들을 탄압하는 공포 정치가 시행되었다.

06 자료의 프랑스 혁명 전쟁, 황제 등을 통해 그가 나폴레옹임을 알 수 있다. 나폴레옹은 국내 개혁을 추진하는 한편, 뛰어난 군사력을 발휘하여 유럽 각국을 정복하였으며, 영국을 굴복시키기 위해 대륙 봉쇄령을 내렸다.

오답 확인 ① 무에니, 바이이 등, ③ 메테르니히, ⑤ 로베스 피에르에 대한 설명이다.

07 나폴레옹 몰락 이후 유럽 각 국의 대표가 모여 국제 질서를 모색한 회의라는 말을 통해 빈 회의에 대한 설명임을 알 수 있다. 빈 체제는 유럽 각국의 영토와 지배권을 프랑스 혁명 이전으로 돌리고자 한 보수적인 체제이다. 이 체제로 인하여 프랑스에서는 왕정이 부활하였다.

오답 확인 ① 계몽 사상과 연관이 없으며 미국 혁명과 프랑스 혁명이 계몽 사상의 영향을 받았다.
② 2월 혁명에 대한 설명이다.
③ 빈 회의는 자유주의와 민족주의 운동의 확산을 막고자 하였다.
④ 프랑스 혁명의 이전으로 되돌리고자 하였다.

08 샤를 10세, 루이 필리프를 통해 (가)는 7월 혁명임을 알 수 있다. 7월 혁명은 빈 체제에 저항하여 일어난 자유주의 운동이다. 그러나 새로운 왕정은 부유한 소수의 은행가들과 대지주들의 이익만을 보호하여 국민들이 불만을 가졌다.
③ 7월 혁명에서는 상층 시민 계급에게만 선거권을 허용하였으며, 노동자에게 선거권을 부여한 것은 2월 혁명이다.

09 남북 전쟁 이후 미국은 국가 단합에 성공하였으며, 대륙 횡단 철도가 완성되면서 영토 통합에 기여하였다. 그리고 유럽으로부터 이민자가 대거 몰려 풍부한 노동력을 확보하였고, 교통 통신 수단의 발달로 전국 규모의 시장이 형성되기도 하였다. 또한 창의성과 기업의 자유가 보장되는 사회 분위기가 변화하였다.

오답 확인 ㄹ. 연방 헌법이 제정된 것은 독립 혁명 직후의 일이다. 독립 후 북아메리카 13개 주는 연방 헌법을 바탕으로 세계 최초의 민주 공화국을 탄생시켰다.

10 볼리바르는 베네수엘라에서 태어나 에스파냐에서 교육을 받은 인물로, 에스파냐의 식민 지배에 맞서 콜롬비아, 베네수엘라, 에콰도르, 볼리비아를 해방시켰다.

오답 확인 ② 아르헨티나 독립에 공헌하였다.
③ 아이티를 독립하였다.
④ 대륙 회의에서 영국의 인지세법에 반대하는 연설을 하였다.
⑤ 청교도 혁명을 일으켰으며 공화정 수립 후 청교도 주의에 입각한 독재 정치를 펼쳤다.

만점에 도전하는 심화 문제 | 153쪽

01 ① **02** ③ **03** ④ **04** ①

01 폐하, 의회 등을 통해 (가)는 청교도 혁명 때의 「권리 청원」임을, 의회의 동의 없이, 과세 위법 등을 통해 (나)는 명예혁명 때의 「권리 장전」임을 알 수 있다. 청교도 혁명과 명예혁명 사이에는 찰스 1세가 처형되고 크롬웰이 공화정을 수립하였다. 이후 크롬웰은 호국경에 올랐으나 독재 정치로 인해 다시 왕정이 등장하였다.
① (가) 이전에 발생한 사건으로 청교도 혁명의 원인이 되었다.

02 왕 처형, 자코뱅파 등을 통해 국민 공회와 관련된 사실을 알 수 있다. 공화정을 선포하고 루이 16세를 처형한 국민 공회는 극심한 경제난과 반란으로 위기에 처하자 로베스피에르를 중심으로 한 자코뱅파가 온건파를 제거하고 권력을 장악하였다.
④ 프랑스 은행은 나폴레옹이 설립하였다.

03 제시된 글의 21세 이상 모든 남자의 선거권, 비밀 투표, 재산 자격 조항 폐지, 공평한 선거구 설치를 통해 이 자료가 차티스트 운동 당시 노동자 계급의 정치적 권리를 요구한 「인민 헌장」의 내용임을 알 수 있다. 영국에서는 선거법 개정으로 도시의 상공업자를 비롯한 중간 계급에게만 선거권이 부여되었을 뿐, 노동자들에게는 그 혜택이 돌아가지 않았다. 이에 노동자들이 선거권을 요구하는 차티스트 운동을 벌였다.

오답 확인 ①, ② 2월 혁명, ③ 7월 혁명, ⑤ 프랑스 혁명에 대한 설명이다.

04 지도와 가리발디를 통해 (가) 국가가 이탈리아임을 알 수 있다. 이탈리아는 일찍부터 마치니와 가리발디 등이 통일 운동을 벌였으며 이후 사르데냐 왕국의 카보우르를 중심으로 이탈리아 왕국이 탄생하였다.

오답 확인 ㄷ, ㄹ 독일의 통일과 관련이 있다.

2 유럽의 산업화와 제국주의

확인해 봐요

주제 7 **산업 혁명의 전개** 154쪽

1 ○ **2** X **3** ○

주제 8 **자본주의의 발전과 사회 문제의 대두** 156쪽

1 ○ **2** X **3** ○

주제 9 **19세기 문화의 발전** 158쪽

1 ○ **2** X **3** ○

주제 10 **국제 질서의 변화와 제국주의 열강** 160쪽

1 ○ **2** X **3** ○

시험을 대비하는 실전 문제

| 기초를 튼튼하게 **확인 문제** | 162쪽

01 ㉠-ⓒ, ㉡-ⓐ, ㉢-ⓑ **02** (1) ○, (2) ○, (3) X, (4) X
03 ㄹ-ㄷ-ㄴ-ㄱ **04** (1) 사회주의, (2) X선, (3) 필리핀

| 내신을 탄탄하게 **내신 문제** | 162~164쪽

01 ④ **02** ① **03** ② **04** ④ **05** ⑤ **06** ③ **07** ③ **08** ② **09** ③ **10** ②

01 제임스 와트가 개량한 증기 기관은 여러 분야에 사용되어 산업 혁명을 이끌었다. 산업 혁명으로 공장에서 대량으로 생산된 상품은 새로운 교통수단을 통해 세계 곳곳으로 운송되었다. 이로 인해 사람들은 물질적 풍요와 생활의 편의를 누릴 수 있었고 인구가 증가하였다.
④ 산업 혁명 시기 자본가와 노동자 사이의 빈부 격차가 커졌고, 저임금 장시간 노동 등의 노동 문제가 부각되었다. 노동자들은 열악한 근무 환경에서 일할 뿐 아니라 어려운 환경에서 거주하였다.

02 19세기 후반 뒤늦게 산업화에 뛰어든 나라들은 정부가 주도하여 철강, 화학, 전기 등 중공업을 중심으로 급속한 산업화를 이루었다. 이를 제2차 산업 혁명이라고 한다. 독일은 이후 먼저 산업화를 이룬 나라들과 경쟁하였으며, 국제 질서가 변화하기 시작하였다.

03 산업 혁명으로 노동자들은 저임금 장시간 노동을 하였으며, 아동들까지도 공장으로 내몰리면서 제대로 교육을 받지 못하였다.

오답 확인 ㄴ. 인클로저 운동은 영국의 산업 혁명이 발달하는 배경이 되었다.
ㄹ. 프랑스 혁명의 원인이다.

04 자료는 중간 계층에 대한 설명이다. 중간 계층은 산업 혁명 이후 사회 지도층으로 부상하였으며 선거권을 획득하고 의회에 진출함으로써 자신의 이익을 지키고자 하였다.

오답 확인 ① 차티스트 운동을 주도한 계층은 노동자이다.
② 사회주의 사상가는 자본주의를 비판하였다.
③ 중간 계층은 자신의 이익을 지키기 위해 선거권을 획득하였으며, 평등을 내세우지 않았다.
⑤ 이들은 자본주의 경제 체제에서 발전한 계층으로 신분제와는 연관이 없다.

05 「오르낭의 장례식」은 19세기 후반에 그려진 그림으로 이 시기에는 사실주의와 인상주의라는 새로운 화풍이 나타났다.

오답 확인 ㄱ, ㄴ 르네상스 시기의 문화 예술과 관련된 내용이다.

06 위 그림은 다윈의 진화론을 풍자하는 그림이다. 다윈은 '살아남은 종은 가장 강하거나 가장 지적인 종이 아니라, 변화에 가장 잘 적응한 종이다.'라고 말하며 자연 선택에 따른 진화론을 주장하였다 당시 사람들은 다윈의 주장을 그림과 같이 풍자하였으며, 인간과 원숭이가 본래 같은 종에서 진화한 것이라는 그의 주장을 받아들이지 않기도 하였다.

오답 확인 ① 인상주의는 19세기 후반 화가 개인의 주관적 인상과 빛의 색채를 강조하는 화풍으로 대표작으로는 모네의 「인상, 해돋이」가 있다.
②, ⑤ 사실주의에 대한 설명이다.
④ 인상주의에 대한 설명이다.

07 자료는 제국주의자였던 세실로즈의 발언으로, 새로운 영토 확보, 상품의 판로 개척, 내란 방지 등을 통해 (가)가 제국주의임을 알 수 있다. 당시 제국주의는 원료 공급지와 상품 판매지를 개척하기 위해 자국의 팽창을 합리화했던 정책이었다. 대표적인 제국주의자였

던 세실로즈는 영국 국민들에게 위와 같은 연설을 통해 제국주의 정책을 사상적으로 뒷받침하였다.

08 서양 열강은 상품을 수출한 시장을 두고 치열하는 과정에서 아프리카와 아시아의 약소국들을 지배하였다. 제국주의는 서양 열강이 추진한 적극적인 팽창 정책으로 이를 정당화하기 위해 사회 진화론과 인종주의를 받아들였다.
② 영국과 프랑스가 충돌한 곳은 파쇼다이다.

09 다음 자료는 미개한 인종을 올바르게 이끄는 것이 백인이 져야할 짐, 백인의 의무라고 말하면서 제국주의를 정당화하고 있다. 여기에 밑줄 친 그대는 백인을 의미한다.
오답 확인 ㄱ, ㄹ 약소국 국민을 가리킨다.

10 영국과 프랑스는 아프리카 대륙에서 각각 종단 정책과 횡단 정책을 추진하다가 파쇼다에서 충돌하였다. 이 때 프랑스의 양보로 두 나라 간에 전쟁이 벌어지진 않았는데, 이 사건을 파쇼다 사건이라고 한다.

| 만점에 도전하는 **심화 문제** | 165쪽

01 ⑤ **02** ④ **03** ④ **04** ②

01 다음은 영국에서 산업 혁명이 발생한 배경에 대해 설명한 것이다.
⑤ 농촌 인구가 공장으로 모이면서 산업 혁명이 영국에서 일어나게 된 원인이 되었다.

02 산업 혁명으로 나타난 사회 문제를 해결하고자 사회주의자 오언은 경쟁 대신 협동을 내세웠으며, 노동자들은 러다이트 운동으로 저항하였다. 또한 의회에서는 장시가 노동을 해결하는 법을 제정하였으며, 마르크스는 계급투쟁을 통해 새로운 사회 건설을 주장하였다.
④ 「권리 장전」의 승인은 명예혁명 때의 일로 산업혁명 이전에 있었던 역사적 사실이다.

03 19세기에는 과학과 기술이 크게 발전하여 '과학의 세기로 불렸다.' 이 시기에는 에디슨의 축음기와 전구가 발달하였으며, 뢴트겐의 X선이 발견되었다.
오답 확인 ㄱ, ㄷ 산업 혁명 시기에 발명된 과학 기술이다.

04 다음 그림은 백인의 짐으로 서양 열강이 제국주의를 정당화하기 위해 그렸다.
② 그림을 통해 서양 열강의 제국주의 정책을 비판하지 않고 이를 정당화하고자 하였다.

3 서아시아와 인도의 국민 국가 건설 운동

확인해 봐요

주제 11 **서아시아 국민 국가 건설 운동** 166쪽
1 X **2** ○ **3** ○

주제 12 **인도의 국민 국가 건설 운동** 168쪽
1 ○ **2** X **3** ○

시험을 대비하는 실전 문제

| 기초를 튼튼하게 **확인 문제** | 170쪽

01 ㉠-ⓒ, ㉡-ⓑ, ㉢-ⓐ **02** (1) X, (2) ○, (3) X, (4) ○
03 ㄴ-ㄱ-ㄹ-ㄷ **04** (1) 청년 튀르크당, (2) 와하브 운동, (3) 영국

| 내신을 탄탄하게 **내신 문제** | 170~172쪽

01 ① **02** ④ **03** ② **04** ③ **05** ⑤ **06** ③ **07** ① **08** ⑤ **09** ④
10 ③

01 오스만 제국이 추진한 개혁, 서양 문물 적극 수용, 제국의 부흥, 술탄의 전제 정치 폐지, 헌법 공포 등을 통해 (가)가 탄지마트임을 알 수 있다.

02 자료는 탄지마트이다. 탄지마트는 오스만 제국에서 그리스의 독립을 시작으로 소수 민족의 독립의 움직임이 나타나고, 영국과 러시아 등 열강의 침략이 심해지고, 신항로 개척으로 동서 중계 무역의 이익이 감소하면서 추진되었다.
④ 아랍 문화 운동은 아랍 지역에서 나타난 개혁 운동이다.

03 규율, 헌법, 정의 구호와 사진을 통해 청년 튀르크당에 대한 내용임을 알 수 있다. 청년 튀르크당의 개혁은 술탄의 전제 정치에 반대하여 젊은 지식인, 장교, 관료가 주도한 사건이었다. 이들은 입헌 정치를 지향했고, 산업을 육성하고 외세를 배척하는 등의 움직임을 보였다.
오답 확인 ① 와하브 운동, ③ 청년 튀르크당은 입헌 정부를 주장하였으며, 술탄제 폐지를 주장하지는 않았다.
④ 청년 튀르크당은 전제 정치를 반대하였다.
⑤ 이집트 민족 운동과 관련된 구호이다.

04 청년 튀르크당은 입헌 정치의 부활을 요구하며 혁명을 일으켰으며, 정권을 장악하고 헌법과 의회를 부활하였다. 그러나 오스만 제국은 제1차 세계 대전에서 패배하면서 붕괴하게 되었다.

오답 확인 ①, ②, ④ 이집트의 담배 불매 운동, ⑤ 탄지마트 개혁과 관련된 내용이다.

05 나폴레옹군이 물러나고 이집트 총독이 된 무함마드 알리는 학교와 군대를 개혁하고 산업을 장려하는 등 근대화 정책을 펼치면서 오스만 제국으로부터 자치권을 얻었다.

오답 확인 ①, ② 인도의 운동가이다.
③ 이란의 담배 불매 운동을 이끌었던 인물이다.
④ 이집트의 혁명을 이끌었던 인물이다.

06 와하브 운동은 이슬람의 근본 교리가 담긴 『쿠란』으로 돌아가자는 운동이었다. 이 운동은 오스만 제국의 공격으로 무너졌지만, 이후 아랍 민족주의 형성에 영향을 미쳤다.

오답 확인 ㄱ. 인도 국민 회의의 반영 운동의 영향, ㄹ. 탄지마트는 오스만 제국이 쇠퇴해지자 추진되었다.

07 수에즈 운하를 건설하는 과정에서 이집트는 외채를 지게 되었다. 영국은 이집트의 수에즈 운하를 차지하고 이집트의 내정까지 간섭하였다.

오답 확인 ② 이집트 독립 움직임의 계기가 되었다.
③ 영국은 이집트의 이집트인을 위한 이집트의 건설을 진압하는 과정에서 이집트를 보호령으로 삼았다.
④ 나폴레옹의 침공 이후 이집트 총독이 되었다.
⑤ 제1차 세계 대전에서 패한 후 일어난 민족 운동이다.

08 인도인 용병, 영국의 식민 지배 정책 반발, 전국적인 반영 운동 확대, 최초의 민족 운동 등을 통해 자료의 밑줄 친 항쟁이 세포이의 항쟁임을 알 수 있다. 영국은 세포이의 항쟁을 지원한 무굴 제국의 황제를 폐위하였다.

오답 확인 ㄱ, ㄴ 인도 국민 회의에 관한 내용이다.

09 영국은 인도의 지식인과 학생들의 불만을 흡수하고 인도인의 정치 참여 확대하고자 인도 국민 회의를 조직하였다.

10 영국은 반영 운동이 활발한 벵골 지방을 힌두교도와 이슬람교도 거주지로 분리하여 민족 운동을 약화하고자 하였다.

오답 확인 ① 인도 전역을 장악하고자 만들었다.
② 영국은 인도의 전통 종교를 파괴하고자 하였다.
④ 인도 국민 회의의 조직 목적이다.
⑤ 무굴 제국 멸망 이후의 사건이다.

| 만점에 도전하는 **심화 문제** | 173쪽

01 ③ **02** ④ **03** ② **04** ②

01 탄지마트는 술탄이 중심이 되어 진행된 '은혜로운 개혁'으로 오스만 제국의 부흥을 목표로 서양 문물을 적극적으로 받아들였다. 술탄의 전제 정치 폐지 등을 담은 헌법을 발표하였으나 유럽 열강의 간섭과 재정 악화로 개혁은 큰 성과를 거두지 못하였다.
③ 청년 튀르크당에 대한 설명이다.

02 이란의 입헌 혁명은 국민 의회를 수립하고 헌법을 제정하였으나 보수 세력의 반발과 영국, 러시아의 간섭으로 실패하였다.

오답 확인 ㄱ. 수에즈 운하는 이집트에서 건설되었다.
ㄷ. 와하브 운동의 결과이다.

03 짜끄리 궁전은 타이 라마 5세의 정신이 가장 잘 드러나는 건물로 타이 고유의 양식과 서양의 양식을 혼합하여 만들었다. 모나스 독립 기념탑은 인도네시아의 독립을 기념하여 만든 탑이다.

오답 확인 ㄴ. 오스만 제국의 메흐메트 2세 때 조성된 시장이다.
ㄹ. 오스만 제국의 아흐메드 1세 때 만든 사원으로 블루 모스크라고도 부른다.

04 자료를 통해 (가)는 벵골 분할령임을 알 수 있다. 벵골 분할령의 결과 인도 국민 회의에서는 반영 운동이 진행되었으며 일부 이슬람 교도들도 해당 사건에 참여하였다. 이들은 스와라지, 스와데시를 주장하였다.

오답 확인 ㄷ. 담배 불매 운동, ㄹ. 세포이 항쟁의 결과이다.

4 동아시아의 국민 국가 건설 운동

확인해 봐요

주제 13 **동아시아 3국의 개항** 174쪽

1 X **2** ○ **3** X

주제 14 **근대화 운동의 전개** 176쪽

1 ○ **2** X **3** ○

주제 15 **국민 국가 수립을 위한 노력** 178쪽

1 ○ **2** X **3** X

주제 16 **일본의 제국주의 침략** 180쪽

1 X **2** ○ **3** ○

시험을 대비하는 실전 문제

기초를 튼튼하게 확인 문제 | 182쪽

01 ㉠-ⓐ, ㉡-ⓑ, ㉢-ⓒ **02** (1) ○, (2) ○, (3) X, (4) ○
03 ㄱ-ㄹ-ㄷ-ㄴ **04** (1) 강화도 조약, (2) 시모노세키 조약, (3) 러 · 일 전쟁

내신을 탄탄하게 내신 문제 | 182~184쪽

01 ② **02** ④ **03** ② **04** ① **05** ① **06** ② **07** ② **08** ① **09** ⑤ **10** ④

01 영국은 청과의 무역에 필요한 은을 획득하기 위해 인도산 아편을 중국에 밀수출 하는 삼각 무역을 시행하였다. 이후 청이 아편을 폐해로 아편 전쟁일 일으켰으며, 그 결과 챙과 난징 조약을 맺었다.

02 1842년, 광저우, 상하이 등 5개 항구 거주, 공행 폐지 등을 통해 (가) 난징 조약임을 알 수 있다. 난징 조약은 영국과 청 사이 아편 밀 무역을 두고 갈등이 생기면서 발생하였다.

오답 확인 ① 톈진 조약, ② 통상 요구 거부, ③ 미 · 일 화친 조약, ⑤ 강화도 조약의 배경이다.

03 태평천국 운동은 아편 전쟁의 패배로 청의 위신이 떨어지고 크리스트교 신앙을 바탕으로 조직된 상제회가 반란을 일으켰다.

오답 확인 ㄴ. 변법자강 운동, ㄹ. 양무운동의 배경이다.

04 자료의 이홍장, 외국의 기술 수용 등을 통해 양무운동과 관련된 내용임을 알 수 있다.

05 자료의 서양의 제도, 의회 제도 수용, 캉유웨이를 통해 자료의 사건이 변법자강 운동임을 알 수 있다. 변법자강 운동은 청의 정치 제도의 전반적인 개혁이 필요하다고 생각하고 일본의 메이지 유신을 모방하여 입헌 군주제와 의회 제도의 도입을 추진하고 근대화를 위한 개혁을 도모하였다.

오답 확인 ㄷ, ㄹ 의화단 운동의 내용이다.

06 자료의 다이묘, 번, 현, 서양식 의무교육, 신분제 개혁, 징병제 시행을 통해 메이지 유신임을 알 수 있다. 메이지 유신은 지방의 하급 무사들이 중심이 되어 일으켰으며 천황을 중심으로 새로운 정부를 수립하고 개혁을 실시하였다.

오답 확인 ㄴ, ㄹ 메이지 유신은 막부를 타도하고 천황을 중심으로 새로운 정부를 수립하였다.

07 조선의 급진 개화파, 청의 간섭, 개혁안, 보수파의 반발, 청의 개입으로 실패 등을 통해 (가) 갑신정변임을 알 수 있다.

08 쑨원은 민족, 민권, 민생을 중심으로 한 삼민주의 사상을 내세우며 혁명 운동을 주도하였다. 그의 사상은 신해혁명에 지대한 영향을 미쳤다.

09 독립 협회는 자주 독립을 위한 노력과 자유 민권 운동을 전개하였다. 그러나 일부 보수 대신들이 독립 협회를 모함하여 고종이 강제로 해산하였다.

오답 확인 ㄱ, ㄴ 고종의 정책과 관련된 내용이다.

10 한반도와 만주에 대한 영향력을 둘러싸고 일본과 러시아는 전쟁을 벌였다. 전쟁의 결과 일본이 승리하였고 양국 간에는 포츠머스 조약이 체결되었다. 이를 통해 일본은 한반도에 대한 지배권을 서양 열강으로부터 인정받게 되었다.

오답 확인 ㄱ. 러 · 일 전쟁은 일본이 승리하였다.
ㄷ. 삼국 간섭에 대한 설명이다.

만점에 도전하는 심화 문제 | 185쪽

01 ⑤ **02** ⑤ **03** ② **04** ②

01 난징 조약, 페리의 입항을 통해 (가) 청, (나) 일본에 대한 내용임을 알 수 있다.

오답 확인 ①, ② (나)에 해당되는 내용, ③ (가)의 개항이 더 빨랐다. ④ (가)의 개항에 대한 내용이다.

02 자료의 남녀 구분 없이 토지 균등 분배를 통해 태평천국운동의 과정에서 발표된 천조 전무 제도임을 알 수 있다.

오답 확인 ㄱ. 의화단 운동, ㄴ. 양무운동에 대한 설명이다.

03 미국과 조약이 체결된 이후 서양의 여러 나라들과 조약이 체결되자 막부의 정책에 반대하는 세력이 크게 성장하면서 막부 타도 운동이 일어났다.

오답 확인 ① 일본에서는 쇄국 정책은 추진되지 않았다.
③, ④ 메이지 유신 이후, ⑤는 미 · 일 수호 통상 조약 이전의 사건이다.

04 우창 봉기 이후 나타난 (가)는 신해혁명이다. 신해혁명 이후에 중국에는 최초의 공화제 국가인 중화민국이 세워졌고, 임시약법이 제정되었다. 그러나 혁명군과 협의하여 임시 대총통에 오른 위안스카이가 자신이 황제가 되고자 음모를 계획하였다. 이 음모는 실패하였으나 그 과정에서 각지에 혼란이 시작되었다.

오답 확인 ㄴ, ㄹ 신해혁명 이전에 발생했던 사건으로 ㄴ. 의화단 운동, ㄹ. 청의 혁명 운동에 대한 설명이다.

대주제를 정리하는 종합 문제 188~189쪽

01 ⑤ **02** ⑤ **03** ④ **04** ④ **05** ⑤ **06** ③ **07~08** 해설 참조

01 자료의 내용과 인간과 시민의 권리 선언을 통해 프랑스 혁명의 결과를 묻는 문제임을 알 수 있다. 프랑스 혁명으로 왕정이 폐지되고 공화정이 수립되었다.

오답 확인 ① 프랑스 혁명으로 신분에 관계없이 모든 사람이 법 앞에 평등한 자유주의가 확산되었다.
② 젠트리는 영국의 지주층으로 장원제가 무너지면서 성장하였다.
③ 프랑스 혁명의 결과 공화정이 수립되었다. 입헌 군주제의 전통이 확립된 것은 영국 조지 1세 즉위와 연관이 있다.
④ 미국 혁명과 관련된 내용이다.

02 사회주의는 산업 혁명으로 여러 사회 문제가 발생하자 이를 비판하고자 등장하였다. 마르크스는 자본가와 노동자 간 계급투쟁을 통해 공산주의 사회가 도래할 것을 주장하였다.

오답 확인 ① 프랑스 혁명의 국민 공회와 관련된 내용이며, ② 나폴레옹 몰락 이후 발생한 사건이다.
③ 나폴레옹 시기의 내용이며, ④는 라틴 아메리카의 독립과 관련이 있다.

03 파쇼다에서 프랑스와 부딪힌 것을 통해 (가)는 영국임을 알 수 있다. 영국은 아시아 · 아프리카 지역으로 진출하여 식민지 쟁탈전을 벌였는데 아프리카에서 종단 정책을 추진하였으며 플라시 전투의 승리로 인도를 직접 지배하였다. 또한 오스트리아와 뉴질랜드를 자치령으로 만들었으며 동남아시아에서는 싱가포르와 말레이 반도, 미얀마를 식민지로 삼았다.

오답 확인 ④ 독일에 대한 내용으로 영국은 일찍 제국주의 대열에 합류하여 많은 식민지를 가지고 있었다.

04 최대 영역의 영토를 통해 (가)가 오스만 제국임을 알 수 있다. 오스만 제국은 제국 내 소수 민족의 독립, 서양 열강의 침략으로 쇠퇴하였고 이를 극복하기 위해 탄지마트라는 개혁을 추진하였으나 성과가 미비하였다.

오답 확인 ㄹ. 아랍에 대한 내용이다.

05 지도에 나타난 영국의 정책은 벵골 분할령으로 이로 인해 인도 국민 회의를 중심으로 반영 운동이 일어났고, 인도가 이후 파키스탄과 분리 독립하는 등 종교 대립의 원인이 발생하였다.

오답 확인 ㄱ, ㄴ 벵골 분할령 이전에 발생한 사건으로 ㄱ. 세포이 항쟁, ㄴ. 영국이 값싼 영국산 면직물을 대량으로 들어오면서 발생하였다.

06 (가) 외세 배척을 통해 의화단 운동, (나) 토지의 균등 분배, 남녀 평등을 통해 태평천국 운동, (다) 서양 군사 기술 수용을 통해 양무운동, (라) 의회 제도 도입, 입헌 정치를 통해 변법자강 운동임을 알 수 있다. 이를 일어난 순서대로 나열하면 (나)–(다)–(라)–(가)이다.

07 예시 답안 증기 기관, 증기 기관의 발명은 동력의 변화를 가져와 기계를 이용한 대량 생산이 가능하게 되었다. 교통 수단의 변화를 가져와 증기선과 증기 기관차 등이 등장하여 물자의 유통과 인구의 이동이 활발해졌다.

채점 기준

상	기계의 이름과 기계의 발명이 산업 혁명에 미친 영향을 서술한 경우
중	기계의 발명이 산업 혁명에 미친 영향을 서술한 경우
하	기계의 이름을 서술한 경우

08 (1) 정답 벵골 분할령
(2) 예시 답안 인도 국민 회의가 반영 운동에 앞장서는 데에 영향을 미쳤다. 인도 국민 회의의 반영 운동은 인도의 자치권을 얻었으며 인도 민족 운동의 중심이 되었다.

채점 기준

상	인도 국민 회의에 미친 영향과 인도 국민 회의의 의의에 대해 모두 서술한 경우
중	인도 국민 회의에 미친 영향과 인도 국민 회의의 의의 중 한 가지만 서술한 경우
하	인도 국민 회의에 미친 영향과 의의에 대해 모두 서술하지 못한 경우

V 세계 대전과 사회 변동

1 세계 대전과 국제 질서의 변화

확인해 봐요

주제 1 제1차 세계 대전과 베르사유 체제 192쪽

1 무제한 잠수함 **2** 파리 강화 회의 **3** 국제 연맹

주제 2 최초의 사회주의 혁명, 러시아 혁명 194쪽

1 10월 **2** 사회주의 경제 **3** 코민테른

주제 3 전후 아시아 · 아프리카의 민족 운동 196쪽

1 ○ **2** X **3** X

주제 4 세계를 강타한 대공황과 전체주의 198쪽

1 실업자 **2** 블록 경제 **3** 무솔리니

주제 5 다시 시작된 전쟁, 제2차 세계 대전 200쪽

1 ○ **2** ○ **3** X

시험을 대비하는 실전 문제

기초를 튼튼하게 확인 문제 202쪽

01 ㉠-ⓐ, ㉡-ⓑ, ㉢-ⓒ **02** (1) X, (2) X, (3) ○, (4) ○
03 ㄹ-ㄱ-ㄴ-ㄷ **04** (1) 사라예보, (2) 뉴딜, (3) 간디

내신을 탄탄하게 내신 문제 202~204쪽

01 ② **02** ⑤ **03** ④ **04** ④ **05** ① **06** ① **07** ② **08** ② **09** ④ **10** ⑤

01 지도는 제1차 세계 대전 직전 유럽의 상황이다. 1차 세계 대전은 범슬라브주의와 범게르만주의의 대립으로 전개되었다. 1차 세계 대전 중 독일의 무제한 잠수함 작전으로 미국이 참전하였으며, 1차 세계 대전으로 오스트리아 · 헝가리 제국이 붕괴하였다. 이후 전후 처리를 위해 파리 강화 회의가 개최 되었다.

오답 확인 ② 이탈리아에 전체주의 세력이 등장은 제2차 세계 대전의 배경이다.

02 독일 영토 넘겨줌, 독일 식민지 박탈, 배상금 지불을 통해 다음 조약이 제1차 세계 대전 이후 체결된 베르사유 조약(1919)임을 알 수 있다. 이 조약으로 독일은 일부 영토를 잃고 식민지를 상실하였으며 군대 보유를 제한당하고 막대한 배상금을 물어야 했다.

오답 확인 ① 제1차 세계 대전 이후 체결되었다.
② 국제 연합은 제2차 세계 대전 이후 창설되었다.
③ 독 · 소 불가침 조약은 1939년 체결되었다.
④ 카이로 회담(1943. 11.)에서는 일본 문제 처리와 한국 독립 문제를 논의하였다.

03 1917년 2월 혁명 이후 레닌이 상트페테르부르크에서 한 연설이다. 당시의 전쟁은 제1차 세계 대전이다. 제1차 세계 대전은 총력전 형태로 전개되면서 여성 참정권 확대로 이어졌다.

오답 확인 ①, ③ 제2차 세계 대전이 끝난 이후의 일이다.
② 제2차 산업 혁명 이후 상황 설명으로, 제1차 세계 대전에 패배한 독일은 베르사유 조약을 맺게 되었다.
⑤ 제2차 세계 대전이 일어나기 전의 일이다.

04 러시아 사회주의 혁명이 일어나는 과정으로 (가)는 10월 혁명이다. 2월 혁명 이후 임시 정부가 전쟁을 계속하고 개혁을 추진하지 못하자 볼셰비키에 의해 10월 혁명이 일어났다.

오답 확인 ① 스탈린은 레닌 사후 정권을 장악하였고, ② 독 · 소 불가침 조약은 1939년에 체결되었다.
③ 19세기 러시아의 상황이다.
⑤ 제2차 세계 대전의 일로, 독일은 이 사건에서 소련군에 패하였다.

05 자료의 21개조 강요, 파리 강화 회의의 산둥반도 이권 일본 양도, 대학생 중심의 대규모 항의 시위를 통해 이 사건이 5 · 4 운동임을 알 수 있다.

오답 확인 ② 중국 청년층을 중심으로 새 사회 건설을 목표로 일어난 운동이다.
③ 중국 국민당과 공산당이 군벌과 제국주의 타도를 위해 합작하였다.
④ 1905년 상트페테르부르크에서 일어난 개혁 요구 시위를 무력 진압한 사건이다.
⑤ 인도 간디를 중심으로 전개된 민족 운동이다.

06 제1차 세계 대전 이후 아시아 · 아프리카 지역의 민족 운동이 활발하게 일어났다. 튀르키예는 무스타파 케말에 의해 근대화가 추진되었으며, 이집트는 와프트당을 중심으로 민족 운동이 전개되었다.

오답 확인 ㄴ. 중국에 대한 설명이며, 이란은 리자 샤의 지도로 팔레비 왕조를 세웠다.
ㄹ. 일본에 대한 설명이며, 인도는 간디, 네루를 중심으로 영국에 저항하는 민족 운동이 일어났다.

07 1929년에 발생한 대공황에 대한 설명이다. 세계 각국은 대공황을 극복하기 위해 여러 대책을 마련하였다.

오답 확인 ㄴ. 일본은 새로운 시장 확보를 위해 다른 나라를 침공하였다. 사회 보장 제도를 실시한 나라는 미국이다.
ㄹ. 프랑스는 본국과 식민지를 하나로 묶은 폐쇄적인 경제 체제인 블록 경제를 실시하였다. 다른 나라를 침공한 국가는 독일, 이탈리아, 일본이다.

08 베르사유 체제 거부, 독일 총리, 민족 우월성, 일당 독제 체제 확립을 통해 (가)가 히틀러임을 알 수 있다. 독일이 대공황의 타격을 입자 히틀러와 나치즘이 부상하였고 히틀러는 독일의 고통을 유대인의 탓으로 돌리며 유대인을 학살하였다.

오답 확인 ① 인도의 완전한 독립을 요구하며 무력으로 저항한 인물이다.
③ 중국 공산당을 이끌었던 지도자이다.
④ 이탈리아에서 파시즘을 제시하고 정권을 잡았다.
⑤ 튀르키예 공화국을 수립하고 근대화를 추진한 인물이다.

09 제2차 세계 대전은 (나) 독일, 이탈리아, 일본 파시즘 세력의 결속이 방공 협정(1937)으로 강화된 후, 독일의 폴란드 침공 후 영국과 프랑스의 선전 포고로 발발하였다. (라) 일본의 진주만 공격(1941)으로 태평양 전쟁이 일어났으며 독일군은 스탈린그라드 전투(1942~1943)에서 퇴각하였다. (다) 히로시마, 나가사키 원폭 투하(1945) 이후 일본은 무조건 항복하였다.

10 연표를 통해 대서양 헌장 이후, 얄타 회담 이전에 일어난 전후 처리 회담으로 (가)가 카이로 회담임을 파악할 수 있다. 카이로 회담은 1943년 카이로에 모여 미국, 영국, 중국이 모여 일본의 전후 처리와 한국의 독립 문제를 논의하였다.

오답 확인 ①, ②, ③ 제1차 세계 대전 이후의 일이다.
④ 제2차 세계 대전 도중 있었던 대서양 헌장에 관한 내용이다.

만점에 도전하는 심화 문제 | 205쪽

01 ③ **02** ③ **03** ④ **04** ②

01 (가)는 독일 무제한 잠수함 작전으로 인해 제1차 세계 대전 중의 일임을 (나)는 「베르사유 조약」을 통해 제1차 세계 대전 종료 후 전후 처리 내용임을 알 수 있다. 제1차 세계 대전 이후 전후 처리 문제를 의논하고자 파리 강화 회의를 개최하였다.

오답 확인 ① 국제 연합(UN)은 제2차 세계 대전 이후 창설되었다.
② 사라예보 사건 이후 제1차 세계 대전이 발발하였다.
④ 일본은 대공황을 극복하고자 다른 나라를 무력으로 침략하였다.
⑤ 미국은 대공황을 극복하기 위해 뉴딜 정책을 실시하였다.

02 오스만 제국, 무스타파 케말 등을 통해 새로운 나라가 튀르키예임을 알 수 있다. 튀르키예는 정치와 종교의 분리, 문자 개혁, 민족 산업 육성 등 근대화를 추진하였다.

오답 확인 ① 1905년 러시아에서 일어난 사건이다.
② 대공황을 극복하기 위해 미국이 실시한 정책이다.
④ 중화민국 수립 이후의 일이다.
⑤ 이란의 팔레비 왕조에 대한 설명이다.

03 대공황 이후 독일, 이탈리아, 일본에서 전체주의 체제가 추구하였으며, 3국은 방공 협정을 통해 전체주의 세력 사이의 결속을 강화하였다. (라)에 해당한다.

오답 확인 ① 신경제 정책은 소비에트 정부의 경제 정책으로 (다)에 해당한다.
② 독 · 소 불가침 조약은 제2차 세계 대전 직전에 체결되어 (라)에 해당한다.
③ 국제 연합(UN)은 제2차 세계 대전 이후 창설되어 (마)에 해당한다.
⑤ 에스파냐 내전은 1936년 프랑코가 이끄는 군부의 반란으로 일어났으며 (라)에 해당한다.

04 미국, 초대형 댐, 최저 임금제, 대규모 건설 노동자 고용 등을 통해 (가)가 뉴딜 정책임을 알 수 있다. 미국은 대중의 구매력을 늘리기 위해 공공 사업으로 일자리를 창출하고 사회 보장 제도를 시행하였다.

오답 확인 ① 뉴딜 정책은 국가가 경제에 적극적으로 개입하는 것이 특징이다.
③ 소비에트 정부의 신경제 정책이다.
④ 식민지를 이용하여 시장을 확보하는 정책으로 영국, 프랑스가 실시하였다.
⑤ 스탈린 체제의 경제 정책이다.

2 민주주의의 확산

확인해 봐요

주제 6 **확대되는 참정권** 206쪽

1 차티스트 **2** 뉴질랜드 **3** 전체주의

주제 7 **발전하는 민주주의** 208쪽

1 국제 노동 기구(ILO) **2** 사회 보장 제도 **3** 복지

시험을 대비하는 실전 문제

기초를 튼튼하게 확인 문제 | 210쪽

01 ㉠-ⓒ, ㉡-ⓑ, ㉢-ⓐ **02** (1) ○, (2) ○, (3) X, (4) ○
03 ㄴ-ㄱ-ㄷ-ㄹ **04** (1) 팽크허스트, (2) 8시간 노동제, (3) 「베버리지 보고서」

내신을 탄탄하게 내신 문제 | 210~212쪽

01 ⑤ **02** ③ **03** ③ **04** ④ **05** ④ **06** ① **07** ① **08** ③ **09** ①
10 ⑤

01 (가)는 자료의 경마 대회, "여성에게 투표권"을 구호를 통해 여성 참정권 운동이 활발해지는 계기를 마련한 에밀리 데이비슨에 대한 설명이다.

오답 확인 ①, ② 19세기 후반 영국에서 여성 참정권 운동을 전개하였다.
③ 19세기 후반 독일 총리로 사회 안정을 위해 사회 보장 제도를 도입하였다.
④ 18세기 후반에 활동한 여성 운동가이다.

02 제1차 세계 대전이 총력전 형태로 전개되면서 여성 참정권 도입과 보통선거 확대로 이어졌다. 영국은 1918년 21세 이상 남성과 30세 이상 여성에게 투표권을 주었고, 1928년에는 21세 이상 여성에게도 투표권을 확대하였다.

오답 확인 ① 19세기 영국 노동자들이 참정권을 획득하기 위해 벌인 운동이다.
② 차티스트 운동 이후 노동자 계급도 투표권을 획득하였다.
④ 선거법 개정 이전에는 재산에 따라 참정권의 범위가 제한적이었다.
⑤ 프랑스에서의 일이며 제2차 세계 대전 이전 전체주의 세력과 대결하던 민주주의 세계의 모습 중 하나이다.

03 헤이마켓 사건은 1886년 5월 1일, 미국 노동자들이 (가) 8시간 노동제 실시 등을 주장하며 집회를 연 것이다.

오답 확인 ①, ②, ④, ⑤ 헤이마켓 사건의 원인과는 연관이 없다.

04 「베르사유 조약」, 1일 8시간, 1주 48시간 국제 표준 확립 등을 통해 국제 노동 기구임(ILO)을 알 수 있다.

오답 확인 ①, ② 국제 평화를 유지하기 위한 국제기구이다.
③ 레닌이 러시아 혁명 전파를 위해 결성한 국제 · 사회주의 운동 조직이다.
⑤ 여성 참정권 획득 운동을 벌이던 운동가들이 결성하였다.

05 국제 노동 기구(ILO) 설립 이후 각국 정부는 단결권, 단체 교섭권, 단체 행동권 등 노동 3권을 보장하였다. 이는 제2차 세계 대전 이후 경제 성장의 토대가 되었다.

오답 확인 ㄱ. 사회권은 인간다운 생활을 한 권리를 말하며 「세계 인권 선언」에는 인권의 개념에 사회권이 포함되어 있다.

06 노동 조건에 대한 인식이 생기면서 영국에서는 공장법을 제정하여 노동자의 권리를 보호하려 하였고, 노동자들도 노동 조합을 결성하여 자신들의 권리를 지키려고 노력하였다.

07 「세계 인권 선언」 25조 1항, 적합한 생활 수준, 사회 보장 요구 등을 통해 사회권에 대한 설명임을 알 수 있다. 사회권은 인간다운 생활을 할 권리를 말하며 세계 인권 선언에는 인권의 개념에 사회권이 포함되어있다.

오답 확인 ② 선거에서 표를 통하여 자신의 뜻을 나타낼 수 있는 권리, ③ 노동을 할 기회를 사회적으로 요구할 수 있는 권리, ④ 교육을 받을 권리, ⑤ 노동자가 노동 조건 개선을 위해 단체 행동을 할 수 있는 권리를 의미한다.

08 사회 보장 제도는 참정권이 확대되고 사회권에 대한 인식이 생겨나면서 민주주의가 발전함에 따라 사회 안정을 위해 도입 되었다.

오답 확인 ㄱ. 이탈리아 파시스트당이 가장 우선시한 정책은 파시즘이며, 이는 개인을 전체에 예속하려는 체제이다.
ㄹ. 뉴질랜드에서 여성 참정권이 처음 인정되었다.

09 국민 보험 체제, '요람에서 무덤까지'를 통해 「베버리지 보고서」의 내용임을 알 수 있다. 이 보고서는 사회 보장 제도를 통한 복지 국가 이념을 제시하였으며 이후 유럽과 미국의 정책에 영향을 끼쳤다.

10 「베버리지 보고서」(1942)는 사회 보장 문제에 관한 보고서이며, 국가가 국민의 건강과 생활에 대해 책임을 지는 복지 국가의 내용을 담고 있다. 사회권은 인간다운 생활을 할 권리를 말하며, 세계 인권 선언에 담겨 있다.

오답 확인 ① 공장법은 산업 혁명의 성과가 확산된 이후 제정되었다.
② 헤이마켓 집회는 1886년 미국에서 노동자들이 8시간 노동을 요구하며 벌인 시위를 말한다.
③ 국제 노동 기구(ILO)는 제1차 세계 대전 이후 설립되었다.
④ 비스마르크가 도입한 사회 보장 제도는 19세기 후반 독일의 일이다.

만점에 도전하는 심화 문제 | 213쪽

01 ④ **02** ③ **03** ⑤ **04** ⑤

01 (가)는 제1차 세계 대전이 총력전으로 전개되면서 여성과 노동자, 농민의 사회 참여가 늘어나면서 여성 참정권이 도입되었으며, 보

통 선거가 확대되었다. 이로써 민주주의가 더욱 확산되었다.

오답 확인 ① 제2차 세계 대전 이후, ②, ③ 제2차 세계 대전 과정, ⑤ 제2차 세계 대전 이후 전범 재판에 대한 내용이다.

02 자료의 인물들은 여성의 권리를 주장하며 활동한 여성 참정권 운동가들이다. 여성 참정권 운동의 결과로 뉴질랜드를 시작으로 여성 참정권이 서서히 확대되었다.

03 베르사유 조약, 최장 노동 시간, 노동 시간의 규정 등을 통해 (가)는 국제 노동 기구(ILO)임을 알 수 있다. 국제 노동 기구는 1919년 베르사유 조약을 바탕으로 설립되었으며 1일 8시간, 1주 48시간 노동을 국제 표준으로 확립하였다.

오답 확인 ① 유럽 연합(EU)의 지향하는 바이며 제2차 세계 대전 이후의 경향이다.
② 간디를 중심으로 한 인도의 민족 운동이다.
③ (가)는 제1차 세계 대전 이후 설립되었다.
④ 러시아 혁명을 확산시키기 위한 조직인 코민테른이다.

04 문답 내용을 통해 산업 혁명으로 나타난 사회 문제를 보여준다. 산업혁명으로 노동자들이 열악한 조건과 환경에서 노동하였으나 산업화의 성과가 확대되면서 공장법이 제정되었으며, 노동 조건에 대한 인식이 생기고 노동자의 삶도 차츰 개선되었다.

오답 확인 ㄱ, ㄴ 산업 혁명의 전개 과정으로 자료보다 전 시기 내용이다.

3 인권 회복과 평화 확산을 위한 노력

확인해 봐요

주제 8 세계 대전으로 발생한 대량 학살과 인권 침해 214쪽

1 ○ **2** ○ **3** X

주제 9 세계 평화를 위한 노력 216쪽

1 국제 연맹 **2** 뉘른베르크 **3** 통합

시험을 대비하는 실전 문제

기초를 튼튼하게 확인 문제 | 218쪽

01 ㉠-ⓒ, ㉡-ⓐ, ㉢-ⓑ **02** (1) X, (2) ○, (3) X, (4) ○
03 ㄷ-ㄴ-ㄹ-ㄱ **04** (1) 부전, (2) 야스쿠니, (3) 홀로코스트

내신을 탄탄하게 내신 문제 | 218~220쪽

01 ③ **02** ③ **03** ③ **04** ① **05** ③ **06** ① **07** ④ **08** ② **09** ③
10 ④

01 20세기에 들어와 전체주의 체제가 등장하면서 민주주의를 위협하였고 대량 학살과 인권유린이 자행되었다. 유대인을 학살한 홀로코스트, 아시아 여성을 일본군 '위안부'로 강제 동원, 난징 대학살이 그 예이다.

오답 확인 ㄴ. 러·일 전쟁이 불리해지자 개혁을 요구하는 시위가 일어났으며 이를 무력으로 진압하는 과정에서 많은 사상자가 발생한 사건이다.

02 20세기는 민주주의의 확산과 더불어 대량 학살과 인권 유린 사건들이 나타났다. 또한 극단적인 민족주의와 인종주의가 유행하였고, 전체주의 체제들이 민주주의를 위협하기도 하였다.
③ 영국의 공장법 제정 및 개정은 19세기의 일이다.

03 (가)는 일본군 '위안부'이다. 일본은 아시아 여성들을 일본군 '위안부'로 동원해 성노예 생활을 강요하였다. 그러나 이 사건에 대해 일본 정부는 군대와 정부의 책임을 인정하지 않고 있으며, 1990년대 일본군 '위안부'였던 김학순 할머니의 첫 증언 이후 피해자들이 사과와 배상을 요구하고 있다.

오답 확인 ㄷ. 박근혜 정부와 아베 정부는 한·일 외교 장관 회담을 통해 일본군 '위안부' 피해자 문제 해결에 합의하였으나 피해자들의 동의를 구하지 않아 논란이 발생하였다.

04 20세기에는 참혹한 대량 학살과 인권침해가 이루어졌다. 홀로코스트는 보통 독일 나치즘이 벌인 유대인 학살을 가리키며 다른 지역에서도 크고 작은 홀로코스트가 발생하였다.

오답 확인 ㄷ. 제2차 세계 대전 중 발생한 전투이다.
ㄹ. 제1차 세계 대전 중 발생한 일이다.

05 오늘날 일본 정부는 난징 대학살의 피해자 수에 대해 모호한 입장을 취하고 있으며 대학살 자체를 부정하는 학자도 있다. 또한 일본군 '위안부' 문제에 대해 일본 군대와 정부의 책임을 정식으로 인정하지 않고 있다.

오답 확인 ㄱ, ㄹ 이 사건과 연관이 없다.

06 제2차 세계 대전 이후 전범 재판은 평화와 인도주의에 반하는 행

위의 책임을 물었으며, 유럽인들은 유럽의 평화 유지를 위해 유럽 통합을 추진하였으며, 공동 역사 교과서를 제작하기도 하였다. 국제 사회는 평화 유지와 전쟁 방지를 위해 국제 연합을 창설하였다.
① 제2차 세계 대전 종전 이전에 연합국 지도자들은 전후 평화 수립 원칙을 천명한 「대서양 헌장」을 발표하였다.

07 제1차 세계 대전 이후 생긴 국제기구 (가) 국제 연맹, 제2차 세계 대전 이후 생긴 국제기구 (나)는 국제 연합(UN)이다. 국제 연합(UN)은 평화를 위협하는 분쟁이 일어날 경우 군사력을 사용하여 강제 조치할 수 있다.

오답 확인 ① 연합국 지도자, ② 국제 연합(UN)에 대한 내용이다.
③ 국제 연맹, ⑤ 유럽 연합(EU)에 대한 내용이다.

08 자료의 도쿄, 전범 재판을 통해 일본의 전쟁 책임을 묻는 도쿄 재판임을 알 수 있다. 도쿄 재판에서는 천황 등 고위급 전범 대부분이 면책되었다.

오답 확인 ①, ③, ④ 뉘른베르크 재판에 관한 내용이다.
⑤ 서독의 브란트 총리가 유대인 위령탑에서 사죄한 사건을 말한다.

09 독일 나치즘은 소련과 불가침 조약을 맺고 폴란드를 침투함에 따라 제2차 세계 대전이 일어나는 원인이 되었으며, 독일의 고통을 유대인 탓으로 돌리며 유대인들을 게토에 격리하였다. 이를 위해 히틀러는 일당 독재 체제를 구축하였다.
③ 난징의 1/3을 파괴하고 중국 포로와 민간인을 학살한 사건은 중·일 전쟁 시기에 나타난 난징 대학살이다.

10 국제 평화, 분쟁, 군사력 등을 통해 제2차 세계 대전 이후 전후 세계 평화를 위해 창설된 국제 연합임을 알 수 있다.
오답 확인 ① 이집트에서 민족 운동을 전개한 조직이다.
② 제1차 세계 대전 전 독일, 오스트리아·헝가리제국, 이탈리아가 결성한 것이다.
③ 제1차 세계 대전 이후 세계 평화 유지를 위해 창설하였다.
⑤ 제1차 세계 대전 이후 창설되었으며 노동 조건을 개선하는 역할을 해오고 있다.

만점에 도전하는 심화 문제 | 221쪽

01 ③ **02** ⑤ **03** ③ **04** ③

01 자료는 제2차 세계 대전 때 나치당이 설치하였던 아우슈비츠 수용소에 남아있는 당시의 흔적이다. 독일의 나치는 독일의 고통을 유대인의 탓으로 돌리며 대량 학살하였다.

오답 확인 ㄱ. 일본군에 의한 난징 대학살에 관한 설명이다.
ㄹ. 일본에 강제 동원된 일본군 '위안부'에 관한 내용이다.

02 (가)는 난징 대학살이다. 난징 대학살은 1937년 일본군이 난징을 점령하면서 저지른 대규모 범죄이며 이 사건으로 수십만 명의 민간인과 포로가 살해되었다.

오답 확인 ① 일본군 '위안부' 문제, ② 러시아의 홀로코스트 사례, ③, ④ 독일 나치에 의한 일어난 홀로코스트에 대한 설명이다.

03 제2차 세계 대전 이후 뉘른베르크와 도쿄에서 전범 재판이 열렸다. 이곳에서는 제2차 세계 대전 중 평화와 인도주의에 반하는 행위에 대한 책임을 추궁하였다.

오답 확인 ⓑ 도쿄 재판, ⓒ 뉘른베르크 재판에 해당되는 내용이다.

04 1945, 생애 두 번, 등을 통해 (가)가 국제 연합(UN)임을 알 수 있다. 국제 연합(UN)은 제2차 세계 대전 이후 세계 평화와 전쟁 방지를 목적으로 창설되었으며, 국제 연맹과 다르게 군사적 강제력과 무력 제재 수단이 있었으며 미국도 참여하였다.

오답 확인 ① 제1차 세계 대전 후 나타난 체제이다.
②, ④ 국제 연맹에 대한 설명이다.
⑤ 부전 조약은 전쟁 포기에 관한 조약으로 1929년 발효되었다.

대주제를 정리하는 종합 문제 224~225쪽

01 ④ **02** ③ **03** ① **04** ④ **05** ② **06** ② **07~08** 해설 참조

01 발칸반도의 갈등은 제1차 세계 대전의 배경이 되었다. 발칸반도는 유럽의 화약고로 민족과 종교가 복잡하게 얽혀 있었으며, 범슬라브주의와 범게르만주의를 내세워 영향력을 확대하고자 하였다.
④ 제2차 세계 대전 직전 유럽은 전체주의가 확산되는 가운데 민주주의 세계가 대립하는 상황이었다.

02 지도를 통해 제1차 세계 대전 이후 상황임을 알 수 있다. 이 시기 옛 제국이 붕괴하고 신생 독립 국가가 발생하였다.

오답 확인 ① 제2차 세계 대전 발발, ② 제2차 세계 대전 중 이를 계기로 태평양 전쟁이 일어났다.
④ 제1차 세계 대전 상황, ⑤ 제2차 세계 대전 중 이로인해 일본은 무조건 항복을 선언하였다.

03 자료의 발언 중 인도의 자치 허용 등을 통해 인도의 민족 운동 지도자인 간디임을 알 수 있다. 그는 비폭력·불복종 운동을 전개하였다.

오답 확인 ② 중국의 장제스, ③ 러시아의 레닌, ④ 중국의 천두슈, ⑤ 영국 경제학자 베버리지에 관한 설명이다.

04 산업화의 성과가 확대되면서 노동자들의 노동 조건에 대한 인식이 생기고 노동자들도 자신들의 권리를 지키고자 노력하였다. 각국 정

부는 노동 기본권을 보장하여 노사 관계를 안정시키고자 하였다.

오답 확인 ① 러 · 일 전쟁 종결 이후 맺은 조약이다.
② 대공황 이후 나타났으며, 제2차 세계 대전의 배경이 되었다.
③ 사회 보장 제도를 통한 복지 국가 이념을 제시하였다.
⑤ 여성 참정권 운동을 전개하였다.

05 연표는 제1·2차 세계 대전의 과정이다. 제1차 세계 대전 종전 이후 승전국 위주의 베르사유 체제가 등장하였다. 이는 (나)에 해당한다.

오답 확인 ① 대공황의 대안으로 뉴딜 정책이 실시되었으며 (다)에 해당한다.
③ 국제 연맹은 제1차 세계 대전 이후 창설되어 (나)에 해당한다.
④ 소련은 1922년에 수립하여 (나)에 해당한다.
⑤ 무스타파 케말은 제1차 세계 대전에 패한 후 튀르키예 공화국을 수립하여 (나)에 해당한다.

06 자료를 통해 (가)는 도쿄 재판임을 알 수 있다. 도쿄 재판은 제2차 세계 대전 이후 인도주의에 반하는 책임을 추궁하고자 열렸으나 전범에 대한 특별법이 없으며 천황 등 고위급 전범이 대부분 면책되었다.

오답 확인 ㄴ. 고위급 전범이 대부분 면책, ㄹ. 뉘른베르크 재판의 내용이다.

07 예시 답안 참전 군인 외에도 여성들이 군수 공장에서 물자를 생산하였으며 모든 생산 수단이 동원되는 총력전의 형태였다. 또한 참호를 깊게 파고 대치하는 참호전의 양상으로 전쟁이 장기화되었다. 급격한 과학 기술 발달로 신무기를 이용한 대량 살상으로 인명 피해가 커졌다.

채점 기준

상	제시된 특징 중 세 가지를 바르게 서술한 경우
중	제시된 특징 중 두 가지를 바르게 서술한 경우
하	제시된 특징 중 한 가지를 바르게 서술한 경우

08 (1) 정답 대공황
(2) 예시 답안 뉴딜 정책, 종래의 자유방임 정책을 수정하여 국가가 경제에 적극 개입하였다. 테네시강 유역 개발 공사와 같은 공공 사업을 일으켜 일자리를 만들었고, 사회 보장 제도를 시행하였다.

채점 기준

상	루스벨트 대통령이 취한 정책명과 정책의 의미를 서술하고, 그 정책을 위해 시행한 사건을 제시한 경우
중	루스벨트 대통령의 정책명 · 정책 의미 · 정책을 위해 시행한 사건 중 두 가지만 서술한 경우
하	루스벨트 대통령의 정책만 서술한 경우

VI 현대 세계의 전개와 과제

1 냉전 체제와 제3 세계의 형성

확인해 봐요

주제 1 **냉전 체제의 성립** 228쪽
1 냉전 체제 **2** 트루먼 **3** 쿠바

주제 2 **아시아 · 아프리카의 독립과 제3 세계의 형성** 230쪽
1 제3 세계 **2**「평화 5원칙」 **3** 아시아 · 아프리카 회의

시험을 대비하는 실전 문제

기초를 튼튼하게 확인 문제 | 232쪽

01 ㉠-ⓑ, ㉡-ⓐ, ㉢-ⓒ **02** (1) ○, (2) X, (3) X, (4) ○
03 ㄷ-ㄴ-ㄱ-ㄹ **04** (1) 아프리카의 해, (2) 제3 세계, (3)「평화 10원칙」

내신을 탄탄하게 내신 문제 | 232~234쪽

01 ① **02** ⑤ **03** ④ **04** ④ **05** ⑤ **06** ②, ⑤ **07** ② **08** ①
09 ⑤ **10** ③

01 냉전 체제는 직접적으로 무력을 사용하지 않고 경제적 · 외교적으로 대립하여 긴장 상태를 만든 것을 뜻한다. 그리스와 튀르키예 등에서 공산주의 세력이 부상하자, 미국 대통령 트루먼은 공산주의 세력의 확산을 막고자 트루먼 독트린을 발표하였다.

오답 확인 ② 자본주의 진영은 미국을 중심으로 하였다.
③ 공산주의 진영은 소련을 중심으로 하였다.
④ 마셜 계획을 발표하여 유럽에 경제 원조를 했던 나라는 미국이다.
⑤ 북대서양 조약 기구(NATO)는 상호 군사 원조를 위한 군사 조직이다.

02 냉전 체제 시기와 열전 시기에 나타나지 않은 사건에 대해 묻는 문제이다. ① 냉전 체제에서 ②, ③, ④ 열전으로 나타난 사건이다.
⑤ 노르망디 상륙 작전은 2차 세계 대전 중에 있었던 일로, 연합군이 노르망디로 상륙하여 프랑스를 비롯한 유럽의 여러 나라를 독일로부터 해방시켰던 작전이다.

03 냉전 체제 시기 자본주의 진영을 이끌었던 나라는 (가) 미국이며, 소련은 (나) 바르샤바 조약 기구(WTO)라는 군사 기구를 조직하여 미국에 대항하고자 했다.

오답 확인 ① 중국은 자본주의 진영 국가가 아니며, 코메콘은 공산주의 진영의 경제 기구이다.
② 마셜 계획은 유럽 경제의 재건을 위한 원조를 의미한다.
③ 중국은 자본주의 진영의 국가가 아니며, 마셜 계획은 유럽 경제의 재건을 위한 원조를 의미한다.
⑤ 일본은 자본주의 진영을 주도한 나라가 아니며, 코민포름은 공산주의 진영의 정보국을 의미한다.

04 중국의 공산화, 6 · 25 전쟁의 발발, 쿠바 미사일 위기, 베트남 전쟁 발발의 내용을 볼때 (가)에 들어갈 내용은 "냉전이 열전으로 확산되다"이다.

오답 확인 ①, ⑤ 연관이 없다.
② 제2차 세계 대전 이후 독립한 아시아 · 아프리카를 의미한다.
③ 냉전 체제 시기 나타난 사건이다.

05 제시된 자료의 북베트남과 남베트남 갈등, 미국의 개입 등을 통해 베트남 전쟁에 대한 내용임을 알 수 있다. 베트남 전쟁은 공산당이 지배하는 북베트남과 미국의 지원을 받은 남베트남 사이에 발생한 전쟁으로, 자본주의 진영과 공산주의 진영이 대립하던 냉전 체제의 영향으로 발생하였다.

오답 확인 ① 중국에서 일어난 내전이다.
② 기독교와 이슬람의 대립과는 무관하다.
③ 2차 세계 대전이 발생한 원인이다.
④ 1차 세계 대전 발생의 원인이다.

06 제2차 세계 대전 후 아프리카는 1957년 가나의 독립을 시작으로 1960년 한 해에 17개국이 독립하였다. 인도는 1947년에 영국으로부터 독립하였으나, 종교의 차이를 극복하지 못하고 인도와 파키스탄으로 분리되었다.

오답 확인 ① 베트남은 남북으로 분단되었다가, 베트남 전쟁 이후 통일되었다.
③ 알제리는 8년간의 독립 전쟁 끝에 프랑스의 지배에서 벗어났다.
④ 필리핀, 미얀마, 인도네시아 등도 2차 세계 대전 이후 독립을 쟁취하였다.

07 (가)에 들어갈 내용은 제3 세계로 미국 중심의 자본주의 진영과 소련 중심의 공산주의 진영 어느쪽과도 동맹을 맺지 않은 나라들을 의미한다.
② 제3 세계는 미국 중심의 자본주의 진영과 소련 중심의 공산주의 진영 사이 그 어느 쪽과도 동맹하지 않는다는 주장을 일컫는다.

08 자본주의 진영과 공산주의 진영 어디에도 가담하지 않은 제3 세계가 등장하여 「평화 10원칙」과 비동맹 노선을 주장하면서 냉전이 완화되기 시작하였다.

오답 확인 ② 비동맹 노선을 채택한 국가들은 서로 단결하여 국제 사회에서 발언권을 높이고자 하였다.
③ 중국과 소련은 노선 차이로 분쟁하였으나 위 내용과는 관련이 없다.
④ 미국과 소련의 냉전 체제는 제3 세계 등장과 여러 사건들로 점차 완화되었다.
⑤ 대한민국에서 남북 간의 이념 심화와 위 내용은 관련이 없다.

09 제시된 「평화 10원칙」은 29개의 참여국들이 인도네시아 반둥에서 열린 아시아 · 아프리카 회의에서 채택된 것이다.

오답 확인 ① 카이로 회담과 ③ 포츠담 회담은 제2차 세계 대전 전후 처리를 위한 회담이다. ② 인도의 네루와 중국의 저우언라이는 콜롬보에서 아시아 · 아프리카 회의를 할 것을 계획하였다. ④ 베오그라드에서는 제1차 비동맹 회의를 개최하였다.

10 먼저 ㄴ. 트루먼 독트린(1947)으로 냉전이 격화되었고 ㄷ. 중국은 국 · 공 내전으로 공산당이 승리하여 중화 인민 공화국이 수립되었다. ㄹ. 대한민국에서는 6.25전쟁(1950)이 발발하였다. ㄱ. 인도네시아 반둥에서 열린 아시아 · 아프리카 회의(1955)에서 「평화 10원칙」을 채택하였다.

만점에 도전하는 심화 문제 | 235쪽

01 ④ **02** ④ **03** ① **04** ⑤

01 제시된 탐구 내용은 자본주의 진영에서 시행한 트루먼 독트린, 마셜 계획, 북대서양 조약 기구(NATO), 공산주의 진영에서 시행한 코민포름, 코메콘, 바르샤바 조약기구(WTO) 등의 탐구 내용을 통해 양 진영이 대립했던 냉전 체제의 성립과 관련되어 있음을 알 수 있다.

오답 확인 ① 탐구 내용은 냉전이 성립되어 격화되어갈 때의 내용이다.
② 제 3세계는 자본주의 진영, 공산주의 진영 모두 가담하지 않은 국가들을 의미한다.
③ 국제 연합(UN)의 창설은 국제 평화 기구로 위 내용과 무관하다.
⑤ 위의 내용들은 모두 제2차 세계 대전 이후 세계 질서와 관련되어 있다.

02 위 연설은 튀르키예 원조, 즉각적이고 단호한 조치, 원조 제공, 의회 등을 통해 트루먼 의회 연설의 일부임을 알 수 있다. 위 연설은 그리스와 튀르키예에서 공산주의 세력이 부상하자 발표되었으며, 트루먼 독트린 이후 미국과 소련이 대립하는 냉전 체제가 형성되었다. 트루먼은 위와 같은 연설 이후 마셜 계획을 발표하여 유럽에 대대적인 원조를 하였다.
④ 바르샤바 조약기구(WTO)는 소련이 조직하였다.

03 인도는 독립 운동 과정에서 힌두교를 믿는 인도와 이슬람교를 믿

는 파키스탄이 대립하여, 이후 분리 독립하였다. 파키스탄은 이후 동파키스탄과 서파키스탄으로 나뉘었으나, 이후 동파키스탄은 방글라데시로 독립하였다.

04 제시된 자료는 아시아 · 아프리카 회의에서 채택된 「평화 10원칙」의 내용이다. 이 회의에서는 국제 분쟁의 평화적 해결과 상호 존중 등의 원칙에 합의하였다.

오답 확인 「평화 10원칙」은 제3 세계 국가들이 체결한 것으로, ①, ②, ③, ④ 모두 냉전이 격화되던 시기에 있었던 일로 연관이 없다.

2 세계화와 경제 통합

확인해 봐요

주제 3 냉전의 완화와 해체 236쪽

1 X **2** ○ **3** X

주제 4 세계화가 불러온 경제 · 문화의 변화 238쪽

1 시장 **2** 세계화 **3** WTO

시험을 대비하는 실전 문제

기초를 튼튼하게 확인 문제 | 240쪽

01 ㉠-ⓐ, ㉡-ⓑ, ㉢-ⓒ **02** (1) X, (2) ○, (3) ○, (4) ○
03 ㄱ-ㄷ-ㄴ-ㄹ **04** (1) 중국, (2) 독일, (3) 고르바초프

내신을 탄탄하게 내신 문제 | 240~242쪽

01 ⑤ **02** ② **03** ⑤ **04** ⑤ **05** ③ **06** ④ **07** ⑤ **08** ① **09** ①
10 ④

01 1960년대 이후 국제 질서는 미국과 소련의 양극체제에서 다극체제로 변화하여 냉전이 완화되었다. 제3세계의 등장, 닉슨 독트린 발표 이후 미중 수교, 중국과 소련의 이념 논쟁, 유고슬라비아와 프랑스의 독자 노선 등으로 국제 질서는 미소 중심의 양극체제에서 다극체제로 변화한 요소이다.
⑤ 미국과 소련 사이에 핵무기와 미사일 위기가 있었던 때는 냉전이 격화되었을 때이다.

02 1960년대 후반 이후 냉전의 긴장감이 완화되는 분위기가 조성되었다. 미국 대통령 닉슨이 중국과 수교를 하였고, 소련과 중국이 이념 논쟁으로 갈라섰으며, 유고슬라비아와 프랑스가 독자노선을 천명하면서 미국과 소련 중심의 양극체제에서 다극체제로 변화하며 냉전이 완화되었다.

오답 확인 ① 중국의 공산화는 냉전이 격화되는 상황에서 진행되었다.
③ 위의 상황에서 미국과 소련은 군비 축소 회담을 하는 등 대립이 완화되었다.
④, ⑤ 냉전 완화 이후 발생한 일이다.

03 개혁 · 개방 정책을 내세워 일당 독재를 완화하고 시장 경제를 도입한 사람은 고르바초프이다.

오답 확인 ① 옐친은 고르바초프 이후 집권자로 이 시기 소련이 해체되었다.
② 푸틴은 현재 러시아의 지도자이다.
③ 스탈린은 1924년 레닌 사후 집권하였다.
⑤ 후르시쵸프는1964년까지 소련을 집권하였다.

04 동유럽 사회주의 정권이 붕괴되면서 동독에서 서독으로 탈출하는 주민이 늘어나고 민주화와 통일의 요구가 거세어졌다. 이런 분위기에서 냉전의 상징인 베를린 장벽이 무너지고, 이듬해 독일 통일이 이루어졌다.

오답 확인 ① 「평화 10원칙」은 1955년 아시아 · 아프리카 회의에서 29개의 참여국이 채택하였다.
② 바르샤바 조약 기구(WTO)는 공산주의 진영의 군사 기구이다.
④ 소련의 해체는 독일 통일 이후에 이루어졌다.

05 자료의 마오쩌둥 사상, 중국의 전통문화와 자본주의 부정, 수많은 정치인과 지식인의 탄압 등을 통해 자료의 내용이 문화 대혁명에 대한 설명임을 파악할 수 있다. 중국의 급진적인 사회주의 경제 정책 추진으로 정치적 위기에 빠진 마오쩌둥은 문화 대혁명을 일으켰다.

오답 확인 ① 국민당과 공산당과의 내전 ② 학생과 지식인이 민주화를 요구하며 일으켰던 시위, ④ 소련이 추진했던 시장 경제 도입 정책, ⑤ 소련이 추진했던 정치적 개혁 정책이다.

06 다음 사건은 제2차 세계 대전 이후 중국에서 발생한 일이다 제2차 세계 대전 이후 중국에서는 국민당과 공산당의 내전이 일어났다. ㄹ. 마오쩌둥이 이끈 공산당이 승리하여 중화 인민 공화국을 수립하였다. 이후 정치적 위기에 빠진 마오쩌둥은 ㄱ. 문화 대혁명을 일으켰다. 이후 ㄷ. 덩샤오핑은 개혁 · 개방 정책을 추진하였으나, ㄴ. 관료의 부정부패 근절 및 민주화를 요구하며 대규모 시위인 톈안먼 사건이 일어났다.

07 냉전 이후 자유 시장과 규제 완화를 강조하는 신자유주의 경제 체제가 대두하였으며, 세계화가 가속화되었다. 또한 세계 무역 기구(WTO)가 설립되어 국제 무역 분쟁을 조정하고 관세의 인하를 요구하면서 자유 무역을 촉진하였다. 한편 세계 각국에서는 지역 단위로 국가간 협력을 강화하려는 움직임도 나타났다.
⑤ 마셜 계획에 대한 설명으로 미국은 전쟁으로 파괴된 유럽 경제의 재건을 위한 대대적인 원조를 통해 유럽의 공산화를 막고자 하였다.

08 자료의 유럽, 마스트리흐트, 경제 화폐 동맹 등을 통해 유럽 연합(EU)에 대한 설명임을 알 수 있다.
② 세계 무역 기구(WTO)는 국제 무역 분쟁을 조절하고 자유 무역을 촉진하기 위한 기구이다.
③ 동남 아시아 국가 연합(ASEAN)은 동남 아시아의 지역 경제 협력을 위해, ④ 라틴 아메리카 통합 기구(ALADI)는 라틴 아메리카의 협력을 위해, ⑤ 아시아 · 태평양 경제 협력체(APEC)은 아시아 · 태평양 국가의 경제 협력을 위해 결성된 기구이다.

09 제시된 사진은 다국적 기업의 세계 진출, 문화 전파 등으로 세계화로 인한 경제적 문화적 변화 현상을 보여주고 있다.
오답 확인 ② 냉전이 해체되면서 세계화가 진행되었다.
③ 유럽 연합(EU)은 지역의 경제 협력체이다.
④ 「평화 10원칙」 은 냉전의 완화와 관련이 있다.
⑤ 아프리카의 국가들이 독립한 것과 세계화는 직접적인 관련이 없다.

10 냉전 체제 붕괴 이후 자본주의 경제 질서가 확대되며 신자유주의 경제 체제가 구축되었고, 이에 따라 세계화와 지역화가 가속화되고 있다. 그 결과 선진국과 개발도상국 간의 빈부 격차가 점점 심화되고 있다.
오답 확인 ㄱ. 다양한 문화의 전파로 문화 갈등이 심해지고 있다.
ㄷ. 냉전 체제에 나타난 사건으로 오늘날은 사회주의의 몰락으로 이념 갈등은 사라졌으나, 종교 갈등, 민족 갈등이 심해지고 있다.

| 만점에 도전하는 **심화 문제** | 243쪽

01 ① **02** ⑤ **03** ① **04** ①

01 아시아 각국의 스스로 협력, 과잉 진압 방지를 통해 닉슨 독트린임을 알 수 있다. 닉슨 독트린 발표 이후 미국과 중국은 관계를 개선하였고, 미국은 베트남에서 군대를 철수하였다. 이후 냉전이 완화되었으며, 미국과 소련 중심의 양극 체제는 다극 체제로 바뀌어갔다.
① 중국이 공산화 된 것은 제2차 세계 대전 직후(1949)의 일이다. 냉전이 격화되는 가운데 국민당과 공산당의 내전에서 공산당이 승리하여 중국이 공산화되었다.

02 고르바초프가 개혁과 개방 정책을 추진하자 소련에서는 자유화 민주화의 바람이 불었다. 그 결과 소련을 구성하고 있던 각 공화국은 독립을 선포하였고, 이에 소련은 해체되고 독립 국가 연합(CIS)이 출범하였다.
오답 확인 ① 아프리카 해와 소련 해체는 연관이 없다.
② 트루먼 독트린의 발표로 미국과 소련의 양극을 중심으로 냉전이 심화되었다.
③ 소련의 해체 이후 동유럽 국가들이 민주화를 요구하여 사회주의 정권이 몰락하였다.
④ 덩샤오핑의 개혁 · 개방 정책으로 중국이 정치적으로 개혁하고 경제적으로 개방하였으나, 소련의 해체와는 직접적인 관련이 없다.

03 공산주의 정권이 붕괴되어 자본주의 경제 질서가 확대되었으며, 세계 무역 기구(WTO)의 결성으로 자유 무역 체제가 강화되었다. 자유 시장과 규제 완화를 강조하는 신자유주의 경제 체제가 대두하였으며, 이로인해 국가 간 빈부 격차 문제가 발생하고 있으며, 노동자들이 유입된 나라에서는 외국인 노동자의 인권 문제가 대두되고 있다.
오답 확인 ① 보호 무역 정책은 약화되었다.

04 제시된 단체는 세계 각국에서 지역 단위로 국가 간 경제 협력을 강화하기 위해 만든 지역 공동체이다.
오답 확인 ㄷ. 제3 세계는 아시아 · 아프리카의 신생 독립국들로 위의 단체들과는 관련이 없다.
ㄹ. 위의 단체들은 냉전 체제가 무너지면서 자본주의의 확산에 따른 경제 협력체이다. 따라서 사회주의 국가 연합과는 연관이 없다.

3 탈권위주의 운동과 대중문화의 발달

확인해 봐요

주제 5 **청년 문화의 형성과 탈권위주의 운동** 244쪽
1 ○ **2** X **3** ○

주제 6 **대중문화의 발전** 246쪽
1 X **2** ○ **3** ○

시험을 대비하는 실전 문제

| 기초를 튼튼하게 **확인 문제** | 248쪽

01 ㉠-ⓑ, ㉡-ⓒ, ㉢-ⓐ **02** (1) X, (2) ○, (3) X, (4) ○
03 ㄷ-ㄴ-ㄱ-ㄹ **04** (1) 68 운동, (2) 반전 운동, (3) 팝 아트

| 내신을 탄탄하게 **내신 문제** | 248~250쪽

01 ① **02** ④ **03** ③ **04** ① **05** ① **06** ① **07** ③ **08** ④ **09** ⑤
10 ①

01 제2차 세계 대전 이후에는 자유분방한 청년 문화, 기성세대에 저항하는 히피 문화, 대중문화 등이 유행하였고, 탈권위주의 운동이 전개되었다.
① 제2차 세계 대전 이후에는 보수적인 기성세대에 반발하는 문화가 형성되었으며, 대중문화의 발달로 전통 문화를 경시하는 풍조가 형성되었다.

02 1960~70년대 젊은이들 사이에서는 장발과 청바지 등으로 대표되는 히피 문화가 유행하였다. 이들은 권위주의와 전쟁, 물질주의 등을 비판하고 탈사회적인 행동을 하였다.
오답 확인 ① 대중문화는 대중이 일상적으로 누리는 문화를 의미한다.
② 소비 문화는 대중문화의 발달로 광고에 지속적으로 노출되면서 형성되었다.
③ 이 시기에는 대중문화의 발달로 전통적인 가치는 경시되는 풍조가 형성되었다.
⑤ 클래식 문화는 고전 문화 양식을 의미한다.

03 대학 개혁 및 노동 조건 개선을 주장하는 68운동의 영향으로 탈권위주의 운동이 시작되어 유럽 전역과 미국, 멕시코, 일본 등으로 확산되었으며, 미국에서는 학생들을 중심으로 베트남 전쟁 반대 운동, 인종 차별 반대 운동 등이 전개되었다.
③ 탈권위주의 운동의 영향으로 정치나 노동 운동 중심이었던 사회 운동이 다양한 분야로 확산되었다.

04 위의 사건은 1968년 올림픽에서 있었던 검은 장갑 퍼포먼스로, 미국 내 흑인 차별을 반대하는 의미로 벌인 퍼포먼스이다.
오답 확인 ② 여성 운동, ③ 환경 운동, ④ 반전 운동, ⑤ 대중 문화와 관련이 있다.

05 탈권위주의 운동이 확산되면서 세계 각지에서는 전쟁 반대 운동, 군사 독재에 대한 저항 운동이 전개되었다.
오답 확인 ② 제국주의 시대, ③ 냉전 체제 하에서 발생하였으며, ④, ⑤ 위의 사건과 직접적인 연관이 없다.

06 대중 매체가 발달하고, 대중의 경제력 향상으로 다수의 대중이 일상적으로 누리는 대중문화가 발달하였다.
오답 확인 ㄷ. 좌우 이념 대립이 심화된 것은 냉전이 심해지면서 생긴 결과이며, ㄹ. 소수의 대기업이 시장을 장악하는 독점적 자본주의는 대중문화의 발달에 직접적인 영향을 미치지 않았다.

07 제시된 자료는 모두 기성세대에 권위에 저항하는 내용으로 당시 청년들에게 큰 인기를 끌었다.
오답 확인 ① 전쟁을 반대하는 내용과는 연관이 없다.
② 기업들이 소비자의 욕구를 자극하는 상품을 개발하고 각종 이미지를 동원한 광고로 록음악의 유행과 연관이 없다.
④ 대중문화는 일부 부유층이 아닌 대중 전체가 향유할 수 있었다.
⑤ 미국 문화가 전 세계에 확산되는 측면이 강하였다.

08 대중 매체의 발달과 대중 사회의 형성으로 대중문화가 발달하였으며, 기성 사회에 저항하는 문화가 유행하였다. 특히 미국 문화가 전 세계에 확산되면서 문화가 획일화 현상이 나타났다.
④ 대중문화의 유입으로 정신적 가치를 경시하고, 물질적 가치를 중시하는 풍조가 확산되었다.

09 퀴즈의 힌트를 통해 팝아트에 대한 내용임을 알 수 있다.
오답 확인 ②, ③ 대중문화의 장르이나 2 · 3단계와 연관이 없다.

10 대중 매체가 발전하면서, 탈권위주의 운동의 저항 정신이 담긴 대중문화가 대중 매체를 통해 유행하였고, 탈권위주의 운동의 확산에 영향을 미쳤다.
오답 확인 ㄷ. 탈권위주의 운동이 전개되면서, 청년들이 대중문화를 통해 자신의 생각과 가치를 표현하였다.
ㄹ. 대중이 문화를 향유하면서 기성세대의 권위주의적인 태도에 저항하려는 경향이 더욱 강해졌다.

만점에 도전하는 심화 문제 | 251쪽

01 ④ **02** ⑤ **03** ④ **04** ②

01 자료의 1968년 5월 프랑스 파리, 구호 등을 통해 68 운동임을 알 수 있다. 68 운동은 대학 개혁 및 노동 조건 개선과 민주화를 요구하고자 프랑스에서 일어나 전 세계로 확산되었으며, 이로 인해 탈권위주의 운동이 확산되어 기성세대의 권위주의적인 문화에 저항하고자 하였다.
④ 68 운동 이후 탈권위주의 운동이 확산되었다. 히피 문화는 탈권위주의 문화의 영향으로 유행하였다.

02 제2차 세계 대전 이후 형성된 청년 문화는 경제력 향상 및 교육 확대에 힘입어 냉전 체제의 수직적이고 억압적인 기성 사회의 권위에 도전하면서 등장하였다.
⑤ 국제기구가 분쟁을 해결하기 위해 노력한 것은 청년 문화의 형성과 직접적인 연관이 있다고 보기 어렵다.

03 제임스 딘은 「이유 없는 반항」이라는 영화에서 젊은이들의 인기를 끌었다. 또 기성 권위에 저항하는 영화, 음악 등이 유행하였으며, 비틀스, 롤링 스톤스와 같은 아티스트들이 대표적이었다.
④ 팝 아트라는 장르를 개척한 사람은 앤디 워홀이다.

04 제시된 촬영 내용의 히피 문화, 청년 문화의 등장, 로큰롤, 록, 팝아트를 통해 탈권위주의 운동과 연관된 내용임을 알 수 있다.

4 현대 세계의 문제 해결을 위한 노력

확인해 봐요

주제 7 현대 세계의 당면 문제 252쪽

1 팔레스타인 **2** 난민 **3** 살상 무기

주제 8 문제 해결을 위한 국제 사회의 노력 254쪽

1 X **2** ○ **3** X

시험을 대비하는 실전 문제

기초를 튼튼하게 확인 문제 | 256 쪽

01 ㉠-ⓐ, ㉡-ⓑ, ㉢-ⓒ **02** (1) ○, (2) X, (3) ○
03 ㄱ, ㄹ **04** (1) 난민, (2) 지구 온난화, (3) 국제 연합(UN)

내신을 탄탄하게 내신 문제 | 256~258쪽

01 ⑤ **02** ① **03** ① **04** ⑤ **05** ③ **06** ① **07** ④ **08** ⑤ **09** ①
10 ⑤

01 에볼라는 현대 세계의 질병과 관련된 문제이다. 현대 세계는 인종, 종교, 영토, 민족, 난민, 환경, 빈곤, 질병 등의 문제로 크고 작은 다양한 문제가 발생하고 있다. ㄷ. 종교 및 민족 문제, ㄹ. 환경 문제에 해당한다.

오답 확인 ㄱ. 소련의 몰락으로 냉전이 해체되었다.
ㄴ.19세기~20세기 제국주의 국가 간의 대립은 제1 · 2차 세계 대전을 끝으로 마무리되었다.

02 카슈미르는 인도와 파키스탄 사이에 위치하고 있는 지역으로, 인도는 힌두교, 파키스탄은 이슬람교를 믿는 국가이다. 이슬람교가 대다수인 카슈미르가 인도에 편입되자, 이슬람교도와 힌두교도 간의 대립이 심해지고 있다.

오답 확인 ① 인종 분쟁, ③ 환경 문제과는 연관이 없다.
④, ⑤ 분쟁 과정에서 기아 문제와 질병 문제가 나타날 수 있으나, 가장 본질적으로는 종교 분쟁으로 볼 수 있다.

03 인종, 종교상의 차이로 발생하는 박해나 분쟁 등을 피해 다른 지역으로 탈출하는 사람을 난민이라고 한다. 이들은 주로 인접 국가나 유럽, 미국 등지로 이동한다. 이 때문에 세계 각국에서는 난민 수용 문제를 둘러싸고 갈등이 커지고 있다.
① 주로 서아시아 및 아프리카에서 발생하고는 있으나 전 세계적으로 난민이 발생하고 있으며, 난민 수용 문제는 세계 각국에서 나타난다.

04 난민 수용에 찬성하는 사람들은 난민을 수용하면 노동력 부족 문제를 해결할 수 있으며, 생존을 위해 탈출하는 난민을 돕는 것은 인도적 차원으로 해야할 일이라 주장하고 있다.

오답 확인 ㄱ. 난민 수용에 반대하는 사람은 일자리를 잃을 수 있고, ㄴ. 문화 갈등이 생길 수 있다고 주장하고 있다.

05 대규모 가축 사육으로 인해 동물에게 발생하는 질병이 밀집된 도시 환경으로 인해 빠르게 번식하고 있으며, 인간에게도 감염이 되기도 한다.

오답 확인 ① 지구 온난화, ② 세계 여러 지역의 분쟁, ④ 남북 문제, ⑤ 에이즈, 에볼라 바이러스의 질병 발생 등과 관련이 있다.

06 수단 다르푸르 지역에서는 아랍계 유목민들이 가뭄과 사막화로 주변 지역을 침범하면서 갈등이 심해지고 있다. 팔레스타인 분쟁은 이스라엘과 팔레스타인 간의 영토 분쟁으로 팔레스타인 사람들이 거주하고 있는 지역에 이스라엘이 건국되면서 발생하였다. 옛 유고슬라비아는 민족, 종교, 언어 등이 다른 민족이 하나의 나라를 형성했으나, 여러 민족이 독립하는 가운데 대량 학살이 자행되었다. 시리아에서는 자유의 보장을 요구하며 내전이 시작되어, 종파 간의 갈등, 여러 국가의 개입으로 갈등이 심화되고 있다.
① 댜오위다오(센카쿠 열도) 분쟁은 일본과 중국 간의 영토 분쟁이다.

07 북극해의 빙하 앞에서 피아니스트가 연주하는 동안 빙하가 무너져 내리는 모습은 전 세계인들에게 지구 온난화의 심각성을 일깨우는 계기가 되었다.

오답 확인 현대 사회에서 제기 되는 여러 가지 문제 중 ①, ②, ③, ⑤ 위의 자료와 직접적인 연관이 없다.

08 오늘날의 세계는 평화 유지군(PKO)은 국제 분쟁 해결을 위해 핵 확산 금지조약으로 핵 개발을 통제하고 있다. 또한, 공적 기반 원조(ODA)를 통해 개발 도상국의 경제 발전을 돕고 있으며, 기아의 고통에서 벗어나려는 노력을 기울이고 있다.

오답 확인 ⑤ 「교토 의정서」와 「파리 협정」은 온실 가스 감축으로 지구 온난화 문제를 해결하고자 했던 협약이다.

09 제시된 자료는 북태평양에 있는 미국 하와이섬과 캘리포니아 사이에 있는 대한민국 면적의 15배가 넘는 쓰레기 섬의 모습이다. 이는 플라스틱의 과도한 사용으로 인한 문제점을 보여준다. 이와 관련한 노력으로는 지속 가능한 발전 방향 모색이 있다.

오답 확인 ① 대량 살상 무기 축소 노력, ②, ③ 분쟁 해결 노력, ④ 빈곤 · 질병 퇴치를 위한 노력이다.

10 현대 세계에 당면한 문제는, 영토, 자원, 민족, 종교, 환경, 질병, 기아 등 다양한 문제가 발생하고 있으며, 국제기구 차원에서 해결 방안을 마련하기 위해 노력하고 있다.

오답 확인 ㄱ. 세계 모든 나라가 힘을 합쳐 문제 해결을 위해 노력

해야 한다.
ㄴ. 현대 사회의 문제는 특정 국가의 국민 뿐 아니라 인접 지역 및 전 세계의 문제로 확산되고 있다.

만점에 도전하는 심화 문제 | 259쪽

01 ② **02** ③ **03** ③ **04** ⑤

01 (가) 학생은 인도적 관점에서 난민 수용을 찬성하고 있으며, (나) 학생은 경제적, 문화적 측면에서 갈등이 깊어질 것을 우려하면서 난민 수용을 반대하고 있다.
② (가) 학생은 경제적 측면보다는 인도주의적인 관점에서 도움을 주어야 한다고 주장하고 있다.

02 설명하는 단체는 핵무기 폐지 국제 운동(ICAN)이라는 비정부 기구로 이 단체는 국제 연합(UN)의 핵 확산 금지 조약을 이끌어 내는데 노력하였다.

03 설명하는 지역은 시리아로, 지도에서는 (다) 지역에 해당한다.
오답 확인 ① 유고슬라비아 내전, ② 팔레스타인 분쟁, ④ 다르푸르 분쟁, ⑤ 콜롬비아 분쟁 지역이다.

04 위 지도는 민족, 인종, 종교 등의 분쟁으로 많은 난민이 발생하고 있음을 나타내고 있다. 국제 연합(UN)에서는 평화 유지군(PKO)을 파견하여 분쟁 지역의 평화와 질서를 유지하도록 돕고 있다.
오답 확인 ① 핵 확산을 방지하기 위한 노력, ②, ④ 환경을 보호하기 위한 노력, ③ 기아와 질병으로부터 벗어나기 위한 노력이다.

대주제를 정리하는 종합 문제 262~263쪽

01 ③ **02** ③ **03** ④ **04** ③ **05** ④ **06** ③ **07~08** 해설 참조

01 쿠바 미사일 위기는 냉전이 진행되는 동안 비서구 지역에서는 무력 충돌이 발생하여 열전으로 확산된 현상 중 하나로 1962년 발생하여 (다)에 해당한다.

02 자료는 아시아 · 아프리카 회의에 관한 것으로 이 회의에는 아시아, 아프리카의 29개국이 참여하여 국제 분쟁의 평화적 해결과 상호 존중의 원칙에 합의하였다.
오답 확인 ①, ⑤ 제1차 세계 대전 이후, ② 20세기 후반 이후, ④ 카이로 · 얄타 · 포츠담 회담에 해당한다.

03 닉슨 독트린, 프랑스의 북대서양 조약 기구(NATO) 탈퇴, 중 · 소 분쟁, 유고슬라비아의 독자 노선 천명 등 세계는 양극 체제에서 점차 다극 체제로 변화하면서, 냉전이 완화되었다.
오답 확인 ㄴ. 트루먼 독트린으로 냉전이 격화되기 시작하였다.

04 정부의 역할 축소, 시장 중시, 규제 철폐, 사회 복지 예산 감축, 공공기관 민영화 등의 내용을 통해 신자유주의 경제 정책에 관한 내용임을 알 수 있다.
오답 확인 ① 문화 대혁명, ② 마셜 계획, ④ 뉴딜 정책, ⑤ 고르바초프의 개혁과 관련이 있다.

05 탈권위주의 운동의 결과로 권위적인 문화가 완화되고, 좌우 이념 대립의 정치 문화는 쇠퇴하고, 인권, 여성, 반전, 환경 운동 등 다양한 분야의 사회 운동이 전개되었다.
오답 확인 ①, ②, ③, ⑤ 위의 내용과 연관이 없다.

06 날로 심각해지는 환경 문제를 해결하고 지속 가능한 발전을 도모하기 위해 노력해야 한다. 또한 개발 도상국의 빈곤 퇴치와 경제, 사회 발전을 위해 각국 정부와 국제기구, 민간 단체 등이 국제 개발 협력에 참여하고 있다.
오답 확인 ㄱ. 분쟁 지역에 다른 나라들이 이익을 위해 개입하면서 문제가 커지고 있다.
ㄹ. 난민 수용을 무조건 거부하기 보다는 발생할 문제에 대한 대안을 마련하고 인도적 지원을 하도록 해야 한다.

07 **예시 답안** 대학이 개혁되고 노동 조건이 개선되었다. 직장의 수직적 위계 질서와 권위주의적인 문화가 완화되었다. 일상생활에서 남녀 평등이 크게 진전되었다. 등

채점 기준

상	탈권위주의 운동의 결과를 두 가지를 서술한 경우
중	탈권위주의 운동의 결과를 한 가지만 서술한 경우
하	탈권위주의 운동의 결과를 서술하지 못한 경우

08 (1) **정답** (가): 트루먼, (나): 닉슨
(2) **예시 답안** (가) 1947년 미국의 대통령 트루먼은 공산주의 세력의 확대를 저지하기 위해 트루먼 독트린을 발표하여 서유럽에 대한 원조를 확대할 것을 제시하였다. 이를 계기로 자본주의 진영과 공산주의 진영의 대립이 격화되는 냉전이 본격화되었다. (나) 1970년 미국 대통령 닉슨은 아시아 각국이 스스로 안보를 책임지도록 하고, 핵과 관련된 분쟁을 제외한 국제 분쟁에 직접적인 무력 개입을 하지 않기로 선언하였고 이후 중국과 화해 정책을 펼치면서 냉전의 완화에 영향을 미쳤다.

채점 기준

상	(가), (나)가 냉전에 미친 영향을 각각 서술한 경우
중	(가), (나)가 냉전에 미친 영향 중 한 가지만 서술한 경우
하	(가), (나)가 냉전에 미친 영향을 서술하지 못한 경우

MEMO

2015 개정 교육과정

스스로 학습 강화 시리즈

금자랑 놀자!

중학 역사① 자습서

정답과 해설